O último homem bom

A. J. Kazinski

O último homem bom

Tradução de
Cristina Cupertino

TORDSILHAS

Copyright © 2010 A. J. Kazinski
Copyright da tradução © 2012 Tordesilhas

Publicado mediante acordo com Leonhardt & Høier Literary Agency A/S, Copenhague.

Todos os direitos reservados. Nenhuma parte desta edição pode ser utilizada ou reproduzida – em qualquer meio ou forma, seja mecânico ou eletrônico –, nem apropriada ou estocada em sistema de banco de dados, sem a expressa autorização da editora.

O texto deste livro foi fixado conforme o acordo ortográfico vigente no Brasil desde 1º de janeiro de 2009.

TÍTULO ORIGINAL EM DINAMARQUÊS *Den sidste gode mand*
EDIÇÃO UTILIZADA PARA ESTA TRADUÇÃO A. J. Kazinski, *The last good man*, Nova York, Scribner, 2012
PREPARAÇÃO Maria Sylvia Corrêa
REVISÃO Otacílio Nunes e Márcia Moura
CAPA Raul Fernandes
IMPRESSÃO E ACABAMENTO Bartira Gráfica

1ª edição, 2013 (2 reimpressões)

Dados Internacionais de Catalogação na Publicação (CIP)
(Câmara Brasileira do Livro, SP, Brasil)

> Kazinski, A. J.
> O último homem bom / A. J. Kazinski ; tradução Cristina Cupertino. -- São Paulo : Tordesilhas, 2013.
> Título em inglês: The last good man.
>
> ISBN 978-85-64406-54-4
>
> 1. Ficção policial e de mistério (Literatura dinamarquesa) I. Título.

13-02145   CDD-839.81

Índice para catálogo sistemático:
1. Ficção : Literatura dinamarquesa 839.81

2015
Tordesilhas é um selo da Alaúde Editorial Ltda.
Rua Hildebrando Thomaz de Carvalho, 60 – 04012-120 – São Paulo – SP
www.tordesilhaslivros.com.br

Duas notas para o leitor

O mito mencionado neste romance sobre "os homens justos de Deus" deriva do Talmude judaico – uma coletânea de textos religiosos anotados em Israel e na Babilônia –, que segundo a fé judaica é uma transcrição direta do que Deus disse a Moisés. Uma das coisas ditas por Deus foi que sempre haverá trinta e seis pessoas justas na terra. Esses trinta e seis nos protegem a todos nós. Sem eles a humanidade pereceria.

Os trinta e seis não sabem que são os escolhidos.

No dia 11 de setembro de 2008 na sede das Nações Unidas em Nova York e sob a liderança do dr. Sam Parnia, ocorreu a maior conferência jamais havida sobre experiências de proximidade da morte. O objetivo era discutir o número crescente de experiências de proximidade da morte comunicadas anualmente em todo o mundo. Aqui estão relatos de pessoas que foram ressuscitadas e depois descreveram os fenômenos mais inacreditáveis – coisas que a ciência não pode explicar.

Parte I

O LIVRO DOS MORTOS

*"Ó terra, não cubras o meu sangue
e não haja lugar em que se oculte o meu clamor!"*

Jó 16:18

As pessoas morrem o tempo todo. Frequentemente em hospitais. Por isso era um plano brilhante. Simples, quase banal.

Todas as experiências de proximidade da morte relatadas aos médicos seriam checadas. Mas como? Nas salas de emergência, claro. Porque havia um padrão no que as pessoas descreviam – as pessoas que tinham sido declaradas clinicamente mortas, que tinham parado de respirar e cujo coração não batia mais. Elas flutuavam no alto. Pairavam perto do teto e olhavam para si mesmas lá embaixo. Muitas vezes eram capazes de relatar detalhes que seu cérebro não podia ter inventado nos paroxismos da morte: que o médico tinha derrubado um vaso, o que ele ou ela tinha gritado para as enfermeiras, quem tinha entrado no quarto ou saído e quando. Algumas delas também podiam contar o que tinha acontecido no quarto ao lado. Mesmo assim, isso não era considerado evidência científica. Mas essa situação agora ia ser reparada.

Seriam recrutadas salas de emergência, UTIs e alas de traumatologia – os locais onde era mais provável que as pessoas fossem ressuscitadas. Como parte da investigação em todo o mundo instalaram-se pequenas prateleiras. Pequenas prateleiras fixadas no alto da parede, perto do teto. Nelas foram colocadas fotos, figuras viradas para cima – impossível vê-las de baixo. Somente alguém que pairasse perto do teto seria capaz de vê-las.

Agnes Davidsen fazia parte da equipe dinamarquesa. Os médicos acharam graça do plano, mas não se opuseram, desde que a equipe pagasse para instalar as prateleiras. Agnes estava presente no dia em que a peça foi colocada no Hospital

Nacional de Copenhague. Até ajudou a segurar a escada enquanto o zelador subia com o envelope lacrado, e foi ela quem apagou a luz enquanto o lacre era rompido e a imagem era colocada na prateleira. Apenas na sede sabiam que tipo de imagem era. Ninguém mais tinha a menor ideia. Podia-se ouvir no fundo uma televisão transmitindo notícias das preparações para a reunião de cúpula sobre o clima, que seria realizada em Copenhague. O presidente francês, Nicolas Sarkozy, anunciou que a Europa se recusava a permitir que a temperatura da Terra subisse mais de dois graus centígrados. Agnes balançou a cabeça enquanto ajudava o zelador a dobrar a escada. Dito assim parece muito louco, pensou ela. A Europa *se recusava*. Como se os seres humanos pudessem elevar ou abaixar a temperatura, como um termostato.

Ela agradeceu ao porteiro e ergueu o olhar para a prateleira perto do teto. Agora tudo o que lhe restava fazer era esperar a chamada do hospital com o aviso de que alguém tinha morrido naquela sala.

E depois tinha voltado à vida.

1

Templo Yonghegong – Pequim, China

Não foi o abalo da terra que o acordou. Ele estava acostumado a isso. O metrô corria bem embaixo do Templo Yonghegong, ameaçando constantemente derrubar as construções do templo de trezentos e cinquenta anos no centro da capital chinesa. Ele acordou porque alguém ou algo tinha estado inclinado sobre ele enquanto ele dormia. Estudando-o. Isso era evidente.

O monge chamado Ling sentou-se na cama e olhou em torno. O sol estava se pondo. Por causa da dor ele tinha ido cedo para a cama.

– Tem alguém aí? – A dor continuava mudando de lugar. Ele não sabia dizer se o que doía eram suas costas, o estômago ou o peito. Ouvia os monges jovens conversando no pátio do templo. Os últimos turistas ocidentais estavam indo embora.

Ling enfrentou a dor e se levantou. Ainda tinha a impressão de que havia alguém no quarto, mas ele não viu ninguém. Não encontrou as sandálias, então cambaleou descalço pelo chão de pedra. Fazia frio. Talvez eu esteja tendo um AVC, pensou. Tinha dificuldade em respirar. A língua estava inchada e seu andar era instável. Por um momento ele quase perdeu o equilíbrio, mas sabia que precisava ficar ereto. Se caísse, nunca mais se levantaria. Respirou fundo e então sentiu que sua traqueia e os pulmões pareciam estar queimando.

– Me ajudem – tentou gritar. Mas sua voz era muito fraca e ninguém o ouviu. – Me ajudem.

Ling entrou num corredor estreito e úmido e passou para outro quarto. Raios de sol alaranjado se filtravam pela claraboia. Ele olhou para o seu corpo. Nos braços, na barriga ou no peito não havia nada diferente. Uma dor lancinante o fez sentir-se fraco. Fechou os olhos, abriu mão da resistência e desapareceu numa escuridão infinitamente desagradável. Então teve um momento de paz. A dor vinha em golpes breves, sempre mais forte que a anterior.

Suas mãos estavam trêmulas quando ele abriu a gaveta e começou a remexer dentro dela. Finalmente encontrou o que procurava: um espelho pequeno, de bolso. Olhou seu rosto no espelho. Um rosto cheio de medo. Ele afastou um pouco a roupa de baixo e segurou o espelho para poder dar uma examinada na parte inferior das costas. O que viu o deixou sem fôlego.

– Meu Deus – sussurrou, deixando cair o espelho. – O que é isso?

A única resposta que teve foi o som do espelho espatifando-se no chão.

O antiquado telefone público na parede não parecia absolutamente um meio de salvação, mas era sua única chance. Ele se arrastou até lá. Outra onda de dor o fez parar. Parecia durar uma eternidade. Abriu os olhos e olhou para o telefone público, ao qual tanto se opusera quando da sua instalação. As autoridades o haviam exigido por causa dos turistas visitantes – caso algo acontecesse a algum deles era preciso haver um modo de pedir ajuda. Pela mesma razão o número do telefone de emergências estava impresso na parede em letras grandes e ao lado havia um pote cheio de moedas. Ling estendeu o braço e tentou chegar ao pote. Conseguiu segurar a borda, mas perdeu o equilíbrio e foi forçado a derrubá-lo para se apoiar na parede. Pedaços de cerâmica e moedas se espalharam pelo chão. Ling hesitou. A simples ideia de se inclinar lhe pareceu inconcebível. Será que um dos seus últimos feitos na terra seria se inclinar para pegar as moedinhas brilhantes a que ele havia passado a vida renunciando? Mas ele ainda não queria morrer, e com os dedos trêmulos pegou uma moeda, encaixou-a na fenda e apertou os três números impressos na parede. Então esperou.

– Responda, responda – murmurou com dificuldade.

Finalmente ouviu uma voz feminina dizer:

–Pronto-socorro.

– A senhora precisa me ajudar!

– Qual é a emergência? De onde o senhor está ligando? – A voz do outro lado da linha era calma e sossegada. Quase robótica.

– Eu estou queimando. Estou...

Ling ficou em silêncio e se virou. Havia alguém ali; ele tinha certeza disso. Alguém o estava observando. Esfregou os olhos, mas isso não adiantou. Ele não via ninguém. Quem estaria fazendo isso com ele?

– Preciso saber onde o senhor está – disse a mulher.

– Me ajude... – A cada palavra que ele falava, uma punhalada de dor lhe subia das costas pela garganta até a boca e a língua inchada.

A mulher o interrompeu; a voz era de uma pessoa bondosa mas firme.

– Como o senhor se chama?

– Ling. Ling Zedong. Eu... Me ajude! Minha pele... está queimando!

– Sr. Ling... – Agora ela parecia impaciente. – Onde o senhor está?

– Me ajude!

Ele se calou de repente. Sentiu que algo dentro de si havia desmoronado. Como se o mundo em torno dele tivesse recuado um passo, deixando-o num estado de irrealidade. Os sons desapareceram. As explosões de riso do pátio tinham cessado. A voz no telefone também. O tempo parara. Ele se viu num novo mundo. Ou no limiar de outro mundo. Saía sangue do seu nariz.

– O que está acontecendo? – sussurrou. – Está tão silencioso.

Nesse instante ele deixou cair o telefone.

– Alô? – disse a voz robótica no fone que balançava pendurado na parede. – Alô?

Mas Ling não ouviu. Deu uns poucos passos cambaleantes em direção à janela e olhou para os três copos que estavam no peitoril. Um deles tinha água. Talvez água fosse bom. Estendeu a mão, mas não conseguiu pegar com firmeza o copo, que caiu no lado de fora e se espatifou nas pedras do pátio.

Os monges que estavam lá fora olharam para cima. Ling tentou fazer um sinal para eles. Viu seus lábios se mexerem, mas não ouviu nada.

Sentia o sangue lhe escorrer do nariz, até mesmo provava o seu gosto.

– Meu Deus – resmungou ele. – O que é que está acontecendo comigo?

Parecia-lhe que estava prestes a se apagar. Como se tivesse se reduzido a uma peça de xadrez do sonho de alguém, alguém que logo iria acordar. E ele não podia fazer nada para combater aquilo. Os sons em torno de si haviam desaparecido. Ele caiu de costas e olhou para cima. Estava envolto em silêncio. Então sorriu e ergueu a mão no ar. Onde um momento atrás estava o teto havia agora uma vista desimpedida das primeiras estrelas pálidas no céu noturno.

– Está tão quieto – murmurou ele. – Vênus. E a Via Láctea.

Os outros monges chegaram correndo no quarto e se inclinaram sobre ele. Mas Ling não os viu. Sua mão caiu lentamente. Ele estava sorrindo.

– Ele tentou usar o telefone. – Um dos monges estava de pé com o fone na mão. – Para chamar o pronto-socorro.

– Ling! – Um dos monges, o mais novo, quase um garoto, tentava se comunicar com ele. – Ling. Você está me ouvindo? – Sem resposta. O jovem olhou para os outros. – Ele está morto.

Ninguém disse palavra. Todos abaixaram a cabeça. Muitos tinham lágrimas nos olhos. O monge mais velho rompeu o silêncio.

– Chamem Lopön. Nós não temos muito tempo.

Um outro ia despachar o garoto, mas o monge mais velho o deteve.

– Não. Vá você mesmo buscar o Lopön. O garoto nunca viu isso antes. É melhor ele ficar aqui e ver.

O monge saiu correndo, e o garoto olhou para o monge mais velho.

– O que é que vai acontecer? – indagou ele ansioso.

– *Phowa*. Vamos mandar a alma dele seguir em frente. Lopön chegará aqui dentro de um minuto.

–*Phowa*?

–*Phowa* ajuda a alma a seguir em frente. Ela atravessa o corpo e sai pela cabeça. Temos apenas alguns minutos para fazer isso.

– O que vai acontecer se não fizermos isso a tempo?

– Vamos fazer. Lopön é rápido. Venha me ajudar. Ele não pode ficar aqui no chão.

Ninguém se mexeu.

– Vamos levantá-lo.

O garoto segurou as pernas de Ling. Outros dois monges acorreram para ajudar.

Eles o ergueram e o colocaram na cama, deitado de lado. Quando o monge mais velho tentou virá-lo para que ele ficasse de costas, viu algo.

– O que é isso? – perguntou ele.

Os outros se aproximaram para ver o que havia.

– Olhem. Aqui, nas costas.

Todos se inclinaram sobre o monge morto.

– O que é isso? – indagou o garoto.

Ninguém respondeu. Eles simplesmente ficaram ali em silêncio, olhando para a marca estranha nas costas de Ling, espalhada de um ombro ao outro e alongando-se no meio pela sua coluna. Como uma tatuagem ou uma queimadura.

Ou como se suas costas tivessem ardido em fogo.

2

Hospital Suvarna – Mumbai, Índia

Três dias antes Giuseppe Locatelli tinha recebido um *e-mail* perguntando se ele poderia ajudar a localizar um economista indiano morto recentemente. Giuseppe não estava muito interessado em atender ao pedido, mas, como andava ansioso para ir embora da Índia, imaginou que se fizesse um grande esforço para se desembaraçar dos seus afazeres, provavelmente isso serviria como um trampolim para um emprego melhor em outra embaixada italiana. Talvez nos Estados Unidos. Esse era o seu sonho. Washington, D.C. Ou o consulado em Nova York, que lidava com tudo o que se relacionava às Nações Unidas. Qualquer coisa menos aquelas ruas malcheirosas. Então ele não hesitou em dizer sim.

Foi uma viagem longa e tediosa, mesmo tendo sido feita muito cedo de manhã. O táxi avançava lentamente pela favela fervilhante de gente. Durante sua primeira semana na Índia, Giuseppe havia aprendido a não olhar para os pobres. Evitava fazer isso, pois era assim que os visitantes de primeira viagem acabavam cercados por um enxame de mendigos. Mas mantendo os olhos fixos à frente e permanecendo distante e frio eles o deixavam em paz. Na Índia precisamos ignorar a pobreza quando estamos na rua e esperar para chorar quando sozinhos. Do contrário a cena é capaz de nos destruir.

O táxi parou.

– Hospital Suvarna, senhor.

Giuseppe pagou o motorista e desceu. Havia uma fila de pessoas diante do hospital. As filas estavam por toda parte no país. Filas na praia, filas na delegacia, filas diante de cada pequena clínica que tivesse um curativo e um pedaço de gaze. Giuseppe forçou seu avanço sem olhar no olho de ninguém. Sem assimilar nada do que havia à sua volta.

Falou em inglês com a recepcionista.

– Giuseppe Locatelli. Da embaixada italiana. Tenho uma entrevista com o dr. Kahey.

O dr. Kahey não parecia aborrecido pela sobrecarga. Dava a impressão de calma e controle ao falar sobre a Sardenha, onde Giuseppe nunca havia estado, enquanto eles desciam para o necrotério. Giuseppe não pôde deixar de manifestar sua admiração pelo médico tão atarefado.

– Tanta gente esperando lá fora. Como o senhor consegue cuidar de todas aquelas pessoas?

– Elas não estão aqui para se tratar – disse o dr. Kahey com um sorriso complacente. – Não se preocupe.

– Então por que elas estão aqui?

– Vieram demonstrar sua estima.

– A quem?

O dr. Kahey olhou Giuseppe com um ar surpreso.

– O homem que você acabou de ver. Raj Bairoliya. Você não notou que todos traziam flores?

Giuseppe enrubesceu. Não tinha visto nada. Fixara o olhar bem à sua frente, temendo que, se olhasse para aquelas pessoas, elas o considerariam propenso à compaixão e lhe pediriam uma esmola. Kahey continuou falando com seu cantar indiano:

– Bairoliya foi um dos conselheiros mais próximos de Muhammad Yunus, o inventor do microcrédito. O senhor conhece o sr. Yunus?

Giuseppe balançou a cabeça. Mas claro que ele já havia ouvido falar do microcrédito – os empréstimos que tinham possibilitado a milhares e milhares de pessoas começar um negócio pequeno e inovador.

– Yunus recebeu o Prêmio Nobel da Paz em 2006 – disse o dr. Kahey enquanto puxava a gaveta com o corpo do economista morto. – Mas o prêmio poderia ter sido dado também a Bairoliya.

Giuseppe assentiu com a cabeça. O médico afastou o lençol. O economista morto parecia em paz. Seu rosto era cinzento. Giuseppe se lembrou da cor do rosto da avó no velório dela. Então limpou a garganta e disse que ligaria para a autoridade policial que o tinha mandado ali.

– Claro, claro.

Ele digitou o número no celular. Responderam imediatamente.

– Tommaso di Barbara? – perguntou ele.

– *Si.*

– Giuseppe Locatelli. *Chiamero dall'ambasciata a* Mumbai.

–*Si. Si!*

– Como o senhor pediu, eu estou ao lado do corpo do sr. Raj Bairoliya.

O homem ao telefone pareceu agitado e como se estivesse resfriado.

– As costas dele. Você está vendo as costas dele?

Giuseppe voltou-se para o médico, que havia se afastado um pouco para fumar.

– As autoridades italianas estão perguntando sobre as costas dele.

– Ah. Você quer ver a marca. – Kahey deu de ombros e pôs o cigarro no peitoril da janela. – Talvez você possa me dizer o que é isso. – Ele deu a Giuseppe um olhar de encorajamento. – Você vai ter de me ajudar.

Giuseppe ficou com o celular na mão, sem saber ao certo o que fazer.

– Temos de virá-lo de costas.

– Me ligue depois – ordenou o homem ao telefone antes de desligar.

– Vamos. Não tenha medo. Ele não vai machucar ninguém. Vou contar até três. Pronto? – O dr. Kahey riu enquanto Giuseppe pegava no corpo. – Um, dois, três!

O corpo virou de costas abruptamente, com um braço rígido dependurado. Giuseppe Locatelli olhou espantado para as costas do morto. Uma marca se estendia de um ombro ao outro.

– O que é isso? – indagou ele.

3

Polizia di Stato – Veneza, Itália

Tommaso di Barbara havia esperado pela ligação durante todo o dia. Não fizera praticamente nada, além de se sentar e olhar para o telefone enquanto lidava com os primeiros sintomas da gripe. E agora haviam ligado – num momento muito inconveniente. Tommaso deu uma olhada no telefone enquanto seu chefe o estudava com uma expressão acusadora.

– E você não sabe nada sobre o caso? – perguntou o comissário Morante. – Um pacote solicitado por esta delegacia, mandado da China por mala diplomática?

Tommaso não respondeu. Perguntou-se por que Morante estava na delegacia de polícia naquele dia. Normalmente ele só aparecia quando havia visitas importantes. Tommaso tinha uma impressão desagradável de que seus dias na delegacia estavam contados.

O comissário insistiu:

– Você tem certeza? Alguém usou canais oficiais para fazer com que as autoridades chinesas mandassem o pacote com a fita cassete. Via Interpol. Sem o meu conhecimento. – O hálito do comissário era de Chianti e alho.

– Meu turno vai começar agora – respondeu Tommaso fugindo da pergunta. Ele se levantou e correu para fora, na chuva.

O embarcadouro que levava da delegacia até os barcos da polícia era a primeira parte de Veneza vista pelos seus hóspedes proeminentes. Depois de serem transportados pelo continente eles eram recebidos pelo comissário Morante, então percorriam escoltados a sede antiga da polícia, que outrora fora um monastério, e saíam para o Grand Canal pelo embarcadouro da polícia. Esta noite não haveria convidados. Apenas chuva. Tommaso pulou para o barco e deu uma batidinha no celular para receber a última ligação perdida.

– Alô?
– É o Tommaso novamente. Você ainda está aí?
– Estou! – Giuseppe Locatelli parecia aflito.

Tommaso xingou. Maldita chuva! É impossível ouvir qualquer coisa. Apertou com o dedo o outro ouvido e se esforçou para ouvir.

– Eu ainda estou no necrotério.
– Você virou o corpo?
– Virei, sim. É...
– Fale mais alto – gritou Tommaso. – Eu não consigo ouvir.
– Ele tem uma marca. Uma coisa muito louca. Como um...

Tommaso interrompeu o seu silêncio.

– Como uma tatuagem?
– É.

Flavio e o novo funcionário de Puglia vieram correndo pela chuva. Eles fariam o turno junto com Tommaso.

– Você pode fazer algumas fotos com o seu celular? – indagou Tommaso.
– Posso. Mas eu também trouxe uma câmera. Como você pediu no *e-mail*.

Tommaso pensou rápido. Se a sua interpretação do humor do chefe estava certa, provavelmente não lhe restava muito tempo na delegacia. Não o tempo suficiente para esperar a demoradíssima chegada das fotos mandadas da Índia por correio.

– Fotografe com o celular as costas dele. Você entendeu? É um assunto urgente. Faça fotos mostrando as costas inteiras e também alguns closes – o mais próximo que você puder tirar sem perder o foco.

Flavio e o novo funcionário abriram a porta e entraram na cabine do barco. Cumprimentaram Tommaso, que meneou a cabeça.

– Você entendeu o que eu disse? – indagou Tommaso.
– Entendi – respondeu Giuseppe.
– E mande as fotos para mim pelo celular.

Tommaso encerrou a ligação. Tirando do bolso um vidro de comprimidos, tomou dois a seco, só com a saliva, e ao fazer isso se perguntou onde contraíra aquela gripe. Talvez de alguém no asilo. As freiras e enfermeiras que cuidavam da sua mãe ficavam em contato constante com doentes. A lembrança da mãe em estado terminal lhe provocou uma pontada de culpa.

Estação ferroviária de Santa Lucia – Veneza

O passaporte do homem dizia que ele vinha da Guatemala. Era o passaporte mais minúsculo que Tommaso já havia visto: apenas um pedacinho de papel dobrado ao meio. Nenhum espaço para selos ou vistos, somente uma foto escura do seu dono, que parecia um índio maia, e alguns carimbos oficiais duvidosos de algum órgão igualmente duvidoso do outro lado do Atlântico.

–*Poco, poco* – respondeu o dono do passaporte quando Tommaso lhe perguntou se ele falava italiano.

– Francês?

Ele também não falava francês. O homem só sabia um pouco de inglês, que estava longe de ser o ponto forte de Tommaso. Mas Tommaso não era o único italiano que não falava inglês. Nem mesmo o seu professor de inglês na escola falava direito a língua. Por outro lado, o francês tinha sido introduzido à força na cabeça dos alunos. Tommaso teria preferido aprender inglês, mas agora já era tarde demais, pensou ele. Se você já tem mais de vinte e cinco anos, é tarde demais para aprender qualquer coisa nova. Seu pai lhe tinha dito isso. E quando você está com mais de trinta precisa ser o seu próprio médico. O pai de Tommaso, que nunca saíra de Cannaregio, em Veneza, morreu por ter se recusado a buscar assistência médica quando começou a ter problemas pulmonares. Agora Tommaso sabia: os pais não deviam falar tanto. E sabia também que em muitos sentidos ele era a cópia piorada do pai.

Tommaso se endireitou e viu o seu reflexo na janela do vagão. Normalmente ele teria visto um rosto vigoroso, bem barbeado e com olhos penetrantes, cabelo grisalho e um maxilar firme. Naquela noite parecia que ele devia ter ficado de cama em casa. Tommaso era o primeiro a admitir que sua boa aparência tinha sido um estorvo para o estabelecimento de qualquer tipo de relação estável com uma mulher. Havia simplesmente tentações demais. Mas não nos últimos anos, a meio caminho entre os quarenta e os cinquenta anos. Não que seu aspecto tivesse mudado sensivelmente, mas as pessoas em torno dele haviam mudado. Tinham se casado e estavam desfrutando os prazeres da vida familiar. Diariamente Tommaso dizia a si mesmo que precisava encontrar uma mulher. Mas isso provavelmente não vai acontecer nesta noite, pensou ele enquanto olhava para o seu reflexo.

– *Grazie* – Tommaso meneou a cabeça para o maia guatemalteco e desceu para a plataforma.

Imediatamente pegou o celular. Não havia mensagens. Nenhum arquivo de fotos. Olhou para o relógio da estação ferroviária. Terça-feira, 15 de dezembro de 2009, 1h18. Ele sabia que podia levar muitos minutos, às vezes até muitas horas, para uma mensagem vinda da Ásia chegar ao seu celular. Os serviços de inteligência deles atrasavam o sinal para que eles pudessem checar o que estava entrando ou saindo. Eles monitoravam diligentemente todas as conversas.

– Flavio – Tommaso ligou para o colega. – Flavio!

Os três eram os únicos no turno, que havia começado na chuva dezessete minutos antes. A chefatura de polícia se localizava na mesma rua da estação ferroviária. Eles sabiam que o trem de Trieste chegava à uma e meia e frequentemente trazia imigrantes ilegais do Leste Europeu, que tentavam a sorte no Ocidente trabalhando por salários nojentos em alguma cozinha horrível.

Flavio desceu do trem e ficou sob o teto de aço da plataforma. Teve de gritar para que Tommaso ouvisse a sua voz acima do barulho.

– Vamos deixar esse pessoal passar.
– Por quê?
– Suicídio em Murano.
– Suicídio?
– Ou assassinato. Naquelas ilhas pode ser tanto um quanto outro. – Ele deu três vigorosas assoadas no nariz e depois pôs de volta no bolso o lenço de papel.

Tommaso olhou o celular mais uma vez. Ainda não havia nada da Índia. Será que eu estou com medo do que vou descobrir?, perguntou-se enquanto descia para pegar o barco. Quase todas as outras vezes ele tinha acertado. Dois meses antes um corpo tinha sido encontrado em Hanói. Morto do mesmo modo. Com a mesma marca. Também um humanitário.

Antes que Flavio virasse o barco no canal, Tommaso viu que no escritório do comissário as luzes estavam acesas. Ele soube perfeitamente o que isso significava. O comissário Morante estava fazendo o possível e o impossível para descobrir quem tinha convencido as autoridades chinesas a mandar o pacote com a fita cassete. Ele não demoraria a saber – o comissário era um homem eficiente –, e também saberia que Tommaso tinha usado a Interpol para mandar advertências para alguns departamentos de polícia da Europa. Inclusive o de Copenhague.

4

Copenhague, Dinamarca

Horas gélidas no distrito Noroeste da cidade.

A chuva batia no teto do carro da polícia produzindo um ruído relaxado, monótono. As gotas estavam ficando mais pesadas. Logo aquela chuva que caía sobre Copenhague se cristalizaria e cobriria o solo de neve macia, pensou Niels Bentzon. Seus dedos tremiam quando ele tentou pegar um dos últimos cigarros do maço.

Pelos vidros embaçados o mundo à sua volta era como um impenetrável véu de água, escuro, iluminado alternadamente pelos faróis dos carros que passavam. Ele se recostou e olhou para o espaço. Estava com dor de cabeça e agradeceu aos poderes elevados o fato de o chefe da equipe lhe ter pedido para esperar no carro. Niels não se importava com Dortheavej. Talvez porque aquela área tivesse uma enorme capacidade de atrair problemas. Ele não se surpreenderia minimamente se naquele momento não estivesse chovendo no resto de Copenhague.

Niels tentou lembrar quem tinha fixado residência ali inicialmente. Teria sido a comunidade religiosa islâmica ou os ocupantes da Casa da Juventude? Os dois grupos foram um convite aberto para criadores de caso. Na força policial todo mundo sabia disso. Se pelo rádio da polícia chamavam de Dortheavej, na região Noroeste da cidade, isso significava manifestações, uma ameaça de bomba, incêndio criminoso ou confusão generalizada.

Niels participara de batidas policiais na velha Casa da Juventude; quase todos os policiais do país já haviam sido convocados para isso. Ele tinha acabado numa rua lateral onde tentou apaziguar dois homens muito jovens que agitavam enormes porretes. Niels se ferira no braço esquerdo e na gaiola torácica. Os dois jovens eram a imagem do ódio, uma supernova de frustrações dirigida a Niels. Quando ele finalmente conseguiu imobilizar um deles no chão e lhe colocar algemas, um dos jovens começou a dizer os piores palavrões bem na sua cara. O sotaque era inconfundível. O garoto era do norte de Sjaelland, provavelmente de Rungsted. Um filho da riqueza.

Naquela noite não eram jovens irados ou muçulmanos que o tinham levado para a rua. Era um soldado que retornara e usava contra a própria família a munição extra trazida.

— Niels!

Niels ignorou as batidas na janela do carro. Havia fumado apenas um quarto do cigarro.

— Niels. Está na hora.

Ele deu duas tragadas fundas antes de sair na chuva.

O policial, um jovem, olhou para ele.

— Tempinho bom, hein?

— O que é que a gente sabe até agora? — Niels atirou no chão o que restava do cigarro e rumou para a barreira policial.

— Ele disparou três ou quatro tiros e tem um refém.

— E o refém?

— Não sabemos nada.

— Tem crianças lá?

— Não sabemos nada, Niels. Leon está na escada. — O policial apontou.

Terça-feira, 15 de dezembro de 2009

Fodam-se! É o que uma alma honesta havia escrito na parede acima do nome dos residentes. A escada era uma ruína e atestava as decisões políticas dos últimos anos: *Viva os cristãos, Foda-se Israel* e *Morte aos policiais*. Foi só isso que Niels teve tempo de ler antes que a enferrujada porta dianteira se fechasse com um estrondo atrás dele. Em poucos segundos ele tinha ficado encharcado.

— Está chovendo?

Niels não sabia dizer qual dos três policiais na escada estava tentando ser engraçado.

— Terceiro andar, é isso?

— Isso mesmo, senhor.

Provavelmente riram às suas costas enquanto ele subia a escada. No caminho ele passou por outros dois policiais muito jovens que usavam coletes à prova de bala e tinham pistolas automáticas. O mundo não havia se tornado um lugar melhor desde que Niels entrara na academia de polícia, mais de vinte anos antes. Pelo contrário. Ele via isso nos olhos dos policiais jovens. Duros, frios, fechados.

– Vão com calma, garotos. Nós voltamos vivos para casa, não tem problema – disse Niels ao passar por eles.

– Leon? – gritou um dos policiais. – O negociador está vindo.

Niels sabia exatamente o que Leon significava. Se Leon fosse forçado a escolher um mote, seria: *A operação foi um sucesso mas o paciente morreu.*

– É o meu amigo Damsbo? – gritou Leon do patamar da escada antes de Niels ficar visível.

– Eu não sabia que você tinha amigos, Leon.

Leon saltou dois degraus e olhou surpreso para Niels, agarrando com ambas as mãos a pequena pistola automática Heckler & Koch.

– Bentzon? De onde foi que desenterraram você?

Niels olhou nos olhos de Leon. Mortos, cinzentos – um reflexo do clima típico de novembro.

Fazia muito tempo que os dois não se encontravam. Niels andara de licença para tratamento de saúde durante os últimos seis meses. A barba rala de Leon embranquecera e os cabelos tinham recuado na testa, deixando visíveis muitas rugas.

– Achei que iam mandar o Damsbo.

– Damsbo está doente. Munkholm está de férias – respondeu Niels afastando a boca da Heckler & Koch apontada para ele.

– Dá para você segurar essa, Bentzon? Já está durando muito tempo. Você ainda está tomando remédios? – Nos lábios de Leon abriu-se um sorriso condescendente antes de ele prosseguir. – Nos últimos tempos você tem se ocupado principalmente com documentos, não é isso?

Niels balançou a cabeça, tentando dissimular o fato de estar sem fôlego. Fingiu que respirava profundamente para refletir sobre a situação.

– A coisa é muito feia? – perguntou ele.

– Peter Jansson, vinte e sete anos. Está armado. É veterano da guerra do Iraque. Parece que até ganhou uma medalha. Agora está ameaçando matar toda a família. Um colega do exército está vindo para cá. Talvez ele convença o cara a soltar as crianças antes de estourar os miolos.

– Pode ser que a gente consiga também convencê-lo a não estourar os miolos – respondeu Niels com um olhar duro para Leon. – O que você acha?

– Quando é que você vai encarar a realidade, Bentzon? Alguns caras simplesmente não valem o dinheiro. Uma pena de prisão, pensão por incapacidade, essas coisas.

Niels ignorou a crítica de Leon.

– E o que mais, Leon? Como é o apartamento?

– Duas salas na frente. A porta abre direto na primeira sala, não tem *hall* de entrada. Parece que ele está na sala da esquerda. Ou no quarto do fundo. Ele já disparou uns tiros. Nós sabemos que estão com ele duas crianças e a mulher dele. Ou ex-mulher. Ou então só uma criança e uma filha adotiva.

Niels olhou para Leon com um ar inquiridor.

– É isso. A história varia dependendo do vizinho com quem a gente fala. Você vai entrar?

Niels fez que sim com a cabeça.

– Infelizmente ele não é totalmente idiota.

– O que é que você está querendo dizer?

– Ele sabe que só tem um jeito de ter certeza de que o negociador não está escondendo uma arma ou um transmissor.

– Você está me dizendo que ele quer que eu tire a roupa? – Suspiro profundo.

Leon deu a Niels uma olhar de solidariedade e assentiu com a cabeça.

– Se você não quiser fazer isso eu entendo. Podemos invadir o apartamento.

– Não. Tudo bem. Já fiz isso antes. – Niels desafivelou o cinto.

No verão do ano seguinte Niels Bentzon completaria quinze anos no departamento de homicídios – os últimos dez anos como negociador, que é o policial enviado durante situações em que há um refém ou alguém ameaçando se matar. Eram invariavelmente homens. As armas sempre apareciam quando o mercado de valores entrava em queda livre e os economistas anunciavam uma crise financeira. Niels se surpreendia ao descobrir quantas armas as pessoas guardavam em casa. Revólveres da Segunda Guerra Mundial. Rifles de caça e espingardas com mira, infalivelmente sem licença.

– Meu nome é Niels Bentzon. Sou policial. Não estou vestido, como você pediu. Não estou com nenhuma arma nem transmissor. – Cautelosamente, Niels abriu a porta. – Você está me ouvindo? Meu nome é Niels. Sou policial e estou desarmado. Sei que você é soldado. Peter, eu sei que é difícil tirar a vida de alguém. Estou aqui só para conversar com você.

Niels ficou imóvel na porta e ouviu. Nenhuma resposta. Apenas o mau cheiro de uma vida que tinha se desintegrado. Lentamente seus olhos se acostumaram à escuridão.

Ao longe um vira-lata estava latindo. Durante vários segundos Niels teve de confiar no seu olfato: pólvora. Sem querer, ele tinha pisado numa caixa de cartuchos. Ele pegou um. Ainda estava quente. Niels decifrou a inscrição no fundo do metal: 9 mm. Ele conhecia bem esse calibre. Três anos atrás tivera a honra de receber na coxa uma bala alemã desse calibre, exatamente. Na gaveta superior da escrivaninha de Kathrine, em casa, ele tinha escondido o projétil que o cirurgião havia extraído dele. Um parabelo de 9 mm. O calibre mais popular do mundo. O nome "parabelo" vem do latim. Niels tinha visto na Wikipédia: *Si vis pacem, para bellum. Se você quer a paz, prepare-se para a guerra.* Esse era o lema do fabricante alemão, a Deutsche Waffen und Munitionsfabriken – a companhia que havia fornecido munição para o exército alemão nas duas guerras. E que esplêndida paz foi o resultado.

Niels pôs a caixa de cartucho de volta no chão, onde a encontrara. Ficou quieto, recompondo-se. Para poder prosseguir precisava se livrar daquela lembrança desagradável. Do contrário o medo o dominaria. O menor tremor na sua voz deixaria nervoso o rapaz que mantinha o refém. Kathrine. Ele pensou em Kathrine. Ele precisava parar de fazer aquilo ou não seria capaz de continuar.

– Você está bem, Bentzon? – sussurrou Leon de algum lugar atrás dele.

– Feche a porta, Leon – respondeu Niels com voz áspera.

Leon obedeceu. Os faróis dianteiros dos carros que passavam embaixo na rua emitiam clarões através das janelas, e Niels viu seu próprio reflexo no vidro. Pálido, amedrontado, nu e indefeso. Ele estava gelando.

– Estou de pé na sala do apartamento, Peter. Meu nome é Niels. Estou esperando você conversar comigo.

Niels estava calmo. Absolutamente calmo. Sabia que a negociação poderia levar grande parte da noite, mas normalmente ele não precisava de tanto tempo. A coisa mais importante numa situação com reféns era descobrir no menor tempo possível o máximo possível sobre a pessoa que mantinha reféns. Descobrir algo sobre o *ser humano* que havia por trás das ameaças. Somente quando se vê a pessoa real há alguma esperança. Leon era um idiota. Só via a ameaça. E por isso terminava invariavelmente atirando.

Niels procurou no apartamento sinais *do homem chamado Peter*. Olhou as fotos na geladeira: Peter com a mulher e duas filhas. Sob as fotos estava escrito com ímãs: "Clara" e "Sofie". Ao lado desses nomes ele leu: "Peter" e "Alexandra".

Clara – a filha mais velha – era quase adulta. Talvez uma adolescente. Tinha aparelho nos dentes e espinhas. Era bem mais velha que a caçula. Sofie não teria mais de seis anos. Loira e delicada. Parecia com o pai. Clara não parecia nem com o pai nem com a mãe. Talvez fosse filha de um casamento anterior. Niels respirou profundamente e voltou à sala.

– Peter? Clara e Sofie estão com você? E Alexandra?

– Cai fora – disse uma voz firme do fundo do apartamento. No mesmo instante o corpo de Niels cedeu ao frio e ele começou a tremer. Peter não estava desesperado. Estava determinado. Era possível negociar com o desespero, mas com a determinação era pior. Outra respiração profunda. A batalha não estava perdida. *Descubra o que o sujeito quer.* Essa era a tarefa mais importante de um negociador. E se não há nada que ele queira, ajude-o a encontrar algo – *não interessa o quê*. A questão era fazer o cérebro começar a esperar. Naquele exato momento o cérebro de Peter se via nos seus últimos minutos; Niels ouviu isso no tom confiante da sua voz.

– Você disse alguma coisa? – indagou Niels tentando ganhar tempo.

Nenhuma resposta.

Niels olhou em torno de si. Ele ainda não sabia do detalhe que poderia decidir a situação. O papel de parede tinha girassóis, grandes girassóis, do piso ao teto. Suas narinas detectaram outro cheiro, misturado ao cheiro de medo e de urina de cachorro. Sangue fresco. Os olhos de Niels localizaram a sua fonte no canto, enrodilhada numa posição que teria parecido impossível.

Alexandra tinha levado duas balas no coração. Só nos filmes alguém teria se dado ao trabalho de sentir o pulso dela; na realidade ele via um buraco no coração e uma vida desperdiçada. Ela o estava olhando com olhos esbugalhados. Niels ouvia os soluços abafados de uma das filhas.

– Peter? Eu ainda estou aqui. Meu nome é Niels...

Ele foi interrompido por uma voz.

– O seu nome é Niels e você é policial. Eu ouvi! E lhe disse para cair fora.

Uma voz profunda, decidida. De onde ela vinha? Do banheiro? Por que diabos Leon não tinha conseguido uma planta baixa?

– Você quer que eu vá embora?

– Quero, droga!

– Infelizmente eu não posso. Minha obrigação é ficar aqui até isso acabar. Não importa o que acontecer. Eu sei que você entende isso. Você e eu, Peter... nós dois temos um trabalho que exige a nossa permanência, mesmo quando isso é impossível.

Niels ficou atento, ainda de pé ao lado do corpo de Alexandra. Ela apertava na mão pedaços de papel. O *rigor mortis* ainda não havia se instalado, e não era difícil arrancar os papéis da sua mão. Niels se levantou; ao lado da janela se valeu das luzes da rua de Dortheavej. A carta era do departamento de defesa. Uma dispensa. Palavras demais, cobrindo três páginas. Niels examinou rapidamente o seu conteúdo. *Problemas pessoais ... instável ... incidentes lamentáveis ... oferta de ajuda e retreinamento.* Por alguns segundos sentiu que tinha voltado atrás no tempo. Que estava se insinuando na última foto da família. Imaginou a situação: Alexandra encontrou a carta. Peter tinha sido dispensado. Ele era a única fonte de renda da família. Dispensado enquanto ainda estava tentando digerir toda a porcaria que tinha visto e feito quando servia ao país. Niels sabia que eles nunca conversaram sobre o assunto – os soldados do Iraque e do Afeganistão. Recusavam-se a responder às perguntas mais óbvias: Você atirou em alguém? Matou alguém? Eles sempre davam respostas evasivas. A razão disso não era simples? Os disparos feitos pelos soldados e que cortaram as veias e artérias e órgãos dos inimigos causaram quase o mesmo dano à alma dos soldados.

Peter tinha sido dispensado. Ao partir para a guerra era um homem de verdade, mas o que voltara era uma ruína. E Alexandra não podia lidar com aquilo. Sua principal preocupação eram as crianças; as mães são sempre assim. Um soldado atira, e uma mãe pensa nos filhos. Talvez ela tenha gritado com ele. Dito que ele era incompetente, que as deixara na mão. E então Peter fez o que lhe tinham ensinado: se os conflitos não podem ser resolvidos de modo pacífico, atira-se no inimigo. Alexandra se tornara o inimigo.

Finalmente.

Finalmente Niels tinha o detalhe que poderia usar. Ele conversaria com Peter como um soldado. Apelaria para o seu sentido de honra, para a sua masculinidade.

5

Murano – Veneza

Começo de inverno, a alta estação para os suicídios no continente europeu. Mas dessa vez não era suicídio. Era vingança. Do contrário o homem não teria usado um fio de aço para se enforcar. Não era difícil encontrar uma corda na ilha, com todos os construtores de barcos que havia ali.

Flavio estava fora, vomitando no canal. A viúva do insuflador de vidro já havia desaparecido há muito tempo. Fora buscar consolo com os vizinhos. Tommaso ouvia de vez em quando os seus gemidos. Em frente da casa se reunira um microcosmo dos habitantes da ilha. O administrador da oficina de insuflação de vidros, um padre do mosteiro de San Lazzaro, um vizinho e um lojista. Tommaso se perguntou o que o lojista estaria querendo. Receber o dinheiro da última compra antes que fosse tarde demais? Era inacreditável o que a crise financeira havia feito aos homens e à sua autoestima. E os ilhéus eram ainda mais suscetíveis por causa do isolamento, da sociedade fechada, dos papéis sociais rígidos. Não é de admirar que Veneza esteja no topo das estatísticas de suicídio da Itália.

A casa era úmida e mal iluminada, com pé-direito baixo. Tommaso olhou pela janela e viu o rosto de uma mulher. Devorando um sanduíche, ela lhe dirigiu um olhar culpado, sorriu e deu de ombros. Não podia evitar; estava faminta, apesar da morte do insuflador de vidro. Tommaso ouviu as pessoas conversando lá fora. Especialmente o administrador da oficina. Quase todas as baratas imitações de vidro asiáticas estavam sendo importadas e vendidas aos turistas. Isso tinha deixado sem trabalho a população local, que em outros tempos tinha ali iniciado a insuflação de vidro e feito dela uma arte por séculos e séculos. Era escandaloso!

Tommaso olhou novamente para o celular. Diabo! Onde estavam as fotos? O corpo do insuflador de vidro balançava lentamente. Tommaso receava que o fio de aço não o sustentasse por muito tempo. Se as vértebras do pescoço tivessem se fraturado, o fio logo penetraria na carne e o corpo seria decepado.

– Flavio! – gritou Tommaso.

Flavio apareceu na entrada.

– Quero que você redija o relatório.

– Eu não posso.

– Que besteira é essa? Você só tem de escrever o que eu vou dizer. Se quiser, sente-se ali com a cabeça virada para o outro lado.

Flavio pegou uma cadeira, virou-a de frente para a parede úmida e se sentou. A casa cheirava a fuligem, como se alguém tivesse apagado o fogo da lareira com um balde de água.

– Pronto?

Flavio não respondeu, sentado com a caderneta no colo e olhando resolutamente para a parede.

Tommaso começou com a parte oficial.

– Chegamos logo antes das duas horas. A chamada foi feita pela viúva do insuflador de vidros, Antonella Bucati. Você está escrevendo?

– Estou.

O som de uma sirene se aproximou. Finalmente ele a ouviu. Tommaso escutou. A ambulância desligou a sirene ao deixar a laguna e passar pelo canal arruinado. O motor barulhento e as monótonas tentativas das ondas de escangalhar a amurada já meio podre anunciaram a chegada do veículo alguns segundos antes de os paramédicos pisarem na terra. As luzes azuis iluminaram a sala com flashes, lembrando Tommaso de como Veneza era escura no inverno. A umidade parecia roubar os restos de luz espalhados pelos poucos prédios ainda ocupados. O restante de Veneza estava submerso na escuridão. Americanos e sauditas eram os proprietários da maior parte da cidade, e vinham visitá-la duas semanas por ano, no máximo.

Tommaso viu a coisa no mesmo instante em que seu celular bipou. Os sapatos pretos do enforcado tinham saltos brancos. Tommaso esfregou um dos saltos; a matéria branca saiu facilmente.

– Podemos descer o corpo? – perguntou Lorenzo, o motorista da ambulância. Tommaso frequentara a escola com ele. Certa vez eles tinham brigado e Lorenzo vencera.

– Ainda não.

– Ora, vamos, você não está querendo me dizer que foi assassinato, está? – Lorenzo se preparou para descer o corpo.

– Flavio! – gritou Tommaso. – Se ele encostar um dedo no corpo, ponha algemas nele.

Furioso, Lorenzo bateu o pé no chão.

– Lanterna. – Tommaso estendeu a mão.

Flavio tapou a boca e manteve os olhos baixos enquanto passava a lanterna para Tommaso. Não havia nenhum indício visível no piso. E no entanto... O chão da cozinha tinha sido varrido e estava limpo embaixo do local onde o insuflador se enforcara sob uma viga do teto. Ao contrário da sala, onde o chão estava sujo. O celular de Tommaso bipou novamente. Ele abriu a porta escura. Um jardim descuidado. Uma videira se estendia no alto. Muito tempo atrás alguém havia tentado fazer com que ela crescesse em torno das calhas do alpendre, mas desistira e a deixara seguir o sol. Agora ela se alastrava pelo teto. A lanterna iluminava a oficina. Tommaso atravessou o pequeno jardim e abriu a porta. Em contraste com o resto da casa, a oficina estava muito arrumada. Meticulosamente arrumada.

Mas no mostrador do celular surgiu outra mensagem. Elas estavam aparecendo numa sucessão frenética. Naquele momento ele não ousava ler nenhuma delas.

O chão da oficina era de cimento branco. Tommaso se abaixou para arranhar a superfície. Era porosa, feita de greda. A mesma substância que estava nos saltos do insuflador. Ele se sentou numa cadeira. Flavio o chamou, mas ele fingiu que não tinha ouvido. Sua primeira intuição estava correta. Não era suicídio. Era vingança. A vingança da mulher. O insuflador havia sido morto ali e arrastado pela oficina, que tinha deixado vestígios de branco nos saltos dos seus sapatos.

– O que é que você está fazendo aqui? – perguntou Flavio.

Tommaso olhou para o colega que estava de pé na entrada.

– Tudo bem, Tommaso? Você está parecendo indisposto.

Tommaso ignorou o diagnóstico.

– Vamos precisar do médico. E da equipe técnica de Vêneto.

– Por quê?

Tommaso correu o dedo pelo piso e levantou-o no ar para que Flavio visse aquela brancura.

– Se você olhar de perto vai ver a mesma coisa nos saltos do morto.

Flavio precisou de alguns segundos para processar a informação.

– Vamos prender a viúva?

– Provavelmente seria um bom começo.

Flavio balançou a cabeça com um ar triste. Tommaso sabia exatamente o que ele estava sentindo. Desalento. A história que eles iam ouvir a viúva contar nas próximas horas giraria em torno de pobreza, bebedeira e desemprego, violência doméstica e discussões na ilha. Era essa a história de Veneza nos últimos anos. Sem dúvida uma apólice de seguro de vida estava escondida em algum lugar. Ou talvez a mulher do insuflador de vidro simplesmente tivesse chegado ao seu limite de tolerância. Flavio ligou para a delegacia e se recompôs antes de fazer a prisão exigida. Tommaso respirou fundo. O mundo vai acabar esta noite, pensou ele. Quase não ousou olhar para as mensagens no celular. Quatro fotos de Giuseppe Locatelli, da Índia. Tommaso tirou os óculos de leitura e estudou a primeira imagem: a marca nas costas do morto. Exatamente igual às outras. Depois ele olhou para os *closes*.

– Trinta e quatro – murmurou para si mesmo. – Faltam dois.

6

Dortheavej – Copenhague

Maníaco-depressivo. Niels ouviu Leon sussurrar para os outros policiais do outro lado da porta. Ele sabia muito bem que usavam esse termo para classificá-lo. E sabia também como o termo era definido nos dicionários deles: sujeito a surtos. Mas Niels não era maníaco-depressivo. De vez em quando ficava um pouco irritado. E acontecia também de se sentir deprimido. Da última vez isso tinha durado dois meses.

Niels olhou para as suas pernas nuas que se movimentavam pela sala. Ainda estavam trêmulas: com o frio era mais difícil conseguir o almejado autocontrole. Durante uma fração de segundo ele pensou em desistir. Ir embora. Deixar Leon lidar do jeito mais duro com aquela situação. Ele jamais havia disparado a arma que usara em serviço – e nunca iria fazê-lo. Sabia disso. Simplesmente não podia. Talvez fosse essa a explicação para o fato de ele ter acabado como negociador. Na força policial essa era a única situação para a qual o policial não usava arma.

Niels limpou a garganta e gritou:

– Peter! Você acha que eu sou idiota? – Ele deu dois passos na direção do quarto. – Que eu não sei como a gente se sente fazendo o tipo de trabalho que você e eu fazemos?

Niels sabia que Peter estava atento. Ele ouvia a sua respiração. Agora a questão era ganhar a sua confiança para que ele soltasse as crianças.

– As pessoas não sabem o que é tirar a vida de alguém. Elas não sabem que é como se a gente estivesse se matando também.

Niels deixou as palavras pairarem no ar durante alguns segundos.

– Fale comigo, Peter! – gritou ele com uma voz de comando. A aspereza do seu tom surpreendeu até a ele próprio. Mas Peter era soldado. Precisava de ordens. – Eu disse fale comigo, soldado!

– O que é que você quer? – gritou Peter do quarto. – Droga, fala o que é que você quer!

– Não, o que é que *você* quer, Peter? O que é que você quer? Quer acabar com essa droga de vida? Eu entendo muito bem isso. O mundo lá fora é muito feio.

Nenhuma resposta.

– Agora eu vou entrar. Não tenho nenhuma arma e tirei toda a roupa. Como você exigiu. Vou abrir a porta bem devagar para que você possa me ver.

Niels deu três passos na direção da porta.

– Agora eu estou abrindo a porta.

Ele esperou dois segundos. Era essencial que a sua respiração estivesse sob controle. Nenhum sinal de nervosismo podia transparecer. Ele fechou os olhos. Abriu-os e empurrou a porta. Ficou na entrada. Uma menina estava deitada na cama. Teria uns catorze ou quinze anos. Clara. A mais velha. Inerte. Sangue nas colchas. Peter estava sentado num canto do quarto, olhando surpreso para o homem nu ao lado da porta. O soldado tinha vestido o uniforme. Seus olhos corriam de um lado para outro. Estava empunhando uma espingarda de caça e a apontava para Niels. Entre as suas pernas, no chão, havia uma garrafa vazia.

– Você não pode me dizer o que eu devo fazer – murmurou Peter. Ele já não parecia muito seguro de si.

– Onde está a Sofie?

Peter não respondeu, mas sons fracos vieram de debaixo da cama. Ele abaixou a espingarda e a apontou para Sofie, que tinha se enroscado sob a cama.

– Temos de sair daqui – disse o soldado, pela primeira vez olhando nos olhos de Niels.

Sem desviar os olhos dele, Niels concordou:

– É, nós temos de sair daqui. Mas não a Sofie.

– A família inteira.

– Eu vou me sentar.

Niels se sentou. O sangue da menina morta gotejava da cama e caía no chão. Algumas gotas aterrissaram no seu pé descalço. Um fedor de álcool e roupa de cama suja pairava no ar. Niels esperou alguns minutos. Ele via que Peter não estava pronto para atirar na filha caçula. Há muitos meios diferentes de negociar com o sujeito que mantém um refém, muitas técnicas. Tantos que Niels ainda não conhecia os mais recentes. Seus dois colegas tinham ido aos Estados Unidos para participar de um curso no FBI. Niels devia ter ido com eles, mas o medo de viajar o retivera em casa. A simples ideia de entrar num enorme cilindro de metal para voar sobre o Atlântico a uma altitude de trinta e cinco mil pés estava além da sua compreensão. O resultado não poderia ter sido outro: ultimamente seus superiores quase não o convocavam mais. Apenas se os outros estavam doentes ou de férias, como naquela noite.

De acordo com o manual, seu próximo passo seria iniciar a negociação com Peter. Levá-lo a fazer algumas exigências ou pedidos, qualquer coisa, enfim. Algo que relaxasse a sua mente e desse tempo a ambos. Poderia ser algo muito banal. Um pouco mais de uísque ou um cigarro. Mas Niels tinha abandonado o manual há muito tempo.

– Sofie! – Niels gritou de novo. – Sofie!

– Oi – ele ouviu de sob a cama.

– Seu pai e eu vamos conversar um pouco. Vai ser uma conversa de gente grande. Nós queremos ficar sozinhos!

Niels falava com uma voz áspera, muito áspera, e não tirava os olhos de Peter nem por um segundo. Sofie não respondeu. Niels era agora o oficial comandante de Peter, seu superior, seu aliado.

– Quero que você faça o que o seu pai e eu vamos lhe dizer para fazer. Saia daí agora! Vá para a escada!

Finalmente Niels ouviu a menina sair de debaixo da cama.

– Não olhe para nós! Saia agora! – berrou ele.

Ele ouviu os passos leves da menina correndo pela sala e depois o som da porta da frente abrindo e fechando. Ficaram para trás Niels e Peter com o corpo de uma adolescente.

Niels estudou o soldado. Peter Jansson, vinte e sete anos de idade, soldado dispensado. Um autêntico herói dinamarquês. Peter tinha virado a arma ao contrário e colocado a boca sob o seu próprio queixo.

O soldado fechou os olhos. Niels ouvia Leon sussurrando na escada.

– Deixa ele, Niels. Deixa o maluco estourar os miolos.

– Onde você quer ser enterrado? – Niels estava absolutamente calmo. Falava com o soldado como se os dois fossem amigos íntimos.

Peter abriu os olhos mas não olhou para Niels. Fixou-os no teto. Ele era religioso? Niels sabia que muitos soldados mandados para a guerra recorriam bastante ao capelão militar, mas não se dispunham a admitir isso.

– Você quer ser cremado?

O soldado apertou mais a arma.

– Não quer mandar um recado para alguém? A última pessoa que vai ver você vivo será eu.

Nenhuma reação de Peter. Ele respirava ruidosamente. Seu último ato – tirar a própria vida – parecia exigir mais coragem do que matar a mulher e a filha.

– Peter, você gostaria que eu contatasse alguém? Alguém para quem você queira que eu leve um recado?

Niels falava com Peter como se ele já tivesse um pé no céu. No limiar do outro mundo.

– Não.

– E agora você quer morrer.

– Quero.

– Eu entendo isso. Você gostaria de ser lembrado por alguma coisa? Uma coisa boa?

Peter ficou pensando. Niels viu que tinha acertado no alvo. Pela primeira vez Peter estava pensando em algo que não era acabar consigo mesmo, com sua família e com toda essa droga de mundo. Assim, Niels continuou na mesma linha.

– Peter! Me responda! Você fez uma coisa boa! O que foi?

– Tinha uma família... uma aldeia perto de Basra que estava sob fogo pesado – começou Peter, mas Niels viu que ele não tinha forças para continuar.

– Uma família iraquiana? E você a salvou?

– É.

– Você salvou vidas. Tirou vidas mas também salvou. As pessoas vão se lembrar disso.

Peter abaixou a arma. Por um momento ele deixou que os golpes o esmurrassem, como um boxeador aturdido mas ainda de pé.

Niels reagiu com uma velocidade impressionante. No mesmo instante estava ao lado do soldado e agarrou o cano da espingarda. Surpreso, Peter ergueu o olhar para ele. Não tinha intenção de soltar a arma. Sem perda de tempo, Niels deu um tapinha com as costas da mão na cabeça do homem.

– Solte! – gritou ele para Peter, que finalmente afrouxou a preensão sobre a arma.

Desde que entrara no quarto, Niels achara que era Peter quem produzia o som de batidinhas e suspiros que ele ouvia. Mas o soldado estava sentado ali, com o olhar de quem havia desistido. Segurando a espingarda, Niels se virou. A menina estava se mexendo na cama.

– Leon! – gritou ele.

Os policiais irromperam no quarto. Leon na frente, como sempre. Atiraram-se sobre o soldado, embora ele não tivesse oferecido nenhuma resistência. Os médicos subiram ruidosamente a escada.

– Ela está viva! – Niels se precipitou para fora do quarto. Alguém jogou um cobertor em seus ombros. Ele parou ao lado da porta e olhou para trás. Peter estava chorando. Estava em processo de desintegração. Era bom que ele chorasse; Niels sabia disso. Se havia lágrimas, havia esperança. Os paramédicos tinham posto a menina numa maca e saíam com ela.

Enrolado no cobertor grosso que cheirava aos cães da polícia, Niels foi até a cozinha e deixou os outros fazerem seu trabalho. A família tinha comido bolinhos de carne no jantar. Com molho bearnês comprado pronto.

Lá fora ainda estava chovendo. Ou seria a primeira neve do ano? O vidro da janela estava embaçado.

– Bentzon. – Leon entrou na cozinha. Ficou bem perto dele. – Ando querendo lhe perguntar uma coisa.

Niels esperou. Leon tinha mau hálito.

– Droga, por que é que você faz isso?

– Você quer mesmo saber?

– Sim.

Niels respirou fundo. Leon usou a pausa para comer o último bolinho de carne da família. Revirou-o no molho bearnês e o meteu na boca.

Então Niels respondeu:

– Eu penso numa coisa que ouvi no rádio. Sobre Abraão e Isaac.

– Imaginei que você ia dizer qualquer coisa assim.

– Você me perguntou.

Leon ainda mastigava.

– O que aconteceu com eles? Eu quase não sei nada sobre essas coisas.

– Uma vez um pastor disse no rádio que ninguém devia divulgar essa história. Você se lembra dela? Deus diz para Abraão que ele precisa sacrificar o filho para demonstrar a sua fé.

– Concordo com o pastor. Parece uma história mórbida. Essas bobagens deviam ser proibidas.

– Mas o que a gente faz não é exatamente isso? Mandamos os jovens para a guerra no deserto e pedimos a eles que se sacrifiquem por uma crença.

Leon olhou para Niels durante alguns segundos. Um sorrisinho, uma sacudida de cabeça um tanto forçada e pronto, foi embora.

7

Aeroporto de Charleroi – Bruxelas, Bélgica

Minha vingança será a minha redenção.

Essa ideia era claríssima na cabeça de Abdul Hadi quando ele olhou com um ar de desprezo para o segurança. Se eu realmente quisesse sequestrar um avião não seria o seu ridículo controle que me impediria.

Mas não era tão simples. Ele não queria sequestrar um avião e atirá-lo contra a sede da ONU. Não haveria imagens na televisão dos parentes dos passageiros gritando e chorando quando a companhia aérea divulgasse o nome das vítimas. Essa vingança seria diferente; seria uma vingança justa.

O segurança lhe dirigiu um olhar aborrecido. Abdul Hadi tinha obviamente entendido a sua pergunta já da primeira vez, mas fazê-lo repetir seu pedido absurdo lhe dava uma sensação de poder.

– O senhor pode tirar os sapatos, por favor? – O segurança elevou a voz.

Abdul Hadi olhou para os ocidentais que tinham passado pela segurança do aeroporto sem tirar os sapatos. Balançou a cabeça e voltou a atravessar a estranha porta desacompanhada de parede que apitava quando a pessoa tinha moedas no bolso. Ele tirou os sapatos, calma e presunçosamente, e colocou-os numa caixa plástica. Talvez eles achem que eu estou escondendo uma faca no meu sapato, como Mohamed Atta, pensou ele antes de transpor novamente a porta. Um segundo segurança o chamou. Dessa vez foi a sua bagagem de mão que submeteram a um tratamento diferente. E com muita desconfiança. Abdul Hadi olhou para o aeroporto enquanto eles remexiam na sua frasqueira de toalete. O que viram foi chocolate e *Tintin*. Ele não sabia grande coisa sobre a Bélgica, mas agora sabia que o país era famoso por essas duas coisas. Além disso lhe ocorreu que duas belgas de meia-idade tinham sido mortas no ano anterior em Wadi Dawan. Alguns rebeldes de Alá tinham atacado um grupo de ocidentais e as duas mulheres morreram. Abdul Hadi balançou a cabeça. Ele nunca passearia no deserto de Wadi Dawan sem proteção.

No alto da *free shop* havia um mapa-múndi suspenso. Abdul Hadi o estudou enquanto abriam os bolsos laterais da sua sacola e tiravam as baterias do barbeador. O terror tinha criado um novo mapa, pensou ele. Nova York era a capital. Mumbai também havia adquirido uma nova importância, junto com Madri e o metrô de Londres. Charm el Cheik, Tel Aviv e Jerusalém. Seu povo tinha pego uma brocha e estava começando a pintar o mundo de vermelho. Estava em meio ao processo de criar um novo mapa do mundo em que as pessoas não pensavam mais em castanholas quando se falava em Madri ou na Estátua da Liberdade quando a conversa passava para Nova York. Em vez disso elas pensavam em horrores.

Um segurança diferente chegou para se reunir aos outros que estavam curvados sobre a sua sacola. Seria o chefe dos outros? Sem erguer os olhos do conteúdo da sacola, o homem perguntava em inglês:

– Quem arrumou essa sacola foi o senhor mesmo?
– Claro. É a minha sacola.
– Para onde o senhor está indo?
– Para Estocolmo.
– O senhor trabalha lá?
– Não. Vou em visita familiar. Tenho visto. Algum problema?
– De onde o senhor é?
– Iêmen. Está havendo algum problema?

O segurança lhe devolveu a sacola sem esboçar um pedido de desculpa.

Abdul Hadi parou no meio da sala de embarque. Lojas, publicidade de filmes e publicidade de modos de vida. Ele sentia um profundo desprezo. Dirigido ao Ocidente e à estranha relação que os ocidentais têm com a segurança. É pura ficção, pensou ele. Exatamente como o sonho do que farão para eles todos os seus produtos. Agora os viajantes acham que tudo é bom, que tudo é seguro. Mas ninguém está seguro. Abdul Hadi não sonharia em tentar trazer uma arma para o aeroporto. Por que dificultar as coisas para si mesmo? Tudo tinha sido preparado para ele no seu destino. Ele sabia aonde devia ir. Sabia quem ia morrer e como ele faria isso acontecer.

Estocolmo – Atraso

Ele olhou para o monitor que mostrava os horários de partida. O atraso não era problema; não lhe faltava tempo. Ele aterrissaria em Estocolmo com tempo de sobra. Alguém o encontraria no aeroporto, o levaria até a estação ferroviária e o ajudaria a encontrar o trem certo para Copenhague.

Olhou para os passageiros que estavam por perto e pensou: "Não. Vocês não estão nem um pouco seguros". A ideia lhe agradou. "Podem revirar as minhas sacolas, me pedir para tirar os sapatos, me pedir para tirar todas as roupas, como fizeram no primeiro aeroporto onde mudei de avião. Mas isso não os deixará em segurança."

Abdul Hadi pensou na humilhação que sofrera no aeroporto em Mumbai. Somente ele fora retirado da fila; mais ninguém. Obedientemente ele havia seguido seu acompanhante pelo subsolo. Dois seguranças do aeroporto foram na frente e dois policiais indianos fechavam o cortejo. A sala tinha duas janelas. Não havia cadeiras nem mesa. Ele precisou pôr as roupas no chão. Tinha pedido uma cadeira, porque o chão estava imundo. Perguntaram se ele queria pegar o avião ou criar caso. Ele pensou em criar caso. Os ocidentais não eram tratados assim, nem mesmo quando havia suspeitas em relação a eles. Mas concentrou o pensamento no seu objetivo. Na vingança.

E então ele pensou: nós nunca seremos aceitos no mundo deles. Talvez tolerados. Mas não aceitos. Não em pé de igualdade. Ele havia conversado sobre isso com o irmão caçula logo antes de partir. Se não voltasse, o irmão passaria a ser o chefe da família. Era por isso que o caçula tinha vindo da Arábia Saudita, onde ele havia sido trabalhador hóspede. Os sauditas eram quase piores que os ocidentais. Decadentes. Patéticos. Mentirosos. Todo mundo sabia que suas mulheres cobriam o corpo só para manter as aparências. Na noite de sexta-feira elas pegavam aviões fretados e iam para Beirute. No avião trocavam a roupa. Tiravam a burca enquanto os homens vestiam ternos Hugo Boss. Abdul Hadi tinha estudado na Universidade Americana de Beirute durante os anos que antecederam a guerra civil. Ele via os sauditas chegarem todo fim de semana, com a aparência totalmente transformada. As mulheres punham biquíni e iam para a praia, enquanto os homens se embebedavam e jogavam cartas no cassino. Ele não sabia quem mais merecia o seu ódio: os sauditas que nos fins de semana se faziam de ocidentais na única cidade do mundo que fingia concordar com eles ou os ocidentais que os tinham atraído para lá. Atraído com promessas de liberdade. A liberdade de tentar ter as mesmas coisas que os ocidentais tinham. Mas eles não podiam tê-las. Isso era algo que Abdul Hadi sabia por experiência própria – e uma experiência amarga. Embora fosse um homem bonito, sobretudo antes de seu cabelo começar a embranquecer, ele não havia tido a menor chance com as moças americanas da universidade.

Bom, uma delas aceitou o seu convite. *Caroline.* Era de Chicago. Queria ser diretora de cinema quando voltasse para os Estados Unidos. Eles foram ver um filme juntos. Mas quando ela descobriu que ele não era do Líbano, o seu interesse desapareceu. Caroline só estava procurando um pouco de cor local. Alguém que pudesse levá-la para dentro da tenda dos beduínos; alguém que pudesse lhe mostrar o Líbano real antes da sua volta para casa.

Estocolmo – Atraso

Depois do dia em que Caroline fingiu não reconhecê-lo no *campus* ele tinha jurado nunca mais voltar a tentar se envolver com uma moça americana. Ele estava morando com o irmão num quarto alugado no prédio atrás do Hotel Commodore. O arranha-céu tinha uma piscina, sempre vazia, na cobertura. Eles compartilhavam o pátio com uma clínica particular e toda tarde os restos humanos das cirurgias plásticas eram levados embora em grandes sacos. As mulheres sauditas aspiravam a gordura e acertavam o nariz de acordo com o padrão ocidental, para ficarem como Caroline e suas amigas. Mas elas nunca seriam como as moças ocidentais. E os árabes não seriam verdadeiramente livres enquanto não percebessem isso. Ficar fechado num sonho do qual nunca participamos é uma prisão. Assim, era bom que alguém tivesse começado a refazer o mapa do mundo.

– Cartão de embarque, por favor.

Abdul entregou para a aeromoça sueca o cartão de embarque. Ela sorriu para ele. Fazia muito tempo que não sorriam para ele.

– O aeroporto de Estocolmo ainda está fechado por causa da neve, senhor – acrescentou ela, e lhe pareceu que ela tinha pronunciado "senhor" com respeito. Não como os seguranças, que usavam "senhor" como uma pretensa atenuação dos tratamentos degradantes. *Abra a sacola, senhor. Tire os sapatos, senhor.*

– Vamos embarcar assim que o aeroporto reabrir.

A aeromoça ainda sorria para ele, e ele sentiu dentro de si uma leve fagulha. Não, não importa, pensou Abdul Hadi. É muito pouco, tarde demais.

8

Silo de Carlsberg – Copenhague

A porta do elevador fechou com um gemido suave e esperou a ação que Niels realizaria a seguir. Ele fez a mesma coisa que sempre fazia: introduziu a chave, girou-a e apertou "21". Sentiu um débil zumbido no diafragma quando o elevador começou seu diálogo com a gravidade. A sensação o levou a pensar em sexo. Já fazia muito tempo.

Segundos depois a porta abriu e ele entrou no apartamento. Algum hóspede que ele não convidara havia estado ali ou então ele esquecera a luz acesa. Provavelmente a última hipótese era a certa, resolveu ele enquanto entrava na ampla sala. Estava tão vazia como quando ele a deixara. E no entanto. Alguém havia estado ali. Um leve cheiro de... No dia seguinte ele teria de perguntar a Natacha, no andar de baixo. Ela tinha uma chave do apartamento dele, para que os pedreiros pudessem entrar e sair. Tendo em vista que o prédio fora totalmente remodelado alguns anos antes, havia uma quantidade surpreendente de problemas com o sistema de ventilação, com a fiação e os canos de gás.

A Carlsberg tinha construído o silo de onze metros de altura para armazenar malte. Mas depois que a cervejaria real se fundira com as outras cervejarias o armazém de malte tornara-se dispensável. Na verdade Niels já não se importava muito com cerveja. Como tantas pessoas da sua idade e da mesma faixa salarial, ele passara a beber *cabernet sauvignon*. E por que não tomar meia garrafa agora? Ou uma inteira? Ele devia comemorar ou lamentar? Comemorar que alguém tinha sobrevivido ou lamentar que alguém tinha morrido? Ah, dane-se. Niels abriu a garrafa com um humor ainda indeterminado.

Eram quase duas da madrugada mas ele não estava cansado. A chuva se arremessava contra as grandes janelas panorâmicas. Ele pôs os Beatles no som e aumentou o volume para ouvir "Blackbird" no banheiro. Lavou os pés para limpar o sangue da menina antes de se sentar diante do computador, obedecendo a um ritual. Ele sempre fazia isso quando chegava em casa. E quando se levantava, de manhã. Hesitou antes de ligá-lo. Tinha saudade de Kathrine, era ruim não ter ninguém no apartamento. Ficava mal-humorado quando ela não estava lá.

Kathrine era sócia do escritório de arquitetura que tinha feito a remodelação do silo transformado em apartamentos de luxo. Ela queria comprar o mais bonito do conjunto. Estava absolutamente apaixonada por ele, disse ela. Niels também tinha ficado impressionado com o apartamento. A altura elevada do edifício o atraía. Ali se tinha a melhor vista de Copenhague. Naquela época o cheiro ainda permeava toda a área sempre que a cervejaria acendia as caldeiras. Depois a produção de cerveja havia sido transferida para muito longe. Niels não tinha ideia de para onde ela fora. Talvez Ásia, como tantas outras. Ele achava bom não sentir mais o mau cheiro de fermento toda manhã. Parecia que um velho bêbado estava respirando em cima dele.

Niels olhou em torno de si na sala. Os dois sofás de designer um de frente para o outro. A mesinha de centro sólida, retangular. Um oco no granito avermelhado da mesa, onde eles podiam acender um foguinho. Bioetanol. Inodoro, e evaporava por completo, como Kathrine tinha explicado a um Niels cético. Era realmente lindo quando eles se sentavam ali com o brilho intenso do fogo na mesa. Ele ainda não tinha convidado ninguém da delegacia, embora Kathrine sempre insistisse para que ele o fizesse. "Convide os seus colegas!", ela dizia frequentemente. Mas Niels não podia fazer isso; nem podia dizer para Kathrine a razão dessa recusa: ele tinha vergonha. Não porque aquela vista da torre da cerveja tinha sido paga com o dinheiro de Kathrine – ele já havia se acostumado com essa ideia –, mas porque nenhum dos seus colegas seria jamais capaz de comprar um apartamento como aquele. Uma vista panorâmica de trezentos e sessenta graus. Se você fica na banheira de noite e a única luz vem das velas acesas, as chamazinhas minúsculas cintilam sobre o mármore italiano e competem com as luzes da cidade e as estrelas no céu.

Ele ligou o computador, perguntando-se se Kathrine ainda estaria acordada. Que hora seria na Cidade do Cabo? Uma hora mais tarde... três da madrugada.

Na lista de amigos virtuais Kathrine aparecia como *on-line*, mas ela quase nunca desligava seu MacBook. Assim, nada garantia que ela estivesse acordada.

"Aonde vamos hoje?", perguntou-se Niels enquanto percorria a lista de amigos. Amanda, de Buenos Aires, estava *on-line*. E também Ronaldo, do México. Ainda era noite alta para a maioria dos europeus, por isso o nome deles não constava na relação. Apenas o de Louis, de Málaga. Mas esse sempre estava ali. Será que ele tinha uma vida longe da tela do seu computador? Niels já não se sentia tão doente ou anormal desde que tinha descoberto a rede da internet. Uma rede global para pessoas que não podiam viajar. Pessoas que, em sua maioria, não tinham nunca saído do seu país. A fobia assumia muitas formas diferentes. Niels havia conversado com gente que não podia nem mesmo sair da cidade em que vivia. Assim, eles começaram a se sentir muito normais. Afinal de contas ele tinha ido a Hamburgo e Malmö. E a Lübeck na lua de mel. O mal-estar físico só se manifestara quando ele fora a Berlim. Kathrine uma vez o forçara a ir para lá, mas ele tinha passado todo o fim de semana tremendo e nauseado.

"Vai passar, vai passar" era a cantilena dela enquanto eles passeavam pelo Unter den Linden. Mas não passou. Ninguém entendia. Ninguém, fora as cerca de duzentas pessoas que estavam na sua rede. Ou pelo menos *parecia* que elas entendiam. Porque não era uma fobia incomum. "Fobias de avião e viagens." Niels tinha lido bastante sobre o tema. Muitos estudos diziam que, em maior ou menor grau, mais de uma em cada dez pessoas no planeta sofria com o problema. Ele tinha tentado explicar a Kathrine o que sentia. Se se afastasse mais de uns duzentos quilômetros de casa, todo o seu sistema simplesmente parava de funcionar. Primeiro a sua digestão. Ele não conseguia comer nada. Por isso não podia ficar fora mais de um fim de semana. Depois que seus intestinos paravam de funcionar, começava a dificuldade de respiração. Em Berlim seus músculos tinham ensaiado um protesto. Niels sabia que essa fobia era a razão da sua tendência a se deprimir, a se sentir gelado. Por não poder viajar, parecia às vezes que tinham amarrado à sua cintura um pesado bloco de cimento. Durante outros períodos ele sentia uma onda de energia. Via o lado positivo da vida – e era então que as pessoas achavam que ele era louco.

Oi, Niels!!! Como é que estão as coisas em Copenhague?

Era Amanda, da Argentina. Tinha vinte e dois anos. Estudava na academia de arte e não saía de Buenos Aires havia quinze anos. Sua mãe morrera num desastre de avião quando ela estava com sete anos, o que indicava uma provável explicação psicológica para a sua fobia de viajar. Para muitos outros não havia explicação óbvia. Pelo menos uma explicação que fosse do seu conhecimento.

E tampouco para si mesmo. Ele já havia tentado tudo. Psicólogos. Hipnose. Mas não surgira nenhuma explicação. Simplesmente ele não conseguia viajar.

Oi, Linda. Aqui está mais frio do que onde você está.

Niels se arrependeu por ter escrito "Linda". Isso o fazia parecer velho. Mas Amanda era realmente linda. Ele olhou para a foto do seu perfil virtual. Olhos amendoados, cabelo preto e grosso, lábios cheios. Ela não economizara no batom vermelho ao tirar a foto.

A resposta de Amanda na parte inferior da tela:

Bem que eu gostaria de estar aí para te aquecer.

Niels sorriu. Ali todo mundo flertava muito. Meu Deus! Umas duzentas pessoas que nunca se encontrariam. E que ansiavam profundamente, todas elas, por sair do país. Trocavam fotos da sua cidade natal, relatos pessoais, receitas. Niels tinha postado uma receita dinamarquesa antiga de um patê de fígado para quem quisesse usá-la. Foi um sucesso. Ele fez a receita de *paella* do seu amigo Louis enquanto ouvia música espanhola tocada numa guitarra de doze cordas – mandada também por Louis. Era quase como estar lá. Isso era o que havia de bom naquele *chat*. Ele era dedicado a tudo o que eles não podiam fazer: falar uns com os outros sobre si mesmos, sobre o seu país, a sua cultura. Por meio dos outros eles experimentavam o mundo.

Niels trocou alguns comentários banais com Amanda e então ela precisou ir para a escola. Prometeu fazer uma foto da escola e da escultura em que estava trabalhando.

Tchau, Niels. Bonitão, escreveu ela, e se foi antes que ele pudesse responder.

Ele já ia desligar quando o rosto de Kathrine apareceu na tela.

– Niels?

A tela tremeu um pouco. Como se precisasse de um momento para sincronizar com um correspondente africano.

– Ainda não foi dormir? – A voz dela parecia ligeiramente cansada.

– Acabei de chegar em casa.

Ela acendeu um cigarro e sorriu para ele. Fumar era algo que eles tinham em comum. Já que não podiam ter filhos. Niels percebeu que ela estava meio alta.

– Dá para notar que eu andei bebendo? – perguntou ela.

– Não. Acho que não. Você saiu?

– Você pode desligar os Beatles? Quase não estou ouvindo o que você diz.

Ele desligou a música, ajustou a imagem na tela e a estudou.

– Algum problema? – indagou ela.

– Não. Nenhum.

Ela sorriu.

Niels não queria falar com ela sobre o que havia acontecido naquela noite. Não havia razão para compartilhar o sofrimento; era o que ele sempre tinha achado. Ele detestava quando alguém contava histórias horríveis sobre crianças doentes ou mortas. Afogamentos, acidentes de carro, calamidades... Por que as pessoas precisavam ouvir aquilo?

Katherine ajustou a câmera. Estava sentada no mesmo quarto de hotel. No fundo ele via algo com um brilho fraco. Seria a cidade atrás dela? O luar deslizando sobre a montanha da Mesa? Ou talvez sobre o cabo da Boa Esperança? Aqueles pontos brilhantes seriam de navios que deixavam atrás de si o oceano Índico?

– Eu falei com você sobre o Chris e a Marylou? O casal de arquitetos americanos que acabou de chegar aqui? Eles são feras. Um deles até trabalhou com o Daniel Libeskind. Bom, eles tinham um pequeno aquecedor... Você vai conhecer os dois ainda nesta semana. Eles nos convidaram para o sábado.

Ela lhe dirigiu um olhar de incentivo.

– Estou esperando ansiosamente.

– Você tomou as pílulas?

– Tomei. Claro que tomei.

– Posso ver a caixa?

Niels se levantou e foi até o banheiro. Quando voltou, Kathrine tinha tirado a blusa e estava ali sentada só de sutiã. Niels sabia perfeitamente bem o que passava pela cabeça dela.

– Está fazendo calor aí? – perguntou ele provocando-a.

– Está ótimo, Niels. O melhor clima do mundo. E você vai adorar o vinho tinto deles. Mostre as pílulas.

Ele segurou a caixa na altura da câmera.

– Um pouco mais perto.

Ele aproximou mais o remédio. Kathrine leu em voz alta:

– "Diazepam. Cinco miligramas. Sedativo para o medo de voar".

– Allan tem um amigo que usou isso e deu muito certo – disse Niels.

– Allan?

– Da equipe da polícia de elite.

– Achei que você era o único policial que não podia voar.

– Eu não tenho problema com o voo. Para mim o que é difícil é estar em outro lugar.

– E qual é a diferença? Tome as pílulas. Tome duas enquanto eu fico olhando você.

Niels riu e balançou a cabeça. Pôs duas pílulas na língua.
– Saúde!
– Engula, amor.
Depois que ele engoliu as pílulas com meio copo de vinho tinto o humor de Kathrine mudou, exatamente como ele havia previsto.
– Vamos brincar?
– É isso que você quer?
– Você sabe que é. Pare de me chatear. Tire a roupa.

Kathrine estava na Cidade do Cabo havia seis meses. No começo ela não queria ir. Ou melhor: fingia que não queria ir. Niels conhecia bem esse jogo. Tinha percebido desde o início que a relutância dela se relacionava sobretudo com ele e com a sua reação: o que ele iria dizer se ela fosse?

Finalmente, quando a decisão foi tomada, Niels experimentou uma ótima sensação de alívio. Não porque estivesse feliz com a ideia de ficar longe de Kathrine por um ano inteiro, mas porque a incerteza tinha acabado. De vez em quando ela viajava, e quando essas viagens se aproximavam – Niels nunca lhe havia dito isso – ele já se pegara ansioso por ficar sozinho. Ele não sabia explicar a razão disso, porque tinha consciência de que a solidão lhe pesaria muito. Na última noite eles tinham tido uma briga terrível antes de transarem no sofá. Depois Kathrine chorara, dizendo que não podia deixá-lo. Ela ia ligar para o seu chefe cancelando tudo. Mas claro que isso não aconteceu.

Eles se despediram de manhã bem cedo quando ele se sentou no carro. O ar estava pesado com uma chuva invisível. Niels se sentia completamente exaurido. Seus olhos flutuavam. Sentiu os lábios quentes e macios de Kathrine quando ela se inclinou para beijá-lo, e não entendeu direito o que em seguida ela sussurrou no seu ouvido. Durante todo o dia, depois da despedida, perguntou-se o que exatamente ela dissera. *Se não voltarmos a nos ver...* Ao mesmo tempo ele sentia, sem poder explicar o porquê disso, que não ter ouvido o resto da frase era melhor para ele.

– Vire de lado para eu poder ver você – disse Kathrine.
Quando Niels olhou de novo para a tela, Kathrine tinha avançado além dele. Estava nua na cadeira e a havia afastado um pouco para que Niels pudesse ver tudo o que estava perdendo.
– Vá devagar, amor. Você está tão bem. Eu quero aproveitar – disse ela.

Quando se tratava de sexo, Kathrine era de outro planeta. Um planeta onde o sexo não se ligava a vergonha, constrangimento ou certa timidez. Pelo contrário. Niels tinha nascido com os atributos certos: alto sem ser magricela, compacto sem parecer um buldogue. Os pelos do peito estavam grisalhos; Kathrine adorava isso e havia observado ansiosamente a transformação. Mas antes de encontrá-la, seu corpo era uma coisa ligada à cabeça e ele só fazia o que seu cérebro ordenava. Kathrine lhe ensinara que seu corpo tinha vontade própria, seus desejos próprios. E quando se tratava de sexo as ordens seguiam na direção oposta. Agora o seu corpo mandava recados para a sua cabeça sobre o que ele queria. E Niels tinha de obedecer.

– Vire. Eu quero ver a sua bunda quando você tirar a calça – ordenou ela.

Niels ficou de costas para a câmera e lentamente deixou o jeans cair, do jeito que ele sabia que ia agradá-la. Ele olhou para baixo. Humm – era surpreendente, na verdade –, ele não esperava ver nenhuma vida ali embaixo depois de tudo pelo que tinha passado naquela noite. Mas por que não? Sexo e morte. *Desejo e medo.*

– Deixe eu olhar para você, amor – sussurrou Kathrine na Cidade do Cabo.

9

Espaço aéreo europeu

Ela, novamente. A aeromoça. Agora estava andando pelo corredor estreito, servindo café, chá, suco e amendoins. Abdul Hadi sorriu ao lhe ocorrer uma ideia. Castanhas, café e chá. Eram os bens mais importantes vendidos nos bazares do Oriente Médio. A razão pela qual durante séculos os mercadores europeus tinham viajado em profusão para a Arábia – para trazer esses artigos até o norte sombrio. Agora as glórias da Arábia eram entregues aos passageiros de aviões em embalagens plásticas enfeitadas, com figuras de jovens loiras. O motivo que estava por trás do frenético marketing ocidental dos seus produtos era algo que nenhum americano ou europeu notava: o Ocidente estava vendendo principalmente a ideia de si mesmo. A propaganda havia sido inventada para vender o Ocidente para os orientais.

– Café ou chá?

Abdul Hadi olhou para cima. Era ela. Novamente aquele sorriso, o insistente olhar convidativo. Apesar das muitas horas passadas à espera no aeroporto, ela parecia tão fresca como se tivesse acabado de se levantar.

– Suco de laranja.

– Amendoins?

– Por favor.

Ao colocar o suco na bandeja a mão dela roçou a dele. Um calor lhe percorreu o corpo. Já fazia muito tempo que ele não sentia aquilo. A aeromoça colocou um único pacote de amendoins na bandejinha. Quando já ia prosseguir, ela acrescentou outro pacote. Sem pressa, calma e prazerosamente, enquanto dizia:

– Bom voo, senhor.

Abdul Hadi olhou à sua volta. De todos os passageiros sentados por perto ele era o único que recebera dois pacotes de amendoins. Haveria alguma mensagem por trás daquelas tentativas de aproximação? Ele pôs a cabeça no corredor e olhou para ela. Não devia ter feito isso, porque no mesmo instante ela se virou e olhou para trás. Ele sentia o calor. O sangue escoando da cabeça para encher toda uma parte diferente do seu corpo. Imaginou-se com a aeromoça num quarto de hotel. Imaginou-a sentada na beirada da cama. Ele tocaria o seu cabelo. Nunca havia tocado num cabelo loiro; o cabelo de Caroline era castanho-claro. Qual seria a sensação? O cabelo loiro seria mais macio? Cabelo de anjo. Com a palma da mão ele percorreria suavemente aquele cabelo enquanto ela lhe desafivelaria o cinto. Na sua fantasia ela se sentava na cama e ele continuava de pé e sentia sua genitália ser lentamente envolvida pela mão dela. Nas unhas dela havia esmalte. Um tom discreto de vermelho. Ele estava imaginando isso ou ela realmente usava esmalte? Ele se virou e tentou encontrar os olhos dela. Mas ela estava longe, na outra extremidade do corredor estreito, e um bebê tinha começado a chorar atrás dele. Ele tentou afastar a aeromoça do seu pensamento. Tentou pensar em outra coisa. No Ocidente e na impostura que era a autoimagem do Ocidente. A pólvora já não era mais inventada pelos chineses e sim pelos americanos, para que eles comemorassem o Quatro de Julho. O sistema numérico não tinha se originado na Arábia e sim na Europa. Quantas pessoas no Ocidente percebiam que o berço da cultura mundial era a península Arábica? Histórias narradas, matemática, ciência... toda a base sobre a qual o Ocidente fora construído e reivindicava como sendo dele. Tudo vinha de nós, concluiu ele. *De nós.*

Abdul Hadi comeu os dois pacotinhos de amendoins e então seu estômago começou a roncar. Havia muito tempo ele não fazia uma refeição propriamente dita. Prometeu a si mesmo que pediria algo para comer quando aterrissassem. Essa era outra razão para aquela dificuldade em se concentrar, que já durava horas. Mas agora as coisas estavam melhorando e ele recomeçava a pensar com clareza, sem as fantasias sobre a aeromoça. Primeiro vocês roubaram tudo e se apropriaram de tudo, depois negaram acesso ao resto do mundo. Era assim que tinha sido. O Ocidente fora erguido na base do saque e da opressão dos outros. Era inevitável que em algum momento as pessoas revidassem. O que estava absolutamente certo.

O bebê atrás dele ainda chorava. O eterno problema dos inocentes. Se exatamente agora eu fosse para a cabine e fizesse o avião cair no mar ou num prédio, todos iriam falar em matança de inocentes, pensou Abdul Hadi. Mas o argumento não se sustenta. A opressão dos meus irmãos é financiada pelos impostos que eles pagam, pelo seu dinheiro. Uma pessoa é inocente só porque não faz nada além de dar dinheiro para os opressores? Vocês se escondem atrás das suas crianças. Enquanto as usarem como escudo, quem as põe na linha de fogo são vocês.

Ele bebeu de um só gole o copinho de suco e pensou na sua irmã. Se estivesse viva, ela teria mais ou menos a mesma idade daquela aeromoça loira. Durante muitos anos ele não tinha pensado em como ela fora morta, mas recentemente a lembrança voltara. Como se estivesse tentando vir em sua defesa. Ajudá-lo a entender o mecanismo mais secreto e a justiça fundamental da vingança. Abdul Hadi fechou os olhos e pôs a funcionar a sua memória: ele estava sentado no banco traseiro com os dois irmãos; seus pais e a irmã estavam no banco da frente quando o carro pegou o garoto. Ele não tinha visto nem ouvido nada. A estrada do deserto era muito ruim e havia um constante ruído de impacto, da parte de baixo do veículo se chocando contra pedras ou do cano do escapamento raspando no chão. Mas seu pai tinha saltado do carro e sua mãe tinha gritado. Eles estavam longe da cidade, no deserto de Wadi Dawan, onde muitos anos antes as belgas também tinham morrido.

– O que foi que aconteceu? O que foi que aconteceu? – gritou seu irmão quando o pai saltou do carro.

O pai de Abdul Hadi tinha atropelado e matado um menino. O grito terrível do garoto havia atraído toda a aldeia e o carro não demorou a ficar cercado. O pai de Abdul tentava explicar.

– Eu não vi o menino; ele correu para a frente do carro. O tempo está muito seco e empoeirado; é quase como dirigir com neblina.

A mãe começou a gemer e as outras mulheres se juntaram a ela. O som era horrível. Um coro de luto que se elevava até o céu. Abdul Hadi não se lembrava se o pai do menino morto e os anciãos da aldeia tinham estado lá o tempo todo. Só lembrava que os homens adultos haviam aberto abruptamente a porta do carro e o arrastaram para fora. Era ele que estava sentado mais perto da porta, e só por isso o agarraram. Seu pai tentou resgatá-lo, mas foi contido. Alguém tinha de morrer. Vingança. Justiça. Ele olhou para os irmãos que ainda estavam sentados no carro.

– Eu não vi o menino. – Seu pai chorava.

Alguns homens reviraram os bolsos do seu pai e lhe confiscaram os documentos. Leram o nome em voz alta o nome. "Hadi. Hadi", disseram eles muitas e muitas vezes, como se o sobrenome de seu pai fosse a chave para descobrir por que tudo tinha dado tão errado. Seu pai gritava para eles:

– Soltem o meu filho. Ele não tem nada a ver com isso. – As mulheres berravam aflitas. O menino morto foi erguido enquanto o pai de Abdul tentava fazer com que ouvissem seus apelos. Vendo que aquilo de nada adiantava, ele tentou fazer ameaças. Gritou nomes de autoridades policiais que ele conhecia na capital. Mas as pessoas da cidade não significavam nada ali no deserto. Forçaram-no a se ajoelhar. Ele ainda estava gritando, mas alguém se agachou e encheu de areia a sua boca. Vômito, gritos e morte. Depuseram novamente no chão o corpo do menino morto, no centro de um dos círculos formados pelos aldeões.

– Seu filho pelo meu filho – gritou o homem com as mãos em torno da nuca de Abdul Hadi, e começou a apertar mais. Com areia e sangue na boca, seu pai olhava resignado enquanto aquele horror se desenrolava diante dele.

Abdul Hadi se lembrava de como a mão do pai do garoto morto soltara seu pescoço. Então o homem lhe agarrou o braço; com a outra mão agarrou a irmã de Abdul.

– Você pode escolher – gritou o homem para o pai de Abdul. – O filho ou a filha?

Abdul se recordava de que só então sua mãe começou a gritar. Ela teria chorado ou gritado quando ele era o único que estava de pé nas portas da morte? Talvez. Só que eu não podia ouvi-la, repetia Abdul para si mesmo. Tanta gente gritava ao mesmo tempo.

– O menino ou a menina?

– Foi um acidente... Eu imploro.

– Seu filho ou sua filha?

Surgiu uma faca. Na lâmina havia sangue seco. Para provocar uma decisão, colocaram a ponta bem debaixo da laringe do pai.

– Qual você escolhe?

O pai de Abdul olhou só para seu filho quando respondeu.

– A menina. Mate a menina.

10

Silo de Carlsberg – Copenhague
Quarta-feira, 16 de dezembro

Niels Bentzon acordou tarde, sentindo-se tudo menos descansado. Na verdade ele devia ligar dizendo que não estava bem. Tinha direito a um dia de folga, depois daquela noite. Mas quinze minutos depois estava sentado no carro, com o cabelo molhado, um copo de café em uma das mãos e no pescoço uma gravata com um nó que teria sido mais bem feito por um adolescente.

Chefatura de polícia – Copenhague

Niels quase não podia ver a sede atrás do paredão de ônibus verdes que estavam sendo usados pelos integrantes da força policial. Policiais de toda a Dinamarca tinham sido recrutados para a conferência sobre clima. Dentro de poucos dias o *Air Force One* aterrissaria em solo dinamarquês. O tio de Niels já havia ligado para perguntar se ele ia encontrar "o homem". Protegê-lo. Mas Niels precisou desapontar seu velho tio.
– Obama está trazendo o seu próprio exército de guarda-costas – explicou ele. – E a sua própria limusine e a sua própria comida, um barbeiro e uma pastinha onde ficam os códigos do arsenal nuclear dos Estados Unidos. – Mais tarde Niels já não sabia se acreditava na parte das armas nucleares. Tinha a impressão de que desapontaria ainda mais o seu tio se lhe falasse sinceramente a verdade: que as únicas pessoas que ele ia encontrar seriam os manifestantes raivosos diante do Bella Center.

Niels abriu caminho pela multidão de policiais do interior que tinham ido para a cidade grande. Eles pareciam estar numa excursão escolar. Rindo. Claramente esperando ansiosos por uma mudança na sua rotina diária. Naquele dia eles não precisariam emitir recibos em estradas secundárias de Jutland do Norte ou separar brigas de pescadores no salão da aldeia de Thyborøn. Logo estariam cara a cara com o Movimento Ataque, várias organizações ambientais e climáticas e um feio conglomerado de talentosíssimos ativistas de esquerda e filhos desprezados que se denominavam anarquistas e transpiravam raiva.

– Bom dia, Bentzon!

Antes que pudesse se virar, recebeu um sonoro tapa masculino nas costas.

– Leon. Dormiu bem?

– Como uma pedra. – Ele examinou Bentzon. – Você, por outro lado, parece ligeiramente cansado.

– A gente leva algumas horas para ficar bem.

– Não eu. – Leon sorriu.

Um pensamento se instalou na cabeça de Niels e se recusava a sair: eu não gosto de você. Era simplesmente isso. Niels não gostava de Leon. Ele achava detestável um homem que podia ir para casa e dormir como um bebê depois de ter passado a noite na companhia de um cadáver e duas crianças emocionalmente em frangalhos.

Por sorte Anni os interrompeu.

– Sommersted está querendo falar com você.

– Sommersted? – repetiu Niels olhando para Anni.

A secretária de Leon assentiu com a cabeça. Talvez houvesse nos seus olhos uma insinuação de solidariedade.

Uma reunião particular com W. H. Sommersted, o chefe da polícia, era algo que acontecia com muito poucos policiais. De acordo com a lenda popular da chefatura de polícia, ninguém jamais tivera durante toda a sua carreira mais de três reuniões particulares na sala de Sommersted: quando recebia a primeira advertência, quando recebia a segunda advertência e quando tinha vinte minutos para reunir seus pertences e ir embora. Dessas três, Niels já havia tido duas. Duas advertências.

– Logo que puder – acrescentou Anni, dando a Leon um sorriso agradável.

Niels a puxou de lado até a máquina de café.

– Eu sou o único que ele quer ver?
– Foi a secretária dele que pediu. Ela me mandou falar com você quando você chegasse. Por quê? Está havendo algum problema?

No vidro da porta que levava à sala externa estava escrito W. H. SOMMERSTED. Ninguém sabia o que era o "H". Talvez fosse só porque assim ficava melhor. Sommersted estava ao telefone. Seu grande maxilar não se mexia quando ele falava. Niels achava que ele daria um ventríloquo perfeito.
– Mande um fax imediatamente. – Ele se levantou e foi até a janela olhar para fora enquanto continuava falando. No caminho dirigiu a Niels um olhar que não revelou o menor sinal de reconhecimento. Niels tentou relaxar, mas isso era difícil. Que ele vá para o inferno se me despedir, pensou Niels. Ele tentava imaginar o que faria com o tempo. Sua mente se esvaziou. Ele só podia se ver vestido com o roupão e estendido no sofá. Iria se afundar na depressão. Chafurdar nela. Descer até o fundo.
– Bentzon! – Sommersted tinha terminado a ligação e jovialmente estendia a mão. – Sente-se. Como estão as coisas?
– Bem, obrigado.
– Aqui é a sede do inferno.
– Eu imagino.
– O *Air Force One* vai aterrissar daqui a pouco. Copenhague está pululando de VIPs internacionais. E a equipe de inteligência vê terroristas por toda parte. Pessoalmente, acho que estamos com o nervosismo do anfitrião. Vai dar tudo certo. – Sommersted pigarreou. Respirou profundamente e de repente pareceu se lembrar do porquê de Niels estar sentado diante dele. – Que bom que você voltou, Bentzon. – Tirou os óculos e os pôs na mesa. – Soube que você teve de tirar a roupa. Eles estão ficando cada vez mais espertos.
– Ela vai sobreviver?
– A menina? Vai, vai ficar bem. – Sommersted balançou a cabeça solenemente. Suas sobrancelhas revoltas se aproximaram um milímetro quando ele assumiu uma expressão preocupada. Muito convincente, mas Niels não acreditava nela. Sommersted era um comunicador hábil. Cinco anos antes havia feito o curso de mídia que Niels não aceitara frequentar. Hoje um chefe de polícia precisa ser uma combinação de anfitrião de *talk-show*, político e administrador de pessoal.
– Você é bom na conversa com as pessoas, Niels.
– Você acha? – respondeu Niels em tom de dúvida, sabendo que Sommersted tinha apenas preparado uma armadilha para ele.

– De verdade.

– Bom, então obrigado.

A armadilha se fechou.

– Talvez um pouco demais? – O olhar de Sommersted se tornou mais penetrante.

– É uma pergunta?

– Miroslav Stanic, nosso amigo sérvio. Você se lembra dele?

Contrafeito, Niels mudou de posição. Então lamentou ter feito isso, porque sabia que Sommersted havia notado.

– Eu soube que você o visitou na prisão. Foi por um acordo antigo?

– Foi por isso que você quis me ver?

– Esse homem é um psicopata.

Niels respirou fundo e olhou pela janela. Não se importava com silêncios constrangedores. Embora fosse óbvio que Sommersted estava esperando uma resposta, ele procurou se lembrar do que sabia sobre Miroslav Stanic.

Tinha sido sete ou oito anos antes. Suspeito de ser criminoso de guerra na Bósnia, o sérvio devia ser entregue a Haia. Inexplicavelmente, acabou parando na Dinamarca e obtendo asilo por razões humanitárias. O erro ficou logo evidente para as autoridades dinamarquesas. Stanic não era um pobre sérvio perseguido e sim um ex-guarda do infame campo de prisioneiros de Omarska. Agora ele estava recebendo diariamente três refeições saudáveis, balanceadas, gratuitas, do Restaurante Dinamarca. Mas quando estava prestes a ser entregue à polícia, ele se tornou incontrolável. Fez reféns dois outros do campo de refugiados de Sandholm. Quando Niels chegou, Stanic pediu para sair do país em segurança; do contrário cortaria a garganta de um dos seus reféns. Era óbvio que ele falava sério, porque quase tinha conseguido matar um deles – uma jovem albanesa. A moça só sobreviveu graças aos milagrosos esforços dos médicos do Hospital Nacional. Depois o ar ficou pesado com as censuras a Niels. Leon, particularmente, desabou sobre ele. Por que diabos ele não tinha estourado os miolos daquele psicopata?, indagou o colega. O incidente se encerrara depois de meio dia de negociação de Niels com o sérvio. Miroslav Stanic não demonstrava nenhum remorso pelos seus crimes de guerra. Sommersted tinha razão. Ele era um autêntico psicopata. E fascinante. Chegou a fazer Niels rir. Mas Stanic temia a prisão. A solidão. Tinha plena consciência do fato de que a sua sorte estava selada e que pela frente ele teria vinte anos de presídio. O trabalho de Niels era fazê-lo passar do reconhecimento da sua situação para a rendição.

Sommersted ainda estava esperando.

– Foi uma promessa que eu fiz a ele, Sommersted. E uma vez que ele acabou cumprindo a pena na Dinamarca, eu tive a oportunidade de manter a palavra.

– Uma promessa? Você prometeu visitá-lo na prisão como um representante da Cruz Vermelha?

– Foi esse o preço para ele soltar os reféns.

– Esqueça essa promessa, Bentzon. Os reféns foram soltos. Stanic foi condenado. Você percebe o que os outros policiais estão falando de você?

Niels desejou que aquela fosse uma pergunta retórica.

– Você percebe? – Por um segundo W. H. Sommersted pareceu um médico que precisava dizer a verdade triste mas ineluctável a um paciente que ia morrer.

– Que eu sou maníaco-depressivo? – sugeriu Niels. – Que eu tenho um parafuso a menos?

– Sobretudo isso. Eles não conseguem entender você, Niels. Um dia você está de licença, doente, e no dia seguinte está por aí visitando todos os psicopatas.

Niels quase protestou, mas Sommersted foi mais rápido.

– Mas você tem talento. Sem dúvida você tem talento.

– Você quer dizer que eu sou bom na conversa com os outros?

– Você é um bom mediador. Com a sua conversa você quase sempre consegue que eles saiam da crise. Eu só gostaria que você não fosse tão...

– Tão o quê?

– Tão estranho. Com a sua fobia de viajar e o seu comportamento maníaco. E sendo amigo de psicopatas.

– Só um. Você fala como se...

Sommersted o interrompeu.

– Você não pode simplesmente cumprir ordens de vez em quando?

Niels olhou para o chão. Cumprir ordens? Antes que ele pudesse responder, o chefe da polícia prosseguiu:

– Eu soube que você vai sair de férias.

– É só uma semana.

– Tudo bem. Agora preste atenção. Gostei de saber dos seus esforços ontem. O que você acha de a gente tentar outra vez? Começamos com uma coisa pequena.

– Claro.

– Eu tenho uma tarefa para você. Nada de grande vulto. Quero que você contate alguns cidadãos. Converse com eles.

– Você disse que eu sou bom nisso. – Niels não podia ocultar seu sarcasmo.

Sommersted lhe dirigiu um olhar irritado.

– Então com quem eu devo conversar?

— Pessoas boas.

Sommersted começou a procurar algo entre a pequena coleção de papéis que havia sobre a mesa e enquanto isso balançava a cabeça e comentava sobre a inundação diária de avisos vermelhos da Interpol.

— Você se lembra do som do telex nos velhos tempos?

Claro. Niels se lembrava perfeitamente da máquina de telex que recebia atualizações e avisos da sede da Interpol em Lyon. Ela havia sido substituída por um computador. Ou melhor, por milhares de computadores. No passado o telex funcionava ininterruptamente. O som monótono da impressora mecânica não os deixava esquecer que o mundo estava se tornando um lugar cada vez mais ferrado. Se alguém queria um olhar breve e concentrado para a dor do mundo, tudo o que teria de fazer era passar vinte minutos em frente da máquina sussurrante: assassinos em série, contrabando de drogas, sequestro de mulheres para prostituição e tráfico entre fronteiras, com crianças roubadas, imigrantes ilegais e urânio enriquecido. No departamento menos premente, o tráfico de espécies em risco de extinção: leões, leopardos, papagaios raros, golfinhos. A lista era infinita. Objetos de arte e artefatos históricos raros. Violinos Stradivarius e joias que já pertenceram ao czar da Rússia. Nem mesmo um milésimo do que a Alemanha nazista havia roubado dos países ocupados fora recuperado. Ocultos em cantos recônditos e porões de casinhas alemãs havia ainda diamantes, joias de âmbar e ouro do Império Bizantino; pinturas de Degas e barras de ouro que tinham pertencido a famílias judias. A busca desses bens ainda continuava. Era fácil ter uma dor de cabeça simplesmente por ter ficado diante da máquina de fax. A vontade era de gritar e correr; de pular no mar e desejar que a vida nunca tivesse saído da água, que os dinossauros ainda dominassem a terra.

Agora tudo estava no banco de dados da Interpol e todos os países membros estavam ligados. O esquema se chamava, com toda a simplicidade, I-24/7. Como uma loja de conveniência, estava sempre em funcionamento. Mas junto com o desenvolvimento da nova tecnologia tinha havido um aumento das ameaças. Granadeiros suicidas, bioterrorismo, *hackers*, distribuição de pornografia infantil, fraude de cartão de crédito, comércio ilegal de créditos de carbono, fraude tributária, lavagem de dinheiro. Sem falar na luta contra a corrupção na União Europeia. A Interpol podia ter adquirido uma nova arma para combater o crime, mas a nova tecnologia tinha dado aos criminosos uma perícia equivalente. Talvez o mundo não tenha feito realmente nenhum avanço. Esse era um pensamento que sempre ocorria a Niels. Talvez fosse melhor no passado, quando havia apenas uma máquina de telex ligada o tempo todo, quando o agitado som do movimento de rotação da impressora rompia o ar como um lembrete constante da dor do mundo.

– Um aviso vermelho – disse Sommersted quando finalmente encontrou o que estava procurando entre os papéis. Ele entregou a Niels o aviso. – Parece que as pessoas boas estão sendo mortas.

– As pessoas boas estão sendo mortas?

– É o que parece. Em lugares diferentes, no mundo inteiro: China, Índia, Rússia, Estados Unidos. Muitas das vítimas trabalhavam com causas humanitárias. Você sabe o que eu quero dizer: trabalhadores de ajuda humanitária, médicos, conselheiros.

Niels leu as palavras: "Aviso vermelho". O texto era em inglês, composto no estilo lacônico, em *staccato*, tão típico da Interpol: *Possíveis assassinatos cometidos por sectários. Primeiro policial que comunicou: Tommaso di Barbara.* Niels se perguntou se seria assim que eles conversavam lá em Lyon. Linguagem de robôs.

– Nos velhos tempos nós não teríamos gastado nossa energia com uma coisa desse tipo. Mas agora, depois da controvérsia sobre a caricatura de Maomé... Globalização, o que quer que isso signifique.

– Qual é a ligação entre os assassinatos? – indagou Niels.

– Símbolos nas costas das vítimas, pelo que entendi. Algum tipo de marca. Talvez os assassinos tenham uma motivação sectária. Daqui a pouco vai aparecer em cada esquina um maluco com um sabre e meia tonelada de dinamite amarrada no peito.

– Você acha que a motivação é religiosa?

– Possivelmente, mas nós não estamos envolvidos numa investigação. Felizmente. Assassinatos "santos". Isso significaria um inferno de papelada. E consultar uma pilha de livros de referência antigos e empoeirados. O que aconteceu com a ganância e o ciúme? Essas motivações a gente podia entender.

Sommersted fez uma pausa e olhou pela janela durante muitos segundos. Niels teve a impressão de que fora a palavra "ciúme" que havia desviado seus pensamentos. Ele havia visto a mulher de Sommersted várias vezes. Uma loira rica e mimada, uma beleza ligeiramente apagada que provavelmente não vira quase nada do lado sórdido da vida. Mas talvez não fosse tão fácil ser uma moça da classe alta confinada em casa. Onde ela encontraria seus triunfos e pequenos reveses? As confirmações pessoais que alimentam a alma? A mulher de Sommersted encontrava os dela nos olhares dos outros homens; Niels havia notado isso na primeira vez que a viu numa recepção. Ela ficou perto do marido, até segurou sua mão várias vezes, mas sempre notando os olhares que lhe dirigiam os homens que estavam na sala.

– Acho que você deve passar o dia de hoje fazendo contato com os... digamos, com as oito a dez pessoas boas de Copenhague. Descubra se elas notaram alguma coisa incomum. O chefe da Cruz Vermelha, pessoas que têm alguma relação com os direitos humanos e os ambientalistas daqui. Esses tipos de organização. Peça a eles que fiquem alerta. Isso nos dará uma retaguarda.

– E quanto aos delegados que estão vindo para a conferência?

– Não. – Sommersted deu uma risada forçada. – Acho que nós já lhes demos proteção suficiente. Além disso, dentro de quatro dias eles estarão indo embora. Essa é uma ameaça mais a longo prazo, acredito.

Niels recapitulou o que ele havia dito sobre os dois papéis, embora Sommersted estivesse ansioso para que ele saísse.

– Há algum suspeito? – perguntou Niels.

– Bentzon. Precaução oportuna, só isso.

– Mas por que foi que eles nos contataram a propósito do caso?

– Preste atenção: isso não é nada. Pense nisso quase como se fosse um dia de folga para lhe agradecer a sua ajuda ontem à noite. Se a gente for levar a sério esse tipo de ameaça não especificada não vai sobrar tempo para mais nada. Aqui nós já temos o suficiente para nos mantermos ocupados. Se cometermos o menor erro, no dia seguinte haverá três jornais matinais e cento e setenta e nove membros do Parlamento exigindo uma explicação e uma investigação, dizendo que nós precisamos estabelecer prioridades no nosso trabalho. Mesmo com vontade de mandá-los calar a boca, sou forçado a ficar lá, sorrir e balançar a cabeça como um garotinho na formatura – Sommersted respirou com exagero e se reclinou na cadeira. Ele já havia feito esse discurso antes. – Esta é a minha realidade, Bentzon: deliberar com o ministro da Justiça e o procurador-geral. Mandar *e-mails* explicando o motivo pelo qual nós não chegamos ao local do crime dois minutos antes. Atender a ligações de jornalistas que nos perguntam por que estamos fazendo um trabalho tão nojento. Porque é assim que eles nos veem.

Sommersted apontou para a janela, na direção do público em geral.

– Pense em mim como seu defensor. Eu vou lidar com os cães de caça de Christiansborg e várias redações de jornal. Tudo o que os seus policiais têm de fazer é o que vocês sempre fizeram. Pegar e pôr na cadeia os criminosos e depois jogar fora a chave.

Niels apenas riu. Não se podia negar que Sommersted tinha senso de humor.

– Precaução oportuna, Bentzon. Considere essa conversa uma tarefa confidencial. Fica só entre mim e você. E tenha boas férias quando chegar o dia.

11

Arquivos da chefatura de polícia – Copenhague

– Pessoas boas? – Não havia o menor sinal de sarcasmo na voz de Casper. Apenas curiosidade genuína. – Você está procurando "pessoas boas"?
– Exatamente. – Niels se sentou na borda da mesa e esquadrinhou a despojada sala de informática. – Precisamos localizar as pessoas boas. Você pode me ajudar?
Casper já estava sentado diante do computador. Não oferecera uma cadeira a Niels; nos arquivos o procedimento-padrão era esse. Embora a sala se parecesse com todas as outras salas, apenas um pouco maior, Niels se sentia como se tivesse forçado a entrada na casa de um estranho. Nada de café ou uma cadeira. Nenhuma observação preliminar a título de cortesia. Niels não sabia se os arquivistas não gostavam dele ou se apenas eles eram desprovidos de habilidades sociais. Talvez o fato de passar tantos anos nos arquivos empoeirados, cercados de fichas de arquivos, pastas de arquivos e sistemas de computador os tivesse aos poucos tornado insociáveis e receosos de que corpos estranhos como Niels pudessem destruir a sua ordem meticulosa. O medo de que alguém que transpusesse as pesadas portas de madeira pintada de preto introduzisse ali, junto consigo, o caos.
– A arte de ser uma pessoa boa – disse Casper depois de digitar no Google "pessoa boa". Ele prosseguiu: – O que apareceu o maior número de vezes: Jesus.
– Que bom que a gente pode contar com o seu trabalho, Casper.
Casper desviou os olhos da tela, genuinamente satisfeito com o cumprimento de Niels. Ali a ironia não funcionava, lembrou-se Niels. Claro que não. A ironia pode gerar mal-entendidos, e os mal-entendidos podem causar erros de índice e

com isso fazer desaparecer para sempre um livro fundamental, um arquivo importante ou talvez uma carta decisiva. As salas de armazenamento de arquivos continham mais de trezentos mil itens registrados. Niels nunca havia entrado ali – o acesso era rigorosamente proibido para funcionários não autorizados –, mas as poucas pessoas que a conheciam diziam que ela era o tesouro da história da polícia. Havia documentos que remontavam ao século XIII. E uma enorme quantidade de casos de assassinato não esclarecidos. Mais de cem desde o final da Segunda Guerra Mundial. Evidentemente muitos dos criminosos já estavam enterrados havia décadas e seriam julgados no outro mundo. Mas com base na estatística se podia dizer que havia pelo menos quarenta assassinos circulando livremente por aí. Sem falar em todos os dinamarqueses desaparecidos. Alguns haviam fugido, mas outros tiveram tanto sucesso na sua saída de circulação que não estavam incluídos nas estatísticas de assassinatos não esclarecidos.

Muitos colegas de Niels tinham pedido permissão para pesquisar nos arquivos depois de aposentados. Assim, embora de nada adiantasse ser irônico ali, o lugar não deixava de ter uma ironia fundamental própria. Só depois que se aposentavam é que os policiais tinham tempo suficiente para fazer o trabalho para o qual tinham sido contratados. Um tempo exagerado era gasto com papelada desnecessária. Relatórios que ninguém lia, documentação que não tinha interesse para ninguém. Chegaria um dia em que eles não poderiam usar o banheiro sem antes consultar uma tabela do Excel. Nos últimos oito ou dez anos as coisas tinham piorado. O governo havia falado em abolir toda a papelada excessiva e a burocracia desnecessária, mas na realidade o que estava acontecendo era exatamente o contrário. Nesse meio-tempo os problemas com que se tinha de lidar nas ruas e becos eram em volume suficiente: clubes de ciclistas; guerras de gangues; violência bestial em todas as abominações imagináveis; a remoção dos invasores da Casa da Juventude e os conflitos que se seguiram a ela; jovens imigrantes desorientados que não sabiam a diferença entre um *grill* descartável e o carro do vizinho; empresários cruéis que estavam sempre à espera de uma oportunidade para se apropriar dos ativos de uma companhia; gângsteres do Leste Europeu e do Oriente Médio; prostitutas africanas; pobres coitados com problemas mentais que não tinham para onde ir porque o número de leitos hospitalares fora drasticamente reduzido; e assim por diante. Não era surpreendente que alguns policiais achassem necessário trabalhar até depois da idade da aposentadoria. Entre os chefes de polícia se dizia à boca pequena, meio de brincadeira, que o governo devia criar uma guarda republicana, como nos países do Oriente Médio. Um pequeno exército de agentes dispostos a cumprir as ordens do governo. Segundo eles essa guarda poderia cuidar de expulsar os *hippies* velhos da cidadezinha de Cristiânia e combater os manifestantes que estavam por toda parte. Isso criaria um espaço de respiração para que a polícia pudesse fazer aquilo que ela fazia melhor: *proteger e servir*. Proteger as pessoas, evitar crimes e resolver os que ocorressem.

Casper deu a Niels um olhar hesitante.

– Jesus serviria para você?

– Precisamos localizar os dinamarqueses, Casper. Os dinamarqueses vivos.

– Dinamarqueses bons?

– Isso. Pessoas boas e corretas. Eu gostaria de ter uma relação delas.

– Os juízes da Suprema Corte e gente desse tipo?

– Não seja idiota.

– Por que você não me dá um exemplo?

– A Cruz Vermelha – disse Niels.

– Ah, entendi. Então você está falando de instituições de caridade.

– Não só. Mas também.

Casper voltou a olhar para a tela do computador. Quantos anos ele teria? Provavelmente não mais de vinte e dois. Hoje tantos jovens já sabem tanta coisa, pensou Niels. Já deram três vezes a volta ao mundo e concluíram sua educação formal; falam muitas línguas e sabem desenvolver os seus próprios programas de computador. Quando Niels tinha vinte e dois anos ele sabia remendar um pneu de bicicleta e contar até dez em alemão.

– Quantos você quer? Cruz Vermelha, Anistia Internacional, Assistência Luterana de Emergência, Unicef da Dinamarca, Academia de Paz...

– O que é a Academia de Paz? – indagou Susanne, a arquivista mais velha, olhando por cima do seu trabalho.

Casper deu de ombros e passou adiante. Susanne dirigiu a ele e a Niels um olhar contrariado.

– E quanto ao Salve as Crianças? Eu faço doações para eles – disse Susanne.

– Eu não quero organizações. Quero pessoas. Pessoas boas.

– Então que tal a mulher que dirige o Salve as Crianças? – perguntou ela.

Niels respirou profundamente e resolveu começar tudo de novo.

– É o seguinte: no mundo inteiro estão matando pessoas boas. Pessoas que lutaram pela vida de outros seres humanos. Pelos seus direitos e condições de vida...

– Ok, vamos tentar outra coisa – cortou Casper. – Vamos fazer uma busca com essas palavras.

– Quais palavras?

– Referência cruzada. As pessoas que são "especialmente boas" sempre são mais mencionadas na mídia, certo? Se um terrorista está viajando pelo mundo para matá-las, ele tem de obter suas informações em algum lugar. E esse lugar é a internet.

– Concordo.

– Então tudo o que nós – e os terroristas – temos de fazer é digitar as palavras que achamos capazes de gerar uma lista de campeões de bondade. Palavras como "ambiente", "Terceiro Mundo". Coisas desse tipo.

Enquanto Susanne pensava se a ideia era boa, Niels acrescentou à lista mais palavras: ajuda humanitária, Aids, medicina.

Casper assentiu com a cabeça e prosseguiu:

– Clima, vacina, câncer, ecologia, carbono.

– Mas o que é que significa ser uma pessoa boa? – indagou Susanne.

– Na verdade isso não importa – disse Casper. – O importante é o que os outros percebem como bom.

Niels tinha pensado em outras palavras: pesquisa, água limpa... não, água potável.

Susanne finalmente desistiu do seu ceticismo.

– Que tal "mortalidade infantil"? "Malária". "Saúde".

– Bom!

– "Analfabetismo". "Prostituição".

– "Abuso" – Niels interpôs.

– "Microcrédito". "Trabalho nos países subdesenvolvidos, voluntários" – disse Casper.

– "A floresta tropical" – acrescentou Susanne, completando a relação e olhando indignada quando Casper e Niels reduziram a gravetos a floresta tropical. Os dedos de Casper se ergueram acima do teclado como se este fosse um Steinway e ele tivesse tocado os últimos acordes do *Concerto para piano nº 3* de Rachmaninoff.

– Me dê dez minutos – disse ele.

Niels passou o tempo de espera ao lado da máquina de café. A bebida estava insípida. Não se comparava ao café da máquina de expresso que Kathrine tinha trazido de Paris no ano anterior. Niels se sentia irritado. Talvez por causa do lugar em que ele estava. Todos aqueles assassinatos não esclarecidos. O ódio de Niels à injustiça era maior que seu amor à justiça. Um crime não esclarecido –

assassinato, estupro, assalto – podia mantê-lo acordado à noite. Ressentimento e raiva: era essa a energia que o levava a lutar contra a injustiça. Mas quando via um criminoso condenado, quando ficava diante do tribunal e o via sendo conduzido para a prisão, Niels frequentemente era atingido por uma inexplicável sensação de vazio.

– Ok. Quantos nomes você quer? – perguntou Casper junto do teclado.

Niels olhou para o relógio. Dez e alguns minutos. Ele queria chegar em casa pelo menos às seis horas para poder fazer a mala. E também precisava tomar mais pílulas. Oito horas. Uma hora para cada conversa. Seria preciso encontrar todos eles pessoalmente. Ele ponderou que o aviso de um possível assassinato, por mais que fosse improvável, não podia ser dado por telefone.

– Me passe os oito primeiros – disse ele.

– Você quer que eu imprima?

– Quero. Por favor.

A máquina zumbiu. Niels olhou para a lista. A nata da safra das causas humanitárias. *O melhor do melhor.* Quase certamente qualquer pessoa que ele parasse na rua lhe daria os mesmos nomes.

– Não seria bom checá-los com o nosso próprio banco de dados? – Casper dirigiu um olhar sorridente para Niels. Era tentador. Aquelas eram as pessoas que tinham recebido mais cliques nas palavras "pertencente à bondade" – as que mais frequentemente estavam na mídia quando se tratava de defender os fracos e desamparados. Talvez fosse bom dar uma olhada no que o banco de dados da polícia tinha a dizer sobre elas.

– O que você acha? Levaria no máximo dois minutos – continuou Casper.

– Não. Não é preciso fazer isso. O que importa é como o resto do mundo vê essas pessoas.

Susanne examinou a lista, olhando por cima do ombro de Niels.

– Olhem só, vocês viram? A mulher do Salve as Crianças está na lista – disse ela aliviada. – Mas por que cargas d'água Mærsk, o armador magnata, está incluído?

Casper estudou os resultados da pesquisa e balançou a cabeça.

– Mærsk está ligado a tantos projetos diferentes no mundo inteiro e na Dinamarca que quase sempre aparece, qualquer que seja o tema da pesquisa. Só com os seus impostos ele provavelmente sustenta umas cem escolas primárias por ano. Se fizermos uma pesquisa para encontrar o dinamarquês mais odiado, ele provavelmente estaria lá também. Risco o nome dele?

– Isso, risque. Não acho que seria o primeiro na linha de fogo.

– Quem é esse Thorvaldsen que está em primeiro lugar? – indagou Susanne.

Niels ficou surpreso por ela não o conhecer.

– É o secretário-geral da Cruz Vermelha Dinamarquesa.

Uma nova relação saiu da impressora. Em vez de Mærsk o sexto lugar era agora ocupado por um pastor que estava sempre no noticiário.

– Todos eles velhos amigos – concluiu Niels. – Fora o número oito. Não o conheço.

– Gustav Lund. Apareceu onze mil, duzentas e trinta e sete vezes nas palavras "salve" e "mundo". Vamos dar uma olhada – disse Casper enquanto o buscava no Google. Um professor cinquentão, de olhar intenso.

– Homem bonito – disse Susanne laconicamente.

– Gustav Lund. Professor de matemática. Ah, tudo bem: recebeu a Medalha Fields de matemática em 2003 junto com dois colegas canadenses e três americanos. Humm... seu filho se suicidou... quando estava apenas com doze anos de idade.

– Isso não faz dele uma pessoa ruim – disse Susanne.

Niels e Casper se olharam como se discordassem.

– Por que é que ele é considerado bom? – perguntou Susanne.

– Excelente pergunta. – Casper estudou a tela. – Está aqui: Por ocasião da entrega do prêmio ele declarou que "será um matemático que salva o mundo". Parece que esse comentário foi citado em todo lugar. Você acha melhor eu riscar da lista esse sujeito e no lugar dele pôr o que está em nono lugar? Um porta-voz do clima de...

– Não, está bom assim. – Niels olhou para a relação. – Vamos deixar espaço para algumas surpresas.

12

Aeroporto Arlanda – Estocolmo, Suécia

Ao desembarcar, Abdul Hadi manteve os olhos no chão, evitando a aeromoça. Ele não podia fazer aquilo. Ela pertencia ao Ocidente; era propriedade deles. Não havia razão para pensar diferente. Ela também lhe fazia lembrar demais a irmã, embora elas não se parecessem nem um pouco. A única semelhança era a idade, a idade que sua irmã teria hoje: trinta e sete anos. Ela estava com oito anos quando morreu.

No controle de passaporte ele ficou na fila para "todas as outras nacionalidades". Os cidadãos da União Europeia passavam rapidamente pela sua entrada privilegiada. A fila de Abdul Hadi não andava. Ele estava habituado àquilo. Uma vez um árabe havia chamado a fila das outras nacionalidades de "Expresso do Oriente". Uma mãe somali com três filhos estava atrás do vidro numa discussão sem esperança com um funcionário da polícia sueca. Abdul Hadi viu imediatamente que ela nunca teria permissão para entrar. Toda vez que viajava, ele assistia àquela mesma cena: não ocidentais que eram mandados de volta para casa por problemas com o visto, porque o nome de um dos filhos não estava escrito do mesmo modo no passaporte e no tíquete do avião, porque não tinham passagem de volta ou porque a foto no passaporte era velha demais. A menor discrepância podia significar entrada negada à pessoa. A Europa era uma fortaleza – o controle do passaporte era a ponte levadiça sobre o canal, e se a pessoa não conhecesse a senha certa seria devolvida ao seu país.

A somali chorava. Seus filhos estavam famintos; tinham a pele esticada sobre os ossos da face, algo que normalmente se via apenas nas pessoas muito velhas.

Abdul Hadi as olhou, condoído. A mulher precisou sair para o lado a fim de dar lugar aos outros. O rosto de Abdul Hadi foi objeto de um intenso escrutínio, tanto a foto no passaporte quanto os seus traços. Enquanto esperava, ele contou os europeus na outra fila que tinham tido permissão para passar. Cinco. O funcionário deslizou seu passaporte para dentro de uma máquina. Doze.

– Trabalho?
– Visita à família.
– Tem passagem de volta?
– Tenho.
– Mostre, por favor.

Abdul Hadi olhou para a outra fila. Mais cinco: dezessete. O funcionário inspecionou sua passagem de volta. A entrada da pessoa era negada caso ela não tivesse uma passagem de volta válida. Eles queriam ter certeza de que você voltaria o mais cedo possível. Vinte e cinco. Abdul Hadi contou até trinta e cinco antes de o funcionário lhe entregar seu passaporte e a passagem sem fazer nenhum comentário.

– Próximo!

Na área de chegada havia apenas um árabe à espera. Ele e Abdul Hadi trocaram um olhar e então se aproximaram.

– Abdul?
– Sou eu.
– Bem-vindo. Eu sou Mohammed. Seu primo.

Somente então Abdul Hadi notou a semelhança. O rosto oval e o cabelo que não sobreviveria na sua cabeça por muito tempo mais. As sobrancelhas espessas. Abdul sorriu. Ele não via o irmão da sua mãe havia anos. Seu tio havia conseguido se asilar na Suécia havia quase vinte anos e desde então tivera muitos filhos. Um dos quais estava ali, de pé diante dele. Parecia bem nutrido, relaxado.

– Você é bem alimentado.
– Estou gordo, eu sei. Meu pai também lamenta isso.
– Por favor, diga a ele que eu lhe mando um abraço.
– Vou fazer isso. Me dê a sua mala.

Eles rumaram para a saída.

– Por que o seu pai não veio?

Mohammed parecia estar procurando as palavras certas.

– Ele está doente?

– Não.
– Está com medo?
– É isso.
Abdul balançou a cabeça.
– Não tem importância. Nós somos muitos. Um exército inteiro. Um exército adormecido – disse Mohammed.
– É isso mesmo. Um exército adormecido. Mas nem sempre é fácil acordar os seus soldados – replicou Abdul ao seu jovem sobrinho, que havia se alimentado tão bem das riquezas do Ocidente.

No assento traseiro do carro havia um pacote. Abdul censurou Mohammed por ele o ter deixado bem à vista. Além de estar acima do peso, o exército adormecido era descuidado.
– São só fotos – defendeu-se Mohammed. – Os explosivos estão no porta-malas.
Abdul estudou as fotos da igreja. Não a reconheceu.
– Você tem certeza de que é essa igreja mesmo?
– Absoluta. É uma das igrejas mais famosas de Copenhague.
Então Abdul viu algumas das fotos que havia encontrado na internet. Inclusive Jesus na cruz de madeira. Incomodava-o o fato de a imagem ser destruída na explosão. Mas não era Jesus; era apenas uma imagem, nada mais que uma imagem. O Ocidente estava sempre tentando execravelmente criar imagens, figuras e desenhos com tudo o que fosse sagrado. Autos de Natal, entalhes moldados meticulosamente em madeira para representar cenas da Bíblia. Estátuas e pinturas. Aquilo não acabava nunca. Os ocidentais tentavam usar imagens para se convencer; é o que eles sempre tinham feito e ainda faziam. Nos tempos atuais as imagens não eram nada mais que publicidade do seu modo de vida. Não era como Hadi e seu povo, que podiam sentir o divino dentro de si mesmos. Não precisavam tê-lo diante dos olhos. Ele examinou novamente a figura de Jesus. Uma extravagância infantil, pensou.
– Afrouxamos os parafusos. – Mohammed apontou para a janela do subsolo, visível na foto da igreja. – Levamos três noites para conseguir, mas ninguém nos viu. Temos certeza disso. Todos os quatro parafusos estão frouxos. Você só precisa empurrar a janela.
O estômago de Abdul Hadi roncou. Seu único alimento fazia muitas horas tinha sido os amendoins que a aeromoça lhe dera. Voltou a pensar nela por um

breve momento: o cabelo loiro, a mão que tocava a sua. Mas não podia pensar nela sem ver sua irmã morta. E o menino que seu pai atropelara e matara. Duas vidas. Estar sentado ali naquele momento custara duas vidas. Era certo ele querer pagar a dívida. Era absurdo pensar na aeromoça. Como ele gostaria que ela não tivesse lhe sorrido. Não daquele jeito, pelo menos.

13

Polizia di Stato – Veneza

O pacote estava na mesa. Muito provavelmente o único registro do que havia acontecido quando um dos assassinatos foi cometido. Tinha sido quase impossível obtê-lo, mas ele havia conseguido.

Tommaso di Barbara esfregou os olhos e então olhou para o pacotinho muito bem embalado, na mesa da sala de reuniões. Ele rastreara muitas vítimas, mas não tinha posto a mão em nenhuma pista para encontrar o assassino.

Parecia que o comissário Morante havia resolvido não vir trabalhar sozinho. Tommaso ouviu os passos deles no *hall*. Passos de autoridades andando ritmicamente. Na música um tempo unificado é bom, mas quando aplicado ao andar humano é aterrorizante, pensou Tommaso. Quando as pessoas andam num único ritmo é porque vão fazer algo brutal demais para estarem sozinhas. A porta abriu. O comissário se sentou e antes mesmo de olhar para Tommaso encheu copos de água para si mesmo, para o gerente de pessoal e o homem do continente, que Tommaso não conhecia. Di Barbara se esforçou para parecer o mais saudável possível, uma vez que estava febril e com dor de cabeça.

– Que noite difícil! Com a viúva do insuflador de vidro – disse o comissário.

– Ela confessou? – indagou Tommaso.

– Confessou. De manhãzinha. Esperou até chegar um padre junto com o Flavio.

– Foi por causa de uma apólice de seguro?

– Não, não existia seguro de vida. – O comissário limpou a garganta e então mudou de assunto. – Tommaso, agora vou lhe perguntar pela última vez.

– Fui eu – foi a resposta imediata de Tommaso.

– Foi você?

– Fui eu quem contatou as autoridades chinesas. Pedi que elas me mandassem a fita. Ela pode conter informações de grande importância.

O comissário elevou a voz:

– Sem autorização, você usou canais oficiais para mandar alertas para Kiev, Copenhague e uma longa lista de outras cidades.

Tommaso deixou de prestar atenção. Perguntou-se como o comissário tinha descoberto. Certamente alguém o delatara. Ou então eles estavam de olho nele havia mais tempo do que ele imaginava.

Tommaso tentou novamente explicar.

– Como já lhe disse, esses assassinos têm seguido um padrão específico, e ainda haverá outros.

Silêncio. Alguém limpou a garganta.

– Mas Tommaso – disse o comissário –, você contatou a nossa embaixada em Nova Delhi e conseguiu que eles mandassem um homem em Mumbai procurar indícios.

– Não indícios. Um economista indiano tinha sido assassinado.

O comissário prosseguiu como se Tommaso não tivesse falado.

– Você pediu às autoridades chinesas que nos entregassem material. E esteve em contato com a Interpol.

– Porque eles estão tratando de um caso igual ao de Mumbai! Dê uma olhada nos comunicados. Eu só lhe peço isso. Ouça o que eu estou lhe dizendo. Eu também fiquei pasmo no início. Já faz alguns meses que eu vi pela primeira vez a foto que a Interpol nos mandou. No início era apenas um corpo com uma grande tatuagem. Depois eu comecei a estudar os documentos. Pedi à Interpol que me mandasse as fotos na alta resolução original.

– Você pediu a eles que lhe mandassem mais material? – O comissário balançou a cabeça.

Tommaso desistiu dele e se virou para o homem à direita, o homem que ele não conhecia. Provavelmente uma alta patente do continente.

– Primeiro houve uma vítima de assassinato. Depois, duas. Então houve outro denominador comum, além da marca nas costas. Os dois eram envolvidos com ajuda a outras pessoas.

O estranho assentiu com a cabeça, parecendo interessado.

– Eu contatei a Interpol, mas eles disseram que não queriam mexer com aquilo. Disseram que a importância do caso era mínima. Por isso eu comecei a trabalhar por conta própria.

– Começou a trabalhar por conta própria? – repetiu o comissário, novamente balançando a cabeça.

– É. Fazia isso fora do horário de trabalho. Não negligenciei os meus deveres. Não perdi um único turno. Usei para a investigação o tempo que era meu.

– O seu tempo! Você acha mesmo que isso só tem a ver com o seu tempo? Você também usou o tempo dos outros. Um empregado da embaixada em Nova Delhi, por exemplo.

– Temos alguma responsabilidade.

O comissário optou por ignorar o comentário de Tommaso e continuou:

– Amanhã iremos receber uma delegação de visitantes proeminentes. O ministro da Justiça e alguns juízes e políticos. O que é que eles vão achar disso? Pense bem.

Tommaso xingou mentalmente. Essa era sempre a única preocupação do comissário: receber a pletora de visitantes proeminentes que chegava na cidade de quinze em quinze dias. Todo mundo queria fazer reuniões em Veneza.

Talvez o comissário tenha percebido que Tommaso notara a sua vaidade obsessiva. De qualquer forma ele mudou de tática.

– E quanto às pessoas na outra ponta, Tommaso? Quando você manda um aviso vermelho alguém precisa tratar dele. Você alertou pessoas em várias cidades. Ancara. Sligo.

– E Copenhague. Há um padrão.

O comissário dirigiu um olhar lastimoso para o homem do continente. Toda vez que Tommaso mencionava um padrão ele o olhava. Então o homem limpou a garganta e correu as duas mãos pelo cabelo.

– Um padrão que eu até agora não percebi direito – prosseguiu Tommaso. – Mas há cerca de três mil quilômetros entre alguns dos locais de crime. Eu achava que simplesmente era preciso avisar às autoridades policiais que estavam dentro da zona de perigo.

O silêncio se instalou na sala. O comissário voltou a olhar para o estranho, que se sentou empertigado e falou pela primeira vez.

– Signor Di Barbara – começou ele, depois deixou uma pequena pausa suspensa no ar. – Soubemos que a sua mãe está gravemente doente.

Tommaso franziu a testa. O que uma coisa tinha a ver com a outra?

– Está, sim.

– Ela está num asilo. Não é isso?

– É. As irmãs franciscanas estão cuidando dela.

– É muito difícil enfrentar as coisas quando um dos seus pais está agonizante. Eu perdi a minha mãe no ano passado.

Tommaso olhou-o com um ar inquiridor. E depois voltou a olhar o comissário, que estava estudando o tampo da mesa.

– Quando estamos nervosos por causa de situações além do nosso controle, nós às vezes nos lançamos em trabalhos absurdos. Como uma compensação mental. Uma espécie de sublimação. Você me entende?

– Desculpe, mas quem é o senhor?

– Dr. Macetti.

– Doutor? Doutor em quê?

– Psiquiatria – disse o homem, olhando Tommaso nos olhos antes de continuar. – É perfeitamente natural e totalmente aceitável para o cérebro produzir um excesso de atividade. Na verdade essa é uma reação mais saudável do que ficar passivo. Ou deprimido. Ou se voltar para a bebida. – O último comentário do psiquiatra foi dirigido ao comissário, que meneou a cabeça ansiosamente.

– Então o senhor acha que eu estou ficando doido?

Eles sorriram constrangidos.

– Claro que não – disse o psiquiatra. – A sua reação é absolutamente normal.

Tommaso voltou a concentrar a atenção no pacote que estava na mesa. Ainda não fora aberto.

– Talvez fosse melhor você agora se concentrar na sua mãe – disse o psiquiatra. – E poderia ir me ver uma vez por semana em Vêneto.

– Nem precisamos usar a palavra "suspensão" – disse o comissário. – Isso parece muito dramático. Mas vou ter de lhe pedir para tirar seus pertences da sala e entregar a sua arma e a identidade policial.

14

Filial da Cruz Vermelha – Copenhague

A jovem secretária da filial da Cruz Vermelha tinha um ar nervoso. O nervosismo era bem dissimulado atrás de uma máscara de simpatia e autoconfiança sincera, mas estava lá.
– Do departamento de polícia?
– É. Meu nome é Niels Bentzon.
Na base do pescoço dela surgiu um rubor. A mudança da cor quase não era visível, mas Niels a notou imediatamente. Ele era treinado para observar esse tipo de coisa.
Os negociadores da polícia eram funcionários comuns que tinham recebido treinamento de psicólogos e psiquiatras para resolver conflitos sem o uso da força física. O primeiro curso que Niels frequentara sobre a linguagem secreta do rosto havia aberto para ele um novo mundo. Ele e os seus colegas tinham aprendido a registrar os menores movimentos, aqueles que ninguém pode controlar. As pupilas dos olhos, os vasos sanguíneos que correm no pescoço. Eles assistiam a filmes sem som. Aprenderam a estudar o rosto sem ouvir as palavras.
– O sr. Thorvaldsen vai recebê-lo dentro de cinco minutos.
– Obrigado. Está ótimo. – Niels pegou um folheto sobre um projeto da Cruz Vermelha em Moçambique e se sentou para esperar na pequena área da recepção.
Thorvaldsen parecia extremamente solene no folheto. Mais jovem do que quando aparecera na televisão, recentemente. "Malária, guerra civil e falta de água potável são algumas das maiores ameaças à saúde pública em Moçambique", ele declarava. Niels pôs o folheto de lado. Moçambique ficava muito longe.

Ele via Thorvaldsen sentado na sua sala, do outro lado da divisória de vidro. Estava rindo de alguma coisa. Para não ficar sentado olhando para o espaço, Niels abriu a pasta com o arquivo da Interpol e retirou de lá um dossiê. Olhou para o número de telefone do funcionário da polícia que havia relatado o caso. Estranho, mas não parecia que alguma "pessoa boa" tinha sido morta na Itália. No entanto havia uma na Rússia. Em Moscou. Vladimir Zhirkov, jornalista e crítico da sociedade. De acordo com o arquivo, ele tinha morrido na prisão. Niels balançou a cabeça. Na Rússia parecia que as coisas eram feitas ao contrário: os bons iam para a cadeia enquanto os criminosos ficavam livres. As autoridades russas diziam que a causa da morte tinha sido um coágulo de sangue. Então por que Zhirkov tinha ido parar na lista das pessoas boas assassinadas? Niels encontrou a resposta mais adiante na mesma página. Todos os corpos tinham a mesma tatuagem. Uma tatuagem com um desenho específico. Sommersted mencionara isso? Niels não se lembrava. Não havia nenhuma outra informação. Bom, não tinha importância, porque o caso não o interessava particularmente. A falta de entusiasmo de Sommersted parecia ter contaminado Niels. Meu Deus, uns poucos assassinatos cometidos em partes longínquas do mundo. E daí? Trezentas ou quatrocentas pessoas morriam anualmente em acidentes de trânsito na Dinamarca. Muitas delas eram crianças. E quem se importava com isso? Havia um funcionário da polícia no outro lado do mundo pensando nessas mortes no trânsito naquele exato momento? Era muito improvável. A única coisa que interessava a Niels era o fato de que logo mais ele estaria a caminho de encontrar Kathrine. Tomaria os tranquilizantes como açúcar. Desfrutaria o sol. E não se importaria nem um pouco com o fato de o hotel – de acordo com Kathrine – parecer uma cidadela feia cercada de arame farpado e guardas armados. Ele ia se deliciar com a comida fabulosa que os filipinos da equipe de cozinha do hotel preparavam ganhando salários indecentes. Transaria com Kathrine, deleitando-se com o seu belo corpo. Desfrutaria o fato de poder tocá-la sempre que quisesse. Sommersted e tudo o que lhe dizia respeito seriam esquecidos e...

– Alô.

Niels estava com o celular na mão. Não tinha se dado conta de que fizera uma ligação. Era como se os seus dedos tivessem vontade própria. Um círculo fora desenhado em torno de um nome num dos documentos do arquivo. *Tommaso di Barbara*, seguido de um número de telefone. Ele havia feito aquele círculo?

– Alô – repetiu a voz.

– Tommaso di Barbara? – disse Niels em voz alta. Provavelmente ele não estava pronunciando direito.

– *Si*. – A voz parecia cansada, deprimida.

– Aqui é Niels Bentzon – informou ele em inglês. – Estou ligando da Divisão de Homicídios de Copenhague. Tenho um comunicado aqui que diz que você foi o primeiro policial a...

– *Scusa. Parla italiano?*

– Não.

– *Français?*

Niels hesitou. Olhou para a secretária.

– Por acaso você fala italiano? Ou francês? – indagou ele.

– Não. – Ela lhe deu um sorriso radiante. Ele nunca havia visto alguém tão feliz por não falar um idioma estrangeiro. Ou seria por ele ter lhe dado uma atenção que ela não esperava receber? Thorvaldsen agora estava saindo da sala.

– *Monsieur*? Alô? – disse a voz no telefone.

– Eu ligo para você mais tarde, sr. Di Barbara. Certo? – Niels encerrou a conversa e se pôs de pé.

Thorvaldsen estava junto da porta, despedindo-se dos seus dois visitantes.

– Mantenha os cartões perto do peito. Não queremos começar um frenesi midiático agora – recomendou ele a um dos homens, pondo a mão no seu ombro. – Estamos combinados?

– Está aqui um homem da polícia pedindo uma pequena reunião com o senhor – murmurou nervosamente a secretária.

– Da polícia? – Thorvaldsen se virou e viu Niels. – Aconteceu alguma coisa?

– Não, não. – Niels deu um passo na direção dele e estendeu a mão. – Niels Bentzon, da polícia de Copenhague.

Thorvaldsen tinha o aperto de mão forte e um olhar decidido. Era um homem acostumado a ser levado a sério pelos outros.

– Da polícia? – repetiu ele.

Niels meneou a cabeça.

– É só um minuto.

15

Polizia di Stato – Veneza

Tommaso anotou o número do telefone do funcionário da polícia dinamarquesa. Ele se sentia quase eufórico, apesar da sua nova condição: oficialmente em licença remunerada. Aquela fora a primeira vez, em todos aqueles meses que ele tinha passado investigando o caso, que lhe haviam respondido. Ele fechou a porta da sala. O comissário tinha lhe dado o resto do dia para redigir seu relatório sobre a viúva do insuflador de vidro. Não que houvesse algum problema no caso. Era uma simples questão de confissão de culpa. A mulher não tinha sido capaz de aguentar a pressão por mais tempo.

Sua sala tinha uma vista do canal e da estação ferroviária. O mobiliário se compunha de uma escrivaninha, uma cadeira e um sofazinho estofado de imitação de couro verde. Havia também um guarda-roupa, mas Tommaso não o usava para roupas. Ele o abriu. O comissário não o havia encontrado. Tinha quase certeza disso. Do contrário o chefe teria mencionado o fato junto com a suspensão. Todo o interior do guarda-roupa estava coberto de recortes sobre o caso. Fotos das vítimas. Mapas dos locais. Citações da Bíblia. As reflexões e teorias de Tommaso. Ele ouviu passos e rapidamente fechou a porta do guarda-roupa. Sabia que estavam de olho nele.

Sua secretária, Marina, acabara de entrar na área de recepção e tinha o ar culpado. Claro – eles a haviam envolvido também. Ela bateu na porta de vidro.

– Entre – disse Tommaso.

Marina pôs a cabeça no interior da sala, mas fez um esforço para ficar com o resto do corpo na área da recepção.

– Ligaram do hospital. Sua mãe chamou você durante toda a noite.
– Entre, Marina.
Ela obedeceu, fechando a porta atrás de si.
– Você contou para eles em que eu ando trabalhando, não foi mesmo?
– O que você esperava que eu fizesse? O comissário me ligou ontem à noite e me pediu para vir aqui. Eram mais de oito horas. – Seus olhos estavam marejados.
– Calma. Eu não estou culpando você de nada.
– Você mentiu para mim.
– Menti?
– Eu achei que estava trabalhando em caráter oficial quando traduzi todos aqueles documentos para você. – Ela apontou para o guarda-roupa. – Você tem ideia de quantas horas eu passei fazendo aquelas traduções? Do italiano para o inglês e vice-versa?
– Você fez um excelente trabalho. Mas não falou nada sobre isso... – Ele apontou para o guarda-roupa.
– Eles não me perguntaram.
– Ótimo, Marina.
Marina se empertigou e fez uma óbvia tentativa de avaliar o estado mental de Tommaso. Ele sorriu. Precisava dela para poder tomar posse do pacote da China.
– Pare de me olhar desse jeito – disse Tommaso.
– Eles estão dizendo que é por causa da sua mãe.
– Pergunte a si mesma em quem você deve acreditar. Em mim ou no comissário?
Ela pensou na questão. Marina era uma mulher sensível. Ele a tinha pessoalmente escolhido para ser sua secretária. Mãe de três filhos, muito gorda, com um coração de ouro, e, até mais importante, falava inglês. O idioma era o açafrão linguístico de Veneza – muito poucas pessoas eram fluentes em inglês, e quem tinha essa qualificação recebia um salário alto. O rímel de Marina estava borrando. Ele lhe entregou um lenço de papel e desistiu de esperar a resposta.
– Você pode me arrumar um caixote de papelão? Vou levar a caixa de documentos para a minha casa. E depois, se você não se importar de me fazer um último favor.
Ela fez com a cabeça um gesto afirmativo e disse:
– Tudo bem.
– Isto é importante, Marina. Mais importante que você ou eu. Quando o comissário lhe der o pacote que veio da China e lhe pedir para mandá-lo de volta, não mande.

Ela estava mais uma vez lhe dirigindo um olhar obediente. Era isso que ele queria.

– Em vez disso você deve mandá-lo para a pessoa que tem esse número de celular. – Ele lhe entregou o guardanapo onde escrevera o número.

– Quem é essa pessoa?

– Uma autoridade policial de Copenhague. Um homem que está trabalhando no caso. Talvez o único, agora que eu fui demitido.

– Como é que eu vou descobrir quem ele é?

– Ligue para esse número e pergunte a ele. Ou lhe mande uma mensagem de texto e peça seu nome e endereço. Depois lhe mande o pacote. Em mala diplomática. Assim será mais rápido.

16

Filial da Cruz Vermelha – Copenhague

– O senhor disse "pessoas boas"?
Niels não sabia se Thorvaldsen estava lisonjeado ou aborrecido.
– Todas as vítimas de assassinato eram pessoas boas?
– Isso. Pediatras, ativistas dos direitos humanos, trabalhadores em ajuda humanitária. Pessoas na sua linha de trabalho.
– Atividades humanitárias. Pode usar esse termo aqui.
Niels examinou a decoração marcante da sala. Mobília com design dinamarquês. Wegener. Børge Mogensen. Tapetes persas autênticos. Enormes janelas panorâmicas. Uma grande foto emoldurada de Thorvaldsen ladeado por Nelson Mandela e Bono, provavelmente tirada na ilha Robben.
– Quem mais está na lista? – perguntou Thorvaldsen.
– Perdão?
– A sua lista. A quem mais o senhor vai avisar?
– Desculpe, mas isso é confidencial – disse Niels.
Thorvaldsen recostou-se na cadeira, balançando a cabeça quase imperceptivelmente.
– A relação que o departamento de polícia tem, contendo todos os homens bons do reino. Imagino que eu deva considerar uma honra estar incluído nela?
Niels não soube o que dizer.
Thorvaldsen prosseguiu:
– Por que o senhor acha que há uma ligação entre esses assassinatos? Não poderia ser uma coincidência?

– Claro, isso é possível. Mas nós não estamos envolvidos na investigação real.

– Então em que é que vocês *estão* envolvidos? – Ele deu um sorriso zombeteiro, para não parecer cético. Mas era tarde demais.

– Pense nisso como um sinal de advertência. Um sinal muito pequeno. Para o caso de ocorrer algo fora do comum. Um arrombamento. Vandalismo. Qualquer coisa desse tipo. Suponho que o senhor não tenha recebido ameaças nos últimos anos. Ou recebeu?

– Constantemente. – Thorvaldsen meneou a cabeça. – Os advogados da minha ex-mulher me ameaçam dia e noite.

Bateram na porta e a secretária entrou, com uma cafeteira e xícaras.

– Acho que não há necessidade de café – disse Thorvaldsen dirigindo-lhe um olhar feroz. – Já estamos acabando.

Niels percebeu imediatamente. Ela havia cometido outro erro. Seu chefe não estava satisfeito com ela. Então ele sentiu que precisava ir em socorro dela.

– Só uma xícara seria ótimo. Obrigado. Em troca de todas as moedas que eu jogo nas latas de coleta da Cruz Vermelha sempre que vocês estão levantando fundos.

Com as mãos ligeiramente trêmulas, a secretária serviu-lhe uma xícara.

– Obrigado – disse Niels erguendo o olhar para ela.

Thorvaldsen indagou:

– O senhor vai me oferecer proteção policial? – Ele parecia ter passado do estado de não mais se sentir lisonjeado para o de um tanto atemorizado.

– Nós ainda não chegamos a esse ponto – disse Niels. – No momento o nível de ameaça é mínimo. – Ele deu a Thorvaldsen um sorriso tranquilizador. Sabia perfeitamente bem que esse comentário causaria uma reação oposta à pretendida. Não era à palavra "mínima" que o subconsciente do homem se apegaria, e sim ao termo "nível de ameaça". Se alguém está preocupado com diversas doenças, não adianta ler sobre elas, por mais raras que sejam; pelo contrário, isso somente alimenta a ansiedade da pessoa. Niels sentiu subitamente uma premente necessidade de punir Thorvaldsen. De dar ao seu subconsciente alguns bocadinhos extras para ele mascar incessantemente nas próximas noites.

– Embora os assassinatos tenham sido realizados com extraordinária astúcia, no momento atual não há razão para acreditar que a Dinamarca será o próximo alvo – Niels sorriu novamente para a secretária antes que ela saísse da sala.

– Então por que o senhor está sentado aqui conversando comigo?

– Precaução oportuna.

– Se o senhor acha que a minha vida está em perigo, precisa garantir a minha segurança.

– Não enquanto o nível de ameaça estiver no ponto em que está agora. Se ele subir, nós evidentemente tomaremos as medidas necessárias. Até então o senhor deve apenas...

– Ficar calmo?

– Exatamente. – Niels olhou para fora da janela. A vista era do parque Fælled. Sobre o gramado e as árvores havia uma fina camada de gelo, como em uma pintura antiga cujas cores tinham esmaecido.

Seguiu-se um silêncio desconcertante. O descontentamento de Thorvaldsen era como uma presença física na sala. Assim, Niels não se surpreendeu quando o homem suspirou e se preparou para começar uma longa invectiva.

– Escute aqui. Eu passo todas as minhas horas de vigília socorrendo pessoas carentes. De acordo com as estimativas, nosso projeto de água potável no leste da África, sozinho, salvou dezenas de milhares de vidas, sem falar na atenção que a Cruz Vermelha concentrou na calamidade na... – De súbito ele parou, percebendo que Niels não estava prestando atenção. – O mínimo que nós podemos esperar numa situação como essa é um pouco de ajuda das autoridades.

– Posso lhe dar o número do meu telefone. Como eu disse, o senhor será sempre bem-vindo se me contatar.

– Obrigado, mas eu sei o número do telefone da polícia.

De novo se instalou na sala o silêncio. Niels se levantou.

– Sinta-se à vontade para me ligar. Fique de olho nos fatos incomuns.

– Claro. Ótimo. Cumprimente Amundsen, na Anistia Internacional, por mim. Eu suponho que ele seja o próximo da lista. Pergunte a ele se nós podemos nos esconder juntos – na casa de campo dele ou na minha.

Niels balançou a cabeça e saiu da sala.

Não se preocupe, Thorvaldsen, pensou ele ao descer no elevador. Você não corre perigo. Ele tirou da pasta a lista. A relação de todos os homens bons do reino, como Thorvaldsen havia se referido a ela.

Então riscou de propósito o nome de Thorvaldsen.

17

Lyngby, subúrbio de Copenhague

Deus sabe por que eles precisam de todo este espaço, pensou Niels ao virar a esquina de uma das ruas residenciais. Nenhuma alma à vista. Diante das casas enormes havia pequenos carros estacionados, os veículos das esposas. Mais tarde, de noite, os carros grandes voltariam para casa e estacionariam ao lado daqueles.

A chapa de metal na porta pintada de vermelho-escuro tinha apenas um sobrenome: Amundsen. O segundo nome da lista. Havia barulho dentro da casa. Passos subindo e descendo a escada. Passos instáveis. Niels voltou a tocar a campainha e em seguida deu uma forte pancada na porta de madeira antiga. No meio da almofada havia uma grande depressão, como se alguém tivesse tentado arrombar a porta. Niels começou a se impacientar.

– Ande, venha abrir.

Ele olhou para a rua atrás de si. Nenhuma testemunha. Com o dedo, empurrou a tampa da fenda da caixa de correio e teve um vislumbre de uma mulher nua que subia correndo a escada. Alguém estava sussurrando, e Niels se endireitou no momento exato em que a porta abriu. O homem tinha um cabelo loiro jovial que lhe chegava quase até os ombros. E olhos azul-claros.

– Posso ajudá-lo?

– Christian Amundsen?

– Sou eu.

– Niels Bentzon. Da polícia de Copenhague. Eu o procurei na sede da Anistia mas eles me disseram que o senhor estava doente e tinha ficado em casa.

Amundsen olhou atordoado para Niels antes de responder.

– Bom, eu não diria que estou propriamente doente. Todo mundo precisa de um dia de folga de vez em quando. Isso tem alguma coisa a ver com o meu carro?

– Também tentei ligar. Posso entrar por uns dez minutos?

– É sobre o quê?

Niels olhou para as fotos emolduradas na parede: Amundsen na África, abraçando dois prisioneiros libertados. Amundsen na Ásia, diante de uma prisão com dois asiáticos com ar feliz.

– Foi tirada em Mianmar. – Amundsen entrou na sala.

– O senhor está se referindo à Birmânia?

– Prisioneiros políticos. Passei três anos tentando libertá-los da Prisão de Insein. É um dos presídios mais terríveis do mundo.

– Deve ter sido um período difícil.

– E o senhor acha que eu consegui asilo para eles na Dinamarca?

– Não se o senhor faz a pergunta assim.

– Por fim o governo australiano concordou em aceitá-los. Depois de uma grande pressão de muita gente, inclusive nossa.

A moça cujas pernas Niels havia admirado entrou com um serviço de chá numa bandeja. Agora estava de jeans. Jeans colantes e um encantador batom vermelho que combinava com o seu cabelo preto asiático. Ela não teria nem um dia a mais de vinte anos. A química entre ela e Amundsen era elétrica. Niels se sentiu como se estivesse na cama entre eles.

– Essa é Pinoy. Ela trabalha para nós como *baby sitter*.

– Oi – disse ela. – Chá? – Uma voz doce, obsequiosa mas autônoma.

– Aceito, obrigado.

– Pinoy também foi perseguida pelas autoridades. Ela foi mandada para a prisão duas vezes. Mesmo assim tivemos de desistir de trazê-la como refugiada. Mas pudemos fazê-la entrar como *baby sitter*. Essa regra jamais será tocada. Não enquanto as classes superiores precisarem de mão de obra barata.

– Voltando ao nosso assunto... – começou Niels, mas Amundsen o interrompeu.

– Esse é mais ou menos o único meio que nós temos de trazer alguém para a Dinamarca. Tentamos ajudar o maior número possível.

Niels esperou se passarem alguns segundos para deixar a desculpa de Amundsen se desvanecer.

– Como eu estava dizendo, não há razão para o senhor se preocupar. Só precisa me ligar caso aconteça algo incomum. Um arrombamento, vandalismo, buracos abertos com picaretas, ligações telefônicas misteriosas etc.

– Nada disso me aconteceu. Essa coisa está me parecendo um pouco absurda – quer dizer, a ideia de que alguém vai sair por aí matando pessoas boas.

Amundsen deu um pulo ao ouvir o som de um carro estacionando lá fora.

– São as crianças. O senhor pode esperar um minuto?

Antes que Niels tivesse tempo de responder, Amundsen já saíra. Pela janela da frente Niels viu a mulher de Amundsen, em estado de gravidez adiantada, tentando tirar do carro duas crianças pequenas. A moça asiática estava de pé ao lado dele. Parecia zangada. Ele lhe sussurrou algo antes que a porta se abrisse. Crianças felizes, sorrisos e abraços sinceros. Niels usou o tempo de espera para examinar mais uma vez as fotos das vitórias de Amundsen. Um artigo emoldurado, pendurado na parede, anunciava: "A Anistia Internacional salva iemenitas da deportação".

– Perdão. – Amundsen parou no vão da porta com uma criança nos braços. Era um homem aturdido que tentava equilibrar seus impulsos pessoais e todo o bem que o seu superego queria realizar. Niels sorriu para o menininho.

– Tudo bem. Como eu estava dizendo: me ligue se o senhor vir algo fora do comum. E não há razão para se preocupar.

Amundsen pegou o cartão de Niels.

– Não estou preocupado. O senhor quer saber o que eu acho?

– Claro.

– O senhor está procurando no lugar errado.

– Por que o senhor acha isso?

– Não é no meu campo que o senhor vai encontrar as pessoas boas. Com tanto envolvimento do ego e da atenção da mídia.

– Meu trabalho não é encontrar as pessoas boas. Eu só preciso advertir aqueles que um maluco pode considerar bons.

Amundsen hesitou. Depois, calmamente, olhou Niels nos olhos e disse:

– O senhor tem certeza disso?

Amundsen ficou sentado sozinho no escritório. O policial tinha ido embora. Não fora uma visita agradável. O homem parecia capaz de ver perfeitamente a sua vida. Todas as mentiras. Por que ele não tinha mencionado os telefonemas anônimos? A pessoa que batera o telefone quando ele atendera a ligação no meio da noite? Ou a vez em que alguém atirara uma garrafa na porta da frente? Amundsen ainda ouvia mentalmente o estouro. A garrafa tinha se espatifado em milhares de pedaços e deixado um amassado permanente na porta. Entre os estilhaços de vidro ele havia encontrado um rótulo no gargalo da garrafa. Amarula Cream. Amundsen conhecia muito bem a marca – um licor cremoso africano, exageradamente doce e com o desenho de um elefante no rótulo. Uma vez ele havia se embebedado com Amarula em Serra Leoa. Ou talvez tenha sido na Libéria. Será que a garrafa atirada na porta da frente da sua casa tinha relação com um desses casos? Serra Leoa, a porta de entrada do inferno. Crimes pavorosos, pobreza, fome, doença, corrupção, ditadores malucos e um sistema de justiça inexistente que obstava o trabalho que a Anistia tentava realizar. Era impossível evitar passos em falso em lugares assim. E passos em falso criavam inimigos.

Um dos incidentes o havia impressionado particularmente. Junto com os outros diretores da Anistia, alguns anos antes Amundsen tinha ido a Serra Leoa. Eles iam montar um centro de atendimento psicológico para crianças que lutavam como soldados. Amundsen tinha encontrado dois garotos que estavam na prisão, no corredor da morte, condenados por um massacre horrendo na sua aldeia. Um menino havia atirado no próprio irmão mais novo, de dez anos de idade. O menino tinha doze. Ele tinha exigido que o resto da família fosse executado. Amundsen nunca havia encontrado alguém tão só. O país, o exército que o havia raptado, as autoridades do bem-estar social – se é que elas podiam ser assim chamadas –, a família do menino, enfim, todos o tinham abandonado à sua própria sorte. A Anistia havia colhido mais de cem mil assinaturas de apoio a ele. Amundsen as tinha entregue pessoalmente ao presidente da suprema corte do país. Essa corte era uma farsa. A sala do tribunal tinha sido usada antes para banquetes num hotel abandonado. Só os deuses sabiam onde o juiz negro como breu havia encontrado a ridícula peruca branca que ele usava. Os deuses tinham havia muito abandonado a África Ocidental, deixando atrás de si organizações como a Anistia, a Cruz Vermelha e os Médicos sem Fronteiras para limpar aquela latrina do mundo. Seus esforços para ajudar não passavam de bolas de neve no inferno.

O outro garoto na prisão ainda contava com o apoio da família. Ele havia sido raptado quando estava com oito anos e tinha dez quando Amundsen o conheceu. Fora treinado durante dois meses para ser uma máquina de matar. Eles tinham treinado em crianças. Treinaram atirando em outras crianças que tinham sido raptadas. Ou os meninos aprendiam a puxar o gatilho ou eram alvejados por um sargento adulto. Mike – era esse o nome do menino – tinha rapidamente aprendido o valor das drogas e a sua importância para embrutecer os sentidos. Sem as drogas ele teria enlouquecido e atirado em si mesmo. Amundsen nunca esqueceria o primeiro encontro que teve com o menino. Ele esperava enfrentar uma situação terrível, mas a realidade tinha sido bem pior que a imaginada por ele. O que ele viu foi um garoto que tinha se tornado dependente químico a fim de sobreviver ao inferno. Um menino franzino, suando e tremendo na sua cela, com todos os seus pensamentos e palavras concentrados em obter uma dose. Amundsen estava em contato próximo com a família do garoto. Talvez ele tentasse instilar demasiada esperança neles. Os dois meninos acabaram sendo executados num pátio de prisão imundo. Claro. Todas as histórias de Serra Leoa acabavam em morte.

A mãe do menino havia censurado Amundsen, dizendo que ele não tinha feito o suficiente e podia ir para o seu país. Ele ainda se lembrava do que ela lhe gritara: "A morte do meu filho paga o seu salário".

Amundsen muitas vezes pensava nessas palavras. Elas o tinham impressionado fortemente. Uma conclusão injusta, disse ele para si mesmo. Ele estava lutando por *eles*, afinal de contas. O seu trabalho era instilar esperança. Mas a mãe do menino não tinha entendido isso, e as palavras dela continuavam assombrando-o.

A morte do meu filho paga o seu salário.

18

Centro da cidade – Copenhague

Niels pegou novamente a relação. "Severin Rosenberg", ele leu. O nome que estava logo após o último. Depois dele o único que faltava era Gustav Lund, o personagem coringa, o matemático que tinha ganhado uma Medalha Fields. Niels se sentia tentado a pensar que o homem era uma zebra e não só um dos bem-intencionados queridinhos da mídia. Isso reforçava a sua percepção de que a lista estava tentando localizar as pessoas *boas*, as pessoas que tinham encontrado meios de ajudar que não fossem a participação em manifestações sobre o clima ou cortejos à luz de vela na Praça da Prefeitura.

Niels não tinha tido tempo para uma pesquisa extensa. O que ele sabia era o mesmo que todos saberiam lendo os jornais regularmente nos últimos anos. O que significa que em várias ocasiões Severin Rosenberg oferecera abrigo a indivíduos que não tinham conseguido asilo. Ele era um "pastor dos refugiados", como a mídia gostava de chamá-lo. Diversos setores da extrema-direita haviam decidido dirigir a ele o seu ódio. Junto com eles havia amplos segmentos da população dinamarquesa. Mas Severin Rosenberg tinha se recusado a se deixar intimidar; ficara firme na sua crença de que amor fraterno significava amor fraterno e não podia ser aplicado apenas aos loiros de olhos azuis. Todos tinham obrigação de estender a mão às pessoas carentes de ajuda. Em diversas ocasiões Niels já havia visto o pastor discutir suas opiniões na televisão. Rosenberg lhe dava a impressão de ser um idealista inteligente mas ligeiramente sonhador que estava disposto a comer o pão que o diabo amassou para defender suas crenças. Dois mil anos antes ele teria sido atirado aos leões no Coliseu, perseguido como os outros cristãos que acreditavam em compartilhar tanto o amor quanto os bens. Havia nele algo de ligeiramente ingênuo. Niels achava isso cativante.

Por outro lado, Niels achava as igrejas enfadonhas. No que lhe dizia respeito, quem via uma via todas. Ele sempre achara isso, mas Kathrine tinha uma queda pelos amplos espaços sagrados. Uma vez ela o arrastara até Helligåndskirke, a Igreja do Espírito Santo, durante uma celebração cultural noturna em Copenhague. Um coro havia cantado hinos em latim e um escritor barbudo expusera a história da igreja. De tudo o que ele falou, a única coisa de que Niels se lembrava era que em alguma época ela funcionara como um convento que abrigava crianças. Durante a Idade Média, quando Copenhague estava se tornando conhecida como metrópole europeia, inúmeros viajantes começaram a chegar à cidade: cavaleiros, ricos habitantes das cidades e mercadores. Essa expansão significou mais prostitutas e mais filhos ilegítimos. Os bebês eram frequentemente mortos assim que nasciam. Então Helligåndskirke foi ampliada e recebeu o *status* de hospital religioso com o objetivo expresso de acolher os bebês dados pelas mulheres que tinham se tornado mães contra a vontade.

Niels estacionou o carro e estudou a igreja. Seiscentos anos depois os cidadãos de Copenhague continuavam levando seus filhos ali. O convento era agora uma creche.

Niels ficou sentado no carro durante algum tempo, olhando para o céu, onde o sol lutava para brilhar através de uma fina camada de nuvens acinzentadas. Ele olhou para as pessoas que passavam na calçada. Uma jovem mãe com um carrinho de bebê. Um casal mais velho que caminhava de mãos dadas, como se recém-apaixonados. Era um lindo dia de inverno em Copenhague. "Hopenhagen", como a cidade tinha sido apelidada em honra à conferência sobre o clima.

Niels atravessou a praça, notando imediatamente o carro da patrulha estacionado no meio-fio. A uma distância razoável ele podia ouvir um homem gritando para os policiais. A fala quase ininteligível, inequívoca, de uma voz estragada pelo uso intenso de drogas. Os policiais tinham agarrado os braços do homem.

– Não fui eu, seus filhos da puta!

Niels conhecia bem o tipo. Inclusive já o havia prendido muito tempo antes. Apenas um dos numerosos caloteiros de Copenhague. Uma figura insolente que fazia todos desviarem o olhar num misto inútil de empatia e nojo. O drogado se livrou das garras do policial e começou uma fuga cômica. Avançava cambaleando com suas pernas frágeis. Mas não era seu dia de sorte, porque ele deu de cara com Niels.

– Epa, calma!

– Me solta, cara. Droga!

Niels agarrou os braços do drogado até os policiais chegarem ali. O homem era pele e ossos. Seus braços pareciam a ponto de quebrar a qualquer momento. Era evidente que ele não ficaria neste mundo por muito tempo; seu hálito cheirava a morte. Niels precisou virar o rosto enquanto o rapaz usava suas últimas energias para amaldiçoar o mundo.

– Calma com ele – disse Niels ao entregá-lo aos jovens policiais, aproveitando a oportunidade para lhes mostrar sua identidade policial. Um dos homens queria obrigar o viciado a se deitar nas pedras frias para algemá-lo.

– Não acho que isso seja necessário, você acha? – disse Niels. O drogado estava olhando para ele, mas sem nenhum sinal de reconhecimento. – O que foi que ele fez?

– Estava tentando arrombar o porão da igreja.

– Não era eu! – gritou o drogado. – Me ouve, homem. Eu só queria um lugar para me picar.

Niels olhou para o relógio. Ele já estava atrasado. Não tinha tempo para saber exatamente o que havia acontecido. Não se quisesse terminar a sua relação às seis horas. O pobre coitado ainda estava falando.

– Aonde é que a gente tem de ir? Me diz. Em que droga de lugar a gente tem de ir quando precisa se picar?

As algemas se fecharam com um clique inócuo em torno dos punhos delgados do drogado. Niels notou a tatuagem do homem: uma serpente vermelha e um dragãozinho envolto em vários símbolos que ele não conseguiu decifrar. A tatuagem era relativamente nova; não tinha as cores embotadas nem as linhas borradas das tatuagens mais antigas. Não era tampouco um tipo de tatuagem não autorizada da prisão. Era trabalho de profissional. Uma pequena obra de arte.

No final de contas os parafusos da janelinha do porão tinham sido afrouxados e no chão havia uma seringa usada. Niels jogou a seringa numa lata de lixo. Ele não chegava a ser louco por sangue de outras pessoas. No espaço entre duas pedras do pavimento ele encontrou também um parafuso. Pegou-o e experimentou enfiá-lo na dobradiça da janela. Serviu perfeitamente. Um dos policiais jovens estava de pé ao lado dele.

– Você revistou o sujeito? – perguntou Niels.

– Revistei.

– Encontrou uma chave de fenda?
– Não.
Niels lhe mostrou o parafuso.
– Portanto não foi ele que tirou o parafuso da janela. Além disso, ele não tem a força necessária para fazer isso.
O policial deu de ombros. Não ligava a mínima para aquilo. Então disse:
– Se é só isso, eu vou levar o sujeito para a delegacia.
Niels não estava prestando atenção. Pensava na tatuagem do drogado. Por que um tipo como aquele, que tinha uma enorme dificuldade para arranjar diariamente as mil coroas de que precisava para sustentar o seu consumo de droga, gastaria dez mil numa tatuagem nova?

Porão da Helligåndskirke – Copenhague

Rosenberg se parecia muito com a versão dele próprio que Niels havia visto na televisão. Um homem alto, corpulento, calvo, com uma postura ligeiramente recurvada. Seu rosto era redondo como um sol sorridente de desenho infantil. Mas por trás das lentes grossas dos óculos uma grande solenidade se ocultava nos seus olhos fundos.
– Acontece algumas vezes por ano – disse Rosenberg.
Eles estavam de pé no porão sob o escritório da igreja. O espaço era praticamente vazio. Poucas cadeiras, algumas caixas de papelão empoeiradas, uma pilha de panfletos numa estante. Nada mais.
– Os drogados e moradores de rua sempre imaginam que a nossa caixa de coleta está repleta de dinheiro. Mas de fato estão ficando mais ousados. Isso normalmente acontece à noite. Nunca em plena luz do dia.
– O senhor não viu nada suspeito? Alguém andando furtivamente por aí?
– Não. Eu estava lá em cima no meu escritório. Respondendo a todos os *e-mails* raivosos, essas coisas, e repassando todos os detalhes da última reunião do conselho da nossa paróquia. Vou poupar você dos detalhes.
Niels olhou atentamente o pastor. Ele sorriu. As pessoas sempre falam para a polícia mais do que esta lhe pergunta.
– Está faltando alguma coisa?
Com uma expressão resignada, Rosenberg passou os olhos pelos bens terrenos da igreja. Cadeiras dobráveis, caixas de papelão. Coisas que são empilhadas e em seguida esquecidas.

Niels esquadrinhou a sala.

— Atrás daquela porta tem o quê? — Ele não esperou a resposta; foi até lá e abriu a porta. Viu-se olhando para um quartinho escuro. As luzes fluorescentes demoraram a acender. Mais mesas e cadeiras dobráveis. E, num canto, uma pilha de colchões velhos.

— É aqui que eles viviam? — indagou Niels, virando-se.

Rosenberg se aproximou.

— Você vai me prender por isso agora?

Algo que podia ser uma crítica da polícia despontou nos olhos de Rosenberg. Ele havia transformado uma parede úmida de porão numa galeria: fotos em branco e preto dos dias que os refugiados tinham passado na igreja. Um testemunho. Niels olhou para os rostos. Medo. E esperança. A esperança que Rosenberg lhes havia dado.

— Quantos eram?

— Doze, no grupo mais numeroso. Isto não é exatamente o Hotel d'Angleterre, mas eles nunca reclamaram.

— Palestinos?

— E somalis, iemenitas, sudaneses. Até um albanês, um único. Se é que eles estavam dizendo a verdade. Alguns não eram particularmente falantes quando o assunto era esse. Certamente eles tinham as suas razões.

Niels estudou o pastor. Eles estavam a apenas centímetros um do outro, mas a distância parecia maior. Um escudo invisível envolvia Rosenberg. Seu espaço pessoal parecia mais forte que o das pessoas em geral. Ele permitia que os outros chegassem até ali, e não mais perto. Isso não surpreendia Niels. Ele já havia se deparado várias vezes com algo semelhante em outras pessoas que ganhavam a vida oferecendo proximidade e atenção. Psicólogos, psiquiatras, médicos. Provavelmente era um mecanismo inconsciente de sobrevivência.

Rosenberg apagou a luz. Niels se viu imerso na total escuridão.

— É assim que eu conto aos meus alunos como foi a noite em que a polícia veio aqui. E como os refugiados se agarravam uns aos outros. Alguns estavam chorando, mas eles eram corajosos, mesmo sabendo o que os esperava. Eu conto para os meus alunos como os seus colegas arrombaram a porta da igreja e como se ouvia o som das botas pesadas avançando pelo piso da igreja e descendo a escada.

Niels ficou ali escutando a própria respiração.

— Mas eles não entraram?

— Não. Seus colegas não entraram aqui. Vocês desistiram.

Niels sabia perfeitamente que quem tinha desistido não havia sido a polícia. Foram os políticos que haviam cedido à pressão da opinião pública. Rosenberg voltou a acender a luz, e Niels olhou novamente para as fotos, tentando imaginar como teria sido.

– Não são mais de doze nessa foto? – Niels contou. Era evidente que havia mais refugiados naquela foto que nas demais. Rosenberg estava de pé no portal. Ele queria que Niels saísse dali.

– Sim, você tem razão. Alguns deles desapareceram.

– Desapareceram?

De repente Niels notou que Rosenberg estava hesitante.

– Sim, desapareceram. Dois homens do Iêmen. Eles simplesmente foram embora.

– Por quê?

– Não sei. Imagino que eles queriam tentar a sorte por conta própria.

Niels soube imediatamente que Rosenberg estava mentindo.

A igreja estava totalmente vazia. Quase totalmente, na verdade. Um organista estava estudando uma peça, repetindo-a sem parar. Rosenberg não parecia estar preocupado com a informação que Niels lhe dera.

– Pessoas boas, é isso? Que tipo de pessoas boas? – perguntou ele.

– Ativistas dos direitos humanos, trabalhadores em ajuda humanitária, esse tipo de gente – disse Niels.

– Que mundo é esse? Agora as pessoas boas estão sendo mortas?

– O senhor só precisa ter cuidado com quem entra aqui. Fique vigilante.

O pastor deu a Niels uma pilha de hinos para que ele segurasse.

– Eu não tenho medo. Não corro perigo. – A simples ideia fez Rosenberg rir, e ele repetiu. – Com certeza não corro perigo de ser considerado uma pessoa boa. Eu lhe garanto isso. Sou um pecador.

– Eu também não acho que o senhor esteja correndo perigo, mas mesmo assim deve ter cuidado.

– Uma vez um homem procurou Lutero.

– O homem que nos tornou protestantes?

– Isso, esse mesmo. – Rosenberg voltou a rir, olhando para Niels como se ele fosse um garoto. – O homem disse para Lutero: "Eu tenho um problema. Já pensei muito nele, e quer saber uma coisa? Eu nunca pequei. Nunca fiz nada que não devia fazer". Lutero olhou para o homem. Você adivinha o que ele disse?

Niels se sentiu numa aula de crisma da sua juventude. Não era uma lembrança agradável.

– Que ele era um homem de sorte?

Triunfante, Rosenberg balançou a cabeça.

– Não, ele disse que o homem precisava cometer um pecado. Que Deus existia para salvar os pecadores. Não para os que já estavam salvos.

O organista parou de tocar. Alguns turistas entraram na igreja e estudaram seu interior com uma curiosidade compulsória. Era evidente que Rosenberg ainda queria dizer outras coisas para Niels, mas ele esperou o eco do órgão se dissipar a caminho do teto.

– Os judeus têm um mito sobre as pessoas boas. O senhor conhece esse mito?

– Eu nunca tive muito interesse por religião. – Niels viu como a sua frase tinha soado, então acrescentou como um pedido de desculpa: – Embora não devesse dizer isso a um pastor.

Rosenberg prosseguiu como se Niels não tivesse dito nada, parecendo estar de pé no púlpito numa manhã de domingo.

– Tem a ver com as trinta e seis pessoas boas que mantêm vivo o resto da humanidade.

– Trinta e seis? Por que trinta e seis?

– Cada letra do alfabeto hebraico tem um valor numérico. As letras que compõem a palavra "vida" totalizam dezoito. E assim, dezoito é um número sagrado.

– E dezoito mais dezoito são trinta e seis. Isso significa duas vezes sagrado?

– Perfeito para alguém que não se interessa muito por religião.

Niels sorriu, sentindo um orgulho pueril.

– Como foi que descobriram isso?

– O que é que o senhor quer dizer?

– Como foi que se soube que Deus tinha posto trinta e seis pessoas aqui na terra? – Niels conteve um sorriso de descrença.

– Ele falou com Moisés sobre isso.

Niels ergueu o olhar para as enormes pinturas. Anjos e demônios. Mortos se arrastando para fora da sepultura. O Filho de Deus pregado numa cruz de madeira. Niels tinha visto muita coisa nos seus vinte anos de polícia. Demais. Percorrera Copenhague de cabo a rabo buscando indícios e motivações para crimes; tinha procurado em cada canto escuro e sinistro da alma humana e descoberto coisas cuja mera lembrança o deixava nauseado. Mas nunca vira uma sombra de indício de que havia qualquer tipo de vida depois da morte.

– Sinai. Moisés subiu a montanha e recebeu os mandamentos. Nós ainda vivemos a vida de acordo com o que ele ouviu de Deus. A ponto de, na verdade, os termos convertido em lei. Não matar.

– Isso não conteve ninguém.

Rosenberg deu de ombros e continuou.

– Amar o próximo. Não roubar. Tenho certeza de que você conhece os Dez Mandamentos.

– Sim, claro.

– Na realidade o seu trabalho é cuidar para que os Dez Mandamentos de Deus sejam observados. Assim, talvez você esteja mais envolvido no grande plano do que imagina. – Rosenberg provocou Niels, sorrindo. Niels não pôde deixar de sorrir também. O pastor era inteligente. E experiente. Tinha anos de treinamento em como lidar com descrentes.

– Pode ser – respondeu Niels. – Mas o que foi que Deus disse a Moisés?

– Ele disse que em cada geração poria na terra trinta e seis pessoas boas, justas, para tomar conta da humanidade.

– Eles devem sair por aí fazendo proselitismo ou o quê?

– Não. Porque eles não sabem que foram escolhidos.

– O senhor quer dizer que as pessoas boas não sabem que são boas?

– Isso mesmo. Elas não sabem que são boas. Somente Deus conhece a sua identidade. Mas elas ficam de vigília sobre todos nós. – O pastor permaneceu em silêncio por um tempo. – Como eu disse, isso é muito importante na fé judaica. Se você quer falar com um especialista, vá até a sinagoga em Krystalgade.

Niels consultou o relógio e pensou em Kathrine, nos tranquilizantes e no avião que ele devia tomar no dia seguinte.

– Isso é mesmo tão inimaginável? – prosseguiu o pastor. – A maioria de nós admite que o mal existe no mundo. Indivíduos maus. Hitler. Stálin. Então por que não o oposto? Trinta e seis pessoas que oferecem um contrapeso para a balança divina. Quantas gotas de bondade são necessárias para manter o mal sob controle? Só trinta e seis, talvez.

O silêncio caiu sobre eles. Rosenberg tomou das mãos de Niels os hinos e colocou-os de volta no lugar na estante próxima da saída. Niels trocou com o pastor um aperto de mãos. Era a primeira pessoa da relação com quem ele tinha querido trocar um aperto de mãos. Talvez o espaço sagrado da igreja estivesse exercendo um efeito sobre ele, afinal de contas.

– Como eu disse: só acho que o senhor deve ser um pouco cauteloso – repetiu Niels.

Rosenberg abriu a porta para ele. Lá fora havia uma multidão agitada. Música natalina, sinos repicando, carros, barulho – um mundo enfurecido, caótico. Niels olhou nos olhos do pastor, perguntando-se qual teria sido a mentira dele lá no porão.

— No seu necrológio para Gerald Ford, Kissinger disse que o presidente morto tinha sido o último homem bom. Alguém também disse o mesmo sobre Oscar Schindler. Ou foi Gandhi? Ou Churchill?

— Churchill? Você pode mandar as pessoas para a guerra e ainda assim ser considerado bom?

Rosenberg fez uma pausa para pensar nisso.

— Podem surgir situações em que fazer o mal é o certo. Mas aí você deixa de ser bom. É disso que o cristianismo trata: de podermos viver uns com os outros somente quando aceitamos o pecado como parte da condição humana.

Niels olhou para o piso da igreja.

— Estou vendo que o amedrontei. Os pastores são bons nisso. — Rosenberg riu amavelmente.

— Tenho o número do seu telefone — disse Niels. — Assim, vou saber se o senhor me ligar no meu celular. Prometa que me ligará se acontecer alguma coisa.

Niels voltou para o carro. Parou ao lado da janela do porão da igreja. Alguma coisa não se encaixava. A janela do porão. O drogado. A tatuagem. Rosenberg mentindo para ele. Uma porção de coisas não se encaixava, pensou ele. Mas as coisas nem sempre têm de parecer lógicas. Era isso que envenenava o trabalho do policial. As pessoas são mentirosas. A questão era descobrir qual mentira encobria não só um pecado mas um crime.

19

Ospedale Fatebenefratelli – Veneza

A freira era filipina. Irmã Magdalena da Ordem do Sagrado Coração. Tommaso gostava dela. Um rosto bonito e sorridente para ajudar os doentes terminais a partir deste mundo. A casa de repouso recém-aberta ficava no lado norte do antigo bairro judeu. Do Ghetto até lá era uma caminhada que Tommaso fazia em poucos minutos. O bairro ainda era chamado de Ghetto, embora a palavra tivesse adquirido um significado diferente. Era ali que a palavra tinha se originado – "*getto*" significava "fundir ferro" em italiano. Centenas de anos atrás as fundições venezianas ficavam nessa parte da cidade, junto com os judeus. A área ficou então conhecida como o Ghetto. Um lugar que mais tarde se tornaria o modelo para muitos bairros urbanos em todo o mundo, que tinham em comum o fato de as pessoas não poderem sair dali.

Magdalena disse o nome de Tommaso quando ele entrou na casa de repouso.

– Signor Di Barbara? – sussurrou ela. Uma paz abençoada reinava no lugar. Ninguém jamais elevava a voz ali. Como se a intenção fosse preparar os agonizantes para o silêncio eterno que eles não tardariam a encontrar.

– Sua mãe sofreu muito na noite passada. Eu fiquei sentada ao lado da cama durante toda a noite.

Ela olhou para ele com aqueles olhos encantadores. Aquilo era algo rude, mas ele não podia deixar de pensar: por que ela se tornara freira sendo tão linda?

– O seu coração é bom, irmã Magdalena. Sorte da minha mãe, ter a senhora do lado dela.

– E ter um filho como o senhor.

Ela falava sério – Tommaso não tinha dúvida quanto a isso –, mas, como o mecanismo de um relógio, sua consciência culpada gritou imediatamente.

– Agora vou ter mais tempo. – Ele hesitou. Por que ele lhe contaria? – Fui suspenso do meu trabalho.

Ela tomou sua mão.

– Isso talvez seja uma bênção.

Ele precisou reprimir uma risadinha. Uma bênção?

– Sua mãe tem chamado o senhor.

– Sinto muito, mas eu estava fazendo o turno noturno na estação.

– Parece que ela estava preocupada com o senhor. Ficava repetindo que havia uma coisa pela qual o senhor não devia pagar.

– Pagar?

– Alguma coisa sobre um dinheiro que o senhor não devia pagar. Que isso era perigoso.

Tommaso lhe dirigiu um olhar aturdido.

– Minha mãe disse isso?

– Disse. Várias vezes. "Não dê o dinheiro, Tommaso – é perigoso."

Irmã Magdalena observou Tommaso di Barbara rumar para o corredor carregando uma sacola de compras numa das mãos e uma grande caixa de papelão debaixo do braço. Havia nele um quê de deprimido, pensou ela enquanto o via passar pelos oito quartos que a única casa de repouso de Veneza tinha à disposição. A mãe de Tommaso estava no último, que dava para o pátio. Com exceção de uma palmeira, as árvores estavam todas desfolhadas. Como se para compensar isso, as freiras tinham posto decorações de Natal no *hall*: ramos e alguns festões brilhantes em torno do retrato de Maria com o Salvador recém-nascido.

Irmã Magdalena sempre ouvia atentamente os últimos desejos dos agonizantes. Sabia por experiência que àqueles que tinham um pé no outro mundo às vezes era concedido um vislumbre do futuro. Com mais frequência o que os agonizantes diziam eram frases sem nexo. Mas nem sempre. Magdalena tinha cuidado dos terminais desde que entrara na Ordem do Sagrado Coração, quinze anos antes. Havia visto e ouvido muita coisa. Sabia que aquilo não podia ser descartado como absurdo.

Na sua vida anterior – era assim que ela sempre pensava nisso – a irmã Magdalena tinha sido prostituta. Mas Deus a salvara. Isso era claríssimo para ela. Ela conservava até uma prova: o recibo de uma bicicleta que ela levara para consertar.

Em Manilha ela havia sido a companhia frequente de um americano ex-piloto. Ele tinha se fixado nas Filipinas e gastava a aposentadoria com mulheres e álcool. Era ex-combatente da Guerra do Vietnã e para provar isso tinha cicatrizes na barriga e nas pernas. Provavelmente na alma também. Mas agora estava morrendo. Não era uma morte digna; ele nunca havia conseguido dominar seus desejos. Magdalena precisava ir à sua casa diariamente e fazer sexo oral com ele. Ele a pagava, obviamente, mas com a devastação que o câncer causava no seu corpo, a cada dia o orgasmo demorava mais a chegar.

Isso foi antes de ela adotar o nome de Magdalena. Foi em outra época, e ela era outra pessoa. O piloto de meia-idade tinha tido um bar, provavelmente uma desculpa para o seu alcoolismo. Foi lá que Magdalena o conheceu. Agora ele estava doente e morreria totalmente só.

Mas aconteceu uma coisa que mudou a vida dela. Na última vez que ela foi visitar o piloto ele estava delirando. Agarrou a mão dela e lhe disse: "Não vá lá". Inicialmente ela tentou ajudá-lo, dizendo-lhe "Calma, vai ficar tudo bem". Mas ele continuava insistindo. "Você não pode ir lá." Então ele descreveu o prédio que ficava do outro lado da Estação Shaw, bem na esquina onde Magdalena alugava um quarto. No andar térreo havia uma oficina de bicicletas. Tinha venezianas verdes descascadas, com tinta azul por baixo, revelando que a fachada já fora de outro tom pastel.

No dia seguinte o piloto estava morto. Na semana seguinte o prédio próximo da Estação Shaw desmoronou. Magdalena tinha levado a sua bicicleta para consertar na oficina mas não ousara ir pegá-la. Dezenove pessoas tinham morrido.

Ela fez seus votos. Entrou para a Ordem do Sagrado Coração. Mudou seu nome para Magdalena – a prostituta que Jesus salvou de ser apedrejada até a morte.

Desde então ela se sentava perto dos agonizantes durante seis dias da semana. Uma semana à noite, na semana seguinte durante o dia. E tinha um dia de folga, quando ela dormia e assistia a *Friends* na televisão.

Irmã Magdalena havia contado para o médico da casa de repouso sobre a sua experiência, embora omitindo a maioria dos detalhes sórdidos. O médico tinha sorrido e dado palmadinhas na sua mão. De que outra prova uma pessoa precisaria?, ela se perguntou. O velho piloto nunca vira o prédio da oficina de bicicletas, que não ficava num bairro frequentado por estrangeiros, e no entanto foi capaz de descrevê-lo em detalhes. É importante ouvir os agonizantes, por mais que eles tenham sido pecadores, pensava ela frequentemente. O piloto havia ido para a guerra; tinha matado pessoas. Depois começou a beber e batia nas mulheres que contratava para fazer sexo. Mas Deus havia resolvido falar por intermédio dele para salvar a vida dela. Era importante prestar atenção aos agonizantes.

Irmã Magdalena esperava que Tommaso di Barbara prestasse atenção à sua mãe agonizante.

A mãe de Tommaso estava dormindo com a boca aberta. Roncava bem baixinho. Tommaso pôs a sacola com os seus pertences sobre o pequeno aquecedor e a caixa com os documentos da investigação do assassinato no chão. Os materiais do guarda-roupa da sua sala estavam todos dentro da caixa que Marina havia contrabandeado da delegacia. Como se os documentos fossem condenados a evitar a luz, como se eles fossem algo de que ninguém queria ouvir falar.

Tommaso tinha comprado para a sua mãe salame condimentado, tomate e alho. Ela não tinha apetite, mas gostava muito de odores fortes. Tommaso compreendia muito bem isso. Ele também sentia necessidade de encobrir o insuportável cheiro de morte e dos líquidos de limpeza da casa de repouso. Felizmente isso não era difícil. Embora todos os quartos tivessem sido recentemente remodelados, cada um com um aquecedor e uma cama para os pacientes, não se instalara sobre os aquecedores nenhuma ventilação. O cheiro de manjericão e tomilho se espalhou por todo o prédio. E isso era uma bênção.

– Mãe?

Tommaso se sentou ao lado da cama e pegou a mão de sua mãe. A pele estava bem esticada sobre os nós dos dedos. Havia tanta coisa sobre a qual eles não tinham conversado. Tanta coisa sobre a vida dela que ele ignorava. Como o período da guerra, quando o pai dele tinha passado muitos meses na prisão. Seu pai apoiara o lado errado, embora provavelmente não fosse assim que ele visse a coisa, mesmo no fim da vida. Ele continuara um fascista fiel até a morte prematura. "Agora nós finalmente teremos paz", disse a mãe de Tommaso quando eles o enterraram no cemitério. Cremado. A urna foi acrescentada ao espantoso mosaico de urnas empilhadas. Aquilo era um labirinto, e na primeira visita Tommaso quase se perdeu. O cemitério na ilha fora da cidade não podia crescer mais nada. Para resolver o problema do espaço limitado ele fora construído verticalmente. O resultado eram corredores que se erguiam em direção ao céu, um corredor após o outro com pilhas de caixinhas retangulares. Tommaso duvidava que a mãe quisesse ocupar o espaço reservado para ela ao lado do seu pai. Já estava na hora de perguntar isso a ela.

– Mãe?

Ela acordou. Olhou em silêncio para ele, parecendo não o ter reconhecido.
– Sou eu.
– Estou vendo. Acha que eu sou cega?

Ele sorriu. Ela era dura na queda. Nunca relutava em dar uma boa bordoada ou alfinetada. Mas também era capaz de oferecer consolo. Tommaso respirou fundo. Não podia adiar mais a questão.

– Mãe. Você sabe o lugar onde estão as cinzas do papai...

Nenhuma resposta. Sua mãe ficou olhando para o teto.

– Quando você se for, um dia, é lá que você quer que fiquem as suas cinzas?
– Você passou na mercearia? Trouxe as coisas?
– Mãe.
– Cozinhe alguma coisa para mim, meu filho. Assim eu posso me deliciar com o cheiro.

Ele balançou a cabeça. Ela deu uma palmadinha na mão dele.

– Eu já falei para a irmã Magdalena tudo o que você precisa saber. Ela vai lhe dizer. Depois. Não se esqueça de conversar com ela.

Tommaso tentou se levantar mas ela apertou a mão dele com uma força surpreendente.

– Você não me ouviu? Eu vou falar tudo para a irmã Magdalena. Você tem de fazer o que ela lhe disser.

Ele hesitou. Lembrou-se do que a freira tinha lhe dito; alguma bobagem sobre algo que ele não devia pagar. Ele sorriu, esperando tranquilizá-la.

– Tudo bem, mãe. Vou fazer isso.

20

Helsingør – Dinamarca

A apenas uma hora de carro abre-se um mundo totalmente novo.

Era como se ele só visse a cidade quando estava no campo. O barulho, a multidão, o trânsito – ele vivia num estado de constante perturbação. Assim, a questão era se ele iria ver o campo quando voltasse para a cidade. O céu se mostrando em toda a sua extensão. A paisagem plana, vasta, pontilhada de casas de verão com que ele se deparou já no lusco-fusco. Campos, caminhos e clareiras, tudo fundido numa única coisa. Ele teve um vislumbre das águas do estreito de Øresund, para além de um arvoredo escuro.

Niels freou subitamente. Conferiu a sinalização da estrada e deu marcha a ré por alguns metros. O cascalho estalou sob os pneus. Então ele saiu da estrada, dirigiu algumas centenas de metros e estacionou perto da única residência que havia por ali, no final do caminho. Via-se numa das janelas uma luz fraca. Na placa do correio estava escrito LUND.

Não atenderam quando Niels bateu à porta.

Ele ficou ali, atento. Um pernilongo zumbiu de passagem pelo seu ouvido. Ele o afastou surpreso. Os pernilongos não deviam estar todos mortos em dezembro? Niels bateu novamente, mais forte. Nenhuma resposta. Ele caminhou pela lateral da casa. Não havia o menor vento. O ar estava calmo e frio. Ele entrou num pequeno alpendre que dava para o mar. Já ia bater na porta do alpendre quando ouviu um débil chapinhar. Deu a volta e viu uma pessoa de pé no desembarcadouro, mais abaixo. Uma mulher. Niels distinguia apenas o corpo dela. Ele desceu o declive.

– Com licença... – Niels se sentia quase culpado por interromper um momento de silêncio tão lindo. – Estou procurando Gustav Lund.

A mulher se voltou e olhou para ele. Tinha na mão uma vara de pescar.

– Gustav?

– Eu gostaria de falar com ele.

– Ele está em Vancouver. Quem é o senhor?

– Niels Bentzon, da polícia de Copenhague.

Nenhuma reação, o que não era habitual. Niels estava acostumado a enfrentar todo tipo de reação sempre que anunciava ser da polícia. Medo, pânico, desprezo, desconfiança, alívio. A mulher simplesmente olhou para ele e disse:

– Eu sou Hannah Lund. Gustav não vai voltar. Agora eu moro sozinha aqui.

Na verdade a mobília não era adequada para uma casa de campo.

Era bonita demais. Cara demais. Niels não tinha interesse por mobiliário, mas havia períodos – ou pelo menos era o que lhe parecia – em que esse era o único assunto de Kathrine. Por isso ele reconheceu alguma coisa: Wegener, Mogensen, Klint, Jacobsen. Se aquela mobília era genuína, valia uma fortuna.

Dois brilhantes olhos de gata fitaram Niels com curiosidade enquanto ele examinava a casa. A sala de estar era uma grande bagunça. Em todas as mesas havia pratos e xícaras com resto de café. Brinquedos de gato, sapatos e jornais velhos espalhados pelo chão. Roupa lavada posta para secar dependurada sob uma viga do teto. Uma das extremidades da sala era quase totalmente ocupada por um piano. A outra estava cheia de livros. A desordem fazia um contraste chocante com a mobília cara, embora de certa forma emprestasse às peças uma ideia de propósito. Talvez por ser bom ver uma mobília tão cara sendo realmente usada. Sempre que Niels e Kathrine, em raras ocasiões, visitavam algum arquiteto colega dela – Niels normalmente evitava essas visitas – ele experimentava uma sensação desconfortável. Uma impressão de inadequação. Ele não gostava de ficar naqueles apartamentos elegantes de Østerbro, beberricando o seu vinho branco Corton-Charlemagne cuja garrafa custava seiscentas coroas, cercado de mobília cara de designer e quase não ousando se sentar no sofá. Kathrine achava graça nisso.

– Então o Gustav é considerado uma boa pessoa? – Hannah cortou um sorriso ao entregar a Niels uma xícara de café. – Você tem certeza de que está procurando o homem certo?

– É o que todos dizem. Com exceção do sujeito da Cruz Vermelha. – Niels mexeu o café instantâneo enquanto observava uma foto pequena de Hannah ao lado de um adolescente alto e magricela. Muito provavelmente seu filho. Ela estava com o braço em torno dele. Via-se atrás deles o pêndulo de Foucault, em Paris.

– Por que o Gustav?

– O computador o escolheu. Por causa de uma coisa que ele disse quando aceitou a Medalha Fields.

– "A longo prazo será um matemático que irá salvar o mundo."

– Exatamente.

– E é por isso que o nome do Gustav apareceu na tela?

– Gustav é o seu ex-marido?

Fazendo um grande rodeio, ela começou a lhe explicar o seu estado civil, enquanto ele a estudava. Que idade ela teria? Quarenta? Quarenta e cinco? Havia nela algo desordenado. Algo que combinava com a casa: um pouco soturno e confuso, mas ao mesmo tempo interessante e complexo. Seus olhos eram escuros, graves. O cabelo castanho longo estava desgrenhado, como se ela tivesse acabado de sair da cama. Embora o chão fosse frio, ela havia chutado os chinelos e caminhava descalça. Jeans, uma camiseta branca, a pele clara muito linda. Uma figura esguia. Ela não era bonita. Se Niels não tivesse outras coisas na cabeça, poderia ter se perguntado por que diabos se sentia atraído por aquela mulher. Talvez fosse muito simples, ele disse para si mesmo. Ela não estava usando sutiã e ele via muito mais através da camiseta do que ela provavelmente teria gostado.

– Eu fui aluna dele.

Niels tentou se concentrar no que Hannah dizia. Sentada no sofá, ela envolvia os ombros delgados com uma manta cinza cheia de pelos de gato.

– Sou astrofísica e discutia muito com ele sobre matemática. O Gustav é um dos matemáticos europeus mais importantes.

– Você é astrofísica?

– Sou. Ou melhor, era. Começamos a nos ver apenas socialmente. No começo eu me admirava com o fato de um gênio como o Gustav – e não hesito em dizer que ele é um gênio, porque é o que ele realmente é – se dar ao trabalho de flertar comigo. Depois eu me apaixonei por ele. E então nós tivemos o Johannes. – Ela emudeceu abruptamente. Niels viu outra coisa na sua expressão. Tristeza? Sim, tristeza. Então ele se lembrou de que Gustav Lund tinha perdido o filho. Johannes estava morto. Ele se matara.

O silêncio se instalou na sala. Não foi constrangedor. Nenhum dos dois tentou salvar a situação com uma conversa superficial. Ela sabia que ele sabia.

– Você vive aqui o ano inteiro?
– Vivo.
– Não se sente muito só?
– Não foi sobre isso que você veio aqui para conversar.

O frio súbito na voz dela tinha a função de encobrir a dor que a torturava. Ele soube disso ao fitá-la. Era algo que ela preferia guardar só para si. Lidar com o luto era a pedra fundamental do trabalho de um negociador; foi nisso que os psicólogos se detiveram por mais tempo no curso dado a Niels e outros policiais. Era quando as pessoas não podiam lidar com o seu luto que as coisas saíam erradas, levando a armas, reféns e suicídio. Mais de uma vez Niels tinha sido forçado a dar aos pais a terrível notícia de que seu filho tinha morrido. Ele conhecia bem as diversas fases pelas quais a pessoa passava quando vencida pela dor. Então se perguntou há quanto tempo o filho de Hannah teria se suicidado. Ela lhe pareceu estar na chamada fase de nova orientação: o estágio em que a pessoa enlutada tentava redirecionar sua atenção para o mundo. Quando ela novamente – ainda que apenas por pouco tempo, talvez – ousava olhar para o futuro. Era a fase que em última instância envolvia dizer adeus. Afastar-se do ente querido. A fase mais difícil de todas, uma longa jornada para dentro de si, e muitos eram forçados a desistir no meio do caminho. Quando perdiam a batalha, o resultado era uma terrível derrota: uma vida desperdiçada na depressão profunda. Em alguns casos o indivíduo acabava como paciente psiquiátrico, ao passo que outros se viam equilibrando-se na borda de uma ponte no alto de um prédio. E então Niels era convocado para entrar em cena.

– Sinto muito ter incomodado você. – Niels se preparou para ir embora. – Como eu disse, não é nada muito importante. Não há nenhuma razão para se preocupar.

– Eu não estou preocupada. Eles podem ir em frente e atirar no Gustav, se quiserem. – Hannah fixou os olhos no rosto de Niels, como se quisesse enfatizar que falava sério. Ela estava de pé um pouco próxima demais de Niels, mas ele era provavelmente a única pessoa que teria notado isso. Havia algo estranho na sua linguagem corporal. Ele já havia notado isso lá embaixo no desembarcadouro. Mas talvez fosse esse o jeito dos cientistas, pensou ele. Sua grande inteligência ocupava mais espaço no cérebro, desalojando as habilidades sociais comuns.

Embora sentindo a doçura do hálito dela, ele deu um passo para trás. Em algum lugar um telefone estava tocando. Ele levou um tempo até localizar o som no próprio bolso. Tirou o celular e olhou para o mostrador: um número de outro país.

– Perdão. Um minuto. Alô? – Niels ficou à escuta. Inicialmente ouviu apenas barulho na linha. – Alô? Quem está falando?

Finalmente ele ouviu uma voz. Era Tommaso di Barbara, o homem para quem Niels tinha ligado antes. Estava falando em italiano, embora muito devagar, como se isso ajudasse.

– O senhor fala inglês? – indagou Niels.

Tommaso disse não em tom de desculpa. Pelo menos ele entendeu o que Niels estava perguntando. – *Scusi*. – E depois ele sugeriu francês.

– Não. Espere um minuto. – Niels voltou-se e olhou para Hannah. – Por acaso você fala italiano? Ou francês?

Ela assentiu com a cabeça, mas em seguida pareceu ter se arrependido disso.

– Francês. Um pouco.

– Espere um minuto. O senhor pode falar com a minha assistente. – Niels estendeu para Hannah o celular. – Polícia de Veneza. Você só precisa ouvir o que ele quer me dizer.

– Assistente? – Ela não quis pegar o telefone. – Do que é que você está falando?

– Só me fale o que ele está dizendo para você. Só isso.

– Não. – Ela pareceu muito inflexível. Mesmo assim, pegou o telefone. – *Oui?*

Niels a estudou enquanto ela falava. Não era capaz de julgar a sua fluência no francês, mas ela falava rápido e aparentemente sem nenhum esforço.

– Ele está perguntando sobre os assassinatos do número. – Ela manteve a mão sobre o celular e olhou para Niels.

– Os assassinatos do número? Esse número será o que os mortos têm nas costas? Ele tem certeza disso? Peça a ele para explicar.

– Você disse que o seu nome é Bentzon? Ele quer saber como é que você se chama.

– Bentzon. Isso. – Niels balançou a cabeça afirmativamente. – Niels Bentzon. Pergunte a ele se há suspeitos. Se há alguma...

Ela apertou com o dedo o outro ouvido e se afastou um pouco.

Niels fixou o olhar nela. Pelo canto do olho viu a gata se aproximar lentamente. Ele se sentou e a deixou cheirar sua mão. Então passou a examinar a foto de Hannah com o filho. E depois olhou para a estante onde havia um álbum de fotos aberto. Foi até lá para olhá-lo. Seis fotos contavam toda a história. Hannah – talvez dez anos antes – com um tipo de prêmio de pesquisa nas mãos. Sorrindo orgulhosa. Jovem, linda e irradiando vida e ambição. O mundo estava aos seus pés. E ela tinha consciência disso e saboreava o momento. Algumas fotos dela com Gustav. Um homem extraordinariamente bonito, que teria uns cinquenta anos. Cabelo escuro jogado para trás. Olhos escuros. Alto e de ombros largos.

Sem dúvida um homem com muitas admiradoras; aberto para olhares de flerte, propostas tentadoras. Uma foto mostrando Hannah grávida. Ela estava de pé, de braço dado com Gustav na Ponte do Brooklyn. Niels olhou mais atentamente para a foto. Talvez ele tivesse se tornado exageradamente policial – às vezes o papel o aborrecia e cansava –, mas não pôde deixar de notar que enquanto Hannah estava olhando para a câmera os olhos de Gustav estavam voltados para o lado. O que ele estaria olhando? Uma mulher bonita que por acaso passava na ponte?

Depois duas fotos mostrando somente Hannah e o garoto. Onde estava Gustav? Em alguma conferência? Em algum lugar, cuidando da sua carreira de cientista internacional enquanto a mulher e o filho ficavam em casa? A última foto era do aniversário do menino. Dez velinhas e "Johannes" escrito no bolo. Hannah e outros adultos estavam sentados em torno do garoto, que se preparava para soprar as velas. Niels olhou para a cena. Era uma dessas fotos em que a pessoa ausente era a presença mais forte. Gustav.

– Ele ficou falando sobre um mito antigo. – Hannah estava de pé bem atrás de Niels e lhe estendia o telefone. Ela teria notado que ele estivera olhando as fotos?

Niels voltou-se para ela.

– Mito? Que tipo de mito?

– Alguma coisa sobre trinta e seis pessoas boas. Da Bíblia, acho. Eu não entendi tudo. Mas você não acha isso fascinante? A maioria dos assassinatos foi cometida a aproximadamente três mil quilômetros um do outro. É por isso que ele contatou a sua delegacia. Aparentemente são três mil quilômetros entre um dos últimos locais de crime e...

– Copenhague – disse Niels, interrompendo-a.

Por um momento eles ficaram simplesmente olhando um para o outro.

Hannah observou Niels dar marcha a ré para sair da entrada de carros. O cartão dele ainda estava na mão dela. Por um segundo os faróis dianteiros a cegaram. Depois ela viu a placa do carro dele: II 12 041. Ela pegou na gaveta uma caneta esferográfica. O carro de Niels se afastava; talvez ela tivesse se enganado. No peitoril da janela havia um binóculo. Ela o pegou e correu para a janela da cozinha; então ajustou o foco para ver com mais clareza. Lá estava ela. Era isso mesmo: II 12 041. Hannah anotou o número nas costas do cartão de Niels e sentiu as lágrimas inundarem seus olhos.

21

Cannaregio, o Ghetto – Veneza

– Bentzon...

Tommaso di Barbara pôs o celular no canto da varanda e olhou para a cidade escura. Tentou pronunciar o nome completo:

– Niels Bentzon. Quem é você?

Enquanto o resto de Veneza morria quando chegava a noite e os empregados do restaurante se apressavam para pegar o último trem para o continente, o Ghetto permanecia animado. A maioria da população da cidade vivia nas ruas em torno do bairro judeu. Tommaso ficou na varanda. Sirenes gemiam. Dentro de meia hora a água subiria. Ele estava cansado. Não tinha energia para ir ao térreo e pôr as tábuas de madeira nas portas. Lá embaixo, nas calçadas, seus vizinhos estavam atarefados. As pequenas tábuas de madeira estavam sendo colocadas com cuidado entre as tiras de borracha dos dois lados de cada porta.

– Tommaso!

Ele estava sendo chamado pelo vizinho de baixo, proprietário do salão de beleza. Acenou para ele em resposta.

– Você não ouviu a sirene?

– Ouvi, já estou indo.

O vizinho olhou-o preocupado. Tommaso desconfiou que o homem já estava sabendo da sua suspensão. Era bem provável. Ele não se importava. Em Veneza todo mundo sabia tudo sobre todo mundo; nesse aspecto a cidade era como uma aldeia. Eles também sabiam que a sua mãe estava morrendo. Sobretudo os vizinhos, pois ela era dona do prédio inteiro. O prédio não tardaria a passar para as mãos de Tommaso, e eles temiam que ele o vendesse para algum americano rico.

– Eu faço isso para você – gritou o vizinho. – Onde foi que você guardou as pranchas?

– Embaixo da escada.

Tommaso apagou o cigarro num vaso de planta e voltou a entrar no apartamento. Uma única lâmpada estava acesa. Ele foi direto para a cama. Mas ao cruzar a sala de estar parou e olhou a parede. Ele já havia começado a pregar o material do caso na parede do sul. Fotos das vítimas. Homens e mulheres. Seus olhos, seus rostos. O mapa-múndi com setas, mostrando que as cenas dos crimes se ligavam de modo engenhoso. As datas. Todos os detalhes sobre tudo o que tinha relação com o caso. Tommaso ficou ali olhando. Fascinado e hipnotizado. Amedrontado, acima de tudo.

Ele tinha imprimido as últimas fotos recebidas da Índia, mostrando as costas do economista morto. Raj Bairoliya. As fotos dos parentes finados que sua mãe tinha dependurado na parede haviam sido forçadas a ceder lugar para outros mortos. Mortos mais importantes. Mortes que tinham certo significado – Tommaso estava convencido disso. Porque não havia coincidência quanto àquelas mortes. As vítimas se ligavam de algum modo, ele só não sabia como. E ele não conseguia convocar mais ninguém para assumir a investigação. As pessoas não estavam interessadas. Alguns meses antes ele havia ligado para a Interpol e fora transferido uma centena de vezes até ser finalmente encaminhado para uma mulher confusa. Ela o ouviu com indiferença e lhe pediu que mandasse um relatório. Três semanas depois ele recebeu a resposta. O caso tinha recebido um número e seria tratado logo que chegassem a esse número, mas isso certamente levaria um ano e meio.

Um ano e meio. Não dava para esperar tanto tempo. Tommaso alfinetou ao lado da foto do hindu morto a foto de um advogado americano também morto. Russell Young. Número trinta e três. Raj Bairoliya era o número trinta e quatro.

22

Chefatura de polícia – Copenhague

Noite. O melhor período na chefatura de polícia. Somente a equipe de limpeza deslocando-se em silêncio, esvaziando os cestos de lixo e limpando os peitoris das janelas. Elas nunca mexiam nas escrivaninhas – havia documentos em demasia em cima dos tampos.

Niels tratou de imprimir seu relatório. Ele havia incluído a relação de todos os contatados, dizendo que todos eles tinham sido informados e advertidos. "Precaução oportuna". As duas palavras mais importantes para as autoridades policiais modernas.

O papel da impressora havia acabado. Ele encontrou um pacote pela metade e passou vinte minutos tentando inserir o papel. Procurava se concentrar em Kathrine mas não conseguia deixar de pensar em Hannah.

A área de recepção do escritório de Sommersted era arrumada e limpa como ele. Niels resolveu pôr o relatório na escrivaninha do seu chefe e não na da secretária, como costumava fazer. Queria ter certeza de que Sommersted o veria. E reconheceria que ele tinha sido aprovado no teste destinado a confirmar se ele continuava digno de confiança.

Na escrivaninha de Sommersted havia apenas uma pasta. Na capa estava escrito "Confidencial. Alta prioridade". Niels teve um impulso de colocar seu relatório sobre o que já estava lá, porque do contrário Sommersted poderia nunca chegar a lê-lo. De qualquer forma, qual seria a importância da outra pasta? Ele a abriu. Não para bisbilhotar, mas para descobrir se não haveria problema em pôr o seu relatório sobre ela. "Suspeito de terrorismo. Aterrissou em Estocolmo ontem. Vindo do

Iêmen. Mudou de avião na Índia. Ligado a atividades terroristas no ano passado. Provavelmente a caminho da Dinamarca." Niels folheou o relatório. Havia uma foto borrada do terrorista, tirada com uma câmera de vigilância na frente da Embaixada dos Estados Unidos no Cairo. *A Irmandade Muçulmana*.

Niels colocou seu relatório ao lado da pasta. Não sobre ela. Depois apagou a luz e murmurou:

– Até a volta. Boas férias para você.

23

Sul da Suécia

Impressões sensoriais perturbadoras. Primeiro a aeromoça. Agora a neve do lado de fora da janela do trem. Já fazia anos que Abdul Hadi vira neve pela última vez. Tinha sido quando ele e o irmão foram esquiar pela primeira e única vez no Líbano. Eles gastaram metade da sua mesada na viagem de trem e no aluguel do material de esqui. Ao descerem pela primeira vez, ambos caíram. Seu irmão mais velho se feriu gravemente. Não podia movimentar o braço e por vários dias Abdul Hadi foi forçado a ajudá-lo nas atividades mais íntimas. Ajudá-lo a tirar a calça. Esse tipo de coisa. Eles não podiam pagar um médico e ficaram envergonhados. Todo o dinheiro de que dispunham vinha do Iêmen, mandado pela família. Destinava-se a pagar a sua educação, para que um dia eles pudessem assumir a tarefa de sustentar os membros da família.

Ele sentiu no seu ombro o peso de uma mão.

Ao ver o uniforme do homem, Abdul Hadi ficou nervoso. Quase em pânico. Olhou para os outros passageiros. A mulher que estava ao seu lado pegou o bilhete e finalmente ele entendeu o que o homem queria.

– Desculpe – sussurrou ele em inglês.

O guarda perfurou o seu bilhete e seguiu em frente, embora tendo virado a cabeça para trás duas vezes, sempre fixando o olhar nos seus olhos nervosos. Abdul Hadi levantou-se, pegou a sacola e rumou para o banheiro. Era esse tipo de incidente que podia pôr tudo a perder.

Ele puxou a maçaneta. O banheiro estava ocupado. Talvez fosse melhor ficar no seu lugar. Talvez parecesse suspeito ele se deslocar. O condutor voltou, passando por Abdul Hadi sem olhá-lo. Só quando chegou ao final do vagão ele olhou apressadamente por sobre o ombro enquanto falava com um colega. O colega se voltou para olhar para Abdul Hadi. Mas eles não tinham ideia de *por que* ele chamara a sua atenção. Somente perceberam que ele parecia nervoso e estava se comportando de modo suspeito. Droga! Tudo porque ele tinha sido pego de surpresa. Porque o condutor tocara no seu ombro. E porque ele era árabe. Era por isso que o guarda estava chamando a polícia. Abdul Hadi estava convencido disso. Ele faria o mesmo no lugar do homem.

O trem estava desacelerando e uma voz anunciou que eles se aproximavam de Linköping. Abdul Hadi lembrou que aquela era a única parada antes de Malmö. A luz amarelada da estação de trem o fez lembrar o bazar de Damasco. Mas a luz dura era a única coisa que evocava para ele as ruas antigas do Oriente Médio, com seus vendedores enfileirados. Ali ele viu poucas pessoas na estação limpa e fria, com muitas placas oferecendo informação. Tentou localizar o guarda. Precisava rapidamente tomar uma decisão. Alguns passageiros estavam desembarcando. Se ficasse no trem e a polícia chegasse, ele não teria nenhuma chance.

Era preciso sair. Então ele pulou do trem, agarrando a sacola com a mão. Droga! A mochila com as fotos da igreja. E os explosivos. Estava tudo debaixo do seu assento no vagão. Ele quase pulou de volta no trem quando viu o guarda falando num celular enquanto o procurava. Durante um segundo eles ficaram olhando um para o outro, separados por uma distância de não mais de dois metros. O estúpido criado da lei, com um uniforme e um quepe. O homem não tinha ideia do tipo de sociedade para cuja preservação ele tanto mourejava. Uma sociedade construída cem por cento sobre a exploração dos outros, sobre o preconceito racial e o ódio.

Abdul Hadi se virou e correu. O guarda o viu e começou a gritar. Ele correu mais ainda. Desceu a escada que levava para mais abaixo dos trilhos e surgiu diante do prédio da estação. O trem não tinha deixado a plataforma. Ele precisava voltar. Por causa das fotos da igreja. E dos explosivos. Do contrário seu plano seria descoberto.

Ele começou a correr de volta. Talvez pudesse pular na extremidade do último vagão. Pegar sua mochila e depois puxar o freio de emergência para fugir.

Tarde demais. Abdul Hadi chegou à plataforma exatamente quando o trem acabava de deixá-la.

Minutos de incredulidade aturdida. Segundos que pesavam sobre ele. E vergonha. Tudo estava arruinado. Ele havia fracassado. Abdul Hadi abriu a sacola para procurar sua agenda, onde anotara o número do telefone do primo. Àquelas alturas ele já correra pela cidade até chegar ao outro lado, porque imaginava que estava sendo procurado. Dentro da sacola ele encontrou tudo revirado. Tirou vários pedaços de papel e viu que na verdade eram as fotos da igreja. Ele não se lembrava de quando as tinha passado da mochila para a sacola. Depois de algum tempo viu que nem tudo estava perdido. Embora os explosivos já estivessem fora do seu alcance, ele ainda tinha as fotos. Eles não saberiam quais eram as suas intenções; não conheceriam seu plano.

24

Silo de Carlsberg – Copenhague

Sempre que tinha insônia, Niels se levantava e lia. Preferivelmente um livro enfadonho ou o jornal da véspera. Vinho também ajudava, mas destilados fortes lhe davam palpitações. Ele não tinha nem aberto a garrafa de conhaque dada por Anni quando do seu aniversário de quarenta anos.

Naquela noite ele apenas ficou na cama. O sono se recusava a chegar. Deitado, ele olhava para a escuridão. Seu terno estava na mala, o passaporte e a passagem à espera na mesa. Ele havia passado uma camisa e a dependurara num cabide. Fizera todos os preparativos. A única coisa que lhe restava fazer era olhar para o cimento liso do teto e esperar as seis horas, hora de sair. Ele fechou os olhos e tentou ver o rosto de Kathrine. Seus olhos. Tão cheios de entusiasmo sempre que ela falava sobre o trabalho. As covinhas ligeiramente infantis que ela fazia o possível para esconder. Muitas vezes ria com a mão na frente da boca. Ela era sempre muito animada. A curva das maçãs do rosto. O nariz delgado. Mas ele não conseguia. Não chegava a pôr todos os traços juntos. Imaginava detalhes desconexos que ficavam se chocando uns contra os outros, obstruindo e impedindo o surgimento de uma figura unificada.

Aliviado, ele ouviu o telefone tocar.

– Alô, amor. Eu estava deitado aqui pensando em você.

– Você tomou as pílulas? – Kathrine parecia cansada. Tensa e nervosa. Mas também cheia de expectativa.

– Tomei algumas. Vou tomar outras daqui a pouco.

– Ligue o computador – disse ela.

– É pra você ter certeza de que eu realmente tomei as pílulas?

– Isso.

– Tudo bem, eu lhe mostro. – Niels ligou o computador. Era preciso esperar um pouco. Nenhum deles falou nada nesse ínterim.

– Oi – disse ele quando a viu na tela. Ela estava sentada no mesmo lugar de sempre. Niels às vezes achava que conhecia o quarto – a quase oito mil quilômetros de distância – melhor que o próprio apartamento deles.

Niels tomou as pílulas. Esperava não estar chegando perto de uma overdose. Quase não prestara atenção no rótulo da embalagem.

– Pronto. Satisfeita? – Ele próprio se percebeu um tanto irritado.

– Você não acredita que elas vão funcionar. – As palavras praticamente foram disparadas da boca de Kathrine.

– O que você quer dizer?

– Droga! Dá pra ver na sua cara, Niels. Você não acredita nelas. É tão difícil assim? Pense em quantas pessoas sofrem com algum tipo de fobia. Elas tomam pílulas e podem fazer tudo normalmente!

– É isso que eu estou fazendo. Estou tentando.

– Está tentando para valer, Niels?

Silêncio. Ele hesitou. Havia uma ameaça latente na voz dela? Uma insinuação de que "essa é a sua última chance"? Ele não podia tirar da cabeça essa ideia. Muitas emoções eram estranhas para ele, mas a paranoia não era uma delas.

– Foi uma das primeiras coisas que eu lhe disse quando nós nos conhecemos. Que viajar é uma coisa difícil para mim.

– Isso foi um século atrás!

– Você se lembra do que você falou? Que isso não tinha importância porque eu era o mundo inteiro para você?

– Um século atrás!

– Foi exatamente o que você disse.

– Nós não temos filhos, Niels. E o lugar mais distante em que nós estivemos juntos foi Berlim.

Niels não respondeu. Ele nunca tinha sido bom em discussões. Particularmente com Kathrine.

– Dê uma olhada nisso, Niels. – Ela abaixou o decote da blusa para que ele visse um dos seus seios. – Isso é difícil para mim, também. Eu preciso de intimidade. É biologia, sabe? Eu me sinto como se estivesse murchando.

– Kathrine. – Niels não sabia o que dizer. Às vezes o tom certo de voz era suficiente. Mas não naquele momento.

– Eu quero você aqui amanhã, Niels. Você ... – A voz dela falhou. – Se você não estiver aqui amanhã...

– O quê?

– Eu não posso prometer mais nada, Niels.

– O que é que você quer dizer?

– Você sabe o que eu quero dizer.

– Não, não sei! Do que é que você está falando?

– Você me ouviu. Você tem de estar aqui amanhã, do contrário eu não posso prometer nada. Boa noite, Niels.

Eles olharam um para o outro. Kathrine estava à beira das lágrimas, mas lutou para esconder seu sofrimento.

Então ela desligou o telefone.

– Droga! – Niels quis atirar a taça de vinho na tela do computador, mas se conteve. Como sempre.

A solidão o oprimia. Todo o oxigênio parecia ter sido retirado da sala, ou pelo menos dele. O telefone tocou novamente. Niels deixou que ele tocasse várias vezes enquanto tentava se recompor. Respirou fundo. Precisava parecer confiante.

– Oi, amor!

– Já faz muito tempo que ninguém fala assim comigo.

Niels precisou de alguns segundos para identificar a voz. Hannah Lund. A astrofísica.

– Perdão. Achei que era a minha mulher.

– Eu sei que não devia ligar a essa hora. Não me desfaço desse hábito dos meus tempos de pesquisadora. Naquela época eu não sabia se era dia ou noite. Você já teve essa sensação?

– Acho que sim. – Niels percebeu que ela estava absolutamente exausta.

– Seus assassinos não me deixam dormir.

– Meus assassinos?

– Pensei muito neles. Será que daria para a gente se encontrar?

Niels consultou o relógio. Já passava de duas da madrugada. Seu despertador tocaria dentro de menos de quatro horas.

– Eu estou saindo de férias. Para a África do Sul. Vou pegar o avião de manhã bem cedo.

– Andei pensando se não haveria um tipo de sistema – disse Hannah. – Quer dizer, se haveria números e distâncias que seguem um padrão específico.

Desanimado, Niels tentou detê-la.

– Mas nós não estamos envolvidos na investigação.

– Você pensou nisso?

– Pensei em quê?

– Num sistema. Talvez a gente pudesse chegar a ele.

Niels foi até a janela. As ruas estavam escuras.

– Você está pensando em impedir que ocorra o próximo assassinato?

– Claro. Vou precisar de todas as informações e dados disponíveis. Mas você deve ter um arquivo sobre o caso.

Niels estava pensando. Em Kathrine.

– Como eu disse...

– Vocês não estão envolvidos na investigação. Entendo. Tudo bem, sinto muito ter incomodado você, Niels Bentzon.

– Não tem problema. Boa noite.

– Boa noite, amor.

Ela desligou o telefone.

25

Aeroporto Kastrup – Copenhague
17 de dezembro, quinta-feira

É um dos aeroportos civis mais antigos do mundo, construído num prado da periferia de Copenhague. O mais bem preservado da Europa nos anos imediatamente posteriores à Segunda Guerra Mundial. Enquanto a maioria dos demais aeroportos tinha sofrido pesados bombardeios, a mão protetora de alguém fora posta sobre Kastrup. Poderes superiores? Coincidência? Ou teria sido o resultado de uma política de colaboração com as forças de ocupação alemãs?
– O senhor quer ficar no terminal de embarques internacionais?
– Isso. Por favor. Terminal 3. Estou com um pouco de pressa – disse Niels.
O penetrante sol de inverno nunca subia no céu a ponto de evitar ofuscar a vista dos motoristas. Niels pôs os óculos escuros, que pretendia usar na África. Ergueu o olhar: um céu lindo, azul-profundo. Um Airbus estava decolando. Niels tentou reprimir uma sensação crescente de náusea. Todo ano mais de duzentos e sessenta mil aviões decolavam ou aterrissavam em Kastrup. Milhões de pessoas chegavam naquele aeroporto ou dele partiam. Niels havia lido todos os fatos. Conhecia as estatísticas. Sabia que quando saísse do táxi, o que aconteceria logo a seguir, ele deveria respirar aliviado porque a parte mais perigosa da viagem havia acabado. Mas esse conhecimento não tinha efeito terapêutico sobre ele. Pelo contrário.
– Se você tiver sorte o seu voo não vai atrasar. – O taxista parou o carro. – Minha prima devia ter ido para Ancara ontem. Mas está sentada lá, esperando.
Niels apenas balançou a cabeça, olhando para o prédio de vidro e aço em forma de asa que assomava diante dele. A conferência sobre o clima estava causando

muitos atrasos nos voos. Durante os onze dias que ela duraria, Kastrup seria o incontestável centro de atividade do mundo. Até onde ele pudera se informar pela internet, seu voo estava no horário. A maioria dos chefes de Estado já havia chegado. Alguns deles inclusive já haviam ido embora.

Niels começou a transpirar logo que entrou na sala de embarque. Foi ao banheiro masculino. Engoliu algumas pílulas e jogou água fria no rosto. Olhou para si mesmo no espelho. Seu rosto tinha uma palidez mórbida. As pupilas dos olhos estavam grandes e sua expressão era tensa.
– O senhor está bem?
Niels olhou para o espelho. Um homem baixo e gorducho, do sul da Europa, com um ar amigável.
– Estou bem. Obrigado.
Durante um momento o homem não se mexeu. O tempo suficiente para Niels ter vontade de lhe dizer que deixasse de encará-lo. Finalmente o homem foi embora.
Mais água. Niels tentou controlar a respiração. Quase conseguiu, mas foi interrompido por outra voz. Essa vinha de um alto-falante.
– Última chamada para o passageiro Niels Bentzon, que viaja a bordo do SAS Voo 656 para Paris, partindo às oito e quarenta e cinco. Embarque no Portão 11.
O fato de ele ter de mudar de avião em Paris não facilitava as coisas. Seria preciso passar duas vezes por aquele processo infernal.
Niels fechou os olhos. Procurou mudar de tática. Então tentou o oposto. Tentou se fixar no momento presente. Disse a si mesmo que era preciso se concentrar e agir com sensatez. Permitir-se sentir o medo, combatendo-o com bom senso e estatísticas. Milhões de pessoas estavam sempre lá em cima no céu. Meu Deus, tudo o que ele tinha de fazer era a mesma coisa que elas faziam: sentar-se num avião, tomar uma xícara de café, ver um filme, talvez dormir um pouco. Aceitar o fato – quem sabe até mesmo saborear a ideia – de que todos nós vamos morrer. Mas isso não ajudou. Não era o avião nem a morte que o assustavam. Era a ideia de sair de Copenhague.
Niels enxugou o rosto com uma toalha de papel, respirou fundo e tentou reunir coragem. Então saiu da sala de espera e se encaminhou para o portão de embarque. Atravessando a sala de embarque, quase deserta naquela hora, lhe ocorreu a imagem mental de um condenado dando os últimos passos na direção do cadafalso. Ele concluiu que a execução seria preferível à entrada num avião.

***

— Obrigada. Boa viagem.

A aeromoça, transbordante de confiança, lhe deu seu melhor sorriso profissional e a licença para entrar no avião. Ninguém prestou atenção nele. Nenhum olhar de censura porque ele havia chegado tão tarde. Estavam todos ocupados com seus próprios pensamentos. Niels encontrou seu lugar e se sentou. Tranquilo, olhou para a poltrona diante da dele. Tudo era ótimo. Ele estava sob controle. Sua respiração era quase normal. Talvez as pílulas estivessem cumprindo seu papel, afinal de contas.

Então Niels viu suas mãos, que ele pousara no colo.

Elas estavam se contraindo espasmodicamente, como se reagindo a uma carga elétrica. E a sensação começava a se espalhar. Ele sentia isso. Os espasmos foram subindo lentamente pelos seus braços e ombros, chegaram ao peito e depois até o diafragma. Todos os sons em torno dele desapareceram. Ele olhou em pânico à sua volta. Uma menininha, de uns cinco anos, se virou para olhá-lo com uma fascinação infantil. Seus lábios estavam se mexendo. Ele a ouviu dizer:

— O que é que aquele homem está fazendo, mamãe?

Ele viu a jovem mãe silenciar a filha. Dizendo a ela que parasse de olhar para ele, que não lhe desse atenção.

Niels se levantou. Precisava sair. Agora.

Ele estava prestes a vomitar. E voltara a transpirar. Cambaleou pelo corredor como se estivesse bêbado, mas fazendo o possível para dissimular seu estado. Fez o que pôde para manter a dignidade numa situação impossível.

— O senhor não pode sair do avião. — A aeromoça que o havia acolhido pouco tempo antes o olhava fixamente. Seu sorriso estava um pouco mais tenso.

Niels se recusou a parar. O avião estava balançando; os motores tinham começado a funcionar.

— O senhor não pode... — Ela olhou sobre o ombro.

Um comissário de bordo veio correndo.

— Sinto muito, mas o senhor precisa voltar para o seu lugar.

— Eu sou policial.

Niels continuou andando pelo corredor. Estava a poucos metros da porta.

— O senhor ouviu o que eu disse? Preciso lhe pedir que volte para o seu lugar.

Ele pegou no braço de Niels. Calmamente e em silêncio. Demonstrando uma paciência admirável. Niels o empurrou e agarrou a maçaneta da porta.

— Escute. — Novamente o comissário de bordo. Continuava tentando ser paciente.

Niels mostrou sua identidade policial.

– Polícia de Copenhague. Eu preciso sair do avião. – Sua voz tremia.

Alguém murmurou para o comissário de bordo.

– Vá chamar o capitão.

– Eu preciso sair! – gritou Niels.

Silêncio absoluto. Todos os outros passageiros estavam de olhos fitos nele. O comissário olhava para ele. Talvez houvesse uma sombra de simpatia nos seus olhos.

Então ele concordou.

A rodinha da mala havia entortado e Niels precisou lutar para que ela girasse na direção certa. Ele xingou baixinho. A localização da mala e sua retirada do avião tinham levado uma eternidade. Os encarregados das bagagens deixaram bem clara a sua contrariedade com o trabalho extra por causa dele.

Niels finalmente desistiu. Parou e carregou a mala. Então encontrou uma mesa e se sentou para tomar uma cerveja.

A cadeira era desconfortável. A náusea não havia passado de todo. Ele não estava com vontade de beber; só queria se sentir melhor. Queria estar morto. Por que ele não tinha podido ficar no avião? Queria ligar para Kathrine, mas a vergonha o estava contendo.

Outra cadeira, agora bem mais confortável. Um assento adequado, projetado para longos períodos de espera. Niels não se lembrava de ter mudado de lugar. Estava com o celular na mão. Kathrine. "Amada Kathrine. Eu não estou desistindo."

Ela teria de se contentar com uma mensagem de texto.

Ele olhou através das enormes janelas. Um Boeing 737 decolou da pista.

Passou-se meia hora. Talvez mais. Os aviões aterrissavam e decolavam. As pessoas partiam em viagem, outras chegavam. Empresários, turistas, políticos, jornalistas, integrantes de diversas organizações ambientais. Niels os estudava. Alguns já pareciam cansados e desestimulados; outros estavam cheios de esperança e expectativa. Todos eles em movimento. Indo de um lugar para outro.

Enquanto isso ele estava apenas sentado.

Ele se levantou e foi até a fila diante do balcão de passagens da Alitalia. Não estava pensando conscientemente; seu cérebro havia parado. Tudo tinha se apagado. Todos os pensamentos sobre a viagem, todos os preparativos cuidadosamente executados, todas as estatísticas. De que serviam agora? O que ele poderia fazer com tudo aquilo?

– Perdão, você é italiano? – indagou Niels em inglês. Ele estava tão surpreso com as suas palavras quanto o jovem a quem se dirigira.

– Sim, sou.

– Você poderia falar no telefone para mim? É urgente.

Niels não lhe deu tempo para responder, apenas digitou o número no seu celular e o entregou ao homem.

– Chame Tommaso di Barbara. Peça a ele para me mandar por fax tudo o que ele tem sobre o caso. É para Niels Bentzon. O número está aqui. – Niels apontou para o número no seu cartão de visitas.

– Mas...

– Tudo!

26

Chefatura de polícia – Copenhague

– Niels? Achei que você estava de férias. – Anni ergueu o olhar da tela do computador, mas não pareceu tão surpresa quanto disse.
– Talvez mais tarde. – Niels estendeu os braços. – Você falou que estava aqui.
– O quê?
– O fax de Veneza.
– Ah, sei. – Ela se levantou.
– Não precisa se levantar. – Niels tentou detê-la. – Eu posso pegar.
Ela o ignorou e passou por ele. Niels estava aborrecido. A curiosidade de Anni era lendária e normalmente tinha o seu encanto. Mas não naquele momento.
A delegacia estava praticamente deserta. A sala sem divisórias, as telas planas, cadeiras ergonômicas, escrivaninhas recém-adquiridas que podiam ser erguidas e abaixadas, caros modelos de design escandinavo, tudo parecia mais adequado a uma agência de publicidade que a uma delegacia de polícia. Mas a diferença era tão grande assim? Niels tinha começado a duvidar disso. Nas reuniões ocorridas ali os termos de marketing como "proteção de imagem" e "identidade de marca" eram ouvidos com mais frequência que os bons e antiquados termos policiais. Os superiores de Niels tinham se tornado celebridades. O chefe da polícia era tão querido da mídia que só os comediantes populares e os *pop stars* podiam competir com ele. Niels não tinha ideia do porquê disso. A força policial se tornara um dos campos de batalha política mais importantes da sociedade. Incontáveis investigações testemunhavam isso. A reforma da polícia em 2007 havia suscitado mais manchetes que todas as recentes reformas tributárias juntas.

Todos os políticos menos importantes cujos marqueteiros lhes tinham cochichado no ouvido que era fundamental tomar posição no debate poderiam recitar rapidamente, até mesmo durante o sono, uma solidíssima opinião sobre tudo o que dizia respeito à polícia. Muito embora o conhecimento dos políticos sobre o trabalho da polícia pudesse às vezes se basear apenas em alguns episódios de *Miami Vice*.

– Espere só e você vai ver o que diz o fax. – Anni dirigiu a Niels um olhar alvoroçado enquanto abria a porta da sala do computador. – Eu nunca vi uma coisa assim.

A sala do computador não tinha muita relação com computadores. Na verdade era o único lugar da sede – fora o refeitório – que não tinha um único computador. Assim, seu nome era sempre motivo de brincadeiras. Mas o espaço continha impressoras, máquinas de fax e fotocopiadoras, e cheirava a restos de produtos químicos, ozônio e pó de tôner que inquestionavelmente produziam náusea e dor de cabeça em pouco tempo.

– Pronto. – Anni voltou. – Quase tão grande quanto uma lista telefônica!

Niels olhou. Ele não sabia o que havia esperado, mas certamente não era uma pilha de muitas centenas de páginas.

– Do que se trata? – Anni tentou fazer seu interesse não parecer demasiado.

– É só o material de um caso.

– Bom, não pode ser um caso comum. – Ela tentou não sorrir. – Tem relação com a conferência sobre o clima?

– Tem. – Niels a olhou solenemente, pensando que o que quer que acontecesse na conferência sobre o clima, o que quer que resultasse dos esforços feitos pelos líderes mundiais para impedir que a terra fosse destruída, o evento não seria em vão. Porque sem a conferência sobre o clima Niels não teria sido capaz de evitar que a sua secretária conversasse sobre o fax.

– Você tem uma caixa que eu possa usar? – Niels olhou em torno de si.

Anni lhe entregou uma caixa de papelão cheia de papel para impressão. Ele a pegou sem dizer nada, mas com um sentimento de culpa porque Anni havia se tornado uma mãe substituta para ele. Tendo esvaziado a caixa, ele a encheu de páginas com faxes. Tentou dar uma olhada em algumas fotos. Fotos de autópsia. Marcas estranhas nas costas do cadáver. Uma relação de vítimas de assassinato. Na China e na Índia.

– Veja só o vestido dela. Eles vão chegar amanhã?

Anni estava olhando para uma pequena tela de televisão. Barack e Michelle Obama saindo do *Air Force One* em algum lugar do globo.

– Ela tem um traseiro avantajado. Isso é *sexy*? – indagou Anni, voltando-se para Niels.

– Acho que sim. Para quem gosta.

Michelle Obama acenou da escada, obviamente acostumada a esse tipo de cena. Para quem ela estava acenando? Para o enorme contingente de seguranças? Já na pista, Barack Obama cumprimentou um homem calvo, provavelmente o embaixador americano no país em que eles estavam. Niels não conseguia tirar os olhos de Obama. Havia na sua expressão uma certa tristeza, apesar do grande sorriso. Niels já havia notado isso na primeira vez em que o vira na televisão, durante um debate com Hilary Clinton. A sombra de algo pesaroso. Como se ele tivesse alguma dúvida sobre os seus objetivos – não sobre a sua vontade de concretizá-los, de criar um mundo melhor. Mas ele parecia não saber se o mundo estava realmente disposto.

A sala de Sommersted estava iluminada, o que surpreendeu Niels quando ele saiu da sala do computador. Ele pôs no chão a caixa com as páginas de fax e com o pé empurrou-a para debaixo de uma escrivaninha, de forma que ninguém a visse. Índia e China. Os dois últimos assassinatos da lista vinda de Veneza. O terrorista não tinha estado também na Índia?

– Cuidado – ele ouviu Anni adverti-lo. – O chefe está de péssimo humor hoje.

– Nos outros dias é diferente?

Niels bateu na porta e entrou. Sommersted, ainda de casaco, estava de pé ao lado da escrivaninha. Parecia procurar alguma coisa.

– Sim? – Ele não se deu ao trabalho de olhar para Niels. – Eu já estou saindo.

Seu tom de voz era hostil. Era obviamente um homem sob pressão. Um homem que havia muito tempo não dormia o suficiente e que tinha a cabeça tomada por cenas de horror de possíveis calamidades durante a conferência.

– Sobre o homem do Iêmen que está sendo procurado...

– Chega! – Sommersted ergueu a mão.

Niels optou por ignorar seu gesto e prosseguiu.

– Não pude deixar de dar uma olhada no relatório de ontem. E vi por acaso quais foram os seus destinos mais recentes.

– O quê? Não.

Os pensamentos de Sommersted estavam longe. Isso era óbvio. Ele estava no Bella Center. Junto com os chefes de Estado sob sua proteção.

– Há uma ligação com o caso da Interpol.

– Bentzon. – Sommersted suspirou. Ele era um predador que tinha resolvido dar à sua presa uma última chance. – O caso Hadi é supersecreto. Não é da sua conta. Nós não precisamos entrar em pânico agora, pelo amor de Deus. Dá para você imaginar? A combinação de terroristas altamente treinados em Copenhague com todos os dirigentes mundiais reunidos na Ilha de Merda?

– Eu não estou totalmente seguro, admito – disse Niels. – Mas tenho as minhas suspeitas.

– Não! – Sommersted desistiu de tentar se controlar e elevou a voz. – Esqueça, Bentzon. Deixe que outras pessoas cuidem disso. Você imagina quantos presidentes e primeiros-ministros vão estar no Bella Center daqui a algumas horas, contando com a minha proteção? Brown e Sarkozy! Todo o bando. Até um doido como o Mugabe tem o direito de esperar não receber uma bala na cabeça enquanto está visitando a Maravilhosa Copenhague. Extremistas, terroristas, doentes mentais. Todos eles vão querer que eu cometa um erro.

– Mas... – Niels já havia desistido, porém fez um último esforço para vencer a resistência do chefe. Foi brutalmente repelido.

– E agora a imprensa quer saber por que fizemos uma gangue de anarquistas detidos ficar sentada durante horas no asfalto frio. Parece que dois deles estão com infecção renal. Você já pensou que isso pode nos causar um baita problema?

Sommersted não esperou uma resposta. Simplesmente passou apressado por Niels no vão da porta e foi embora.

Não, droga! Niels deu meia-volta. Isso não podia estar certo. Tinha de haver uma ligação. Índia, Mumbai. Niels discutiu consigo mesmo enquanto voltava da sala de Sommersted. Ele era policial. Contratado para prevenir e resolver crimes. Não fazia parte do seu trabalho deixar Sommersted feliz. A luz ainda estava acesa na sala do chefe. Aparentemente, a ideia da responsabilidade comum pelo aquecimento global não tinha penetrado na força policial de Copenhague. Niels entrou. Os documentos ainda estavam na mesa. Niels se surpreendeu com o descuido de Sommersted; sem dúvida isso se devia ao nervosismo. Ele encontrou uma foto de perfil do homem do Iêmen. Abdul Hadi. Uma foto ligeiramente borrada, tomada em algum lugar do Waziristão, uma área montanhosa na fronteira do Paquistão com o Afeganistão. Niels não era particularmente versado em terrorismo internacional, mas sabia que o Waziristão era um dos focos de terroristas. A Irmandade Muçulmana. Os documentos a mencionavam várias vezes. Hadi tinha estado em contato com um membro importante da Irmandade

Muçulmana. Não diziam o grau de proximidade desse contato, mas temia-se que Abdul Hadi fosse um possível terrorista.

Niels olhou para cima. Ninguém o estava observando. Os olhos de todos se voltavam para o Bella Center.

Ele folheou o arquivo. A Irmandade Muçulmana. Correu os olhos pelas páginas: uma organização político-religiosa fundada no Egito em 1928 por Hasan al-Banna. O objetivo deles era transformar o Egito numa sociedade islâmica, uma sociedade baseada na lei muçulmana estrita, nos moldes da que fora criada na península Arábica pelos irmãos Wahhabi. Apesar de publicamente ser contra a violência, a organização tinha sido proibida muitas vezes no Egito. Enquanto estava na prisão, na década de 1950, Sayyd Qutb, um dos seus integrantes mais destacados e que já havia falecido, escreveu o manifesto *Marcos*, considerado hoje uma convocação às armas para o terrorismo islâmico. O braço direito de Osama Bin Laden – e o segundo no comando da Al-Qaeda – também tinha começado sua carreira terrorista como membro da Irmandade Muçulmana. Desde a sua fundação, a organização tivera uma enorme influência, e ainda tinha, não somente no Egito como também em grandes extensões do mundo muçulmano. O grupo tinha sido ligado a inúmeras ações terroristas e apoiava abertamente ataques contra Israel, considerado o principal inimigo. A organização islâmica Hamas, de Gaza, havia se originado na Irmandade. A Irmandade Muçulmana era mais conhecida pela participação no assassinato do presidente egípcio Anwar Sadat, no dia 6 de outubro de 1981. Ele foi assassinado em retaliação por ter estendido a mão em 1978 para o odiado dirigente israelense Menachem Begin e por assinar o acordo oficial de paz com Israel.

Niels fez uma pausa. Depois folheou mais algumas páginas até encontrar o que estava procurando. O relatório sobre as viagens de Abdul Hadi até ele conseguir entrar na Suécia. Havia óbvias lacunas, embora não muitas. Niels estudou cuidadosamente o relatório. Acreditava-se que Abdul Hadi tinha sido visto a bordo de um trem na Suécia. O que ele estava fazendo lá? A Suécia seria o seu destino final ou ele iria até mais longe? Ele havia chegado de avião de Bruxelas e antes disso – supunha-se – fizera paralelamente uma viagem até a Índia. Niels estava surpreso. Como era possível que um homem caçado em todo o mundo pudesse viajar livremente, indo aonde bem entendesse? Sabia-se que os procedimentos de segurança internacionais deixavam muito a desejar. O público podia não ter conhecimento disso, mas a polícia tinha. Apesar das significativas melhorias nas medidas de segurança da maioria dos aeroportos internacionais – escâner de íris, impressão digital, normas mais rigorosas concernentes aos passaportes e aos documentos de identificação –, parecia que os terroristas estavam sempre um passo à frente. Ou talvez fossem tantos que, mesmo prendendo alguns, outros sempre conseguiriam escapar.

Niels descobriu que estava falando alto.

– O que é que você estava fazendo na Índia? – murmurou ele.

Sem resposta. Hadi olhou para ele da foto. Niels reconheceu a sua expressão. Era daquele jeito que a pessoa olhava logo antes de puxar o gatilho.

– E por que é que você está vindo para a Dinamarca?

27

Christianshavn – Copenhague

O semáforo em Amagerbrogade não estava funcionando.

Niels não notou que estava parado no vermelho havia um tempo exagerado, mas então um carro atrás dele começou a buzinar agressivamente. Por fim o motorista emparelhou com ele e passou mostrando-lhe o dedo em riste. Niels digitou um número no celular e esperou. Hannah respondeu, parecendo ter acabado de acordar.

– É Niels Bentzon. Será que eu posso ir aí?
– Agora?
– Acabei de receber por fax o material sobre o caso. E posso lhe comunicar as informações; tem muito material.
– Achei que você estava saindo de férias.
– É muito abrangente – disse ele, ignorando o comentário. – Trata de todos os detalhes. Exatamente como você me pediu.

Sem resposta. Niels já ia prosseguir, mas, antes que ele começasse a falar, Hannah disse:

– Dá para eu tomar um banho antes?
– Eu chego aí dentro de uma hora.

Ele encerrou a conversa, imaginando Hannah na banheira. Ela teria mencionado o banho para provocá-lo? Ele chegou na Praça Christmas Møller. Uma parte da área estava inacessível devido a algumas centenas de ativistas do clima reunidos para uma manifestação não autorizada. Fazia muito frio para ficar andando ao ar livre. Os manifestantes passavam pelos carros carregando uma grande bandeira que dizia: "ÚLTIMA OPORTUNIDADE. SALVE O PLANETA". Outra dizia: "AGORA OU NUNCA". A caixa com as páginas do fax estava no assento dianteiro ao lado de Niels. Ele a abriu e olhou para todas as páginas datilografadas que continham as informações sobre as vítimas de assassinato, as cenas de crime e as horas das mortes. Fotos das vítimas. Fotos das estranhas tatuagens nas suas costas. Niels não sabia nada sobre tatuagens, mas as imagens das fotos o surpreenderam. Por que um assassino teria o trabalho de fazer uma tatuagem tão complicada nas costas das suas vítimas? Tommaso tinha dito que eram números. Niels não conseguia distinguir nada. Mas teve a impressão de que mais parecia uma figura qualquer. Uma espécie de desenho abstrato.

De repente se fez na multidão um vazio, que foi ficando gradualmente maior e maior. Niels continuou dirigindo pela Christianshavn Torv no sentido da cidade. Na sua mente ele continuava vendo estranhas tatuagens. Elas tinham tomado conta dos seus pensamentos como um exército invasor, recusando-se a ir embora. Impulsivamente ele fez um retorno, seguiu no sentido contrário àquele em que ia até então e virou à esquerda para Prinsessegade.

Christiania – Copenhague

A loja chamada Tattoo Art estava exatamente como ele a conservava na memória. Niels nunca havia entrado ali, mas conhecia bem o resto da área de Christiania. Como quase todos os policiais de Copenhague, participara de patrulhas na Rua Pusher e prendera pessoas ali. Ele estacionou o carro e foi dar uma olhada. Alguns groenlandeses bêbados cambaleavam diante do bar Nemoland. Cães de rua olharam curiosos para Niels.

Ele tinha uma atitude um tanto ambivalente, embora basicamente positiva, em relação a Christiania. A ideia de que havia quase quarenta anos um grupo de *hippies* amantes da paz tinha sido capaz de se apoderar de uma área militar abandonada para criar uma experiência social era algo que atraía Niels. Uma zona livre dentro de uma grande metrópole. Uma aldeia no meio de Copenhague. Um modo de vida diferente. Além disso fora em Christiania que ele tinha tido algumas das suas melhores experiências como policial, quando ainda bem jovem. Ele se lembrava de que o cumprimentavam com muita simpatia. Em que outro lugar do mundo um policial seria convidado a entrar na casa para tomar uma garrafa de cerveja no Natal ou comer um arroz-doce às quatro da madrugada no Ano-Novo?

Mas a atmosfera havia mudado nos últimos dez anos. Ciclistas e gangues de imigrantes tinham tomado conta do mercado de drogas. A inocência da era *hippie* fora substituída por uma criminalidade viciosa, com o comércio de drogas financiado por gângsteres que ganhavam rios de dinheiro. Violência e ameaças tinham se tornado acontecimentos cotidianos. As coisas chegaram a um ponto crítico em maio de 2006, quando um rapaz de dezenove anos foi brutalmente atacado e morto por um grupo de traficantes bem ao lado de Christiania. Niels não se envolvera no caso, mas seus colegas tinham ficado abaladíssimos com ele. Raramente eles haviam se deparado com uma crueldade tão dura. Os perpetradores, com deliberação gélida, tinham usado bastões e barras de aço para destruir o crânio do jovem. Foi uma execução, pura e simples. Uma liquidação descarada que visava infundir o terror e servir como advertência. O caso havia levado Niels a mudar de ideia quanto à zona livre. A experiência social fora sabotada.

– Me dê só cinco minutos.
O tatuador fez um afável sinal de cabeça a Niels, que se sentou para esperar, estudando o homem. Ele parecia um monstro, com tatuagens enormes, coloridas, que cobriam seu corpo e a maior parte do rosto. Os músculos do torso estavam prestes a explodir a camiseta justa que ele usava. Havia anéis em seu nariz e no lábio inferior.
– Quer uma xícara de café? – O piercing no lábio o fazia cecear um pouco.
– Sim. Obrigado. Puro.
O tatuador desapareceu na sala de trás, deixando Niels sozinho.
A loja era absolutamente limpa. Nesse aspecto fazia lembrar um consultório médico. As paredes estavam decoradas com fotos de pessoas tatuadas. Dragões, serpentes, mulheres e desenhos abstratos. Muitos dos pôsteres tinham caracteres japoneses na parte inferior. Ou seriam chineses?
– Provavelmente os japoneses já se tatuavam há mais de dez mil anos. Bacana, hem? – O tatuador era negro. Deu a Niels uma xícara de café. – Eles eram chamados de *ainu*. Tatuavam o rosto.
Niels lhe dirigiu um olhar inquiridor.
– Na China encontraram múmias tatuadas. Então não é exatamente um fenômeno moderno. – O homem riu.
– E as técnicas usadas foram sempre as mesmas?
– As técnicas foram desenvolvidas ao longo do tempo. Há exemplos de culturas antigas que esfregavam cinza em feridas abertas. Os vikings usavam espinhos de rosas. A beleza exige sofrimento. – Novamente aquele riso agudo e ciciado.

Niels sorriu com educação.

– E hoje, o que é que vocês usam? Do ponto de vista puramente técnico.

– Dê uma olhada. – O tatuador balançou a cabeça na direção da máquina usada para fazer as tatuagens. – Dentro do tubo tem uma agulha. Quando o tubo é ligado, a agulha se mexe para cima e para baixo, cerca de mil vezes por minuto. É incrível!

– E o que é que ela borrifa dentro da pele?

– Não borrifa nada. Ela insere tinta de cor diferente. Os pigmentos de tatuagem são compostos de água, glicerina e cristais minúsculos. Corpos estranhos de todas as cores do arco-íris.

– Isso não parece saudável.

– Está ficando com medo? – Ele sorriu ironicamente. – Seu café também não é saudável.

– Mas, corpos estranhos?

– São poucas as pessoas que têm problemas. Às vezes o corpo tenta se livrar dos cristais. Isso não é muito divertido. Em alguns casos raros os pigmentos podem entrar no sistema linfático, abrir caminho dentro dos nodos linfáticos e depois entrar na corrente sanguínea. Mas veja bem, eu nunca tive nenhum problema. E eu sei do que estou falando. – Ele levantou a camiseta para exibir uma impressionante – e aterrorizante – cabeça de dragão. – Você quer uma dessas? As meninas ficam loucas com ela.

– Não, obrigado. Mas eu gostaria que você desse uma olhada numa coisa.

O homem olhou surpreso enquanto Niels pegou a pilha de páginas de fax e tirou de lá uma foto.

– O que é isso? – O tatuador olhou interessado para as costas da vítima. – É esse tipo de desenho que você quer?

– Você pode me dizer alguma coisa sobre essa tatuagem?

– Dizer alguma coisa?

– Sobre o desenho. O que é isso? Como é que ele foi feito? Quanto tempo é preciso para fazer uma coisa assim?

O homem não disse nada. Apenas olhou para a foto. Depois o chamou:

– Venha aqui comigo.

A sala nos fundos era um mundo totalmente diferente. Parecia uma casa de traficante. Tinha por toda parte agulhas e cinzeiros sujos. Na mesa imunda havia uma garrafa de uísque meio vazia. Um filhote de cachorro dormia numa cesta. O cachorrinho acordou e olhou interessado para Niels.

– Quer comprar? É um terrier Staffordshire americano. Parece bonzinho agora, mas não se iluda; em seis meses ele pode matar um cavalo adulto.

– E quanto à foto? – disse Niels fazendo-o voltar ao assunto.

– Ah, certo. – O homem se sentou na borda de uma mesa frágil e acendeu uma lâmpada. – Vou lhe dizer uma coisa: as pessoas chegam aqui com as figuras mais estranhas e me pedem uma tatuagem igual. Outro dia um cara entrou aqui com uma foto da vagina da namorada. Queria que a coisa fosse tatuada na parte de cima do seu pênis para que ele pudesse olhar para ela enquanto se masturbava.

Niels pigarreou. O tatuador entendeu a insinuação e ficou calado enquanto estudava a foto.

Niels olhou para o homem. Não sabia o que devia esperar, mas pelo menos algum tipo de reação. E o homem ficou impassível. Não aconteceu nada. O tatuador não disse nada.

– Então, o que você acha? – indagou Niels por fim.

– Onde foi que você arrumou isso? – O homem não tirou os olhos da foto enquanto falou.

– Você pode me dizer o que é isso?

Nenhuma resposta. Niels tentou novamente.

– O que é isso?

– Eu não tenho ideia, mas...

– Mas, o quê? – Já estava difícil para Niels não perder a paciência. – Diga alguma coisa. Quanto tempo é preciso para fazer essa tatuagem?

Finalmente o tatuador levantou a cabeça e olhou para Niels.

– Você está enganado. Isso não é tatuagem. Pelo menos eu acho que não.

– Não é tatuagem?

O homem balançou a cabeça e se levantou.

– As linhas são finas demais. Além disso tem muito branco entre as outras cores. O branco quase nunca é usado nas tatuagens.

– Se não é uma tatuagem, então o que é?

O homem deu de ombros. Não era problema dele.

28

Helsingør – Dinamarca

Os campos cobertos de gelo estavam desertos e abandonados. As árvores na linha do horizonte pareciam esqueletos. Uma explosão de cinza. Uma linda vista se a melancolia tivesse fixado residência no seu coração. Do contrário era apenas sombrio, e a única coisa a fazer era fugir – como fizera Kathrine.

Niels tinha a estrada toda para si. Dirigia velozmente. Ele deixou a estrada e entrou num caminho de cascalho. Dessa vez estacionou bem na frente da casa e saiu do carro segurando a caixa sob o braço.

Antes que pudesse bater, ele a viu no desembarcadouro. Estava de pé no mesmo lugar da véspera. Ele desceu até lá.

Hannah não se voltou para olhá-lo.

– Achei que você estava saindo de férias.

– Adiei as férias. Você está pegando algum peixe?

– Neste lago não tem peixe. – Ela se virou e olhou para ele. – Embora as pessoas digam que ele está cheio de peixes.

– Eles não mordem a isca?

Ela balançou a cabeça.

– Pode ser que sintam o cheiro. – Ela levantou a mão com o cigarro. – Eu só estou aqui pescando porque isso faz parte de um plano das coisas.

– Plano das coisas?

– Envolve fazer coisas que eu nunca fiz enquanto meu filho estava vivo.

Não havia sinal de lágrimas na voz. Sua tranquilidade permanecia inalterada, e isso amedrontou Niels. Quando as pessoas que parecem frias e reservadas cedem finalmente aos seus nervos, esse desmoronamento tem uma ferocidade terrível e frequentemente elas tentam levar consigo as outras pessoas. Ele sabia disso por experiência própria.

– Eu sei que faz frio aqui. – Ela ligou o termostato. – Foi uma das últimas coisas que Gustav disse antes de ir para o Canadá. "Nós precisamos consertar a caldeira", ele me falou. E depois foi embora. – Não havia amargura na sua voz. Ela estava apenas relatando objetivamente um fato. – Então você me trouxe a penca inteira de assassinatos?
– Trouxe.
– Está forte demais?
– O café? Não.
– Eu prefiro bem forte.
Niels abriu a caixa de papelão. Cuidadosamente, pôs a pilha de papéis na mesa de centro.
– E eles vieram de Veneza?
– Mandados por Tommaso di Barbara. O policial com quem você falou no telefone. Ele mandou as páginas por fax hoje de manhã. – Niels se sentou no sofá diante da mesa.
– Você leu todos eles?
– Dei uma olhada meio superficial. É um registro detalhado de tudo o que se sabe sobre as vítimas. Que tipo de vida era a delas, que empregos tinham e o que elas chegaram a realizar. E, evidentemente, tudo sobre as mortes. Hora, lugar e circunstâncias. É... – Niels folheou as páginas até chegar à última. – Um relatório de duzentas e doze páginas sobre vida e morte. Uma parte foi traduzida do italiano para o inglês com o Google. Mas não tudo.
– Ótimo. – Ela lhe deu um sorriso breve.
– Primeiro eu quero que você dê uma olhada nisto. – Niels pegou uma foto que mostrava as costas de uma das vítimas e a colocou sobre a mesa.
– O que é isto?
– As costas de Vladimir Zhirkov. Todas as vítimas têm uma espécie de marca nas costas. Uma tatuagem ou um símbolo qualquer.
– O mesmo símbolo?
– Acho que sim. Tommaso disse que são números, mas eu não vejo números.
Hannah apertou os olhos. Talvez desconfiasse. Ou então estava surpresa. Ela abriu uma gaveta e encontrou uns óculos de leitura, de um grau e meio,

com o logotipo Statoil na armação. Eles ainda estavam com a etiqueta de preço. Ela estudou a foto.

– Você tem certeza de que todos eles têm nas costas uma coisa assim?

– Sim. Olhe aqui outro exemplo. As costas de Maria Saywa, do Peru. Assassinada no dia 29 de maio deste ano. – Ele pôs na mesa, ao lado da foto de Vladimir Zhirkov, a foto de Maria Saywa. Embora as imagens fossem escuras, podia-se ver as marcas.

Hannah estava segurando uma lupa. Ela a havia pegado na mesma gaveta de onde tirara os óculos, junto com um inequívoco cheiro de maconha.

Niels a estudou. O arco do nariz. Os pelinhos quase invisíveis da nuca. Os olhos de Niels passeavam por ela, e Hannah correu a mão pelo pescoço, como se sentisse sobre si o olhar dele. Passaram-se muitos segundos. Ou talvez tenham sido muitos minutos. Impaciente, Niels mudou de posição. Alguns cisnes estavam fazendo uma confusão no lago.

– Você está vendo alguma coisa? – perguntou ele.

– Isso é muito louco. – Ela não ergueu os olhos. Mas mecanicamente acendeu outro cigarro.

– Como assim?

– Quem fez isso? – Ela soprou uma nuvem de fumaça na mesa. – O assassino?

Niels se aproximou.

– O que é que você está vendo?

Ela ignorou a pergunta. Niels achava que merecia uma resposta. Já ia repetir a pergunta quando ela começou a murmurar:

– Hebraico, árabe, indiano, urdu, devanagari...

Niels olhou para ela. Ela entoava num sussurro:

– Mesopotâmio, vigésimo sistema, números celtas, números hierográficos, números babilônios...

– Hannah. – A voz de Niels havia se elevado. – O que é que está acontecendo?

– São só números. Nada além de números.

– Onde?

– Ele tem razão. O homem com quem eu conversei.

– Tommaso?

– É. São números. Esse é o número trinta e um. Vladimir Zhirkov.

– Trinta e um?

– É o número trinta e um em vários sistemas numéricos. Em números minúsculos. Parecem vasinhos sanguíneos rompidos sob a pele. Como se os vasos sanguíneos formassem o número trinta e um.

– Como se pode fazer isso?

Ela deu de ombros.

– Eu não sou dermatologista. Mas... – Hannah mudou de ideia e se calou.

– Mas o quê? – Niels pareceu se impacientar novamente.

– Eu sei que a superfície de todos os vasos sanguíneos é formada pelo epitélio de uma camada. Que é conhecido pelo nome de endotélio.

– Existe alguma coisa que você desconheça? Desculpe. Continue.

– Como eu estava dizendo, eu não sou perita no assunto, mas se o endotélio é lesionado, o sangue entra em contato com outras células e tecidos... – Ela parou de repente. – Não, eu não posso lhe dizer mais nada. Para ser bem franca, eu não sei do que estou falando. Não tenho ideia de como esses números foram feitos.

– E você tem certeza de que o que está aqui é o número trinta e um?

– Tenho certeza. Eu conheço alguns sistemas numéricos.

– É o mesmo número repetidos várias vezes? Trinta e um?

Ela não respondeu enquanto voltou a olhar para a foto.

– Hannah?

Ela meneou afirmativamente a cabeça.

– É isso mesmo. Só trinta e um.

– E essa outra? – perguntou Niels. – A mulher do Peru. Maria.

Hannah estudou a figura estampada nas costas de Maria Saywa.

– É um seis. O número seis escrito em centenas de sistemas numéricos diferentes. Sistemas usados atualmente e sistemas usados em lugares distantes, de tempos antigos. As imagens não são claras, por isso é difícil distinguir, mas esse homem... – Ela pegou outra figura na caixa e segurou-a no alto. – Ele tem nas costas o número dezesseis em centenas de variações. Eu reconheço o número hierático.

Niels olhou para a foto e foi procurar o texto nos faxes.

– Jonathan Miller. Pesquisador americano encontrado na Estação McMurdo, na Antártica, no dia 7 de agosto deste ano. Mas... – Ele largou a foto de Miller, sem saber o que dizer. – Quantos sistemas numéricos existem?

– Em todas as eras, todas as culturas tiveram necessidade de contar. Para sistematizar o mundo e criar uma visão geral. Os gregos, os romanos, os egípcios, os indianos, os árabes, os chineses. Todos eles têm sistemas numéricos originados há muito, muito tempo. Com milhares de variações. Já encontraram ossos da Idade da Pedra marcados com riscos finos que são números. Os números cuneiformes da Mesopotâmia são de cerca de 2000 a.C. No começo os números eram usados só para contar, mas as pessoas logo perceberam que eles também eram símbolos.

– Eram símbolos? Ou você quer dizer que as pessoas os transformaram em símbolos?

– É o velho dilema do que veio primeiro, o ovo ou a galinha. – Ela encolheu os ombros. – Nós criamos sistemas numéricos ou eles já existem? E se dois mais dois era igual a quatro antes que houvesse pessoas por aí, então quem criou o sistema? Para os seguidores de Pitágoras os números eram a chave para as leis do cosmo. Eram símbolos numa ordem mundial divina.

– Isso é muito impressionante.

– De acordo com Novalis, Deus poderia se revelar tanto na matemática quanto em qualquer outra ciência. Aristóteles disse que os números não só significam uma quantidade específica como também têm qualidades inerentes. Ele as chamava de "estruturas qualitativas" de números. Os números ímpares eram masculinos. Os pares, femininos. Outros gregos falavam em números espirituais.

A gata saltou para cima da mesa e com a mesma rapidez Hannah a retirou dali sem interromper o que estava dizendo.

– A matemática está cheia de mistérios. Mistérios que podem resolver os nossos problemas. Era nisso que Gustav estava pensando quando fez a declaração que trouxe você aqui.

– Que quem irá salvar o mundo será um matemático?

– Pense no trabalho que estão fazendo no Bella Center. Curvas, gráficos, números. Nada além de números. A interpretação correta dos números determina se nós vamos viver ou morrer. É vida ou morte. Isso é uma coisa que todos os cientistas sabem. É por isso que Tycho Brahe teve o nariz decepado num duelo.

– Por causa de números?

– Porque ele afirmou que existiram os chamados números complexos. E seu adversário dizia que eles não existiam.

– Quem tinha razão?

– Tycho Brahe. Mas ele perdeu o nariz.

Ela fez uma pausa, deixando Niels pensar nisso.

– Você já ouviu falar de Avraham Trakhtman? – Sem esperar a resposta, ela prosseguiu: – Um professor de matemática que emigrou para Israel. Sem conseguir encontrar emprego lá, ele acabou trabalhando como leão de chácara num clube. Enquanto estava no clube tentando acalmar hordas de adolescentes bêbados, ele resolveu um dos maiores mistérios matemáticos dos tempos recentes: O Problema da Coloração da Estrada. Isso lhe diz alguma coisa? – Ela estava respirando com tanto esforço que parecia quase a ponto de sufocar.

– Na verdade não.

– A questão é extremamente simples: um homem chega numa cidade estranha para visitar um amigo mas não sabe onde ele mora. As ruas não têm nome, mas o amigo telefona e resolve orientá-lo dizendo apenas: "Direita, esquerda, direita, esquerda". O homem pode encontrar a casa do amigo baseado só nessas instruções, independentemente de onde ele está?

– Se tiver sorte.

– A resposta é: sim. Vou poupar você da demonstração. Você conhece Grigori Perelman? O russo que resolveu a conjectura de Poincaré.

– Hannah! – Niels levantou as mãos no ar como um caubói se rendendo.
Hannah suspirou.

– Tudo bem. Perdão. – Ela afastou a cadeira e olhou para a água, onde tinham surgido alguns barcos a motor.

Niels se levantou. Ele queria fazer uma porção de perguntas, mas eram tantas as que pareciam colidir na sua mente que ele acabou não perguntando nada. Foi Hannah quem quebrou o silêncio.

– Mas por que as vítimas têm esses números nas costas? – Era a cientista falando.

– E quem fez essas marcas? – Era o policial assumindo o comando.

Hannah suspirou, olhando para o relógio e para a pilha de papéis. Então ela sorriu.

– Você já está aqui há quase uma hora e nós ainda nem começamos a ler.

Caso de homicídio: Sarah Johnsson

Niels endireitou todas as páginas numa pilha certinha na mesa de centro. Essa operação resultou numa coluna que parecia um tijolo tamanho extra.

– Todas essas páginas tratam dos casos de assassinato? – indagou Hannah acendendo um cigarro.

– Acho que sim. – Niels pigarreou. – Sarah Johnsson, quarenta e dois anos. Thunder Bay.

– Isso significa que ela foi a primeira a ser morta?

Niels deu de ombros.

– Talvez. Por enquanto significa apenas que ela foi a primeira pessoa mencionada nas páginas de fax. E a aparência dela era essa. – Ele colocou na mesa uma foto de uma mulher com cabelo pajem e uma expressão melancólica. – Ela morreu no dia 31 de julho de 2009. Portanto não foi a primeira – concluiu ele. – A mulher do Peru foi assassinada em maio.

– Thunder Bay? – Hannah olhou para o grande mapa-múndi que ela abrira diante de si.

– Canadá. No lago Superior. Um dos maiores lagos do mundo.

Hannah procurou durante um momento, então tirou um pincel atômico preto e pôs um X onde ficava Thunder Bay.

– Sarah Johnsson era médica num hospital. Morava sozinha, era solteira e não tinha filhos.

– O texto está em inglês?

– Uma parte. A relação dos fatos básicos, digamos. Acho que uma parte do relatório é em italiano.

– Muito bem. E depois? – Hannah estava a postos com o pincel atômico.

– Mais informações sobre Sarah. – Niels examinou a página. – Muito mais, na verdade. Acho que isso é um obituário do jornal local.

– Obtido pelo policial italiano?

– Parece. Aqui diz que ela completou sua formação médica na Universidade de Toronto em 1993. Tem também uma entrevista em inglês.

– Com Sarah Johnsson?

– É. – Niels passou muitas outras páginas.

– Ela era muito bonita – disse Hannah olhando para a foto. – Parecia a Audrey Hepburn.

– Espere. Eu me enganei. A entrevista é com alguém que estudou com ela. Megan Riley.

– Por que ela foi entrevistada?

– Parece uma espécie de transcrição. Talvez de uma entrevista dada no rádio *sobre* Sarah Johnsson.

– Por que foi que o italiano mandou isso para você?

– Boa pergunta. Megan Riley descreve Sarah como "antissocial, um pouco estranha, com uma vida amorosa difícil. Bonita, mas nunca pareceu ser realmente feliz".

– Coitada – disse Hannah com simpatia.

Niels concordou.

– Olhe para isso. Tommaso conseguiu fotos de Sarah quando criança. Quer dizer, se é que esta é ela.

Hannah olhou para a foto de uma menina de seis anos desajeitadamente empoleirada num balanço.

– Essas páginas parecem declarações de vários médicos e psiquiatras – observou Niels.

– Esse tipo de relatório não é confidencial? O policial italiano não pode ter tido acesso a ele por conta própria.

– Pode sim – disse Niels. – Se ele for suficientemente persistente. – Ele examinou as assinaturas. Algumas eram ilegíveis. – Deve ter acontecido alguma coisa com a Sarah em 2005. Ela começou a mostrar sinais de instabilidade emocional. Ataques de ansiedade, insônia, tendências paranoicas.

– E há alguma causa para isso?

Niels balançou a cabeça e voltou às páginas de fax.

– Espere um pouco. Acho que eu deixei passar uma coisa no obituário dela. Talvez isto signifique alguma coisa: ela foi despedida do trabalho em 2005 por causa de um incidente que teve muita atenção da mídia local.

– Que tipo de incidente?

– Não diz aqui. Espere um minuto. – Niels remexeu nas páginas. – Ah, sim, aqui fala sobre ele. Um recorte de jornal. – Ele pensou em ler em voz alta o texto em inglês, mas era um artigo muito longo e ele não tinha segurança sobre as suas capacidades linguísticas.

– E então?

– Diz que Sarah Johnsson foi demitida por justa causa quando se soube que para salvar a vida de um garoto com uma doença incurável ela administrou nele um medicamento não aprovado. O menino ficou bom, mas o incidente teve uma grande repercussão profissional e suscitou muitas críticas, então os diretores do hospital se sentiram obrigados a demitir a moça.

– Um medicamento não aprovado?

– É o que dizem aqui. Até onde eu sei, só depois de quinze anos um medicamento novo é aprovado, e Sarah Johnsson não podia esperar tanto tempo. Por isso infringiu as normas e salvou a vida do garoto.

– E isso teve relação com as tendências paranoicas que ela manifestou depois?

– Onde é que estão os relatórios médicos? – Niels procurou nas páginas. – Aqui não mencionam nada sobre isso. Só dizem que a paranoia dela foi progressivamente aumentando e que em 2006 e 2008 ela precisou ser internada no Lakehead Psychiatric Hospital, em Thunder Bay. Um psiquiatra chamado dr. Aspeth Lazarus caracterizou Sarah como "quase totalmente incapacitada, de tempos em tempos, pela ansiedade. Com uma impressão crescente de que alguém estava querendo pegá-la".

– Querendo pegá-la? Quem estava querendo pegá-la?

– Não diz aqui. Mas quem quer que fosse, conseguiu, porque no dia 31 de julho Sarah foi encontrada morta no carro dela na frente do supermercado Sobey.

"A polícia se recusou a descartar..." – Niels passou os olhos pelo resto do artigo e traduziu: – Eles se recusaram a descartar a possibilidade de assassinato, mas não houve prisões no caso. Pode ter sido envenenamento.

– Envenenamento?

– É.

– Diz mais alguma coisa?

– Diz que Sarah Johnsson foi enterrada no Riveside Cemetery, em Thunder Bay.

– E quanto ao desenho nas costas dela? O que é que eles falam sobre isso?

Niels leu um pouco mais e então voltou às páginas anteriores.

– Não tem nada sobre isso. Espere um pouco. Aqui tem um trecho do relatório da autópsia. "Erupção cutânea nas costas".

– Será que foi por isso que a polícia desconfiou de envenenamento como causa da morte?

– Provavelmente. Mas o caso foi encerrado.

Hannah meneou a cabeça e pegou o cigarro. Niels se levantou e caminhou pela sala. Quando chegou à outra parede, voltou-se e retornou.

– Eu não entendo – disse ele sem olhar para Hannah. – Por que Tommaso di Barbara reuniu tanto material assim?

Ele se sentou novamente. A cadeira de vime rangeu sob o seu peso. Então a sala ficou em silêncio.

– Podemos continuar? – perguntou Niels depois de um momento. – Você acha que tudo isso tem algum sentido?

– Vamos ver o próximo caso. Abra outra vez os Manuscritos do Mar Morto.

– Tudo bem. Assassinato número dois – com base na ordem em que foram mandadas as páginas. O próximo é no Oriente Médio.

Caso de homicídio: Ludvig Goldberg

Dessa vez Niels se sentou no chão e espalhou todo o material, que ficou parecendo peças de um quebra-cabeça: doze peças cobertas de texto que formavam uma figura da vida e da morte de Goldberg.

– Então, o que temos? – indagou Hannah.

– Tudo, pelo que eu vejo. Obituários. Trechos de diário. Entrevistas. Um texto que parece um poema. Mas quase tudo em hebraico. Ele era bem bonito. – Niels entregou a Hannah uma foto de Goldberg. Olhos escuros com uma expressão preocupada. Óculos de intelectual. Um rosto fino com traços delicados.

– O que é isso? – Hannah apontou para um quadrado ligeiramente borrado em uma das páginas do fax.

– FDI: Forças de Defesa de Israel. Seus documentos militares. Acho eu. Ele ficou preso uma vez.

– Ele não parece soldado. Onde é que eu ponho o X?

– Em Ein Kerem.

– Onde é que fica isso?

– É um subúrbio de Jerusalém.

Hannah olhou para ele. Surpresa ou impressionada.

– Você já viajou muito?

– Bastante. Na imaginação.

Ela sorriu, mas Niels não notou isso. Estava lendo um relatório policial.

– Ludwig Goldberg foi encontrado morto no dia 16 de junho deste ano. Estava caído... – Ele parou de ler e se arrastou no chão até outra página. – Vamos começar com isto. O obituário.

– De um jornal?

Niels procurou nas páginas.

– Da escola secundária Shevah Mofet, em Tel Aviv, onde ele era professor. Escrito num inglês macarrônico.

– Talvez o italiano tenha tentado traduzir – sugeriu Hannah. – Ou então usou o Google.

– Pode ser. Ele nasceu em 1968 e cresceu no *kibbutz* Lehavot Haviva, perto da cidade de Hadera. Sua família veio da Ucrânia. Sua mãe é de... – Niels desistiu de ler o nome em voz alta. – Tem uma longa seção sobre a proveniência de todos os seus ancestrais.

– As sagas familiares são muito populares no Oriente Médio – disse Hannah, e depois completou secamente: – Veja a Bíblia, por exemplo.

Agora Niels estava lendo outra seção. A página que estava borrada e parcialmente ilegível.

– É um relatório militar. Suspeitava-se que ele fosse homossexual. – Ele olhou mais para cima. – É o que diz aqui. Sem comentário. Parece que Goldberg foi preso depois de transgredir um regulamento qualquer.

– O que foi que ele fez?

– Não sei. Mas ele pegou uma sentença de um ano numa prisão militar, então deve ter sido alguma coisa bem séria. Aqui tem também um trecho de um editorial do *Jerusalem Post* de 1988, no qual Ariel Sharon...

– O Ariel Sharon?

– Suponho que sim. Ariel Sharon se refere a Goldberg como tendo "tudo o que este país não precisa".

– Então o crime que ele cometeu deve ter chamado muita atenção.

Niels concordou.

– O que é que eles falam aí sobre a morte dele? Tem um relatório da autópsia?

Niels folheou as páginas.

– Não, mas tem outra coisa – disse ele. – Um trecho de um discurso feito por alguém chamado Talal Amar no dia 7 de janeiro de 2004 na Universidade Birzeit, em Ramallah, e reproduzido na revista *Time*.

– Talal Amar? Quem é?

Niels deu de ombros.

– Ele disse: "No Oriente Médio nunca se sabe o que o futuro trará, mas depois de ter ficado ao lado de Rabin e Arafat enquanto eles se apertavam as mãos na frente da Casa Branca eu estou muito otimista. Na verdade a minha esperança no futuro já tinha renascido em 1988, durante a Intifada, quando um jovem soldado israelense desobedeceu as ordens e me libertou, junto com meu irmão, de um campo de prisioneiros de Israel, o que nos livrou de anos de prisão. Nunca esquecerei o olhar do soldado quando ele nos libertou. Até aquele dia todos os israelenses eram monstros para mim. Mas a partir daquele momento eu soube que eles são humanos, exatamente como eu".

– Rabin e Arafat – disse Hannah. – Ele está falando do acordo de paz. O que é que Goldberg tem a ver com isso?

– Ou melhor, o que é que Talal Amar tem a ver com isso?

– Muita coisa, supostamente. Do contrário ele não seria entrevistado pela revista *Time*. Ou não estaria diante da Casa Branca quando o acordo foi assinado. Ele deve ter sido um dos negociadores de paz palestinos.

– Aqui se fala um pouco sobre como Goldberg morreu. – Niels leu parte do texto antes de prosseguir. – Diz que é de "uma fonte desconhecida". Vou fazer o possível para traduzir. "Nos dias que antecederam a sua morte, Goldberg estava em Ein Kerem visitando o casal de artistas Sami e Leah Lehaim. Goldberg não parecia estar bem. Queixava-se de dor nas costas e nas coxas, e, de acordo com Leah, parecia paranoico. Como se alguém o estivesse perseguindo. Na noite de 26 de junho, Goldberg saiu para fumar. Ele começou a demorar muito lá fora e então Sami Lehaim saiu para procurá-lo. Goldberg estava caído no cascalho diante da casa. Morto."

– Dizem alguma coisa sobre a marca nas costas dele?

Niels procurou nas páginas.

– Pelo menos eu não encontro nada. Não se fala em causa da morte, mas ela é classificada como homicídio.

– Por quê?

Niels ergueu os ombros.

– Talvez ele tivesse inimigos.

– Provavelmente foi Sharon que o matou. – Hannah sorriu. – Por causa do que aconteceu em 1988.

– O incidente de 1988. – Niels estava pensando em voz alta. – E se o jovem soldado israelense que libertou Talal Amar fosse...

– Ludvig Goldberg.

Niels assentiu com a cabeça. Durante um momento, talvez pela primeira vez desde a sua chegada, eles olharam nos olhos um do outro.

Hannah disse:

– Então deve ser por isso que o policial italiano lhe mandou o trecho do discurso de Amar.

Niels não respondeu.

29

O guarda-corpo do alpendre estava coberto com uma camada fina de gelo. A respiração de Niels formava nuvenzinhas no frio. Ele olhou para Hannah através do vidro da porta. Ela estava curvada sobre o mapa aberto na mesa de centro. Seu perfil era atraente. A apenas dois metros de distância dele, Hannah estava num outro mundo. Olhava para os doze Xs do mapa. Niels pensou no que eles tinham acabado de falar. No fato de cada X representar uma Sarah Johnsson ou um Ludvig Goldberg. Uma história. Uma vida. Alegrias, tristezas, amigos, conhecidos e família. Cada X era uma história. Com um começo, um meio e um súbito e brutal fim.

Um pato mergulhou na superfície do mar. Reemergiu logo em seguida, fez um giro de cento e oitenta graus e rumou para o sul. Para longe do frio invernal da Escandinávia. Niels acompanhou com inveja a sua partida. Ele estava enjaulado ali, confinado numa imensa prisão. Que tipo de deficiência psicológica estava atuando como seu guarda de prisão? Medo? Trauma? Novamente ele se virou para observar Hannah. De certa forma ele sentia como se estivesse no processo de descobrir a resposta para aquela pergunta. Ele a viu usar um cigarro para acender o seguinte sem tirar os olhos do mapa.

Os dedos de Niels estavam duros de frio quando ele pegou o celular. Uma mensagem de Anni, perguntando-lhe se ele queria entrar na vaquinha do presente de Susanne, da divisão de arquivos. Ela ia fazer cinquenta anos na quinta-feira. A equipe queria comprar para ela uma máquina de remar ou uma temporada num *spa* em Hamburgo.

"Minha amada" – era assim que Niels tinha inserido Kathrine na sua lista de contatos. Ele digitou o número. "Você ligou para Kathrine, da DBB Arquitetos."

Ele tinha ouvido aquela mensagem mil vezes, mas ainda ficava atento até o final. "Não posso atender agora, mas por favor deixe um recado." Então ela passava a falar em dinamarquês: "Se é você, mamãe, seja boazinha e deixe um recado para mim".

– Kathrine. Sou eu. – Niels respirou fundo. – Bom, acho que você pode ver que quem está ligando sou eu. Entendo perfeitamente por que você não quer falar comigo. Só quero dizer que esse caso em que eu estou trabalhando... Tenho a impressão de que... Sei que isso provavelmente vai parecer idiota, mas eu acho que estou envolvido em algo realmente importante.

Niels encerrou a ligação. Ele tinha razão – parecia idiota. Mas era só isso que lhe ocorria dizer.

Caso de homicídio: Vladimir Zhirkov

– Agora passamos para a Rússia. – Niels estava novamente sentado no chão. – Ou, para ser mais preciso, Moscou. Vladimir Zhirkov, quarenta e oito anos de idade.

– Moscou. Ok. – Hannah pôs um X no mapa.

– Ele era jornalista e crítico da sociedade.

– Eu não sabia que as pessoas podiam criticar a sociedade na Rússia. – Ela se sentou ao lado de Niels.

– Zhirkov morreu no dia 20 de novembro deste ano. De acordo com um relatório de uma organização de direitos humanos russa chamada Memorial, ele ficou preso na infame prisão Butyrka, em Moscou.

– Por que ele foi condenado?

Niels hesitou enquanto folheava o relatório.

– Não sei, mas tenho certeza de que nós vamos descobrir. Quando ele estava agonizando foi encontrado por um companheiro de prisão chamado Igor Dasayev, que depois contou que naquela tarde e de noite Zhirkov tinha se queixado de dores. Dasayev pediu ajuda e... hum, aqui tem um texto bem longo. Foi comunicado que Zhirkov gritou: "Tem fogo dentro de mim" e "Eu estou queimando". Logo depois ele foi declarado morto. Não fizeram autópsia. Ponto final. – Niels levantou-se do chão e tomou um gole de café.

– O que é isso? – Hannah apontou para uma página com um texto tão reduzido que as palavras minúsculas estavam praticamente encavaladas umas nas outras. – É inglês?

Niels assentiu com a cabeça.

— Quase não consigo ler. É um artigo do jornal *The Moscow Times*. Do dia 23 de outubro de 2003. Ouça: "O dia 23 de outubro de 2002 é lembrado pelo ataque..." — Niels parou de repente.

— O que foi?

— Acho que é melhor eu traduzir.

— Eu entendo inglês.

— Tudo bem, mas eu fico constrangido de ler inglês para uma astrofísica.

Hannah protestou, mas Niels insistiu em fazer a tradução.

— "No dia 23 de outubro de 2002 quarenta terroristas chechenos sob o comando de Movsar Barayev atacaram o Teatro Dubrovka, localizado a poucos minutos da Praça Vermelha. Cerca de novecentos frequentadores do teatro estavam lá dentro, à espera do início do espetáculo, quando se tornaram os principais atores de um drama de terror que emitiu ondas de comoção por toda a Rússia. Entre os terroristas, fortemente armados, havia muitas mulheres, a maioria com explosivos amarrados no corpo. Os terroristas exigiam que todas as forças russas fossem imediatamente retiradas da Chechênia. Barayev enfatizou suas exigências declarando: 'Eu juro por Alá que estamos mais preparados para morrer que para viver'. A enorme quantidade de explosivos e armas que os terroristas haviam levado consigo prova que eles estavam dispostos a concretizar as ameaças. Investigações posteriores mostraram que havia pelo menos cento e dez quilos de TNT dentro do teatro. Estimou-se que cerca de vinte quilos de TNT seriam suficientes para matar todos os que estavam no teatro. As autoridades russas não tinham ideia do que fazer. Putin se recusou a ceder, apesar do aumento da pressão dos familiares dos reféns, insistindo que era preciso fazer alguma coisa. Uma jovem de vinte e seis anos, Olga Romanova, conseguiu entrar no teatro para tentar persuadir os capturadores a libertar as crianças. Os terroristas responderam disparando imediatamente na cabeça dela. Nas quarenta e oito horas que se seguiram alguns reféns foram libertados. Cidadãos proeminentes e organizações, inclusive a Cruz Vermelha, os Médicos sem Fronteiras e a conhecida jornalista Anna Politkovskaya, tentaram iniciar negociações com os capturadores. Por fim a situação se tornou tão crítica que nas primeiras horas da manhã de sábado, 26 de outubro de 2002, as forças de segurança russas Spetsnaz lançaram no teatro quantidades enormes de gás à base de fentanil e em seguida invadiram o prédio. O conflito não durou muito tempo. A maioria das pessoas que estava ali morreu com o gás. As forças de segurança não deram nenhuma chance aos terroristas: mataram todos, homens e mulheres, atirando na cabeça deles. Em pouco tempo estavam todos mortos. Depois disso a Rússia ficou em estado de choque. O que inicialmente pareceu uma vitória se transformou numa tragédia de proporções quase incompreensíveis. Cento e vinte e nove reféns morreram, inclusive dez crianças. Sessenta e nove crianças ficaram órfãs com o ataque. Alguns reféns tinham sido alvejados pelos terroristas, mas a maioria morreu asfixiada pelo gás, porque o atendimento médico que eles receberam depois de serem carregados inconscientes para fora do teatro foi inadequado. No local havia apenas umas poucas ambulâncias, e as pessoas não receberam o tratamento médico de que necessitavam. Muitos sufocaram nos ônibus superlotados que os levaram embora."

Ao deixar de lado o artigo Niels viu que estava ofegante. Ele imaginava a cena. As crianças apavoradas, cercadas por terroristas, explosivos e metralhadoras carregadas. A espera. O medo. Ele tinha visto na televisão um documentário sobre o evento.

– E o que é que isso tem a ver com Vladimir Zhirkov? – perguntou Hannah.

– Boa pergunta. Talvez ele tenha escrito o artigo. Ele era jornalista, afinal de contas.

– Mas o policial italiano poderia ter mandado para você todos os artigos que ele escreveu.

Niels balançou a cabeça e folheou as páginas com informações fragmentadas.

– Zhirkov cresceu no subúrbio moscovita de Khimki. Sua mãe era enfermeira. O pai se suicidou quando ele era menino. Eis uma declaração de um boletim informativo de um time antigo. Acho que é de um treinador de hóquei: "Vladimir Zhirkov, de doze anos, tem um talento magnífico, mas precisamos trabalhar a sua personalidade para que ele possa ter esperança de trilhar uma carreira no hóquei no gelo. Ele tem tendência a parecer resignado e deprimido". Eu me pergunto por que o italiano traduziu isso. Agora um trecho de uma entrevista de... não diz de onde. Um jornal ou uma revista.

– Uma entrevista com Zhirkov? – indagou Hannah.

– Infelizmente não. Com um professor chamado Aleksey Saenko.

– Quem é?

– Deve ter sido um dos reféns do teatro. "As noites dentro do teatro foram o pior. Nós nos sentávamos ali nas fileiras de poltronas como se esperássemos o espetáculo de um pesadelo que nunca terminaria. No poço da orquestra havia três cadáveres. Um deles era de um jovem que tentara fugir quando os terroristas entraram à força. Atiraram na barriga dele. Eu via os seus intestinos saindo. Ele ficou ali gemendo durante horas e quando morreu eu pensei: finalmente. Seus gemidos acabariam enlouquecendo todos nós. As crianças choraram quase ininterruptamente. Seus pais tentavam consolá-las. Os terroristas ficavam andando entre nós. Eles tinham colocado no meio do teatro uma enorme pilha de explosivos. Gigantesca. Era uma montanha de morte. Eu estava sentado a apenas poucos metros dela e pensava: nós não vamos sair vivos daqui. O líder dos terroristas, Barayev, parecia desequilibrado. Tinha granadas de mão amarradas em todo o corpo e talvez estivesse sob efeito de drogas."

– "Eu vim a Moscou para morrer" – exclamou Hannah.

– O quê? – Niels ergueu o olhar para ela.

– Foi o que ele disse – explicou Hannah. – Eu me lembro. "Eu vim a Moscou para morrer." Essa frase foi repetida pelos jornais dinamarqueses.

Niels continuou lendo:

– "A certa altura ocorreu um incidente entre um refém e um dos terroristas. Era uma jovem mãe que sob toda aquela pressão tinha perdido o controle. Ela estava com dois menininhos no colo. Um deles era ainda bebê. O outro – devia ter uns cinco anos – estava tremendo de medo. De repente a mãe se levantou de um salto e começou a gritar para os terroristas. Chamou-os de psicopatas, assassinos e covardes que não podiam pensar em nada melhor que matar mulheres e crianças inocentes. Os terroristas deram um puxão na mulher e nos meninos, levando os três para o corredor. As crianças gritavam. Não havia dúvida de que eles iam matar os três. Mas então um homem se levantou. Estava sentado na fileira que ficava atrás daquela onde a mulher havia estado. Um homem muito jovem. Disse que podiam atirar nele. Eu me lembro exatamente das suas palavras: 'Atirem em mim. Eu não tenho tanta coisa a perder'. Um silêncio terrível tomou conta do teatro. Todos estavam prendendo a respiração. O terrorista hesitou. Finalmente ele assentiu com a cabeça e acompanhou a mulher e as crianças de volta às poltronas. O jovem deu um passo à frente. Parecia completamente calmo. Essa é a imagem mais clara que eu tenho daqueles dias horrendos dentro do teatro: a expressão calma no rosto do homem quando ele deu um passo à frente para receber o tiro. Barayev partiu para atacá-lo. Na época eu não sabia o nome dele, mas ficou muito evidente que ele era o líder dos terroristas do teatro. Ele começou a gritar. Sobre os crimes cometidos contra o povo checheno. Sobre as ações impiedosas dos russos em Grozny. Ele estava espumando. Sua família inteira tinha sido dizimada pelos russos. O ódio faiscava nos seus olhos quando ele ergueu a arma e a encostou na testa do jovem, e então... nada. Não aconteceu nada. Ele não puxou o gatilho. O jovem o olhou nos olhos, calmamente esperando o inevitável. Mas não aconteceu nada. O jovem foi novamente se sentar no seu lugar enquanto os outros terroristas se entreolhavam atônitos. Por que Barayev não atirou no homem? O que o tinha feito hesitar? Claro, eu não posso responder. Algo nos olhos dele. Não tenho dúvida de que naquele dia no Teatro Dubrovka eu assisti a um milagre."

– Essa foto é da mulher com os meninos? – Hannah pegou uma foto.

– Suponho que sim. – Niels olhou para a linda mulher e seus dois filhos. O menor não era mais um bebê. – Deve ter sido tirada alguns anos depois da tragédia.

– Você está pensando a mesma coisa que eu?

Niels não sabia se o que havia no rosto de Hannah ao fazer a pergunta era um sorriso.

– Estou – disse ele. – O jovem do teatro era Zhirkov. Salvou a vida da mãe e dos seus filhos.

– Então por que ele acabou na prisão? Afinal de contas ele foi um herói.

Niels pensou sobre o caso. Ficou em silêncio por um longo tempo. Hannah se levantou e foi até o mapa onde os Xs estavam espalhados por todo o mundo, aparentemente de modo aleatório.

– Talvez a experiência dentro do teatro o tenha tornado crítico do sistema russo. – Niels estava pensando em voz alta. – E é por essa razão que a organização chamada Memorial se interessou por ele.

– Você quer dizer que ele foi preso por criticar o governo?

– Talvez.

– Então quem foi que o matou?

Niels tinha na mão uma outra página.

– Isso parece impressão de artigo da internet. Talvez publicado pela Memorial.

Ele traduziu o conteúdo.

– Oficialmente, ainda é um mistério a autoria do assassinato de Vladimir Zhirkov, mas na opinião de Garry Kasparov, o conhecido crítico social e gênio do xadrez, a questão é bem clara. Ele declarou: "Putin matou Zhirkov". Mas o companheiro de cela de Zhirkov, Igor Dasayev, que encontrou seu corpo, tem uma explicação diferente. "Na noite anterior ao assassinato de Vladimir Zhirkov eu vi um homem – a sombra de um homem – de pé bem ao lado de Zhirkov, que estava dormindo. Não sei como foi que ele entrou na cela e não sei o que ele estava fazendo. Mas não tenho dúvida sobre a sua relação com a morte de Zhirkov. Foi uma coisa muito assustadora. Como um filme de horror."

– Acho que a sua pronúncia de inglês é boa.

Niels sorriu ironicamente.

– Como é que alguém poderia ter entrado na cela dele? A prisão Butyrka tem uma guarda reforçadíssima. Não dá para acreditar nisso.

– Eles falam alguma coisa sobre a marca nas costas?

– Parece que não.

30

Centro da cidade – Copenhague

O pastor estava no seu escritório. Abdul Hadi o viu muito bem porque o escritório dava para o jardim, aberto ao público. Abdul Hadi se sentou num banco a pouca distância dele. Pegada à igreja ficava uma creche. No interior desta havia crianças e funcionários. Por que o seu primo gordo não havia mencionado isso? Não que fizesse alguma diferença; ele tinha decidido o seu plano, embora lamentando não poder explodir a igreja. Teria sido lindo: a fachada da igreja reduzida a pedacinhos diante da famosa rua de pedestres. Fotos de vitrines de lojas destruídas e de uma igreja arruinada tendo no meio dos destroços um pastor morto teriam viajado pelo mundo em tempo recorde. Copenhague teria sido acrescentada à lista no novo mapa-múndi. Um mapa-múndi mostrando mais e mais vitórias. As coisas caminhavam na direção certa. A decadência do Ocidente estava prestes a fazê-lo implodir. Uma vida baseada na exploração dos outros e na depravada perseguição sexual das crianças. Crianças! Abdul Hadi via isso em todos os manequins das vitrines das grandes lojas. Seios pequeninos, ainda sexualmente imaturos; alguns manequins não usavam absolutamente nenhuma roupa, mas parece que isso não incomodava ninguém. As pessoas passavam com grandes pacotes – sua religião é centrada no consumismo. No feriado religioso mais importante eles comiam carne de porco, davam aos filhos um número absurdo de presentes e se queixavam de que não havia democracia no Oriente Médio. Abdul Hadi lamentava que um dia seu irmão tivesse vindo para esse lugar. Para a Europa. Mas sua morte precisava ser vingada.

Abdul Hadi meteu a mão no bolso. A faca estava lá. Seu primo a havia trazido para o aeroporto. Seu primo gordo ficara estarrecido com o fato de Abdul Hadi ter sido forçado a saltar do trem, e quase se recusara a levar Abdul na travessia pela ponte que liga a Suécia à Dinamarca. "Um exército adormecido." Abdul Hadi o havia repreendido severamente. Gritara com ele no carro quando ele disse que não estava nem um pouco feliz por levá-lo de carro.

Um Papai Noel passou andando, perseguido por crianças. Abdul Hadi se levantou e foi para a igreja.

Não havia ninguém na igreja. Uma grande cruz de madeira com a figura de Cristo estava dependurada na parede. Era ali que ele pretendia depositar o pastor quando tivesse liquidado com ele. A imagem que acabaria na primeira página dos jornais ocidentais. Iconografia. Isso era importante. Os ocidentais se definiam apenas por meio de coisas externas. Roupas, aparência, espelhos, figuras, televisão, propaganda. Abdul Hadi entoava silenciosamente a litania que ele absorvera enquanto rabiscava a planta da igreja. Os ocidentais não tinham diálogo interior, não tinham conversas com Deus.

Uma mulher lhe disse alguma coisa, mas percebeu imediatamente que ele não falava dinamarquês. Passando para o inglês, ela avisou:

– A igreja está fechando. Então sorriu e acrescentou: – Quinta-feira tem um serviço à meia-noite, se o senhor se interessar.

– Obrigado.

Ele saiu. As luzes estavam apagadas na creche. A igreja foi fechada. Abdul Hadi deu uma volta até a sacristia, onde haviam lhe preparado uma janela. Ele teria preferido fazer primeiro uma prece, mas não havia tempo. Tinha visto o pastor vestir o paletó. Precisava ser agora.

31

Helsingør – Dinamarca

Hannah serviu o café derramando um pouco na mesa. Limpou com um pano de prato.

– É só isso? – indagou ela.

– É. Vinte e um casos.

– Da Antártica até Caracas. Com desvios para a África e a Ásia. – Por fim ela o fitou. – Teoricamente poderá haver outros.

– Por que você diz isso?

Ela remexeu nas páginas até encontrar as que se referiam ao russo.

– Ele é o número trinta e um.

– E?

– Há também um número trinta e três e um trinta e quatro. Russell Young, em Washington, e Raj Bairoliya, em Mumbai. Mas talvez não pare por aí. E na sequência há lacunas anteriores. – Ela olhou para o mapa. – Temos Chama Kiwete no desfiladeiro de Olduvai, na Tanzânia, como número um. Maria Saywa, no Peru, é o número seis. Amanda Guerreido, no Rio de Janeiro, é o número sete. Ludvig Goldberg, em Tel Aviv, é o número dez. Nancy Muttendango, em Nairóbi, é o número onze. São muitas lacunas. Onde estão eles?

– Podem aparecer mais tarde – palpitou Niels.

– Você sabe que o desfiladeiro de Olduvai é o local onde foram encontrados os primeiros seres humanos? Foi lá que mataram o número um, Chama Kiwete.

Niels lhe dirigiu um olhar perplexo e balançou a cabeça.

– É possível que as marcas com os números tenham passado despercebidas algumas vezes. Ou que os casos não tenham sido comunicados. Alguns países são tão flagelados pela guerra civil e pela fome que não têm tempo para dar atenção a assassinatos. Assim, não podemos descartar a possibilidade de que um médico ou um trabalhador de ajuda humanitária tenha sido assassinado na Somália ou em alguns outros lugares. – Ele não sabia dizer se ela estava prestando atenção ou não.

– Mas esse Tommaso di Barbara parece ser um homem muito eficiente. Como foi que ele conseguiu coletar tanto material?

Hannah olhou para o mapa-múndi com os vinte e um Xs que indicavam todos os assassinatos comunicados. Uma série de destinos. Um mundo de pessoas assassinadas envoltas na fumaça do seu cigarro. Ela estava totalmente absorta. Falava em voz alta consigo mesma, quase cantando as palavras:

– Cuzco, Rio, Tel Aviv, Nairóbi, Johannesburgo, Chicago, Thunder Bay, McMurdo, Pequim...

– E quanto às datas dos crimes? – perguntou Niels, interrompendo-a.

– Sete dias entre um e outro. Até onde eu posso ver. – Ela olhou para o mapa. – Sete dias entre os assassinatos.

– Você viu outras semelhanças quanto à cronologia? Os assassinatos foram cometidos na mesma hora do dia?

Ela hesitou, pondo o cigarro num pires.

– É difícil dizer. Só uns poucos relatórios de assassinato incluem uma hora específica.

– Eles poderiam ficar em ordem alfabética?

– Espere um minuto.

– O quê?

Passou-se um minuto. Hannah estava sentada tão quieta que Niels pensou nela como uma figura de cera do museu da Madame Tussaud.

Finalmente ela disse:

– Cair da tarde. Tenho quase certeza disso. – Ela folheou as páginas. Niels já estava quase perdendo a paciência quando ela disse: – Os assassinatos foram cometidos a intervalos de sete dias uns dos outros, sempre numa sexta-feira e com toda a probabilidade no momento em que o sol se punha em cada um dos lugares. Acho que é isso.

– E o que é que isso significa?

Sem resposta.

– E quanto às distâncias entre as cenas dos crimes? – prosseguiu ele. – Três mil quilômetros. É isso?

Mais uma vez sem resposta. Niels percebeu que os seus comentários a estavam perturbando, mas isso não o deteve.

– Hannah. Os três mil quilômetros... Ou você vê alguma outra ligação?

Ela levantou a cabeça.

– Eu não entendo de onde vem a parte das pessoas boas, agora que nós recebemos o material sobre todas as vítimas, ou pelo menos daquelas sobre as quais nós temos relatórios. Embora haja preponderância de médicos e trabalhadores de ajuda humanitária, nem todos trabalhavam para ajudar os outros. O israelense era professor, e antes tinha sido soldado. – Ela balançou a cabeça e mudou de assunto. – O que foi que o italiano disse sobre a Bíblia?

– As trinta e seis pessoas justas. Aparentemente é um mito judaico.

– Essa é a primeira vez que eu lamento não ter prestado mais atenção nas aulas de religião. Do que é que fala o mito?

– Não sei. – Niels deu de ombros. – Na verdade eu não acho que seja um fio condutor viável.

– O que vem a ser para você um fio condutor viável? Só assim eu posso entender as suas prioridades.

– Não há lógica em como as vítimas são escolhidas. Seria fácil encontrar pessoas que realizaram coisas bem melhores.

– Não tenho ideia. Mas olhe para o mapa. – Ela estendeu os braços. – Os locais também não parecem ter nenhum sentido, mas nós achamos que tem de haver uma conexão. A questão não é se tem sentido *para nós*.

Niels olhou para o mapa. Ela estava coberta de razão. A questão era se tinha sentido para o assassino. Hannah se sentou diante do computador.

– Trinta e seis homens justos – não é isso que está escrito no arquivo? – Antes que Niels pudesse encontrar a página, Hannah já estava lendo o verbete na Wikipédia:

– *Tzadikim Nistarim*. Significa "Os Justos Ocultos". Os homens bons de Deus na terra. Algumas pessoas acham que se apenas um deles morrer, toda a humanidade se arruinará.

– O que o estado presente das coisas pode confirmar. – Niels sorriu.

Hannah prosseguiu:

– Outros dizem que a humanidade só se arruinará quando todos os trinta e seis morrerem. Eis o *link* em que você pode ler sobre o assunto. – Com letras de forma infantis ela escreveu a referência para Niels: http://en.wikipedia.org/wiki/Tzadikim_Nistarim.

– Isso vai levar uma hora. O nome dele não é Weizman?

– De quem?

– O rabino principal da sinagoga de Krystalgade.

– Mas você pode ler sobre isso aqui.

Niels se levantou.

– Pode ser que maioria das pessoas obtenha suas informações na Wikipédia, mas... – Ele se calou. Ficou embaraçado, era inegável – era como se ele fosse um Škoda estacionado ao lado de uma Ferrari. Talvez tenha sido por isso que ele pareceu tão aborrecido quando completou a frase. – Mas para resolver um assassinato é preciso sair para o mundo.

Ele reuniu suas coisas e as pôs numa pasta pequena. A caneta, o celular, a agenda e as anotações. Então seus olhos focalizaram o nome Abdul Hadi. Niels pegou o notebook e encontrou o que havia escrito sobre Abdul Hadi.

– O assassinato em Mumbai. Quando foi que ele aconteceu?

Hannah procurou no material. Niels foi ajudá-la.

– Você escreveu a data no mapa.

– Isso! – Ela localizou o X marcado na Índia.

– Raj Bairoliya. Foi morto no dia 12 de dezembro. Alguma coisa errada?

– Não, provavelmente é apenas uma coincidência.

– Uma coincidência?

– Ligo para você mais tarde. – Niels já estava saindo. Hannah disse algo, mas ele não ouviu. Tinha apenas um pensamento na cabeça. Abdul Hadi estava em Mumbai no dia 12 de dezembro.

Hannah acompanhou o carro de Niels enquanto ele ia pela estradinha. Novamente ela olhou para a placa: II 12 041.

– Não pode ser coincidência – disse ela para si mesma.

32

Ospedale Fatebenefratelli – Veneza

– Oitenta centavos.

A mãe de Tommaso não havia dormido bem nas últimas duas horas. Toda vez que a irmã Magdalena olhava para ela notava seus resmungos durante o sono. Mas agora a freira ouviu pela primeira vez o que a mãe de Tommaso estava realmente dizendo.

– Oitenta centavos.
– Por que a senhora diz isso, signora Di Barbara?
– Ele não deve pagar os oitenta centavos.
– Quem não deve pagar?
– O meu filho.

A mãe de Tommaso tentou tirar o braço de debaixo das cobertas. Magdalena ajudou-a, e a velha agarrou a mão dela. Ainda havia no seu corpo uma força terrena.

– Você precisa falar para ele.
– Tudo bem. O que é que eu devo falar?
– Diga a ele que ele não deve pagar os oitenta centavos.
– Por que não?
– Porque ele vai morrer.
– Onde é que ele vai morrer?

A velha balançou a cabeça.

– Os oitenta centavos são para quê?

A mãe de Tommaso estava prestes a chorar quando respondeu:

– Não consigo ver.

Irmã Magdalena balançou a cabeça. Era isso que acontecia frequentemente. As pessoas que estavam morrendo viam por uma brecha o futuro e a vida futura – mas nunca o todo; apenas fragmentos. A signora Di Barbara voltou a dormir. Talvez nos seus sonhos ela visse um quadro mais preciso do que seu filho não devia pagar. Muitas coisas custavam oitenta centavos. Macarrão. Leite. Um café expresso. Magdalena voltou à sua sala e ligou para Tommaso. Ele não respondeu.

33

A sinagoga – Copenhague

Parecia uma fortaleza.

Foi isso que Niels pensou em primeiro lugar ao descer do carro em Krystalgade e olhar para a sinagoga com sua alta cerca de ferro. Dois guardas civis se postavam nas duas extremidades da rua, batendo os pés no pavimento para se aquecer. Sem dúvida contratados pela congregação judaica. A pichação na parede explicava por quê: "PALESTINA LIVRE JÁ!", e embaixo: "O MURO DAS LAMENTAÇÕES – OS PALESTINOS ESTÃO SE LAMENTANDO". Niels pensou na quantidade de recursos que seriam liberados se esse antigo conflito pudesse se resolver. Recentemente acontecera um debate no rádio sobre se a metade do mercado aberto de Copenhague chamada Praça Israel deveria ser renomeada Praça Palestina. De todos os conflitos existentes na terra, a disputa entre israelenses e palestinos era a que mais facilmente se exportava.

Niels apertou o botão do interfone e esperou.

– Niels Bentzon, da polícia de Copenhague – disse ele.

– Aguarde um momento.

Niels esperou mais um pouco. Leu na placa que o prédio tinha sido construído havia cento e setenta e cinco anos. Os doze pilares representavam as doze tribos de Israel.

– Vieram de muito longe, essas doze tribos – disse Niels para si mesmo.

A sinagoga era um pouco recuada em relação à rua, o que lhe dava um aspecto um tanto reservado em comparação com os prédios vizinhos. A construção de uma casa de orações judaica no centro de Copenhague tinha sido motivo de controvérsia. Nesse sentido as coisas não haviam mudado muito desde então.

Mas agora o grande assunto era se os muçulmanos tinham o direito de construir uma mesquita em Copenhague.

Finalmente o portão se abriu com um zunido fraco. Niels entrou, e o portão se fechou atrás dele. Inseguro quanto à direção a tomar, ele ouviu uma voz dizer:

– Por aqui.

Um homem sorridente que devia ter pouco mais de cinquenta anos estava se aproximando dele, vindo da área de estacionamento num dos lados da sinagoga. Niels reconheceu imediatamente o rabino, que ele já vira em entrevistas na televisão, com sua barba cheia salpicada de cinza.

– Niels Bentzon.

– Martin Weizman. Hoje está frio, hem?

Niels assentiu com a cabeça.

– O senhor já esteve na sinagoga?

– Não, nunca.

O rabino ainda estava segurando a mão de Niels.

– Ah, então eu gostaria de recepcioná-lo. A palavra "sinagoga" significa apenas "casa de reunião" em grego, e assim não há nela nada de verdadeiramente intimidador. Por favor, entre comigo.

Eles caminharam pela lateral do prédio. Weizman digitou uma senha e a porta abriu.

– Eu sei que parece o Forte Knox. Depois da bomba em 1985 tivemos de reforçar a segurança.

Niels se lembrava do incidente. Uma poderosa bomba terrorista que milagrosamente não tinha matado ninguém, mas causara muitos prejuízos, inclusive quebrando todas as janelas do lar de idosos atrás da sinagoga.

– O senhor só precisa colocar isto. – O rabino se virou. – É o nosso costume.

Niels olhou surpreso para o solidéu e o pôs na cabeça.

– E o seu celular, por favor.

– Devo desligá-lo?

– Só desligue a campainha. Eu também faço isso. Deus não falou nada sobre celulares. Ele só mencionou carneiros e cabras.

Niels sorriu e pôs o telefone no vibrador. Outra porta. Então eles entraram na sinagoga.

Niels tentou parecer impressionado, porque sentia os olhos do rabino fixos nele. Seu primeiro pensamento foi que a sinagoga parecia uma igreja desconhecida.

– É uma das sinagogas mais antigas da Europa – explicou o rabino. – A maioria foi destruída na guerra. Nesse sentido os judeus dinamarqueses tiveram mais sorte.

Niels meneou a cabeça.

– A tarefa de construir uma nova sinagoga em Copenhague foi dada originalmente ao arquiteto da cidade, Peter Meyn.

– Uma nova sinagoga? – indagou Niels. – Havia uma antes desta?

– Havia. – Weizman assentiu com a cabeça. – Em Læderstræde. Mas quando uma parte de Copenhague queimou em 1795 a sinagoga ficou destruída. Mas o que eu dizia?

– Peter.

– Ah, sim. Peter Meyn. O arquiteto da cidade. A proposta dele foi analisada e considerada inadequada. Então a tarefa coube a G. F. Hetsch, um conhecido professor da Academia de Arte. O projeto dele é o que você está vendo aqui. – Weizman fez um gesto de mão. – O trabalho dele foi bom, você não acha?

– Eu achei que haveria um altar na sinagoga.

– Como nós não fazemos oferendas, não temos altar. Chamamos aquela plataforma de *bimah*. É lá que nós rezamos e lemos a Torá. Ou melhor, cantamos. – Ele piscou, o que surpreendeu Niels. – É preciso um pouco de habilidade para saber quando e como modular a inflexão de voz. Pelo texto não dá para saber. E lá – disse ele, apontando – é onde nós guardamos as Torás. No armário voltado para Jerusalém. É chamado *Aron Kodesh* ou *Hekhál*. O ponto alto do serviço é quando se abre o armário da Torá e os manuscritos são desenrolados. *Ner tamíd* é a luz eterna, que nos lembra do menorá, ou candelabro de sete braços, no templo de Jerusalém.

– O Muro das Lamentações.

– Exatamente. O Muro das Lamentações é a única coisa que restou do segundo templo. Os romanos o destruíram no ano 70. Os babilônios demoliram o primeiro em 586 a.C. Mas voltando ao serviço: como o senhor pode ver, ele não é tão diferente do serviço da igreja cristã, a não ser pelo fato de o nosso serviço semanal não ser feito no domingo, e sim no sábado, na manhã de sábado.

O rabino respirou fundo e olhou para Niels. Era evidente que ele estava acostumado a dar esse tipo de miniconferência. Niels sabia que ele frequentemente falava para classes escolares em visita à sinagoga.

– Se eu entendi direito, o senhor quer conversar sobe o *Tzadikim Nistarim*. Os trinta e seis homens justos, chamados frequentemente de *Lamed-Vav Tzadikim*. Podemos nos sentar aqui. – Niels o seguiu até os fundos da sinagoga. O rabino cheirava a tabaco. Seus dedos eram manchados de nicotina. Niels lhe fez um rápido resumo do caso.

– Pensar que alguém está matando as pessoas que devem nos salvar, a todos nós. – Weizman balançou a cabeça. – Isso é uma loucura. Pura loucura. Eu me pergunto se não é isso que nós merecemos. – Ele respirou fundo, levando oxigênio fresco para seus pulmões, e sorriu. – Então agora o senhor quer saber...

– O máximo possível. Qual é a origem do mito – se é que essa é a palavra certa.

– Se é assim que o senhor prefere chamá-lo. – O rabino encolheu os ombros. – *Tzadikim Nistarim*. Os trinta e seis homens justos. – Ele ficou em silêncio por um momento, pensando. – Vem do Talmude.

– O senhor está se referindo ao misticismo judaico? À Cabala?

– Não, não. Nós não precisamos chegar lá. Felizmente. Se precisássemos, ficaríamos velhos antes de encerrarmos o assunto. E pior ainda, enganados. – Ele deu uma risadinha. – Vamos deixar a Cabala para Hollywood – é sempre bom ter a Cabala de reserva para ser usada quando eles não conseguem encontrar o final adequado para um filme. – Outra risadinha.

– O Talmude, então?

– É. O Talmude é composto pelos ensinamentos orais dos judeus. Comentários sobre a Torá, escrita originalmente em aramaico e não em hebraico, embora os dois idiomas sejam relacionados. O hebraico teve um renascimento quando o Estado de Israel foi criado, e tornou-se a língua oficial. Antes dessa época ele era usado principalmente para as preces e os serviços. Mas nós estamos nos afastando do Talmude. – O rabino procurou o ponto certo para começar. – O Talmude se compõe do Mishna e do Gemara. O Mishna se refere à Palavra de Deus, exatamente como Moisés a recebeu do Senhor. O Gemara se refere aos comentários e discussões dos rabinos sobre o Mishna. O Talmude na verdade são dois: o Yerushalmi e o Bawli. É uma obra extraordinária de vinte e um volumes, cada um dos quais com mil páginas. Foi compilado depois da destruição do segundo templo, no ano 70. Nessa ocasião os rabinos temiam que o judaísmo se perdesse, por isso decidiram escrever as leis e regras de vida que na época constituíam a base do judaísmo. É uma obra que discute tudo o que há sob o sol. Questões políticas, legais e éticas. Pode-se dizer que o Talmude é um registro de protocolos judiciais. Como devemos nos comportar? Quem tem razão em diversos casos que envolvem contestação?

– Por exemplo?

– Coisas muito banais. – O rabino cruzou uma perna sobre a outra num movimento calmo, cuidadoso. – Digamos que um homem esqueceu sua bengala no mercado e por alguma razão só voltou lá para pegá-la três meses depois. Nesse meio-tempo uma velha usou a bengala. Ela tem direito de ficar com a bengala? Ou o dono continua sendo o homem? O que significa ter algo? Isso também pode se aplicar a um pedaço de terra.

– O direito de posse?

– Isso. Por exemplo, um homem deixa a sua casa por causa de... bom, isso não é relevante, na verdade. Pode haver razões de todo tipo. Guerra, fome, o que quer que seja. Quando ele volta, anos depois, a casa está ocupada por outras pessoas. Quem tem direito de viver nela?

– Parece que muitas coisas precisam ser consideradas.

– Claro. Mas muitos dos casos giram em torno de um princípio básico. Quando se encontra uma solução para o caso, podem-se traçar paralelos para uma série enorme de casos semelhantes.

– Assim como o sistema legal moderno.

– Pode-se pensar assim. O Talmude foi escrito na forma de discussões de rabinos entre os anos 100 e 500, de acordo com uma certa técnica mneumônica. Um estilo discursivo, associativo, construído em torno de alegorias e parábolas, que torna a obra extremamente aberta a interpretações. O interessante é que cada volume começa com um tipo de demonstração. A conclusão de um dilema específico. Muito parecido com o que encontramos na matemática. Depois disso se apresenta o caminho para a conclusão. Na verdade o caminho é frequentemente longo e sinuoso. – Ele sorriu mais uma vez. – O Talmude é para pessoas que têm muito tempo nas mãos. E lentes grossas nos óculos.

– Eu não. Quer dizer: não tenho muito tempo.

– Percebo. Se o Talmude tivesse sido escrito hoje, provavelmente seria muito difícil encontrar alguém disposto a publicá-lo. Hoje em dia tudo precisa ser super-rápido. Temos um medo terrível de perder seja lá o que for. E na verdade essa é a razão pela qual perdemos muita coisa. Minha conversa parece de velho? É isso que os meus filhos dizem, também. – Ele deu uma boa risada.

Niels sorriu, mas queria voltar ao assunto.

– Então está no Talmude que vai haver trinta e seis homens bons?

– Vamos chamá-los de homens justos. É mais correto. "*Tzadikim*" significa "justo". Os trinta e seis homens justos.

– Por que trinta e seis? Eu sei que o número dezoito é sagrado, mas...

– Você fez a lição de casa. – Novamente o sorriso de dentes arreganhados. – O número dezoito é sagrado, mas por que devem ser trinta e seis – duas vezes dezoito – ninguém sabe. Embora eu tenha ouvido uma teoria de que cada um deles cobre dez dias do ano. Trinta e seis. Trezentos e sessenta. Nesse caso, provavelmente o número tem mais a ver com a astrologia. Há também algo sobre cada um deles cobrir dez graus da superfície da terra. – Ele estendeu os braços. – Acho que vou ter de voltar a falar com você sobre isso. Mas eu sei que no folclore judaico os trinta e seis costumam ser chamados de santos ocultos. *Lamed-Vovniks*, em ídiche.

– Mas os bons – perdão, os justos – sabem que eles são os justos?

– Parece que você sabe mais sobre o assunto que eu. Não, os justos não sabem que são justos. Só Deus sabe.

– Então como é que alguém pode saber quem eles são? – perguntou Niels.

– Talvez nós não devamos saber.

– Sempre existem trinta e seis?

– Pelo que sabemos, sim.

– O que acontece se um deles morre?

– Se todos eles morrem, então a humanidade está arruinada. De acordo com a Cabala, até Deus vai morrer se todos os trinta e seis desaparecerem.

– E em cada geração existem trinta e seis?

– Exatamente. Trinta e seis juntos carregam nas costas os pecados e fardos da humanidade. Algo por aí.

– Eu posso perguntar se o senhor pessoalmente acredita nisso?

O rabino considerou a questão.

– Eu gosto dessa ideia. Olhe para o mundo à sua volta. Guerras, terror, fome, pobreza, doença. Pense no conflito no Oriente Médio, por exemplo. Uma área da terra que contém tanto ódio, tantas frustrações; que sempre tem um sujeito com uma bomba escondido na próxima esquina, e onde os pontos de controle e as barreiras se tornaram uma parte permanente da vida cotidiana. Quando olho para este mundo a partir da minha pequena torre de marfim dinamarquesa, é uma ideia muito atraente que possam existir pelo menos trinta e seis pessoas justas na terra. Pequenos pilares humanos para garantir que possamos manter um mínimo de bondade e justiça. O senhor está procurando um assassino? – indagou subitamente o rabino.

Niels foi pego desprevenido. Não sabia o que dizer.

O rabino prosseguiu:

– Ou uma vítima?

34

Helsingør – Dinamarca

Hannah tentou atirar na lixeira o maço de cigarros vazio, mas não acertou: ele caiu no chão. Ela não se levantou; continuou olhando para o mapa e as páginas de anotações que fizera. Não viu nada que indicasse uma ligação entre as várias cenas de crime. Diversas áreas do mapa tinham sido ignoradas, ao passo que no Oriente Médio, por exemplo, os assassinatos haviam sido cometidos em Meca, Babilônia e Tel Aviv. Por um momento ela lamentou ter se envolvido em tudo aquilo. Talvez fosse melhor telefonar para Niels e lhe dizer que estava desistindo. O caso não tinha nada a ver com ela, afinal de contas. Mas não telefonou. Inicialmente ela achou que fosse o sistema. Ela sabia que tinha de haver algum tipo de sistema em ação. Era preciso apenas encontrá-lo. E os sistemas sempre a tinham atraído. Ela gostava de procurar a chave.

Se pelo menos tivesse mais cigarros. Se pelo menos ela tivesse...

Eles não têm filhos. Ela interrompeu a própria linha de pensamento. Nenhuma das vítimas tinha filhos. Outras semelhanças? Ela folheou as anotações. Religião? Não. Havia cristãos, judeus, muçulmanos, budistas, ateus e até um ministro batista de Chicago. Cor da pele? Não. Idade? Ela hesitou. Podia ser. Dificilmente seria algo decisivo, mas naquele momento até os pequenos passos à frente eram úteis. Todas as vítimas tinham entre quarenta e quatro e cinquenta anos. Coincidência? Talvez. O que não tornava a coisa menos interessante. Os anos de experiência de Hannah como cientista lhe haviam ensinado que algo que à primeira vista às vezes parece coincidência podia no final das contas não o ser. Vinte e uma vítimas de assassinato. Todas com quarenta e quatro a cinquenta anos. E sem filhos. Isso tinha de ser significativo.

Hannah começou a pôr todos os materiais numa caixa. As páginas de fax, as anotações que ela fizera, o mapa. Embora o seu plano de sair de carro tivesse sido originado pelo desejo de comprar cigarros, ela resolveu levar tudo consigo. Tentou contatar Niels para lhe dizer aonde estava indo, mas ele não atendeu.

Estava frio quando ela deixou a casa de campo, mas o ar gelado era revigorante. Hannah saía muito raramente. Às vezes se passavam semanas em que ela só andava o curto trajeto até a água ou até o supermercado Netto. O resto do tempo ela ficava dentro de casa e... o quê? Ela não sabia. Aquela era quase a pior parte: dar-se conta de que havia dias, tantos dias, em que ao ir para a cama à noite ela era incapaz de dizer, mesmo que fosse com apenas uma palavra, como havia passado o dia. Talvez tenha sido o reconhecimento desse fato que lhe fez parecer uma pequena revolução o simples ato de dar partida no carro e dirigir pelo caminho de cascalho rumo à estrada.

35

A sinagoga – Copenhague

Niels se pôs de pé. Foi um momento constrangedor, pois Weizman permaneceu sentado. Finalmente o rabino também se levantou.

– Os trinta e seis têm características especiais? Qualquer coisa que os ligaria uns aos outros?

– Somente a justiça. Ou bondade, como o senhor diz. Não é suficiente?

Niels hesitou. Não totalmente.

– O senhor pode me dizer nomes de pessoas que foram mencionadas como um dos trinta e seis?

Weizman deu de ombros.

– O tema surge muitas vezes nos enterros. Sempre que há necessidade de um necrológio para alguém que teve uma importância particular para muitas pessoas.

– E se o senhor precisasse mencionar algum?

– Não sei. Não estou certo de que a minha suposição seria melhor que a sua. Mas como judeus nós frequentemente nos voltamos para a Segunda Guerra Mundial à procura de exemplos. Oscar Schindler. Os combatentes da resistência nos países ocupados. Os indivíduos que impediram a total dizimação do povo judeu. Porém, como eu disse, a sua suposição é tão boa quanto a minha.

Entraram dois homens vestidos de preto e com chapéu, cumprimentando Weizman.

– Tenho uma reunião daqui a alguns minutos. Eu pude ajudá-lo?

– Um pouco. Obrigado por conversar comigo.

O rabino acompanhou Niels até a porta e trocou com ele um aperto de mãos.

– Agora a sua distância em relação ao Hitler é de apenas dois apertos de mão – disse o rabino segurando a mão de Niels.

– Não estou entendendo.

– Numa conferência na Alemanha eu certa vez entrevistei um oficial que trabalhara para o Hitler. Quando apertei a mão dele, eu pensei: Agora a minha distância em relação ao Hitler é de apenas um aperto de mão. Assim, a sua distância em relação ao mal é de apenas dois apertos de mão, Niels Bentzon.

A mão de Niels estava começando a ficar quente com o aperto da do rabino.

– Talvez com a bondade seja a mesma coisa. Nós nunca estamos longe do que é bom. E isso é inspirador. Pense no Nelson Mandela. Um homem que mudou um mundo inteiro. Como Gandhi. Ou o seu Jesus. – O rabino sorriu. – Dizem que na África do Sul todo mundo já esteve com o Mandela ou conhece alguém que já esteve. Ninguém está a mais de um aperto de mão do ex-presidente. Parece que não é uma ideia tão forçada a de que precisamos de apenas trinta e seis pessoas para manter o mal encurralado. Lembre-se apenas de que todas as revoltas da história mundial, tanto as boas quanto as más, foram iniciadas por indivíduos.

Ele soltou a mão de Niels.

A luz era penetrante; o frio, insistente. Pelo menos Niels tinha a impressão de estar de volta ao seu mundo. Ele não sabia o que fazer com as mãos. Ainda tinha consigo a imagem de Hitler. Meteu as mãos nos bolsos enquanto olhava para trás e via a sinagoga. Sentiu uma leve vibração através do forro do paletó – o celular. Quando o pegou, viu que o pastor Rosenberg havia tentado falar com ele seis vezes.

– É Bentzon, retornando a sua ligação!

– Sim, Bentzon, aqui é o Rosenberg! – Ele parecia sem fôlego. – Acho que tem um homem aqui, tentando entrar à força.

– O senhor está na igreja?

– Estou. Me tranquei no escritório. Mas a porta tem um painel de vidro.

– O senhor tem certeza de que alguém está aí dentro?

– Acho que ouvi alguém chutar a porta da frente.

– O senhor ligou para a emergência 112?

Ruído na linha. Talvez ele tivesse desligado.

– Rosenberg?

O pastor estava de volta, sussurrando:
– Estou ouvindo ele.
– Fique onde o senhor está. Posso chegar aí em...
Niels olhou para a rua. Trânsito parado. Ele pensou em ligar pedindo ajuda, mas mudou de ideia. Cada segundo importava. Então saiu correndo.
– Em três minutos eu chego aí.

36

Centro de Cosmologia Escura, Universidade de Copenhague

Era um paradoxo o fato de o prédio abrigar os escritórios de cientistas internacionais dedicados à pesquisa da matéria escura do universo, uma vez que o Centro de Cosmologia Escura era fortemente iluminado por luzes externas. Hannah desceu do carro. Os anos passados desde que Johannes se matara, que Gustav alçara voo e que a sua própria carreira acadêmica promissora esvanecera não tinham deixado no prédio o menor sinal. Essa ideia era ao mesmo tempo alarmante e animadora. Ela pegou a caixa de papelão no assento traseiro e entrou no instituto. Dois jovens cientistas ou alunos passaram por ela na escada; mal a olharam. Hannah foi até o terceiro andar, onde ficava a sua sala. O andar estava deserto. Era hora de almoço. Ela foi andando no corredor até a sala, sem prestar atenção ao que estava escrito na placa da porta. Entrou sem bater.

Embora apenas um segundo tivesse se passado antes de ela ver o jovem pesquisador sentado à escrivaninha, Hannah teve a sensação de estar novamente em casa. Tudo lhe era conhecido – o cheiro, os ruídos, a atmosfera um tanto asfixiante mas familiar. Alguns dos pôsteres dependurados nas paredes eram os mesmos. As prateleiras estavam onde sempre haviam estado.

– Perdão? – disse o jovem pesquisador. – Marcamos alguma coisa?

Hannah continuou inspecionando a sala. Uma foto de duas menininhas. Um desenho dependurado acima do computador. Num rabisco de criança, os dizeres: "Para o papai, da Ida e da Luna".

– A senhora está procurando alguém? – perguntou ele.

– Esta é a minha sala. – As palavras saíram da boca de Hannah sem que ela tivesse pensado no que dizia.

– Deve estar havendo algum engano. Eu estou nesta sala há mais de dois anos. – Ele se levantou e ela o sentiu irritado. Mas foi uma impressão errada, pois ele lhe estendeu a mão dizendo: – Eu sou Thomas Frink. Estou fazendo o doutorado aqui.

– Eu sou Hannah. Hannah Lund.

Ele a estudou como se tentando se lembrar de onde conhecia aquele nome. Pareceu prestes a saber quem ela era mas depois ficar em dúvida.

– A senhora escreveu sobre o quê?

– Matéria escura.

– Estou fazendo pesquisa sobre explosões cósmicas.

– Thomas, você tem um minuto?

Hannah reconheceu a voz que vinha por trás dela. Um homem mais velho estava de pé no vão da porta, ombros curvados, costas arqueadas, olhos com uma expressão infantil.

– Hannah? – O professor idoso olhou atônito para ela. – Eu achei que você estava...

– Holmstrøm!

Ele balançou a cabeça e lhe deu um abraço desajeitado. Tinha engordado um pouco. Olhou para ela com severidade.

– Antes que você me diga o que está fazendo agora, vou lhe advertir: pense duas vezes. Porque é bom que seja algo de importância fundamental, para justificar o seu sumiço daqui do instituto.

– É uma longa história. – Ela ergueu as mãos. – Como é que você está?

– Tudo bem, fora o fato de que tivemos de lidar com cortes. Agora o dinheiro está indo para programas ambientais. Tudo o que você tem de fazer é ligar para o ministro responsável pelo financiamento das pesquisas e cochichar a palavra "clima". Então, não importa se são três da manhã, você terá milhões. – Ele riu. Era obviamente algo que ele já havia dito várias vezes. – O dinheiro vai para a pesquisa sobre clima. É assim que as coisas estão.

– Os votos na próxima eleição, também – acrescentou Thomas Frink, olhando para a tela do seu computador.

– O clima. – Hannah olhou Holmstrøm com uma expressão solene. – As pessoas adoram os deuses errados.

– Que deuses?

– Elas próprias. – Ela sorriu.

Um silêncio momentâneo caiu sobre a sala. Um silêncio que gritava para ser preenchido.

– Você trouxe uma caixa? – Holmstrøm apontou para o que Hannah estava carregando.

– Trouxe.

Ele aguardou. Sem dúvida esperava que ela dissesse algo sobre o conteúdo.

Em vez disso ela perguntou:

– Você sabe se a sala de conferências do prédio antigo está disponível?

37

Centro da cidade – Copenhague

Niels começou a correr pelo calçadão de Købmagergade. A última coisa que ele viu foi um funcionário de estacionamento pôr um bilhete sob o para-brisa do seu carro.

– Ei!

Niels colidiu com um homem, derrubando no chão suas sacolas abarrotadas de compras. Não havia tempo para parar e pedir desculpa. A rua estava fervilhante com os preparativos para as festas: decorações de Natal, uma multidão comprando presentes, todo mundo parecendo nervoso. Ele virou na altura do prédio do departamento de teologia da universidade, correu pelo corredor e chegou a uma parte mais calma da cidade. Olhou para o celular. Rosenberg estava chamando novamente.

– O que é que está acontecendo? – perguntou o pastor.

– Onde é que o senhor está?

– Continuo no meu escritório. – Ele ainda não tinha sido tomado pelo pânico. Mas isso não demoraria a acontecer. Niels sabia pelo modo como o pastor respirava.

– Onde é que ele está agora?

– Não sei.

– Onde foi que o senhor viu o homem?

– Dentro da igreja. Quando é que o senhor vai chegar aqui?

Niels estava correndo pela Skindergade. Ele ouviu um barulho alto na linha.

– Rosenberg?

Ainda o rebuliço. As perguntas voavam na cabeça de Niels. Por que o pastor? Havia tantos outros mais conhecidos.

– O senhor ainda está aí?

– Ele tem uma faca na mão. Ah, meu Deus. Isso é a punição?

Niels ouviu alguém bater numa porta. Tentou correr mais.

– Saiam do caminho! – gritou ele para as pessoas que estavam na calçada. – Polícia! Abram caminho!

Ele entrou em outro corredor. Uma escolha ruim. Foi dando cotoveladas para poder passar. Rosenberg ainda estava na linha. Niels o ouviu resmungar algo sobre punição.

– Você já está quase aqui? – gritou o pastor.

– Sim. Dentro de um minuto. Procure alguma coisa para se defender. – Niels imaginou o pastor pegando a Bíblia. – Ele está acompanhado? – indagou.

– Acho que não. Acho que ele está sozinho.

– E dentro da igreja? Não tem nenhum empregado no prédio?

O pastor não respondeu. Niels podia notar pela sua respiração irregular que ele estava atento a alguma coisa.

– O senhor está ouvindo alguma coisa? – perguntou Niels ofegante. – O que é que está acontecendo com o senhor?

– Ele vai quebrar o vidro da porta! Já vai entrar aqui!

– Não tem nenhum lugar para onde o senhor possa fugir?

– Tem o banheiro. Mas...

– Vá para dentro do banheiro, tranque a porta e me espere lá!

O pastor ficou na linha.

Um caminhão enorme apareceu do nada e bloqueou o caminho.

– Droga! – Niels esmurrou a lateral do veículo.

– Tudo bem, eu estou aqui. – Era evidente que agora Rosenberg já fora tomado pelo pânico. – Eu me fechei no banheiro. – Sua voz abandonou qualquer tentativa de permanecer digno. Ele parecia prestes a desmoronar. – Eu tranquei a porta. Mas é uma porta fácil de arrombar.

– E a janela. Está fechada?

– Onde é que você está? Onde?

– Vou chegar aí em um minuto. No máximo. – Niels estava mentindo, mas uma das ferramentas mais importantes para um negociador de crise é a esperança. Sempre dar esperança aos reféns. Mesmo se for um soldado que está deitado no meio da zona verde na província de Helmand, no Afeganistão, com o corpo todo furado de balas e as duas pernas arrancadas, é fundamental dizer a ele que há esperança. Mesmo se o único meio de fazer isso for dizer uma mentira.

O telefone ficou mudo. A linha vital tinha sido cortada.

– Rosenberg? – Niels ergueu a voz. Como se adiantasse gritar num telefone quando não há ligação.

Agora Niels já estava vendo a Helligåndskirke. A vista da linda torre da igreja lhe deu o incentivo de que ele precisava para correr o resto do caminho. Ele atravessou a rua. Uma jovem ciclista com o filho na garupa gritou e lhe mostrou o dedo em riste. Niels não a culpou. Ao saltar a mureta ao lado da igreja ele apalpou a sua Heckler & Koch para ter certeza de que ela estava ali. A mesma frase ficava se repetindo na sua mente.

Vou chegar tarde demais. Vou chegar tarde demais.

38

Instituto Niels Bohr – Copenhague

Com a caixa de papelão debaixo do braço, Hannah correu pela Blegdamsvej até chegar ao seu destino: o velho Instituto Niels Bohr. Enfiou a chave na fechadura. A porta abriu, e Hannah pensou que talvez houvesse algo simbólico no fato de ela não ter entregado a sua chave. Seria porque subconscientemente deixava aberta uma portinha para o mundo da pesquisa? A porta se fechou atrás dela com um clique quase inaudível. No vestíbulo do prédio antigo, ela se deteve para olhar em torno de si. Viu a famosa foto de Niels Bohr e Albert Einstein absortos numa conversa intensa, apressando-se pelas ruas calçadas de pedra a caminho da Conferência de Solvay de 1927 em Bruxelas.

A ideia do instituto foi de Niels Bohr. Ele tinha providenciado o financiamento e sozinho arquitetou a estrutura do seu funcionamento. O instituto foi inaugurado em 1921 e nas décadas seguintes se tornou o centro do mundo da pesquisa em física teórica. Dizia-se que durante esses anos era impossível diferenciar o homem Niels Bhor do Instituto Niels Bohr. Era lá que ele e a sua família moravam. Era lá que ele trabalhava. Lecionando, pesquisando e fazendo conferências para os principais físicos do mundo. Sempre que Hannah olhava para as fotos dessa época elas quase lhe tiravam o fôlego. Ela se perguntava quantos dinamarqueses tinham ideia dos brilhantes cientistas que haviam frequentado aquele lugar.

Hannah subiu a escada, passando pela antiga sala de Bohr. A porta estava escancarada. Ela espiou o ambiente. Era como dar uma olhada no túnel do tempo. A mesa oval. O busto de Einstein. Por um momento ela foi vencida pela emoção.

Isso a surpreendeu, porque já havia estado ali muitas vezes. Ela respirou fundo. Como se desejando puerilmente fazer entrar nos seus pulmões um miligrama do gênio de Bohr. Isso era algo que agora ela realmente poderia usar muito bem.

Hora do almoço. Corredores em total silêncio. Hannah foi para o salão de conferências. Nada havia mudado ali desde os tempos de Bohr. Com os duros bancos de madeira e o quadro-negro idealizado como uma caixa chinesa inteligente que oferecia constantemente novas lousas, uma atrás da outra. O salão de conferências tinha sido projetado e preservado como um dos tesouros culturais da Dinamarca. Fotografias tiradas no auditório estavam agora dependuradas nas paredes, inclusive uma foto famosa de Bohr sentado com alguns dos luminares da ciência: Oskar Klein, Lev Davidovich Landau, Wolfgang Pauli e Werner Heisenberg.

Hannah pôs a caixa numa mesa comprida e retirou os materiais, dispondo tudo diante de si. Observou todos os pedaços de papel. E também o mapa-múndi, que parecia rir para ela. "Você quer dizer que não pode mesmo resolver o problema?", era o que ele parecia dizer. "Tudo o que você tem a fazer é encontrar o sistema. O resto é consequência."

Hannah ouvia o barulho leve do trânsito lá fora. Ela pôs de lado todo o material sobre o caso e concentrou sua atenção no mapa. Examinou os Xs que mostravam os locais das cenas de crime, que pareciam ter sido escolhidos aleatoriamente. Alguns na costa, outros no interior. Hannah olhou para as datas dos assassinatos. Seria possível encontrar um tipo de padrão na sequência? A mesma distância entre uns e outros? A mesma... Ela foi até a janela. Parecia que ia nevar. O céu estava coberto de nuvens cinza-claro e havia gelo nos pinos pontiagudos destinados a afastar os pombos do peitoril da janela. Embaixo, as pessoas passavam na rua. Uma velha estava se aproximando. Um ônibus parou no ponto e alguns passageiros desceram. A velha caiu na calçada escorregadia. Imediatamente surgiram pessoas para ajudá-la. Ela sorriu agradecida. Estava bem. Hannah ficou na janela, uma espectadora olhando para... *seres humanos*.

Pessoas. O mito tinha relação com seres humanos. Trinta e seis pessoas que deviam tomar conta de todas as demais. Todos nós. Pessoas – por oposição a quê? Terra? Água? Hannah saiu do salão e entrou na sala da secretária, deserta àquela hora, procurando uma tesoura. Encontrou-a na gaveta da escrivaninha. De volta ao salão de conferências, já ia recortar o mapa quando mudou de ideia. Em vez disso baixou o mapa-múndi que ficava na frente do salão, arrastou para sob ele uma pequena estante de livros e subiu nela. Não havia alternativa, ela precisava de grandes continentes; só assim teria espaço suficiente para todos os Xs. Quando começou a recortar o mapa, pensou: mas o que é que eu estou fazendo? Cortando em pedaços o mapa de Niels Bohr? Ao mesmo tempo ela teve a sensação de que ele aprovaria. Detalhes práticos não devem impedir nosso avanço, se sentimos que vamos descobrir algo importante.

39

Helligåndskirke – Copenhague

A porta da igreja estava trancada. Niels bateu com força nos minúsculos vidros do vitral ao mesmo tempo em que gritava:

– Rosenberg?

Ele desistiu da ideia de chutar a porta e se concentrou em descobrir outra entrada. Não conseguia localizar o pastor. Uma coisa que ele dissera ficava rondando a sua mente: "Isso é a punição?" Qual seria o motivo dessa punição?, perguntou-se ele enquanto corria pela lateral da igreja. Outra porta. Que poderia levar para o porão. Niels agarrou a maçaneta. Aquela porta também estava trancada. Então ele viu que uma janela estava parcialmente aberta. Uma janela no alto, acima de uma pequena saliência. Mas no mês de dezembro, terrivelmente frio, ninguém deixaria uma janela aberta.

Como o invasor teria feito para entrar? Niels viu que havia muitas bicicletas abandonadas, apoiadas numa árvore. Ele pegou duas e as encostou contra a parede da igreja. Pôs um pé no selim, firmou-se e então se lançou para cima. Conseguiu alcançar o peitoril de uma janela que ficava mais de um metro abaixo da outra. Foi capaz de segurar o peitoril apenas com a ponta dos dedos e se levantar.

Encontrou um ponto de apoio num tijolo ressaltado na parede e se içou a uma posição melhor. Dali poderia ser viável. Ele precisava encostar bem o corpo contra a parede para manter o equilíbrio. Sentiu que seu joelho estava sangrando. Devia tê-lo arranhado sem perceber. Deu-se dois segundos para tomar fôlego. Agora vamos. Então ele usou as duas mãos para agarrar o peitoril sob a janela aberta. Seus pés balançaram no ar. Se caísse agora, ele se chocaria contra as bicicletas ou contra a lápide em forma de anjo de mármore sobre a sepultura de algum bispo. Estava prestes a entrar em pânico. Não conseguia chegar. Ele fechou os olhos. Tentou reunir todas as suas forças para uma última tentativa. Pensou em desistir e tentar agarrar as barras da outra janela para descer.

– Vamos, Niels! – disse ele em voz alta.

Usando toda a força que lhe restava, ele tentou novamente.

Dessa vez conseguiu. Tinha um braço dentro. Estranhamente, era o seu braço livre que estava tremendo. Se seu adversário tivesse realmente entrado por aquela janela, a perspectiva não era boa.

Niels tinha entrado. Ele supôs que estava nos corredores do antigo claustro. O teto abobadado era altíssimo. Ele ouvia o barulho do trânsito lá fora. E um murmúrio fraco das pessoas que se deslocavam pela Strøget. Mas nada dentro do prédio.

– Rosenberg!

Ele gritou novamente, acrescentando:

– Polícia de Copenhague! – Pelo menos seus gritos dariam esperança ao pastor. Com eles Rosenberg talvez conseguisse ficar mais tempo sem desmoronar. Mas os gritos também diriam ao invasor que a polícia estava ali.

Niels não acendeu as luzes. A escuridão podia ser ao mesmo tempo sua amiga e inimiga. Ele entrou num corredor curto. Dali uma escada levava a outro *hall*. Ouviu um barulho alto. Depois outro. E mais outro. Uma coisa dura chocando-se contra outra coisa dura. A porta do banheiro? O invasor devia estar tentando derrubar uma porta.

Niels andou mais depressa, com passos largos e corridos. Entrou em outro corredor. Então viu o vulto de um homem que tentava arrombar a porta do banheiro.

– Pare! – Niels já havia empunhado sua arma.

O homem se virou e durante um segundo não se mexeu.

– Largue a sua arma! – gritou Niels.

O homem começou a correr. Esse teria sido o momento certo para Niels atirar; era esse o seu dever. Antes que ele concluísse esse pensamento, o homem desapareceu. Niels correu pelo corredor. A estrutura da porta do banheiro tinha sido arrebentada. As dobradiças estavam quase soltas. Mais dois minutos e o homem teria entrado.

– Você chegou!

Niels encontrou Rosenberg ajoelhado no chão de ladrilhos. Estava se preparando, pronto para encarar o que quer que o além lhe oferecesse. Se o invasor tivesse conseguido entrar, o pastor não teria oferecido nenhuma resistência. Isso Niels pôde ver imediatamente. Ele ajudou o pastor a se levantar.

– O senhor está bem? – Niels viu no chão o celular quebrado.

– Deixei cair. Estava com medo e... Para onde ele foi?

– Fique aqui. Não. Vá para a sua sala e se tranque lá. – Niels apontou para a sala do outro lado do *hall*.

– Você viu que rumo ele tomou?

Niels não respondeu. Com um gesto rude, empurrou Rosenberg para dentro da sua sala.

– Tranque a porta e ligue para este número. – Niels lhe entregou uma anotação. – Diga: "Policial precisa de apoio". Entende o que eu estou dizendo?

Rosenberg não respondeu. Parado ali, parecia quase desapontado. Talvez por lhe terem roubado a ocasião de encarar o momento para o qual ele havia passado a vida inteira se preparando. Niels apertou seu braço.

– "Policial precisa de apoio" – entendeu? Isso vai trazer a cavalaria.

– Sei. Tudo bem.

Niels saiu correndo.

O homem só poderia ter tomado uma única direção. Niels começou a persegui-lo. Virou num canto. Uma porta estava escancarada. Ele parou. Nenhum som traía nada. Levantando a arma, ele entrou na sala. Nada. Hinários. Prateleiras. Um computador velho e empoeirado.

De volta ao *hall*. Avançar. Subiu escadas. Corredores estreitos, um número infinito de portas, mais escadas. Que diabo haveria atrás de todas aquelas portas? O som fraco de uma pancada. Seria Rosenberg? Ou...

Niels respirou fundo. O homem havia desaparecido. Talvez tivesse desistido e estivesse andando pela cidade. Naquele mesmo instante Niels instintivamente pôs o braço diante do rosto. A faca riscou o seu paletó e por um segundo ficou presa no couro grosso. Niels perdeu o equilíbrio. A arma caiu da sua mão. Então o homem estava em cima dele, golpeando-o no maxilar com força. Niels sentiu os dentes se entrechocarem e então caiu de costas com um baque. Sentiu o gosto de sangue. Não sabia dizer se fora esfaqueado. Usando o joelho, o homem colou o braço de Niels ao chão. Niels agitou a mão, pegou uma mecha de cabelo, uma orelha, e puxou com força. O homem gritou e perdeu o fôlego. Niels atacou outra vez, agora visando a cabeça do homem. Deu-lhe um murro na boca, partindo o seu lábio e fazendo o sangue jorrar. Com um grito, o homem se atirou sobre Niels. Mas o grito comprometeu o seu impulso: um gasto de energia desnecessário. Niels agarrou o seu pulso e o torceu, pretendendo quebrá-lo. O invasor deu um giro e escoiceou, e

Niels precisou soltá-lo. Eles ficaram de pé e se encararam, ofegantes de exaustão. O sangue escorria para dentro dos olhos de Niels enquanto ele pegava no chão a sua arma. Ele tinha dificuldade em enxergar. O homem apenas observava. Esperando.

Niels queria gritar, mas só conseguiu murmurar:

– Ponha a faca no chão.

O homem balançou a cabeça. Eles se olharam. Então Niels o reconheceu. Abdul Hadi. O terrorista iemenita que havia entrado na Dinamarca. Ele estava de pé bem na frente de Niels. Tinha nos olhos uma expressão de loucura e desespero. Talvez tenha sido por haver reconhecido o invasor que Niels foi capaz de reunir a força suficiente para gritar:

– Ponha a faca no chão!

Não aconteceu nada. Niels sabia que aquele era o momento em que devia atirar no homem. Ele levantou a arma. Mirou.

– Faça o que eu digo e largue a faca.

Abdul Hadi gritou novamente enquanto se atirava sobre Niels, que caiu de lado. Hadi olhou surpreso para Niels. E para a arma. Niels via os pensamentos que passavam pela cabeça do homem. Por que o policial não tinha atirado? Será que a arma estava descarregada? De qualquer forma isso deu a Hadi uma energia renovada quando ele avançou, pondo todo o seu peso no ímpeto da faca. Ele errou, e no último segundo Niels bateu forte a cabeça contra o rosto do iemenita. O sangue do nariz quebrado do terrorista escorria em Niels. Desesperadamente, Niels se libertou com um arranco e se virou. Ainda deitado de costas, ele chutou para cima e sentiu os dois pés atingirem brutalmente o abdome e a virilha de Hadi. Isso fez o homem desmoronar.

Niels se pôs imediatamente de pé, embora a sua arma tivesse deslizado pelo chão. Ele chutou Hadi mais uma vez. Duas vezes. Uma vez no rosto. Enquanto ele estava no chão, gemendo, Niels tentou pegar as algemas. Na academia de polícia ele tinha sido treinado em caratê e jiu-jítsu, mas aonde tinha ido parar todo aquele treinamento, tão necessário agora? Rosenberg já devia ter feito a ligação havia muitos minutos. O recado "Policial precisa de apoio" teria recebido a mais alta prioridade na chefatura de polícia. Eles já deviam ter chegado. Hadi tentou se arrastar até onde estava a arma, mas Niels levou a melhor. Ele pegou a arma, mas quando se voltou... o outro tinha desaparecido.

Niels correu à procura dele. Desceu a escada, de dois em dois degraus. Mais escadas. Hadi estava de pé diante de uma porta, mexendo no ferrolho. Niels o alcançou. Eles chegaram à rua. Algumas mesas de café. Onde estava o seu apoio, diabo! Isso foi o que Niels pôde pensar antes de colidir com uma espécie de placa de publicidade e quase perder o equilíbrio. Bem na Strøget, congestionada de gente. Mas Hadi era o único que estava correndo.

40

Instituto Niels Bohr – Copenhague

Pessoas, pensava Hannah enquanto cuidadosamente recortava os oceanos de modo que apenas os continentes ficassem lado a lado na mesa. O mito dos trinta e seis homens justos está ligado a pessoas. Não à água.

Ela afastou todos os mares e olhou para as massas de terra. Aquilo parecia um quebra-cabeça. Esse simples pensamento lhe tornou difícil respirar. Ela se lembrou do filho, Johannes. E da primeira vez que ela e Gustav perceberam que o filho era uma criança extraordinariamente dotada. Ele havia montado um quebra-cabeça para adultos em menos de uma hora. Setecentas peças compondo uma figura da torre Eiffel. Ele tinha apenas quatro anos. A princípio eles ficaram empolgados, mas depois o brilho do garoto começou a causar problemas. Ele parecia triste. Estava constantemente procurando novos desafios que nunca se concretizavam. Hannah tinha tentado corresponder – fazer o oposto do que seus pais haviam feito com ela. Eles sempre queriam que ela fosse normal. Diziam-lhe para não fazer o dever de casa tão depressa e ficar no mesmo nível dos seus colegas. Isso teve na verdade o efeito oposto. A cada dia que passava, Hannah se sentia mais alienada do mundo. Esse sentimento se intensificava com o fato de seus pais claramente se constrangerem com a inteligência da filha. Eles queriam que ela fosse como as outras crianças. Queriam que ela fosse *normal*.

Quando Hannah foi admitida no Instituto Niels Bohr, aos dezessete anos de idade, foi como finalmente chegar em casa. Ela ainda se lembrava de como se sentira naquele primeiro dia, quando transpôs a porta do prédio. O lugar dela era ali. Por isso Hannah tinha feito tudo o que estava ao seu alcance para garantir que Johannes não se sentisse anormal ou um excluído. Tudo para garantir que os dons intelectuais do filho não o isolassem do resto mundo. Mas Johannes não era normal. Ele era doente. E foi piorando dia após dia.

Hannah acendeu um cigarro. Já não era permitido fumar ali. Se Niels Bohr voltasse do Olimpo, nem mesmo ele teria permissão para acender o seu cachimbo dentro do prédio. Mas isso não tinha importância. A única coisa importante era o quebra-cabeça de continentes que ela havia recortado do mapa e colocado na mesa.

– Johannes, meu pequeno – sussurrou ela para si mesma. – É sobre pessoas.

Ela havia passado a vida lidando com números, cálculos, luz do espaço. Mas aquilo tinha a ver com pessoas; pessoas que faziam parte de um padrão específico, e não o caos habitual; pessoas que faziam parte de um plano maior. Era isso que a atraía.

Ela deslocou uma das peças de continente para que ele ficasse numa posição melhor. *Seres humanos*. As origens da vida. Remontar aos tempos em que os continentes se formaram.

41

Centro da cidade – Copenhague

Os terroristas são bem preparados, pensou Niels. Esse ainda era um dos aspectos em que os serviços de inteligência falhavam sempre. Eles subestimavam os inimigos. Esqueciam-se de que os terroristas tinham passado anos preparando-se para realizar suas ações. Por que eles não teriam considerado todas as várias possibilidades? Por que esse homem que fugia de Niels não teria pensado na possibilidade de que poderia ser descoberto? Claro que ele havia pensado. Claro que ele tinha cogitado um lugar para se esconder.

Niels continuava correndo.

A Al-Qaeda se estabeleceu bem longe, em cavernas, na área fronteiriça entre o Paquistão e o Afeganistão, estudando o Google Earth. Eles tinham recrutado especialistas em tecnologia da informação que superavam facilmente os especialistas do Ocidente. Esse era um fato bem conhecido. Toda vez que uma ação terrorista de larga escala tinha sido empreendida (em Madri, Londres, Mumbai, Moscou, Nova York) os serviços de inteligência haviam se perguntado: como uma coisa dessas pôde acontecer? Tinha acontecido porque eles estavam enfrentando pessoas inteligentes e bem preparadas. Os acontecimentos de 11 de setembro de 2001 foram o resultado de anos de meticuloso preparo. Logisticamente foi um golpe de gênio. A mesma coisa era válida para a bomba no USS *Cole*, no ano 2000, e em 1997 o massacre do Templo de Hatshepsut, em Luxor, que pegou totalmente desprevenidas as autoridades egípcias. As ações haviam sido planejadas até o mais insignificante detalhe.

Niels conhecia bem esse último caso. Um amigo de Kathrine visitara o templo dois dias antes do ataque. Tinha sido um horrível banho de sangue. Morreram sessenta e dois turistas. A maioria foi primeiro alvejada nas pernas para não poder fugir, e depois, com facas compridas, eles abateram ritualmente um a um. Os terroristas não se apressaram. Os turistas europeus ficaram deitados ali, indefesos, tanto dentro quanto fora do templo, esperando a sua vez. Parece que a matança demorou pelo menos quarenta e cinco minutos. Entre os mortos havia um garoto de cinco anos. Uma mulher suíça viu o pai ser degolado. *Egito sem turistas*, dizia um bilhete encontrado no estômago de um senhor japonês. Os terroristas haviam retirado seus intestinos.

– Olhe onde anda! – gritou irritada uma mulher quando Niels lhe deu um esbarrão que resultou na queda de um pacote. – Que diabo o senhor acha que está fazendo?

As pessoas não têm ideia, pensou Niels. Elas seguiam no seu mundo de conto de fadas sob os ramos de pinheiro e as guirlandas, comprando presentes de Natal. Em nenhum outro lugar era tão fácil esquecer tudo sobre os perigos do mundo quanto em Copenhague na época do Natal.

A Torre Redonda. Niels não quis acreditar quando viu Abdul Hadi virar à direita e entrar na torre. O homem estava tentando se esconder na multidão? Niels passou correndo pela cabine de venda de ingressos, ignorando os gritos que lhe dirigia o rapaz por trás do vidro. Continuou subindo. Quase perdeu o equilíbrio no escorregadio aclive de pedra. Prosseguiu pela rampa em espiral. As pessoas reclamavam dos seus empurrões. Ele estava ofegante. Seu peito parecia a ponto de explodir e ele sentia o ácido lático anunciando sua presença nos músculos da panturrilha. Subindo. O homem diante dele nunca voltava a cabeça à procura do seu perseguidor. Simplesmente seguia em frente. Não parecia afetado pela subida. Niels se recusava a desistir. Eles logo estariam cara a cara. E os outros policiais chegariam. Deviam estar seguindo Niels pelo GPS. Todos os telefones celulares da polícia podiam ser rastreados com a precisão de até um metro quadrado. E então tudo aquilo estaria acabado.

Gritos e gemidos. Niels chegou ao belvedere no alto da torre. Estava empunhando sua arma. As pessoas em torno dele gritavam em pânico. Algumas se atiraram no chão.

– Polícia de Copenhague! – gritou Niels o mais alto que pôde. – Saiam todos da área. Agora!

Mais pânico. Turistas e pais com crianças pequenas começaram a empurrar uns aos outros para sair do belvedere. Niels ouviu o barulho de alguém caindo na escada. Choro e gritos.

Niels afastou-se da porta, mas Hadi havia desaparecido. Ele tinha deixado de vigiar o homem por apenas um momento, mas isso foi o suficiente. Hadi teria passado por ele? Teria conseguido se esconder na multidão e fugir descendo pela torre? Niels amaldiçoou sua falta de atenção. A multidão estava minguando.

Agora Niels era a única pessoa ali. Ele olhou em torno. Estava de pé no alto do mundo, cercado por Copenhague e castigado pelo inverno. Caminhou pela plataforma. Não encontrou nenhum lugar onde Hadi poderia ter se escondido. Uma frase de texto dos seus tempos de escola ficava lhe martelando a mente: "O médico com sua faca dirige rabiscos para o coração do rei Cristiano IV". Aparentemente, uma leitura popular equivocada da confusão no alto da fachada da torre. Por que ele teria se lembrado daquilo? O médico com uma faca. O assassino com a faca.

Niels o viu no último minuto. Abdul Hadi se lançou para a frente, chutando com força o plexo solar de Niels. E mais uma vez. Niels vomitou. Hadi passou para trás dele e o agarrou pelo pescoço. Apertou forte. Os olhos de Niels se encheram de lágrimas. Ele não conseguia respirar. De repente sentiu a mão relaxando. Estava ofegante. Ia se endireitar quando foi arremessado contra o chão.

Antes que pudesse saber o que estava acontecendo, ele sentiu em sua têmpora o cano de um revólver e ouviu o tinir tranquilizador de algemas.

– Esse não! – gritou a voz. – Esse é um dos nossos.

A arma desapareceu.

– Para onde ele foi?

Inicialmente Niels só pôde distinguir partes de frases, mas pouco a pouco entendeu. O pessoal do serviço de inteligência tinha chegado. Alguns policiais também. Um deles ajudou Niels a se levantar e se desculpou. Outro gritou:

– O que é que ele está fazendo, droga?!

Niels olhou para cima. Abdul Hadi tinha escalado a cerca que circundava a plataforma e estava empoleirado na velha balaustrada externa, pronto para saltar.

Niels olhou para ele. Os dois homens se olharam longamente, algo que até então não haviam feito.

Então Hadi olhou para o abismo lá embaixo. Ele havia ido ali para morrer. Não havia sinal de medo nos seus olhos. Primeiro ele disse algumas palavras na sua língua nativa. Niels achou que parecia uma reza. Depois ele olhou para Niels.

– Por que você não atirou?

Niels se aproximou da balaustrada.

– Eu não posso – respondeu ele. Abdul Hadi ficou mais perto da borda.

42

Ospedale Fatebenefratelli – Veneza

Irmã Magdalena olhou para o corredor do hospital antes de calçar as luvas. Paz e silêncio. Nenhum dos doentes terminais estava gemendo. Mas ela sempre se sentia culpada quando precisava sair; muitas vezes as outras enfermeiras praticamente precisavam empurrá-la para fora do prédio. Hoje não era diferente. Pelo contrário, hoje era pior. Ela resolveu pôr a cabeça no quarto da signora Di Barbara uma última vez antes de sair.

A mãe de Tommaso ergueu o olhar assim que Magdalena entrou no quarto.

– Você vai sair, irmã?

Magdalena lhe dirigiu um sorriso tranquilizador, depôs no chão a sua bolsa e descalçou as luvas.

– É a minha folga. Mas eu não tenho pressa.

– Estou com tanto medo.

– Não tenha medo. A morte é apenas o fim da vida terrena.

– Não é medo da morte. Eu não tenho medo de morrer – disse ela contrariada.

Não era fácil sentir afeto por uma mulher como a signora Di Barbara. Ao longo do tempo Magdalena tinha aprendido, mas uma pausa de um dia de vez em quando facilitava as coisas.

– Do que a senhora tem medo?

– De que ele não receba o recado. Ou que se esqueça da minha recomendação.

– O recado? Sobre os oitenta centavos?

– É.

– E a senhora ainda não sabe para o que ele vai usar os oitenta centavos?

A signora Di Barbara não ouviu a pergunta.

– A minha bolsa está aqui?

– Está, olhe aqui.

– Pegue a carteira. Ponha oitenta centavos na minha mão. Assim eu sei que vou me lembrar de falar com ele.

Magdalena pegou o dinheiro. As moedas não totalizavam oitenta centavos, então ela acrescentou uma da sua carteira.

– Pronto.

Ela pôs as moedas na mão da mulher. Os nós dos dedos da velha se fecharam firmemente em torno das três moedas.

– Quando o meu filho vier me ver, hoje à noite, eu vou me lembrar. Ele vem hoje?

– Não sei. Pode ser que ele tenha de trabalhar.

– O turno da noite? Bom, então ele vem amanhã de manhã. Pelo menos agora eu tenho as moedas, assim não vou me esquecer.

– Eu também vou me lembrar – disse Magdalena afagando o cabelo grisalho e fino da mulher. – Prometo.

Durante um momento a signora Di Barbara pareceu contente. Magdalena estava convencida de que a velha ainda teria algumas semanas de vida. A maioria dos pacientes que estavam ali esperava para morrer depois das festas de fim de ano – ela não sabia por quê. Talvez eles quisessem ter um último Natal.

A irmã Magdalena apagou a luz. A signora Di Barbara pôs a mão no peito, apertando as moedas.

43

A Torre Redonda – Copenhague

Abdul Hadi ficou na extremidade do estranho prédio. Como ele tinha ido parar ali? Os policiais dinamarqueses estavam tendo uma discussão do outro lado da cerca. Um deles apontava uma arma para o homem.

Eles estavam murmurando algo, mas Hadi não entendia nada da conversa. Ele reuniu toda a sua coragem. Teria de acabar ali, embora sem realizar a justiça que buscara. Por que Alá o abandonara? O policial que havia tido mais de uma oportunidade de atirar nele estava agora subindo na cerca e se aproximava. Parecia tão acabado quanto ele próprio. O policial estava sorrindo?

– Vou pular – disse Abdul Hadi.

O policial dinamarquês levantou as duas mãos para que Hadi pudesse vê-las.

– Não estou armado.

Hadi olhou para a rua lá embaixo. Tinha perdido o desejo de levar alguém para a morte junto com ele. Normalmente ele não teria se importado, mas vistas daquela altura todas as pessoas pareciam tão inocentes. Se chegasse um pouco para a esquerda antes de saltar, ele não machucaria ninguém.

– Uma pergunta! – disse o policial.

Abdul Hadi olhou para ele.

– O senhor tem família?

– Eu fiz isso pela minha família.

Sem entender, o policial continuou olhando para ele.

– Tem alguém para quem você gostaria de ligar? – indagou ele. – Lembre-se: eu sou a última pessoa que vai estar com você vivo.

Abdul Hadi se moveu, afastando-se do policial. "Por que ele está me fazendo essas perguntas estranhas?", pensou.

– Seu último recado. Qual é?

Um último recado? Abdul Hadi parou para pensar. "Sinto muito" foi o que lhe ocorreu. Ele queria se desculpar com a irmã. Porque não lhe permitiram crescer. Porque ele tinha vivido todos aqueles anos. Isso parecia muito injusto. E queria se desculpar também com o irmão mais velho. Porque não fora capaz de se vingar da morte dele. Seu irmão só tinha querido buscar uma vida melhor. Não havia feito nada errado. Assim como a sua irmã. Ela também era inocente. Ele via o rosto dela com toda a clareza. Seu irmão e sua irmã estavam prontos para recebê-lo. Ele tinha certeza disso. E esperava ansiosamente vê-los de novo.

O policial se aproximou. Estava sussurrando para Hadi.

– Eu não vou fechar os olhos. Você está me ouvindo? – O policial estendeu a mão na direção dele. – Eu sou a sua última testemunha.

Era nesse momento que Abdul Hadi devia saltar. Agora, exatamente. Ele olhou para cima, para o Criador, para os seus familiares mortos que estavam prontos à espera. Parecia que o céu já estava abaixando na direção dele. Então o céu se abriu e a neve começou a cair, primeiro no soldado dinamarquês, depois em Hadi, e depois continuou até a rua, lá embaixo. Milhões de pedacinhos minúsculos de céu branco, dançando em círculos. As pessoas na rua olhavam para cima, e as crianças se regozijavam. Abdul Hadi ouviu o suave clique das algemas que se fechavam firmemente em torno dos seus pulsos.

44

Instituto Niels Bohr – Copenhague

O velho assoalho de madeira rangia e gemia à medida que o maior globo do instituto girava pelo corredor. Era um globo tão grande que Hannah não precisava se abaixar para empurrá-lo; ela podia caminhar atrás dele como se estivesse lidando com um carrinho de bebê de difícil manejo. Uma lasca de madeira voou no ar quando o globo se chocou contra um portal. Dois jovens pesquisadores que voltavam do almoço tiveram de pular de lado no corredor estreito para que o globo não passasse sobre eles.

– Ei! Cuidado! Você tem carteira de habilitação para dirigir isso? – indagou um deles rindo.

– Eu só preciso medir uma coisa. – Hannah não diminuiu o passo. Ouviu um dos homens murmurar para o outro que ela parecia um tanto maluca:

– O nome dela é Hannah Lund. Era uma das melhores, mas então... alguma coisa aconteceu com ela.

– E o que é que ela está fazendo agora?

O resto das palavras deles foi abafado pelo barulho do globo rolando. Hannah virou e rumou para o salão de conferências. Ela temia que o globo fosse maior que o vão da porta, mas o espaço foi exatamente o suficiente para permitir que ele passasse. Hannah tirou dos bolsos os rolos de papel-alumínio que encontrou na cozinha ao lado da lanchonete. Começou a envolver o globo com a folha metálica. Trabalhava determinada e eficientemente. Depois colou no globo os continentes que havia recortado do mapa. Mas não os pôs nas posições conhecidas. Em vez disso, reuniu-os em torno do polo Sul e depois usou um pincel atômico para desenhar os Xs. Agora eles estavam dispostos numa formação inteiramente diferente. Hannah olhou para o planeta. Ficou ali por muito tempo, contemplando, até ela própria quebrar o seu silêncio.

– O mundo não tem esse aspecto desde a aurora da criação.

45

Helligåndskirke – Copenhague

– Tome, o senhor merece. – O pastor pôs um copo na mesa diante de Niels e então se serviu. – Foi por um triz.

O destilado dourado fez arder a boca de Niels, e quando ele pôs o copo de volta na mesa havia nele um brilho rosado. Sua boca estava sangrando. Pelo menos ele não tinha perdido nenhum dente e seu nariz não estava quebrado.

– Seria melhor o senhor passar num pronto-socorro. – Rosenberg estava tentando parecer calmo.

Niels reconheceu o modo como ele estava se comportando. A reação clássica de alguém que foi submetido a uma situação de risco de vida. Ou a vítima desmoronava totalmente e não fazia nada para esconder o que sentia ou então reagia do modo oposto: "Meu Deus, não foi nada. Está tudo bem". Essa última reação era típica dos homens.

Niels não respondeu. Seu maxilar e a maçã esquerda do rosto doíam. O joelho estava ferido. E sua pulsação se recusava a desacelerar.

O escritório da igreja parecia uma combinação de sala de reuniões e sala de estar, com um toque de creche. Havia num canto uma caixa com chocalhos e blocos de LEGO. A estante atrás do pastor estava abarrotada de livros com encadernação de couro preto.

– Então, por que o senhor? – Niels descobriu que tinha dito em voz alta o que lhe ia pela cabeça.

Rosenberg encolheu os ombros.

– Como é que ele escolhe as suas vítimas? Ou melhor: como é que ele as *escolhia*?

– Pode ter sido uma coincidência. – O pastor tomou a sua bebida e imediatamente se serviu de outra dose.

– Eu não acredito nisso.

– Mais?

Niels tapou o copo com a mão, estudando o pastor. Tinha a impressão de que o homem estava mentindo; só não sabia por quê.

– Eu não entendi isso. – O tom de voz de Niels estava alterado pelo ferimento no seu rosto e parecia mais nasal, mas ele queria pressionar Rosenberg. – Não tenho ideia de por que um maluco sairia pelo mundo matando pessoas boas.

– Pare de falar nessa história de pessoas boas – disse o pastor. – Eu estou longe de ser bom.

Niels o ignorou.

– Uma coisa é certa. Isso definitivamente não é uma coincidência. É exatamente o oposto. – Ele procurou os olhos do pastor e se recusou a desviar o olhar. – O senhor foi escolhido para morrer hoje. O senhor pessoalmente. Como aconteceu com os outros. E eu preciso descobrir por quê.

Niels se levantou e foi até a janela. A sala era no segundo andar. Uma redentora coberta branca de neve se assentara sobre a rua. No alto dos telhados, nos carros e nos bancos. Um grupo de policiais estava de pé na rua. Dois deles tinham se posicionado perto do carro onde Abdul Hadi estava sentado no banco traseiro com as mãos acorrentadas a um anel de ferro preso no chão do veículo. *Até aqui e não mais que isso*. Os policiais do serviço de inteligência já haviam interrogado Niels e Rosenberg. Os dois não poderiam comentar o que tinha acontecido. Era o que determinavam as leis relativas ao terrorismo. Investigações em andamento, para impedir outros ataques etc. Niels sabia perfeitamente que não poderia dizer uma única palavra sobre o incidente em nenhum lugar. Aquela história nunca havia acontecido. Somente nos arquivos secretíssimos da Dinamarca alguém poderia ler sobre o incidente. E a esses arquivos nem mesmo o primeiro-ministro dinamarquês tinha acesso. Niels conhecia as novas leis sobre terrorismo. Elas haviam introduzido uma cunha entre conhecimento e informação, de um lado, e a população dinamarquesa de outro. Censura. Nada menos que censura.

Quando Niels se virou, notou uma sombra atravessar o rosto de Rosenberg. Seus ombros estavam ligeiramente curvos. A reação, pensou Niels. Lá vem ela. Ele vai desmoronar agora. Está percebendo que ficou a apenas poucos segundos de ser retalhado por um louco. O que significa que ele é vulnerável.

– O senhor tem uma família com quem possa ficar esta noite? – indagou Niels.

O pastor não respondeu.

– Eu gostaria de providenciar um psicólogo para conversar com o senhor. Se isso ajudar.

Rosenberg apenas meneou a cabeça. Passou-se um momento constrangedor. Niels sentiu que ele queria desesperadamente conversar. Confessar. Isso fazia parte da sua natureza.

– Claro que o senhor não deve hesitar em me ligar se...
– O senhor se enganou.

Niels ficou muito quieto. Esperando.

– O senhor pegou o homem errado. – A voz de Rosenberg parecia profunda e distante. Como se vinda de outro lugar.

– O que o senhor quer dizer?

Silêncio.

– O que o senhor quer dizer com "o homem errado"? Aquele homem tentou matar o senhor.

– Não é ele o homem.
– O senhor o conhece, então?

Rosenberg hesitou. Depois balançou a cabeça, os olhos fixos na mesa. Niels se sentou.

46

Instituto Niels Bohr – Copenhague

A dor física era um bom sinal para um pesquisador. Um sinal de que a pessoa tinha ficado sentada por um tempo demasiadamente longo na mesma posição, não comera direito e não tomara nenhum líquido. Os cientistas se esqueciam dessas coisas quando uma reviravolta era iminente. Alguns cientistas do sexo masculino chamavam a situação de "dores do parto da descoberta". Hannah ignorou que suas costas estavam doendo e seu estômago roncava quando ela digitou no campo de busca: http://en.wikipedia.org/wiki/file:Pangea_animation_03.gif.
Ela olhou fascinada a curta animação que mostrava a deriva dos continentes. Eles pareciam estar navegando, com a América do Norte, a América do Sul e a Ásia, cada uma delas se movendo numa direção diferente. Mais uma vez ela olhou para as suas anotações. Era tão lindo. Tão simples, tão óbvio.

– Hannah? É você? – A secretária ergueu o olhar por sobre a tela do computador, atônita pela visão de Hannah entrando na sua sala.
– Eu posso usar o seu telefone?
– Como é que você está? Você não aparece aqui há séculos.
– Meu celular está lá em cima, na minha antiga sala. – Hannah parou para olhar direito a mulher. – Solvej?
– Como é que você está, Hannah?
– Eu só preciso fazer uma ligação. É importante.

Hannah pegou o aparelho enquanto olhava para o cartão de Niels. Solvej sorriu, balançando a cabeça.

– Oi, Niels, sou eu. Me ligue de volta quando puder. Eu descobri uma coisa realmente formidável. Algo... Quer dizer... é muito lindo. O sistema. E eu sei onde os outros assassinatos foram cometidos. – Ela desligou o telefone e olhou para a secretária. – É sobre uma série de assassinatos que foram cometidos em todo o mundo. Estou em contato com um policial que está procurando... – Ela se calou.

– Procurando o quê? – perguntou Solvej.

– Tenho tentado ver se eu poderia imaginar um tipo de sistema, e acho que consegui – prosseguiu Hannah.

– Eu não duvido.

– Você está bem, Solvej? Seu marido estava doente, pelo que eu me lembro.

– É verdade, ele estava com câncer. Mas agora está bem. Ainda precisa fazer controles de tempos em tempos, mas acho que ele venceu a parada. E você?

– Gustav me deixou.

– Ah, é uma pena. Acho que já deve fazer uns dez anos que eu o vi aqui pela última vez. Ele veio apanhar a Frodin. Eles iam para Genebra.

Hannah olhou para Solvej. Ela sempre havia gostado da secretária, a mãezona do instituto. Solvej se levantou e calmamente chegou até Hannah para lhe dar um abraço.

– É bom ver você de novo, Hannah. Eu nunca entendi nada do que se passa nessa sua cabeça, mas sempre gostei muito de você. Não hesite em me ligar se precisar de alguma coisa.

Hannah assentiu com a cabeça e saiu da sala.

47

Helligåndskirke – Copenhague

Desta vez Niels não pôs a mão sobre a taça quando o pastor lhe ofereceu outra dose.
– O nome dele era Khaled Hadi. Irmão do Abdul. – Rosenberg hesitou. Era um homem diferente que estava sentado diante de Niels. Já não tinha olhos sorridentes nem a atitude infantil. Sua voz era mais grave. Como se viesse das profundezas, do lugar de onde ele ia falar a verdade. – O senhor se lembra das fotos? Aquelas que o senhor viu no porão da igreja?
– Dos refugiados escondidos aqui?
– Isso. O senhor fez um comentário sobre uma das fotos. Disse que havia mais de doze pessoas nela.
Niels concordou.
– O senhor tinha razão. Eram catorze pessoas.
Niels deixou-o falar no seu próprio tempo. A experiência com entrevistas e interrogatórios o havia ensinado a entender as pausas. Elas eram a preparação para a decisão sobre uma escolha de palavras mais interessante, quando todas as frases clássicas e respostas surradas já haviam sido usadas.
O pastor se recostou na cadeira, respirou profundamente e então se levantou.
– Como o senhor sabe, em várias ocasiões eu usei a igreja para esconder pessoas cujo pedido de asilo tinha sido recusado. "Esconder" provavelmente não é a palavra certa, porque o que eu fazia não era segredo. Eu usei a igreja como um modo de tornar público o flagelo das pessoas que pedem asilo, como uma plataforma para as suas causas. Com grande sucesso, numa das ocasiões.

– Quando foi aprovada uma lei especial.

– Exatamente. Depois de muitos artigos que saíram na imprensa foi aprovada uma lei especial que permitia aos doze refugiados permanecer na Dinamarca. Eu ainda mantenho contato com alguns. Um deles inclusive é o meu barbeiro. – Rosenberg sorriu ao notar o olhar de Niels para o seu cabelo ralo.

– Nem todos eles se saíram igualmente bem. Alguns se mudaram para a Suécia. Três deles passaram um tempo na prisão. Um deles – um jovem do Sudão – se tornou jogador profissional de futebol.

– E os outros dois?

– O senhor tem razão. Havia outros dois. – Rosenberg hesitou. Niels sentiu que era a primeira vez que o pastor contava aquela história. – Um deles fugiu. Um palestino apátrida. Não tenho ideia do que aconteceu com ele.

– E o outro?

– Khaled.

– O outro era o Khaled? Irmão do Abdul Hadi?

O pastor assentiu com a cabeça.

– O que foi que aconteceu com ele?

– Ele morreu.

– Como é que foi isso?

– O Khaled Hadi era um provável terrorista. – Rosenberg deu as costas para Niels ao prosseguir. – Era o que diziam os documentos que eu recebi da polícia. E foi o que eles me falaram quando apareceram aqui. Um provável terrorista. Algo sobre como ele tinha sido ligado a várias ações terroristas e tinha contatos com terroristas conhecidos, embora não houvesse confirmação de que ele realmente havia empreendido uma ação terrorista. Mas... – Rosenberg buscou as palavras certas. Ele se sentou novamente. – Você sabe quem é o Daniel Pearl?

– O jornalista que foi assassinado?

– Isso. O jornalista americano que a al-Qaeda atraiu para uma armadilha em Carachi em 2002 e...

– Ele foi degolado.

Rosenberg concordou.

– Um caso medonho. Foi divulgado em todo o mundo.

– O Khaled teve alguma coisa a ver com esse caso?

– Eles achavam que sim. Seus colegas disseram que ele tinha encontrado o Pearl logo antes da morte dele. Assim, supuseram que quase certamente o Khaled havia ajudado a atrair o americano para a armadilha.

– O que esse sujeito estava fazendo na Dinamarca?

– Não sei responder. Ele pode ter entrado enquanto viajava com um nome falso. Não se esqueça de que a Dinamarca abrigou muitos terroristas internacionais das listas dos mais procurados. O grupo que estava por trás do atentado de 1993 ao World Trade Center tinha ligações em Århus.

O pastor prosseguiu:

– Eu estava sendo muito pressionado pelo PET, o serviço de segurança e inteligência da Dinamarca. Eles não queriam que se soubesse que um provável terrorista internacional importante estava em solo dinamarquês. Ao mesmo tempo o PET sabia que eles não podiam simplesmente entrar aqui e prendê-lo. Os outros refugiados iriam defendê-lo e as coisas ficariam fora de controle.

– Então estavam pressionando o senhor. Eles queriam que o senhor o entregasse?

– Exatamente. Mas a pior parte foram os outros refugiados.

– Os outros refugiados?

O pastor respirou fundo e fez um gesto afirmativo com a cabeça.

– Eu senti que tinha uma oportunidade de salvar os refugiados. Muitos jornais, alguns políticos importantes e amplos segmentos da população dinamarquesa me apoiavam. O momento era favorável a mim e aos refugiados. A opinião pública estava começando a ficar do nosso lado. Mas o Khaled Hadi era uma bomba-relógio sob aquela onda de solidariedade. Como as pessoas reagiriam se soubessem que eu tinha abrigado um suposto terrorista? O apoio desapareceria instantaneamente. Com terríveis consequências para os outros refugiados.

– Foi por isso que o senhor cedeu?

O pastor não respondeu. Ficou imóvel por um momento. Depois se levantou, foi até a estante e tirou um envelope de uma gaveta. Conservou-o nas mãos enquanto se sentava.

– Eu não sabia o que fazer. Inicialmente eu me recusei a fazer aquilo. Um homem perseguido havia me pedido refúgio. Como cristão, eu senti que era meu dever abrir a porta da minha casa para ele.

– A primeira pedra – disse Niels.

Rosenberg olhou para ele.

– É isso. A primeira pedra. Tratava-se de tudo o que eu vinha pregando havia anos.

– Mas o senhor tinha medo de que toda a simpatia pelos refugiados desaparecesse?

– Devagar, muito lentamente, começaram a surgir na minha mente imagens, apoiadas pelas informações do PET. Eu comecei a ver cenas: uma bomba dentro de um ônibus na Estação Nørreport. Talvez no metrô, no horário de pico. Ou num voo doméstico. Muita gente morta. Sangue correndo nas ruas. Finalmente eu resolvi que o risco era grande demais. Imagine se ele recebesse permissão para morar no país e se tornasse clandestino. Um dia eu abriria o jornal e leria sobre uma bomba terrorista no coração de Copenhague. E diriam que o terrorista tinha se refugiado na minha igreja. Que eu poderia ter impedido aquilo mas não fiz nada.

– Então o senhor o entregou?

O pastor assentiu com a cabeça.

– Como um Judas eu o atraí até a minha sala, exatamente aqui, onde três homens do PET estavam à espera.

Rosenberg fez uma pausa. Estava respirando com mais dificuldade. Finalmente ele prosseguiu:

– Nunca vou me esquecer do olhar que ele me deu. Um misto de desapontamento, desprezo, tristeza e raiva. Seus olhos diziam: "Eu confiei no senhor".

– E o que foi que aconteceu?

– Nada. Muitas semanas se passaram. Os outros refugiados receberam permissão de ficar. Mas então...

Lágrimas afloraram nos olhos de Rosenberg. Niels estava começando a gostar daquele homem.

– Um dia eu recebi isto. – Ele colocou o envelope na escrivaninha.

– O que é isso?

– Abra.

O envelope tinha imagens. Fotografias. Niels suspendeu a respiração. Mãos arruinadas, atadas a uma mesa. Um homem nu dependurado pelos braços, com um saco na cabeça. Niels se lembrou da imagem de Jesus. A última foto mostrava um cadáver ensanguentado, de cabeça para baixo, dependurado em algo que parecia um gancho de matadouro. Niels não foi capaz de dizer uma única palavra.

– Khaled Hadi. Seis semanas depois que eu o entreguei. Fotos secretas tomadas numa prisão do Iêmen.

Niels pôs as fotos de volta no envelope.

– O Iêmen é um dos piores países do mundo em termos de tortura. A maioria dos torturadores da Idade Média teria invejado a criatividade deles. Corrente elétrica nos testículos. Surras com cabos. Submersão em água gelada. Eles põem vidro triturado na comida e forçam as pessoas a comer essa mistura. Eu conversei com um médico sobre... tudo isso.

Niels olhou para Rosenberg. Ele tinha chamado um médico. Pessoalmente sofria todos os tormentos do caminho para a cruz.

– Como é que o Khaled foi parar no Iêmen?

O pastor encolheu os ombros.

– Não sei. As autoridades dinamarquesas foram competentes no encobrimento do caso. Nenhum jornalista soube dele. O PET discretamente se isentou de qualquer culpa declarando que o Khaled acabou no Iêmen depois de ter sido mandado para outro país onde ele era procurado. O PET o entregou para o país em questão – eles não dizem qual foi, mas sem dúvida eram os Estados Unidos –, que oficialmente não usam tortura. Do ponto de vista estritamente legal, eles têm as mãos limpas. Aliás há uma porção de áreas cinzentas. Mas e daí se eles o entregam para um país que não usa tortura, se esse país por sua vez o entrega a um país que tortura? Ele simplesmente foi passado adiante.

– Quem lhe mandou essas fotos?

– O Abdul Hadi. Ele queria que eu soubesse o que tinha feito. Queria que eu soubesse qual foi o destino do Khaled.

– Então o Abdul Hadi ia matar o senhor para se vingar?

– Vingar. Isso.

Os dois ficaram em silêncio. O pastor olhou para a garrafa de uísque. Niels viu que ele travava uma luta consigo mesmo. Queria mais uma dose, mas achava que não devia fazer isso. Niels conhecia bem essa luta.

– Eu não acredito que o Khaled tivesse relação com o assassinato do Daniel Pearl. Ele nunca esteve no Afeganistão. Era um bom sujeito. – Rosenberg olhou Niels nos olhos. – Eu atirei pela janela toda a minha capacidade de julgamento.

O pastor perdeu a luta e se serviu de mais uma dose. Pela primeira vez Niels percebeu na pele sob os seus olhos os vasinhos sanguíneos rompidos.

Niels ouviu vozes na praça da igreja. Os policiais estavam conversando. Ele olhou para o pastor sentado à sua frente. Imagens se fundiam na sua cabeça: Abdul Hadi. A corrida atrás dele na Strøget. As marcas perturbadoras nas costas das vítimas assassinadas. Os vários casos de homicídio. Sarah Johnsson. Vladimir Zhirkov. As pessoas boas.

Niels estava se agarrando em palha. Nada daquilo tinha sentido. Ele não conseguia fazer as peças se ajustarem. A voz do pastor interrompeu seus pensamentos. Ele havia perguntado alguma coisa?

– Então eu não sou um dos trinta e seis justos.

Niels lhe dirigiu um sorriso indulgente.

– Não é provável que essa seja a teoria que está no topo da lista da Interpol, de qualquer forma.

– Talvez devesse estar.

– Bem, talvez você esteja certo.

Rosenberg se levantou. Tinha aliviado o seu coração.

– O meu trabalho é o oposto do seu.

– Como assim?

– O senhor precisa encontrar provas para fazer as pessoas acreditarem.

Niels sorriu.

– E o senhor precisa fazer as pessoas acreditarem sem provas. – Ele queria dizer alguma coisa que ajudasse o pastor a se livrar da culpa. – Talvez o PET estivesse certo – disse ele. – Talvez o senhor tenha agido certo, afinal de contas.

Um suspiro forte escapou de Rosenberg.

– Quem é que sabe o que é certo? Um famoso poeta sufi chamado Rumi escreveu uma história sobre um menininho perseguido por sonhos com um monstro do mal. A mãe do menino o consola dizendo que ele só devia pensar nela e no monstro do mal indo embora. "Mas mãezinha", diz o menino, "e se o monstro também tiver uma mãe?" – Ele sorriu. – O senhor entende o que eu quero dizer? As pessoas más também têm mãe, sr. Bentzon. Mães que as consolam e lhes dizem que elas estão fazendo o que é certo. Para elas, nós somos o monstro.

Flocos macios de neve caíam do céu dançando. Havia algo de despreocupado no seu movimento pelo ar frio e claro. Os policiais já iam partir. Niels se virou para o pastor.

– Não hesite em me procurar.

Rosenberg assentiu com a cabeça. Ia dizer alguma coisa, mas um dos policiais se aproximou e entregou a Niels um pacote.

– O que é isto?

– É de Veneza. Chegou pelo correio da embaixada esta manhã.

Niels abriu o pacote. Uma fita cassete com caracteres chineses no rótulo. Ao pôr no bolso a fita ele se perguntou o que ela conteria.

– Há outra possibilidade – disse Rosenberg.

Niels olhou para cima. O pastor parecia estar congelando.

– Outra possibilidade?

– Talvez Deus esteja deliberadamente levando os trinta e seis justos.

– O senhor quer dizer que Deus é assassino?

– Eu não vejo a coisa assim. Se o senhor aceita Deus, o senhor também aceita que a morte não é o fim. Pense no caso como se Deus estivesse levando essas pessoas para casa.

– Deus está levando para casa as suas melhores pessoas?

– Mais ou menos isso.

As portas do carro da polícia bateram. O motor começou a funcionar.

– Mas por que Deus faria isso?

O pastor deu de ombros.

– Talvez para nos pôr à prova.

– Nos pôr à prova?

– Para ver como nós vamos reagir.

Niels deu um passo de lado para que o carro pudesse partir. Ele olhou para Abdul Hadi no assento traseiro. O que viu parecia um animal ferido. Não um monstro.

– Ou se vamos ter alguma reação.

48

Nørrebrogade – Copenhague

A loja que vendia rádios não parecia grande coisa, espremida entre uma pizzaria e um brechó. Oito televisores empilhados um sobre o outro transmitiam informações do Bella Center: o mundo está prestes a afundar. Este é o último apelo. Niels pôs sobre o balcão a fita cassete com os caracteres chineses no rótulo e tentou chamar a atenção do adolescente letárgico.

– O que é isso? – indagou o funcionário.
– É uma fita cassete. Estou procurando um aparelho para poder ouvi-la. Você tem?
– Não faço a menor ideia.

Niels olhou para ele. Esperando. Nada aconteceu, e então ele desistiu.

– Você pode procurar para mim?
– Já vai. – O adolescente se voltou e gritou:
– Pai! – A voz dele, prestes a mudar, feriu os ouvidos de Niels e o fez pensar nos filhos que ele não teve. Eles estariam mais ou menos com a mesma idade daquele rapazinho, se Kathrine tivesse engravidado quando o casal começou a tentar – um processo vão que se estendeu por anos.

Um homem de meia-idade com o cabelo muito emplastrado apareceu nos fundos da loja.

– Fala! – disse ele num tom irritado.
– Um aparelho que toque fita cassete. Eu estou procurando um aparelho para ouvir isto.

O homem olhou para a fita, deu um risinho e desapareceu nos fundos da loja. Niels se afastou um pouco para atender o seu celular.

– Alô!

– Eu acho que encontrei a coisa, Niels.

– O que foi que você encontrou?

– O sistema. É tão lindo, Niels. Tão incrivelmente lindo. Quer dizer, se...

– Comece do começo, Hannah. Eu estou um pouco cansado.

– Mais tarde eu explico tudo. Mas preste atenção nisto: eu sei onde os outros assassinatos aconteceram. Todos eles.

– Os outros assassinatos?

– É! Com base na teoria de que é uma cadeia ininterrupta de eventos – o último número que nós temos é trinta e quatro. Um total de vinte e um foi encontrado. Assim, faltam treze assassinatos, mas eu sei onde temos de procurá-los. Um em Santiago, um em Hanói, um em Belém, um na Cidade do Cabo, um em Nuuk...

Niels a interrompeu.

– Espere aí. Eu não tenho a menor condição de conferir todos esses casos. O que, exatamente, você quer que eu faça?

Nenhum deles falou por um bom tempo.

Então Niels perguntou:

– Você disse Cidade do Cabo?

– O que eu estou dizendo é que... Não: o *sistema* diz que o assassinato número catorze foi cometido na sexta-feira, dia 24 de julho, na hora do crepúsculo em Khayelitsha, um subúrbio da Cidade do Cabo. Posso lhe remeter a latitude e a longitude exatas.

– Faça isso. – Niels foi interrompido pelo proprietário da loja, que soltou no balcão um velho toca-fitas.

49

Cidade do Cabo – África do Sul

Poderia ser uma pintura. O oceano Índico. As palmeiras. Ao se sentar na sua sala, no décimo segundo andar, Kathrine frequentemente pensava nas fotos de estúdio encomendadas pelos seus pais, que quando criança ela sempre tirava junto com a irmã.

Eles iam de carro da sua casa no campo até a cidade de Roskilde. Já de longe eles viam as duas agulhas da catedral, pontudas como furadores, apontando para o céu, para Deus, como uma declaração de guerra: "Não se aproxime nem mais um centímetro".

Kathrine adorava a cidade. Roupas novas, um supermercado gigantesco onde eles sempre se perdiam nos intermináveis corredores de geleias e temperos. E a escada rolante. Kathrine tinha um pouco de medo dela. Mas a escada rolante as levava até o andar onde a foto era tirada. Ela e a irmã nunca podiam escolher o panorama de fundo, mas o fotógrafo sempre lhes mostrava as opções. Primeiro ele descia um pano de fundo que apresentava um cenário de floresta. Árvores cobertas de musgo bem no meio da mata, onde a luz do sol só brilhava quando as árvores perdiam todas as suas folhas. Sua irmã tinha um gosto terrível e sempre queria algo com muitas cores, preferivelmente cor-de-rosa. Depois havia o cenário de praia. Era por esse que Kathrine era apaixonada, mas sua mãe se recusava terminantemente a aceitá-lo. Kathrine nunca havia entendido por que não lhe permitiam escolher aquele fundo. A foto desse panorama tinha sido tirada de um plano ligeiramente superior à praia, como se a pessoa estivesse sentada nas dunas e olhando para o mar. Eles normalmente precisavam resolver a questão com uma solução de compromisso: uma clareira na floresta, com as árvores recuadas à distância. Só Deus sabe que tipo de tendências sexuais subconscientes estavam latentes na escolha de cenário feita pela sua mãe. Ou que tipo de repressão a motivava. Kathrine se fazia essa pergunta. Ela achava que talvez estivesse sentada ali naquele escritório, naquela parte do mundo, porque a vista se parecia com o cenário que lhe tinham negado na sua infância. Ela queria claridade, mas sua mãe insistia no crepúsculo escuro, que correspondia melhor à atmosfera doméstica. O pai de Kathrine sofria de "buracos negros", como a mãe se referia ao seu problema. Hoje o rotulariam de maníaco-depressivo. Não que algum dia ele tenha sido particularmente maluco. Se pelo menos ele tivesse exibido um pouco de comportamento maluco, como os que Kathrine havia visto descritos na internet: pais que ou estavam deprimidos ou eufóricos. Quando estavam eufóricos, tudo era possível: viajar, comprar um carro novo, mudar-se para outro país. As coisas não tinham sido assim no seu lar quando ela era criança. O velho era reservado, mas mais ou menos normal, ou então não dizia nada e ficava sentado imóvel como um lagarto durante semanas a fio.

Ali ela dispunha de ar-condicionado e janelas à prova de som. Marc estava pairando um pouco adiante na área aberta de escritórios onde as secretárias e os arquitetos e engenheiros mais jovens tinham sua mesa. Ele estava procurando um pretexto para entrar novamente na sala dela. Kathrine se perguntava se queria ir para a cama com ele. Tinha acontecido um flerte entre eles, quanto a isso não havia dúvida. A ideia de fazer sexo com Marc tinha sido mais instigante quando ela achava que Niels viria visitá-la. Agora que ele não vinha e que ter um caso se tornara uma possibilidade real, ela não tinha certeza. Marc tentava cruzar seu olhar com o dela através das paredes de vidro. Ela se virou para olhar pela janela. A vista proibida da sua mãe. O mar. A luz.

– Oi, Kathrine. – Marc estava de pé no vão da porta, com a pélvis quase imperceptivelmente projetada.

– Oi, Marc.

– Não vai descansar? – Ele falava um inglês com o típico sotaque bôer sul-africano que nada tinha de *sexy*.

– Estou só mandando o último relatório – respondeu ela.

– Seu marido não vem?

Ele sabia perfeitamente que Niels não vinha. Naquele momento Marc era tudo menos fascinante. Kathrine sentiu os olhos marejarem.

– Desculpe, Marc. Eu realmente preciso ficar sozinha.

Marc olhou para ela com uma expressão que era um pedido de desculpa. Ele não era do tipo insistente, e Kathrine sabia disso. Era um homem agradável. Não tinha culpa se ela escolhera se casar com um homem que tanto a fazia lembrar o pai. Ela havia passado muito tempo imaginando como aquilo podia ter acontecido. Não tinha encontrado uma resposta, mas aprendera a admitir que as pessoas adultas frequentemente acabam escolhendo alguém que é uma cópia do pai ou da mãe – normalmente aquele com quem elas ainda têm problemas. Como era o caso dela com o pai e o seu temperamento soturno.

Nem sempre as coisas tinham sido daquele jeito. No início Niels não lembrava o seu pai, de modo algum. Tinha um temperamento calmo, mas não caía em buracos negros. Nessa época eles riam muito quando estavam juntos. Sempre. E ele parecia ambicioso. Ou ela simplesmente imaginara isso? Talvez. Será que nós, seres humanos, temos um aparelho capaz de selecionar as pessoas que mais tarde na vida irão se parecer com a mãe ou o pai que era difícil? Ou nós as fazemos ficar assim? Será que nós podemos fazer alguém assumir o papel?

Kathrine olhou pela janela. As cristas das ondas pareciam bolhas de champanhe. Ela recebeu uma mensagem de Marc. "Perdão." Ao se voltar, viu-o de pé no meio da sala, parecendo em total desalento. Era um homem bonito. Nesse instante o celular tocou. "Niels", ela leu na tela.

– Eu estava sentada aqui pensando em você – disse ela.

– O que é que você estava pensando?

– Nada que você vá gostar de ouvir.

Ela sorriu para Marc. Ele era infinitamente mais *sexy* agora que ela falava com Niels no telefone. Mas a ideia de Marc ser seu amante a repugnava.

– Preste atenção. Eu não fui visitar você porque...

Ela o interrompeu.

– Eu acho que sei por quê, amor.

– Não. Você não sabe. Eu estou trabalhando num caso. Um homicídio. E é um caso realmente complicado.

Ele fez uma pausa para impressionar, antes de começar a contar tudo para Kathrine. Os assassinatos, os locais dos crimes, os números nas costas das vítimas. Kathrine ouviu calada. Não se manifestou nem mesmo quando ele expôs a teoria sobre uma morte, um assassinato não comunicado, em Khayelitsha. Então Niels ficou em silêncio. Esperando. Não falou sobre Hannah.

– Você mudou de departamento? – perguntou ela finalmente.

– Não. Não é bem isso. A questão começou como um caso rotineiro. Eu precisava advertir alguns cidadãos dinamarqueses que poderiam se tornar vítimas. Foi assim que eu fui envolvido.

– E é por isso que não vem?

Niels fez uma pausa para pensar. Ele queria dizer que sim. Que a sua ambição exigia que ele ficasse na Dinamarca para trabalhar no caso. Kathrine gostaria de ouvir isso. Ela sempre criticava a sua falta de ambição. Isso e muitas outras coisas.

– Acho que é isso.

– *Você acha que é isso?*

– Eu não sei o que há por trás de tudo isso, Kathrine. Mas tenho a impressão de que é importante e preciso da sua ajuda.

– Você quer que eu vá até Khayelitsha?

– Exatamente.

– Niels, não é um lugar seguro para uma mulher branca. Khayelitsha é uma das piores favelas da África do Sul. E isso diz muita coisa.

Niels não respondeu. Persuadir Kathrine a fazer alguma coisa seria uma batalha perdida. Ela precisaria se persuadir. Não era um silêncio cômodo. Ele ficou surpreso ao ouvi-la dizer, sem apresentar nenhuma outra objeção:

– Tudo bem.

50

Vesterbrogade – Copenhague

Um pedacinho da China tinha se introduzido entre duas lojas de roupas na Vesterbrogade.

O restaurante se chamava O Bambu Dourado. "Restaurante" era um eufemismo para um lugar que tinha somente umas poucas mesas de plástico, uma minúscula cozinha aberta e na janela um rosto com um sorriso tristonho, que os proprietários tinham tentado esconder atrás de uma palmeira de plástico. O inspetor do serviço de vigilância sanitária escrevera com tinta vermelha um comentário severo: "Precisa de melhorias na higiene dos alimentos". Niels tentava proteger da neve o toca-fitas quando entrou no estabelecimento. Lá dentro estava quente. Alguém lhe havia dito que os asiáticos eram muito educados. No entanto aqueles indivíduos pareciam ter esquecido isso, porque na cozinha estava acontecendo uma guerra. O chefe – o único que vestia terno – esbravejava com a equipe da cozinha.

Niels limpou a garganta sem nenhum resultado. Então avançou até um pequeno balcão com uma caixa registradora e depositou nele o toca-fitas. E esperou. Olhou em torno de si para plantas de plástico em vasos dispostos no peitoril das janelas. Na parede um mapa da China. Um enorme cartaz de propaganda da Olimpíada de Pequim. Um cardápio: macarrão, broto de bambu, bolinhos primavera, bife Kung Pao. Havia um televisor ligado e o programa que estava sendo transmitido falava da conferência sobre o clima. Um homem alto e corpulento, do grupo de ilhas de Vanuatu, no Pacífico Sul, tinha lágrimas nos olhos enquanto discursava contra os países industrializados – especialmente a

China – que exploravam o ambiente. Suas palavras pareciam se dirigir a ouvidos moucos, porque nas fileiras da frente havia muita conversa. Alguns delegados finlandeses estavam disfarçando o riso a propósito de algo que os telespectadores desconheciam. A maioria dos participantes da conferência parecia achar que o grupo das ilhas de Vanuatu e todos aqueles problemas não iam privá-los do seu sono embelezador.

– Eles querem pegar a gente.

Niels se voltou e viu o chinês mais velho, num terno um pouco acima do seu número.

– Por que é que culpam sempre a gente? – disse o homem. – Sempre é a China. A China leva a culpa de tudo. – Ele dirigiu a Niels um sorriso amargo. – O senhor quer uma mesa?

– Eu sou da polícia de Copenhague. – Niels mostrou sua identidade policial. Procurou detectar alguma reação mínima no rosto do homem, mas não viu absolutamente nada.

– Preciso que me traduzam isto. – Ele não deu ao homem tempo para pensar antes de apertar o botão "Play" no toca-fitas.

– O que é isso?

– O senhor pode me dizer o que é que estão falando na fita?

Eles ouviram. A gravação durava cerca de um minuto. Parecia uma conversa telefônica. Isso Niels já havia imaginado. Um homem ligando para uma mulher. Aparentemente ele estava pedindo ajuda. Sua voz denotava um pânico crescente.

A fita parou.

– O senhor entende o que eles dizem?

– Ele está sofrendo. O homem da fita.

– Isso eu consigo perceber. Mas o que é que ele diz?

– Ele está perguntando: "O que é que está acontecendo?" O senhor entendeu?

– Não. Quer dizer, entendi o que o senhor está me dizendo, mas não o significado.

O homem interrompeu Niels.

– Toque outra vez.

Niels voltou a fita. Então o gerente convocou alguém da equipe da cozinha. Um jovem veio se juntar a eles, parecendo um tipo submisso. Depois de uma conversa em chinês, o gerente apertou o botão "Play".

– Mais alto – disse o gerente.

Niels aumentou o volume. Era difícil fazer o som da fita se superpor ao barulho que vinha da cozinha.

– O senhor entende o que eles estão falando? – indagou ele.

O jovem traduziu. E então o gerente traduziu para o dinamarquês o que ele havia dito.

– O homem da fita está dizendo: "O que é que está acontecendo? Está tão quieto. Meu Deus. O que é que está acontecendo comigo? Está tão quieto. Vênus. E a Via Láctea".

– Vênus e a Via Láctea? – Niels rebobinou novamente a fita para ouvi-la mais uma vez. Não havia silêncio na fita. Pelo contrário. No fundo um sino estava batendo; ouviam-se vozes altas e sons de trânsito.

– Tem muito barulho. Não está quieto de modo algum. Você tem certeza de que é isso que ele está dizendo?

– É isso mesmo. Ele é de Pequim – disse o gerente, dando mostras de ter perdido o interesse naquela conversa que não tinha nada a ver com ele.

– Então ele está conversando sobre como está quieto apesar de haver muito barulho?

Niels dirigiu a pergunta para o homem mais jovem, que respondeu num dinamarquês um tanto macarrônico.

– É o que ele diz. "O que é que está acontecendo? Está tão quieto. Meu Deus. O que é que está acontecendo comigo? Está tão quieto. Vênus. E a Via Láctea."

Niels se perguntou por que Tommaso achara tão importante ele ouvir aquela fita.

Está tão quieto.

51

Entre a Cidade do Cabo e Khayelitsha – África do Sul

A maioria das pessoas que foram à África conversou depois sobre o fenômeno, especialmente aquelas que tinham penetrado bem no interior. Longe dos turistas, da cobiça e das inevitáveis equipes de televisão europeias que queriam fazer filmes sobre todo aquele sofrimento. "Era uma questão de entrar em acordo com a morte." No interior – a artéria que batia tão ferozmente para os seres humanos aos quais era permitido se arrastar para fora do atoleiro – era possível sentir as próprias origens da espécie humana. Embora a cor original tenha sido clareada, foi dali que nós viemos. Podia-se sentir isso. *A terra*. O lar assumia um significado totalmente novo.

A primeira vez que Kathrine foi à savana ela chorou. Chorou como uma filha que tinha voltado à casa paterna para ser abraçada. Estava pronta para morrer ali. Marc não se sentiu do mesmo modo. Ele tinha crescido na África. Adorava o lugar, mas não estava pronto para morrer. Por isso tinha contratado guarda-costas para acompanhá-los. Três zulus chegaram à tarde. Com largos sorrisos. Rindo alto do que quer que Kathrine lhes dissesse.

Eles tinham metralhadoras e espingardas. Bobby, Michael e Andy. Todos os africanos tinham nomes diferentes para diferentes situações, exatamente como os artistas europeus e americanos. Um nome para os brancos e o seu nome real, que eles nunca revelavam. Não gostavam que lhes perguntassem.

– Khayelitsha?
– Isso.
– Por que a senhora quer ir lá? – perguntara um deles, rindo novamente. – Lá não tem nada, não tem nada – ele ficava repetindo.

— Isso é realmente necessário? – indagou Kathrine quando Marc pôs uma pistola no porta-luvas da picape empoeirada.

— Kathy. — Ele se voltou para ela com um sorriso. Ela não gostava de ser chamada de Kathy. — Nós não estamos na pacífica Escandinávia. Isto aqui é a África do Sul. Você precisa de uma arma. — Ele tinha provavelmente os dentes mais brancos do mundo inteiro.

— Mas... — Ela se calou. Algo na expressão dele a fez hesitar. Ele nem precisava dizer em voz alta. Ela sabia o que ia pela sua cabeça. "Mas o que uma mulher mimada de um país de conto de fadas como a Dinamarca sabe sobre isso?"

Os zulus os seguiam de perto no seu veículo, e Marc não os perdia de vista, olhando no espelho retrovisor.

— Um assassinato, hem? — disse ele.

Kathrine sorriu e encolheu os ombros.

— Eu sei. Assassinato é o que mais acontece na África do Sul. — Ela acendeu um cigarro. Uma coisa era boa na África: podia-se fumar até morrer sem encontrar uma muralha de olhares de censura. Ali a morte fazia parte da vida. A morte estava presente de um modo totalmente diferente daquele a que estamos acostumados. Conosco é quase uma surpresa quando a morte um dia aparece e bate na porta. Como se nunca pensássemos que um dia a festa acabaria.

Muita vida e muita morte. Assim era a África. Na Dinamarca era exatamente o contrário. As pessoas não viviam de verdade. E oficialmente a morte não existia. Tudo o que restava era uma existência em que um dia se seguia a outro e ninguém percebia de fato.

Ela tossiu. Os cigarros locais eram fortes. Tinha sido um dia cansativo. Reuniões. Ligações telefônicas intermináveis. Naquela manhã ela havia encontrado cento e nove *e-mails* não respondidos na caixa de entrada do seu correio eletrônico. No dia seguinte seria a mesma coisa.

— Em que lugar de Khayelitsha? — A voz de Marc era rude e masculina. Esse era um ponto positivo.

Ela lhe entregou um bilhete com as coordenadas do GPS e um endereço aproximado. Fora preciso um grande esforço — e a ajuda dos especialistas em tecnologia de informação da empresa — para converter as coordenadas do GPS de Niels em um endereço real.

— Tudo bem. — Ele lhe dirigiu um sorriso indulgente. Ele era tudo o que Niels não era. Marc não tinha lados ocultos, seu humor não mudava sem explicação, não havia abismos mentais em que ela caía. Ele era apenas Marc. Extremamente agradável e ligeiramente enfadonho.

    Eles rodaram por uma rodovia de doze faixas com um asfalto negro brilhante que tinha sido recém-aplicado. Marc bebericava um café e ligou o rádio, mas depois mudou de ideia e desligou-o. Kathrine olhou para trás. No outro veículo Andy acenou e lhe dirigiu um sorriso largo. A temperatura lá fora era de vinte graus e meio e o ar estava muito seco, cheio de gases de escapamento, poeira e areia, soprada das vastas savanas até ali. Guindastes se elevavam no horizonte, como se a poluição tivesse provocado uma mutação nas girafas da África, que atingiram alturas grotescas. Estrada em obras, trabalhadores suados misturando terra e cimento, sons de britadeiras e máquinas de pavimentação, com pontes e pistas sendo reparadas e melhoradas.

    – Você conhece Bill Shankly? – Marc avançou um sinal vermelho.

    – Não.

    – Um lendário jogador de futebol de Liverpool. Uma vez ele disse qualquer coisa do tipo: "Algumas pessoas acham que o futebol é uma questão de vida ou morte. Eu acho que esse tipo de atitude é desapontador. Posso garantir a todos vocês que ele é muito mais importante que isso". – Marc olhou para Kathrine e riu. – Se você vê o que está acontecendo na África do Sul agora, com a Copa do Mundo para começar daqui a apenas sete meses, você tem de admitir que Bill Shankly tinha razão. Quer dizer, só por causa de uma pequena bola de couro o mundo inteiro está se preparando para mudar. Pelo menos externamente – acrescentou ele.

    Kathrine olhou pela janela.

    Numa transição imperceptível, a moderna metrópole ocidental estava agora cedendo lugar à grande cidade africana tão divulgada pela mídia: favelas, desespero, lixo, calor e poeira. Era impossível dizer onde começava Khayelitsha. Eles tinham transposto de carro uma linha divisória invisível, e a partir daquele momento não havia mais esperança. Tudo o que restara era a sobrevivência pela sobrevivência. A luta diária para encontrar alguma coisa para comer e beber e para evitar ser vítima de algum crime aleatório. Na África do Sul havia cinquenta mil assassinatos por dia. A cada trinta segundos uma mulher era estuprada.

Khayelitsha – África do Sul

    Marc parou o carro e esperou alguns segundos até o veículo com os guarda-costas voltar a ficar bem atrás deles. As ruas estavam se estreitando, as casas eram menores: cabanas, galpões feitos de lata ondulada, casas de pau a pique, calhambeques empoeirados e cachorros por toda parte. Com o rabo entre as pernas, eles seguiam mancando, rosnando e visivelmente sedentos. Em Khayelitsha as crianças não brincavam. Isso foi uma das primeiras coisas que Kathrine observou. Elas apenas ficavam nas ruas, olhando e fumando cigarro. Um garoto chutava uma bola de futebol. Sua camiseta costurada em casa tinha nas costas o nome MESSI. Uma mulher estava gritando com os filhos. Eles não lhe davam atenção. O que mais incomodava Kathrine era o lixo. Havia lixo por toda parte. Garrafas de Coca-Cola. Latas. Sacolas plásticas, pneus de carro, embalagens descartadas. O fedor de poeira, calor, urina e desesperança inevitavelmente penetrava no carro.

Marc seguiu o GPS, virando primeiro à direita e depois à esquerda. A poeira cobriu imediatamente o para-brisa como uma película marrom que emprestava a tudo um ar de irrealidade.

Kathrine costumava evitar ao máximo os locais pobres da cidade, o que fez da África do Sul um lugar agradável para a sua estadia. Durante os primeiros meses ela passava o tempo no escritório, no hotel e em restaurantes e cafés do centro financeiro da cidade. Ela quase conseguia esquecer onde estava. Poderia ser Nova York ou Londres durante um verão quente.

Marc estava falando de um dos seus colegas, que ele considerava um idiota. Kathrine ouvia só com meio ouvido. Quando ele mudou de assunto, ficou evidente que ela não estivera prestando atenção.

– Kathy?

– Oi.

– E hoje à noite? – Ele parou o carro e olhou para ela. – Eu conheço um restaurante indiano muito bom.

Kathrine lhe devolveu o olhar. Marc acabara de convidá-la para um encontro romântico. Havia semanas ele ensaiava essa investida. Ela sabia que isso ia acontecer; tinha esperado esse convite, mas ainda assim foi pega de surpresa. Ele sorriu. Aqueles dentes brancos. Seu sorriso dizia que no convite havia mais que um jantar num restaurante. Kathrine não tinha dúvida de que se aceitasse acabaria indo para a cama com ele. Marc estava lhe oferecendo o pacote completo. Comida, bebida e sexo. Ela queria dizer sim. Seu corpo queria dizer sim. Ela sentia uma impressão de calor no fundo do estômago.

– Por que você está parando? – indagou ela.

Ela havia esperado que ele lhe exigisse uma resposta. A ideia de que ela precisaria dar essa resposta a estava instigando agradavelmente. O colarinho da camisa dele estava desabotoado, revelando um peito bronzeado, musculoso. Assim,

talvez ela tenha ficado um pouco desapontada quando Marc aceitou a sua indecisão e simplesmente disse, enquanto apontava para o GPS:
— Estamos aqui.

Kathrine não sabia o que tinha esperado encontrar, mas não havia nada especial naquela moradia, fora o seu isolamento em relação ao restante da favela – a casa estava sozinha num raio de vários metros quadrados. Pilhas de lixo formavam uma fronteira que separava a favela do início da natureza.

Ela achou que Marc tinha lido errado o GPS. Por que Niels a faria ir até aquela casa – aquele barracão insignificante no meio de uma favela interminável, com milhões de outras casas? Deve ter havido algum engano. Por outro lado, a única coisa que ela sabia sobre a casa era que, pelo jeito, em julho havia acontecido um assassinato dentro dela. Niels não lhe tinha contado nada mais, mas por que isso não seria plausível?

Marc ficou no carro. Os três guardas tinham descido do carro e um deles ficou alguns metros atrás de Kathrine.

Ela atravessou a rua, que era pouco mais que uma faixa de terra irregular e seca. A porta parecia ter vindo de um armário velho e fora posta ali apenas para manter as aparências. Muitos jovens estavam chutando uma bola de trapo fora da casa. Um deles gritou:
— Vai se foder, branquela! — e riu com os outros. Andy gritou algo em zulu, mas parece que isso não amedrontou os meninos.

Kathrine bateu na porta e esperou. Não aconteceu nada. Ela bateu novamente. Receava quebrar a porta. Por fim uma velha desdentada a abriu e ficou olhando para Kathrine como se ela fosse ar.
— Olá — disse Kathrine dando-se conta de que não tinha a menor ideia do que dizer. — A senhora mora aqui? — Sem resposta. Kathrine percebeu que a mulher era praticamente cega. Seus olhos estavam cobertos por uma sombria nuvem cinzenta. Muita gente na África era cega. — A senhora fala inglês?

Kathrine já ia se virar para chamar Marc quando a mulher disse em inglês:
— Meu filho não está em casa.
— Seu filho?
— Eu estou tomando conta da casa.
— Tudo bem. — Kathrine esperava que a mulher a convidasse para entrar, mas isso não aconteceu. — Eu vim aqui para descobrir se... Meu nome é Kathrine. Eu não sou da África do Sul. — Ela já havia notado que normalmente essa frase

costumava ter um efeito positivo sobre a população local. Os europeus eram populares, ou pelo menos mais populares que outros brancos.

Somente então o rosto da mulher denunciou uma reação. Sob um dos olhos surgiu um tique nervoso. Ela ergueu a voz.

– Anistia?

Antes que Kathrine pudesse dizer que não, a velha pôs a cabeça para fora da porta como se quisesse olhar em torno.

– Quantos vieram?

– Meu colega está sentado no carro – disse Kathrine. – E conosco estão três guarda-costas.

– Já era hora de vocês aparecerem.

A velha deu meia-volta e desapareceu dentro da casa. Se não fosse cega teria visto o grande letreiro pintado na lateral da Land Rover: DBB ARQUITETOS. De dentro da casa ela chamou:

– Entre, Anistia!

Algumas cadeiras bambas, uma mesa e uma cama muito mal-acabada. Sobre a cama um cartaz mostrando o time de futebol sul-africano. Acima dele haviam escrito na parede: "Bafana, Bafana. Deus está do seu lado".

A velha ofereceu chá a Kathrine, servindo-lhe uma xícara antes que ela respondesse.

– Chá de rooibos. Faz bem – disse ela. – Limpa a mente. – Kathrine olhou para o líquido turvo na chávena.

– O que é que vocês estão pensando em fazer para tirar ele? – perguntou a velha. – Ele não matou ela. Vocês entendem? O que é que vocês vão fazer?

Kathrine engoliu com força. Eu preciso lhe dizer que não sou da Anistia Internacional, pensou ela. Mas em vez disso ela disse:

– Talvez fosse melhor a senhora me falar um pouco sobre o que aconteceu.

– Ele não matou ela. A mulher da fábrica. Ele é inocente, exatamente como o Mathijsen dizia.

– Quem?

– O Mathijsen – repetiu a velha. Um leve sorriso passou pelos lábios dela e as rugas da sua sobrancelha pareceram relaxar quando ela pensou naquele Mathijsen. – Era um homem bom. Ele nos ajudou.

A mulher falava depressa e Kathrine tinha dificuldade em entender o que ela dizia.

– Mat... – começou Kathrine.

– Mathijsen. O advogado do meu filho. Joris Mathijsen.

– E quem é ele? – perguntou Kathrine. – É ele que o seu filho é acusado de ter matado?

– Não! Não! – A velha balançou a cabeça. – Mathijsen morreu aqui, nesta casa. Ele queria nos ajudar.

– Eu não estou entendendo. O advogado morreu aqui? Quando foi isso?

Antes que a mulher começasse a contar a história, Kathrine foi buscar Marc no carro.

– A velha pensa que nós somos da Anistia Internacional – murmurou ela. – Acho que nós não devemos tirar dela essa esperança.

Dentro da casa, Marc meneou a cabeça educadamente para a mulher e quando viu que ela não enxergava a cumprimentou. Embora fosse óbvio que a velha já havia contado a história muitas vezes, havia na sua voz um calor quando ela a narrava.

Seu filho, Benny, trabalhava numa fábrica de calçados em Durbanville. Mas atiraram nele e no tumulto que se seguiu esfaquearam a filha do proprietário e ela morreu. Foi assim que a velha descreveu os acontecimentos. Acusaram Benny de assassinato. Alguém cujo nome Kathrine não entendeu disse posteriormente que Benny estava a muitos metros da moça, sendo impossível que ele a tivesse matado. Era uma situação sem esperança para Benny. Ele não tinha dinheiro para contratar um bom advogado.

– Mas então apareceu o Joris Mathijsen.

Marc sabia quem era esse homem. Ele era conhecido como um dos cérebros que estava por trás da Comissão da Verdade e da Reconciliação, que trabalhou de 1995 a 2000 para expor as violações dos direitos humanos ocorridas durante o apartheid. A comissão era totalmente diferente dos outros tribunais, porque não estava interessada em punir as pessoas. Ela oferecia anistia para os criminosos que estivessem dispostos a apresentar um relato completo do que tinham feito. Se dissessem a verdade, eles poderiam ficar livres. Como Mathijsen – que estava havia muito tempo longe das atenções do público – tinha chegado até Benny ninguém sabia. A velha não podia explicar isso. Ela só sabia que Benny e Mathijsen tinham se encontrado várias vezes na prisão e que Benny inclusive tinha ficado bem mais esperançoso depois de se encontrar com o experiente advogado de defesa. No dia 24 de julho, Mathijsen foi a Khayelitsha visitar a casa onde Benny passara a infância. Ele bebeu chá com a velha e lhe prometeu tirar Benny da prisão.

– Ele prometeu. Vocês entendem?

Quando já estava indo embora, o advogado viu uma sombra passar pelo pátio no fundo da casa. Inicialmente ele ia ignorá-la, mas depois resolveu investigar. A velha ficou dentro da casa. Passaram-se muitos minutos. Ela não ousou sair da casa. Mas finalmente reuniu coragem e foi lá fora; encontrou Joris Mathijsen deitado de costas com os braços abertos de cada lado do corpo. Estava morto. Benny foi condenado a vinte e dois anos de prisão por assassinato, sem possibilidade de liberdade condicional.

Kathrine ficou à beira das lágrimas ao ver a desesperança no rosto da velha:
– Quando ele sair da prisão eu já vou estar morta há muito tempo. – Kathrine prometeu ajudar; por alguns segundos ela até imaginou que era funcionária da Anistia Internacional. De qualquer forma ia contatar o grupo quando voltasse para casa. Prometeu a si mesma que faria isso.

A velha ficou sentada em silêncio por um momento. Depois se levantou com esforço e caminhou os poucos metros da sala até uma porta na parede do fundo. Kathrine não a havia notado. Empurrando um pouco a porta, a mulher a abriu, e então eles entraram num espaço fechado. Eles chegaram a um lugar coberto de flores que já haviam murchado havia muito tempo sob o sol escaldante. Uma pequena foto do advogado estava dependurada ali. "Nascido em 26 de abril de 1962. Morto em 24 de julho de 2009."

52

Instituto Niels Bohr – Copenhague

"Uma noite de Niels Bohr." Todas as pessoas que trabalhavam no instituto conheciam essa expressão. Noites intermináveis em que o único som era o leve zumbido de uma das muitas máquinas utilizadas para a realização de experiências no porão ou o farfalhar de papel quando chegavam os resultados da pesquisa. Era como se as ideias nunca deixassem o prédio, e os cientistas precisassem estar presentes para trabalhar com elas. Quando foi saquear a cozinha, à procura de comida, Hannah percebeu quanto havia sentido falta daquele lugar. Salsicha e salame barato – talvez um pouco rançoso. Isso era rotineiro. Os físicos não chegavam a ser propriamente gourmets. As coisas eram assim. Papel e lápis sempre havia nas mesas da lanchonete – isso era norma da casa. Para a eventualidade de alguém ter subitamente uma boa ideia enquanto estava almoçando.

Hannah não tinha ouvido a campainha do telefone. Uma mensagem. Ela ouviu o seu correio de voz. Era Niels. "Hannah, acabei de falar com a Kathrine. Você tinha razão quanto a Khayelitsha. Eu não sei como você soube. Mas você tinha razão quanto ao lugar e à data. Joris Mathijsen. Um advogado de defesa muito conhecido. Tudo se encaixa. Eu estou realmente cansado. Foi uma tarde tumultuada. Vamos conversar amanhã. Você é uma mulher esperta."

Era só isso. Hannah sorriu. Claro que ela estava certa. E sim, ela era uma mulher esperta.

53

Silo de Carlsberg – Copenhague

De todas as más ideias que Niels tinha tido nos últimos anos, aquela ganhou o prêmio. Como ele poderia ter mandado Kathrine a uma das piores favelas do mundo no meio dos feriados de fim de ano que eles deviam estar passando juntos? Ele havia falado com ela três vezes; ela estava muito perturbada, não conseguia esquecer a experiência. A certa altura, na última conversa, ele tinha tido vontade de gritar com ela. Droga, o que é que ela esperava? O mundo era cheio de pobreza, morte e sofrimento. Kathrine não fazia ideia disso porque passava os dias dentro de prédios com mobília de designer e ar-condicionado. O universo dela era superficial. Nada além de superfícies. Mármore, aço, cobre, alumínio – um mundo cintilante que ignorava o fato de que tudo em volta estava em decadência. Ele não disse isso a ela.

– Sinto muito. Deve ter sido terrível. Vá dormir.

A discussão imaginária estava esquentando dentro da mente exausta de Niels quando ele entrou no apartamento e sentiu que alguém tinha estado lá.

Ele examinou a sala de estar. Nada fora do comum chamou sua atenção. A grande sala que dava para o oeste parecia exatamente como ele a havia deixado. Exatamente como quando, fazia uma eternidade, Kathrine deixara a vida que eles compartilhavam. Niels teve no corpo uma impressão estranha, uma impressão de que a relação deles tinha acabado. Talvez ele estivesse apenas percebendo a sombra de Kathrine, que estava sempre presente no apartamento. Ele se sentia cansado e massacrado. E talvez, também, porque Hannah tinha aparentemente atinado com o sistema e imaginado a coisa inteira. Ele pensou em telefonar para ela, mas resolveu ir para a cama.

A porta que dava para a escada do fundo estava aberta.

Ele nunca se esquecia de fechar e trancar essa porta. Quase nunca a usava. Cuidadosamente ele a examinou. Não havia indício de arrombamento. A porta, sua estrutura, a fechadura, as dobradiças, tudo parecia intocado. Isso não era nada tranquilizador; simplesmente despertava outro temor. Alguém teria pegado a sua chave e feito uma cópia? Ele tentou imaginar quem poderia ter acesso ao apartamento. Ele e Kathrine eram os únicos. Além do seu vizinho, que morava no andar de baixo. E quanto ao síndico do prédio? Havia uma chave mestra? Niels não tinha certeza, mas tendia a achar que não. Se o seu medo tinha alguma base, alguém devia ter se apropriado da sua chave ou da de Kathrine e feito uma cópia.

O único lugar fora de casa onde Niels deixava suas chaves era no trabalho. A ideia era absurda, mas alguém poderia ter se apropriado da chave do seu apartamento na chefatura, feito uma cópia e depois devolvido. Mas quem? E por que razão?

Niels saiu para o patamar e acendeu a luz. Ouviu passos mais abaixo na escada.

– Quem está aí?

Nenhuma resposta.

– Alô?

Passos leves, quase inaudíveis, afastando-se. Uma porta bateu. Niels arremeteu para a janelinha e olhou a rua. Viu uma figura escura afastando-se do prédio numa corrida desabalada. Ou seria algo que flutuava? Talvez fosse apenas a luz do edifício, que projetava sombras compridas.

A luz da escada do fundo apagou.

54

Aeroporto Kastrup – Copenhague

A manhã estava gélida. A sensação térmica era de cinco graus abaixo de zero. O *Air Force One* aterrissou precisamente às nove horas. Alguns segundos depois a porta ao lado do selo presidencial se abriu e o presidente Obama saiu do avião e desceu a escada. Havia uma sombra de preocupação na sua expressão normalmente determinada. Um traço de dúvida. O homem mais poderoso do mundo não foi recebido com nenhum tipo de pompa e circunstância. Depois de um rápido aperto de mãos com a embaixadora americana Laurie S. Fulton ele entrou numa confortável limusine e rumou para o Bella Center. Era um homem ocupado. Um homem com uma missão muito específica: ia salvar o mundo.

Sexta-feira, 18 de dezembro

Niels acordou sentindo o corpo pleno de energia. Um sentimento conhecido – e muito preferível ao oposto, que era o vazio. Não a depressão alegada por Kathrine. Ele tinha muita energia ou muito pouca.

Distrito de Nørrebro – Copenhague

Embora Hannah estivesse simplesmente sentada ali olhando para o espaço, havia nela algo diferente.

Niels notou isso imediatamente, quando entrou no café e viu Hannah sentada a uma mesa no fundo, bebericando um café. Não por ela ter se empenhado na aparência: base, um pouco de batom, o cabelo bem penteado. Era sobretudo pelo seu olhar. O modo como seus olhos estavam vigiando a sala e as outras pessoas no café. Uma curiosidade despertada. Um interesse fundamental no que estava acontecendo em torno dela. Ela o viu e acenou. Foi um gesto infantil, que fez Niels sorrir. Ao lado dela, no chão, estava a caixa de papelão com todo o material do caso.

– Vamos comemorar o sistema. – Hannah balançou a cabeça apontada para a bandeja na mesa. Bolinhos, ovos, croissants, fatias de melão. – Pedi para nós dois.

– O assassinato na Cidade do Cabo. Como foi que você...

– Eu imaginei o sistema. – Ela falava rápido, quase febrilmente. – Usei o mito e o número trinta e seis como ponto de partida.

– Mas espere um pouco, Hannah. Você não é religiosa.

– Você tem certeza disso? – Ela sorriu. – Para ser sincera, eu não sei se sou ou não sou. Mas o que sei é que todo mundo sempre está apregoando a divisão entre religião e ciência. Você não vai se sentar?

Niels não tinha percebido que ainda estava de pé. Ele se sentou.

– Essa divisão se baseia numa premissa falsa. Ela simplesmente não existe. As primeiras ciências se desenvolveram a partir do desejo de demonstrar a existência de Deus. Nesse sentido a ciência e a religião estiveram de mãos dadas desde o princípio de tudo. Talvez mais favoravelmente inclinadas uma na direção da outra durante alguns períodos que em outros, mas mesmo assim.

– Por que o número trinta e seis? – Niels se serviu de café. – Ele tem um significado especial?

– Com relação ao sistema, sim. E é disso exatamente que nós precisamos. Preste atenção: exatamente agora os cientistas sustentam frequentemente a opinião de que nós conhecemos apenas quatro por cento de toda a matéria do universo. Quatro por cento!

– E quanto aos noventa e seis por cento restantes?

– Exatamente. E quanto a eles? Nós, os astrofísicos, chamamos isso de "matéria escura" e "energia escura". Talvez fosse mais certo chamar simplesmente de ignorância. Nós não sabemos tanta coisa, Niels. É chocante o pouco que nós conhecemos. E, no entanto, nos comportamos como deuses que acreditam controlar tudo. Como garotos com ilusões de grandeza. Não é nisso que nós nos transformamos? É o mesmo que ficarmos tentando nos convencer de que só existem os quatro por cento. Que tudo o mais, tudo o que nós não sabemos, não existe. Mas existe. Nós sabemos que a coisa está lá, só que não a conhecemos.

– Houve comunicação de apenas... quantos assassinatos? Vinte e um? E são trinta e seis.

– Até agora vinte e um, mas isso é porque os outros não foram descobertos ou comunicados.

Niels hesitou. Não sabia se parecia curioso ou cético quando perguntou:

– E quanto a esse assassinato na Cidade do Cabo? Como foi que você soube dele?

– Você sabe quem foi Ole Rømer?

– Sei. Foi o chefe da polícia em 1700 e alguma coisa.

– E astrofísico – disse ela. – Como eu. Ele foi a primeira pessoa que mediu a velocidade da luz – e fez isso com grande precisão.

– E onde é que ele entra na nossa história?

– Certa vez o rei pediu a ele que descobrisse o tamanho da área coberta por Copenhague. Assim, ele só precisava sair e tomar medidas meticulosas, certo? Mas Rømer descobriu em menos de dez minutos. Como foi que ele fez isso?

Uma garçonete passou pela mesa. Hannah a chamou.

– Eu sei que o pedido é estranho, mas você podia me arranjar uma tesoura e um melão?

A garçonete olhou atentamente para Hannah.

– Só um segundo – disse ela, e saiu.

Hannah prosseguiu.

– Rømer pegou uma balança e um mapa cadastral de Copenhague e... Ah, obrigada. – A garçonete lhe entregou a tesoura e o melão que ela pedira. – E começou a cortar.

Hannah começou a cortar o forro de papel da mesa. Niels percebeu que um jovem casal olhava disfarçadamente para eles. Para Hannah.

– Rømer simplesmente cortou do mapa todas as áreas habitadas e as colocou num dos pratos da balança. Depois colocou no outro prato as áreas vazias.

Niels sorriu.

– E isso que você cortou, o que é?

– Não parece a África? – Ela segurou um pedaço de papel.

– Se é isso que você acha...

– Tudo bem. Eu admito que a África do Sul devia ser um pouco mais estreita, mas aposto que você pode reconhecer a Austrália, a América do Sul e a América do Norte. – Ela segurou mais alguns pedaços.

– Você retirou os continentes?

– Não, a água. Os oceanos. Com isso sobraram apenas os continentes. O resto eu cortei fora. –Ela começou a juntar os pedaços como se eles fossem um quebra-cabeça.

– Hannah? – Niels insistia em olhá-la nos olhos. – Eu não tenho o menor contato com a física nem com a matemática desde que terminei o colegial. Você tem de ir mais devagar. Então: você cortou os continentes de um mapa. Até aí eu entendi. E jogou fora os oceanos?

– Isso.

– Mas por quê? O que é que isso provaria?

– Eu não contei na minha mensagem por celular? Nós temos de regredir no tempo, Niels. Até uma época muito distante. Até quando os continentes foram formados. Época em que apareceram os organismos multicelulares.

Niels olhou fixo para ela.

– Isso tem relação com a placa tectônica. Placas continentais, placas no fundo dos oceanos e a gravidade específica do granito por oposição ao basalto. Não há necessidade de entrar nisso tudo agora. Vamos começar por uma coisa diferente.

– Boa ideia.

– Por causa da placa tectônica os continentes se movem sobre a Terra. Eles estão em perpétuo movimento. Existe uma explicação longa e complexa para o porquê disso, mas eu vou lhe poupar dos detalhes.

– Obrigado.

– O que você precisa saber é que os continentes são compostos de granito. Você já ouviu falar de Minik Rosing?

Niels balançou a cabeça.

– É um geólogo da Groenlândia. Ele propôs uma teoria de que o granito da terra é formado pela oxidação do basalto e que o oxigênio para o processo de oxidação vinha das primeiras bactérias fotossintetizadas, que surgiram há quase quatro bilhões de anos.

Niels ergueu as mãos rendendo-se.

Hannah fez uma pausa para pensar.

– Tudo bem. Vamos pular a explicação e ir direto para a conclusão. Ou pelo menos para uma conclusão parcial. Os continentes passaram a existir como consequência da vida na Terra.

– Isso é uma conclusão?

– Vamos chamar de um ponto de partida. Olhe para isso.

Niels observou Hannah mexer nos continentes até eles ficarem todos ligados. O casal jovem da mesa ao lado tinha desistido de disfarçar seu interesse e seguia a explicação.

– Houve uma época em que todas as massas de terra estavam ligadas, reunidas em torno do polo Sul. Os continentes pareciam isto aqui. Não. Vou desenhar uma figura para você. – Ela pegou na bolsa um pincel atômico preto e começou a desenhar os continentes no melão. – Era assim que eles eram, reunidos no polo Sul.

Desde que Niels conhecera Hannah ela tinha um jeito nervoso. No modo de andar, em todos os seus movimentos. Mas agora não.

– É mais ou menos assim que a Terra era há cerca de um bilhão de anos. – Ela ergueu o melão.

– Quando os continentes eram ligados? – indagou Niels.

– Exatamente. Hoje essa teoria é aceita, mas faz quase um século que um astrônomo alemão descobriu como eles se ajustavam uns aos outros. E só depois de anos as pessoas começaram a acreditar nele.

Niels contemplou o melão.

– Vamos para um mundo novo. – Ela olhou para ele. – Só por um momento vamos viajar para um mundo chamado Rodínia.

55

Niels havia tirado o paletó. O lugar estava ficando cheio de estudantes famintos que iam almoçar.

– A palavra "Rodínia" vem do russo e significa "mãe pátria". E o supercontinente de Rodínia é exatamente isso: a mãe de todas as terras.

– Sim. – Niels assentiu com a cabeça.

– Foi quando Rodínia se dividiu que a vida na Terra começou verdadeiramente a se desenvolver. Os períodos posteriores são chamados Ediacarano e Cambriano. Há outros, mas eu não sou geóloga.

– E por que é que nós estamos falando de continentes e...

– Rodínia.

– É. Qual é a relação disso com os assassinatos?

Hannah empurrou a comida no prato.

– Eu sabia que o sistema tinha relação com seres humanos. Com a vida. De acordo com o mito, os trinta e seis devem tomar conta do resto da humanidade. E as pessoas vivem na terra, não na água. Por isso eu retirei os oceanos. E aqui, nessa primitiva representação de Rodínia, eu descobri uma coisa notável. – Ela ergueu o melão.

O jovem casal da mesa ao lado tinha parado de comer e prestava toda a atenção, como se estivesse num auditório assistindo a uma conferência.

– Olhando de cima para os pontos eu vi que eles formavam um padrão. Então comparei o padrão com as datas dos assassinatos. Quer dizer, a ordem dos pontos. Atribuí um número a cada um deles. O décimo sétimo assassinato foi em Pequim. O décimo quarto na Cidade do Cabo.

– Khayelitsha. África do Sul.

– Exato. E o nono foi em Meca. E o décimo quinto em Thunder Bay.
– Sarah Johnsson.
– Isso. Vou desenhar uma figura para você.

Hannah retirou da mesa todos os copos e pratos. A moça da mesa ao lado abriu espaço para que ela pudesse passar tudo para lá. Então Hannah desenhou um grande círculo na toalha de papel.

– Isto é a Terra. Os continentes pareciam algo como isto. – Ela esboçou dentro do círculo os continentes de modo que eles ficassem reunidos em torno do polo Sul. – Isso lhe dará uma ideia geral. E os lugares onde os assassinatos ocorreram, os pontos, estão aproximadamente aqui.

Com uma velocidade impressionante ela pôs os trinta e seis pontos.

– Vamos dar a cada um deles um número de acordo com a data da sua ocorrência. Você vê alguma coisa agora?

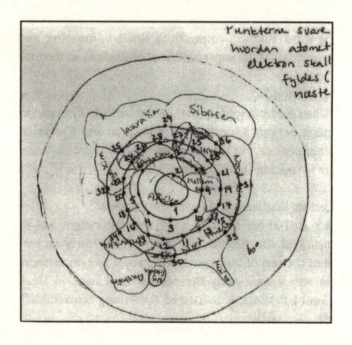

Niels olhou para o desenho.
– Você percebe que os números quase formam pequenos círculos concêntricos?
– Pode ser.
– E que eles vão para a frente e para trás, de uma metade do círculo para a outra?

Niels não respondeu. Ele notou um maço de cigarros na bolsa de Hannah e sentiu uma necessidade urgente de pedir a ela que o acompanhasse até fora do restaurante para eles fumarem.

– Imaginei que os círculos se localizam nos paralelos décimo segundo, vigésimo quarto, trigésimo sexto e quadragésimo oitavo. Mas no momento essa não é a coisa mais importante.

– Não? E qual é a coisa mais importante?

– O sistema para o qual você está olhando é um átomo. E não um é átomo qualquer. É o átomo número trinta e seis.

– Trinta e seis. Como o...

– Como o mito. Podia ser uma coincidência, mas não é. O Instituto Niels Bohr teve um papel importante no mapeamento dos elementos conhecidos. Talvez eu tenha átomos no cérebro, mas é um fato inquestionável que esse sistema, até o mais ínfimo detalhe, é estruturado exatamente como o átomo número trinta e seis. Crípton.

– Criptonita? – Niels sorriu. – Você está me dizendo que isso tem a ver com o Super Homem?

– Não. Infelizmente não. O Super Homem não faz parte do sistema. Crípton é um gás nobre. A palavra vem da palavra grega *"kryptos"*, que significa "o oculto".

– "O oculto"? Por quê?

– Supostamente porque o elemento crípton é um gás incolor. Mas ele tem a propriedade especial de se iluminar com espetaculares linhas espectrais verdes e alaranjadas quando é atravessado por uma corrente. Em outras palavras, ele pode ser ativado para emitir luz. Também é usado para definir a extensão de um metro por causa de uma coisa que se chama isótopo crípton-86.

Niels não pôde deixar de rir.

– Existe no mundo alguma coisa que você não saiba, Hannah?

– O crípton é um gás nobre, como eu disse, por isso é inerte. É um dos pouquíssimos átomos perfeitos. Ele fica num estado de equilíbrio. Não vai procurar outros átomos para se associar a eles. E a atmosfera da Terra não é cheia de crípton. O ar contém apenas 0,0001 por cento de crípton. – Hannah ficou em silêncio. – O mito das trinta e seis pessoas justas. Ou eu estou exagerando na interpretação? Acho que posso perceber uma conexão.

Estado de equilíbrio. O oculto. Perfeito. Sozinho. Ela estava falando tão rápido que Niels não entendia tudo o que ela dizia.

– Niels, o número trinta e seis é em si um milagre. Três mais seis são nove. E se você multiplica trinta e seis por outro número os dígitos do total sempre perfazem nove. Trinta e seis vezes doze são quatrocentos e trinta e dois. Quatro mais três mais dois são nove. Trinta e seis vezes sete são duzentos e cinquenta e dois. Experimente. Quando os números ficam maiores você simplesmente os divide por dois.

– Hannah, eu sinto muito, mesmo, mas o que, exatamente, você está tentando me dizer? Vamos esquecer o que fica no meio.

Ela o olhou como se estivesse pesando o que ia dizer. Talvez estivesse buscando a combinação de palavras simples que tornasse tudo claro para Niels. Então ela disse:

– Tudo bem, sem as partes do meio. Os locais da Terra onde os assassinatos ocorreram foram determinados bilhões de anos antes da existência de qualquer ser humano. Como você sabe, eu descobri onde na África do Sul o advogado de defesa morreu. E fiz isso olhando para o sistema. Um sistema determinado com precisão, baseado nos continentes quando eles estavam ligados, no início dos tempos.

Ela apontou para o desenho na mesa.

– Se o sistema se parece com o que eu estou imaginando, então nós podemos saber exatamente onde e quando aconteceram todos os assassinatos. E também onde e quando os dois últimos irão ocorrer.

– É mesmo? – Niels descobriu que estava sussurrando. Então repetiu em voz mais alta: – É mesmo?

– Eu escrevi tudo. Olhe para isso. – Ela pegou um papel e entregou-o a Niels. Ele o desdobrou e estudou o que ela havia escrito.

1. Desfiladeiro de Olduvai (Tanzânia) – Sexta-feira, 24 de abril de 2009 (CHAMA KIWETE)
2. Santiago (Chile) – Sexta-feira, 10 de maio de 2009 (VICTOR HUELVA)
3. Bangui (República Centro-Africana) – Sexta-feira, 8 de maio de 2009
4. Monróvia (Libéria) – Sexta-feira, 15 de maio de 2009
5. Dacar (Senegal) – Sexta-feira, 22 de maio de 2009
6. Cuzco (Peru) – Sexta-feira, 29 de maio de 2009 (MARIA SAYWA)
7. Rio de Janeiro (Brasil) – Sexta-feira, 5 de junho de 2009 (AMANDA GUERREIRO)
8. Samarkand (Uzbequistão) – Sexta-feira, 12 de junho de 2009
9. Meca (Arábia Saudita) – Sexta-feira, 19 de junho de 2009
10. Tel Aviv (Israel) – Sexta-feira, 26 de junho de 2009 (LUDVIG GOLDBERG)
11. Nairóbi (Quênia) – Sexta-feira, 3 de julho de 2009 (NANCY MUTTEN-DANGO)
12. Johannesburgo (África do Sul) – Sexta-feira, 10 de julho de 2009 (HELEN LUTULI)

13. Chicago (EUA) – Sexta-feira, 17 de julho de 2009 (ANDREW HITCHENS)
14. Cidade do Cabo (África do Sul) – Sexta-feira, 24 de julho de 2009 (JORIS MATHIJSEN)
15. Thunder Bay (Canadá) – Sexta-feira, 31 de julho de 2009 (SARAH JOHNSSON)
16. Estação McMurdo (Antártica) – Sexta-feira, 7 de agosto de 2009 (JONATHAN MILLER)
17. Pequim (China) – Sexta-feira, 14 de agosto de 2009 (LING ZEDONG)
18. Bangalore (Índia) – Sexta-feira, 21 de agosto de 2009
19. Babilônia (Iraque) – Sexta-feira, 28 de agosto de 2009 (SAMIA AL–ASSADI)
20. Chennai (Índia) – Sexta-feira, 4 de setembro de 2009
21. Katmandu (Nepal) – Sexta-feira, 11 de setembro de 2009
22 Hanói (Vietnã) – Sexta-feira, 18 de setembro de 2009 (TRUONG THO)
23. Kaliningrado (Rússia) – Sexta-feira, 25 de setembro de 2009 (MASHA LIONOV)
24. Caracas (Venezuela) – Sexta-feira, 2 de outubro de 2009
25. Helsinque (Finlândia) – Sexta-feira, 9 de outubro de 2009
26. Belém (Brasil) – Sexta-feira, 16 de outubro de 2009 (JORGE ALMEIDA)
27. Nuuk (Groenlândia) – Sexta-feira, 23 de outubro de 2009
28. Atenas (Grécia) – Sexta-feira, 30 de outubro de 2009
29. Paris (França) – Sexta-feira, 6 de novembro de 2009 (MAURICE DELEUZE)
30. Seattle (EUA) – Sexta-feira, 13 de novembro de 2009 (AMY ANISTON)
31. Moscou (Rússia) – Sexta-feira, 20 de novembro de 2009 (VLADIMIR ZHIRKOV)
32. Xangai (China) – Sexta-feira, 27 de novembro de 2009
33. Washington (EUA) – Sexta-feira, 4 de dezembro de 2009 (RUSSELL YOUNG)
34. Mumbai (Índia) – Sexta-feira, 11 de dezembro de 2009 (RAJ BAIROLIYA)
35.
36.

Niels ficou olhando para o papel. O jovem da mesa ao lado se levantou para pagar a conta. A moça espichou a cabeça para ver o que dizia o papel. Hannah continuou sua conferência.

– É sabido que o círculo mais externo do átomo número trinta e seis é simétrico. Em outras palavras, se localizarmos os números trinta e três e trinta e quatro, que nós temos – ela apontou –, nós saberemos exatamente onde encontrar os números trinta e cinco e trinta e seis.

– E onde é que está isso?

– Acho que o nosso amigo de Veneza deve ter conseguido decifrar uma parte do sistema. Porque alguns dos continentes são iguais ao que sempre foram. Eles apenas se deslocaram. É por isso que há uma distância precisa entre alguns dos locais de assassinato. E é por isso que eu acho que ele queria mandar um aviso...

Niels a interrompeu.

– Hannah. Onde?

Ela girou o papel e escreveu algo embaixo.

– Tudo bem. Agora o sistema está completo.

Niels leu o que ela havia escrito:

35. Veneza OU Copenhague – Sexta-feira, 18 de dezembro de 2009
36. Veneza OU Copenhague – Sexta-feira, 25 de dezembro de 2009

Niels olhou para as palavras. Na realidade ele talvez já soubesse daquilo o tempo todo. Talvez tivesse tido essa impressão desde o momento em que foi designado para o caso. Mesmo assim foi como se todo o sangue tivesse sido retirado da sua cabeça e seu coração tivesse parado.

– Nós sabemos a hora e o lugar dos dois últimos assassinatos. Só não sabemos a ordem.

– Então o que você está dizendo é que...

– Que hoje na hora do crepúsculo acontecerá um assassinato em Veneza ou aqui em Copenhague.

– Você acredita mesmo nisso?

– Se eu acredito? Isso não tem nada a ver com crença, Niels. De que outra forma eu poderia ter descoberto a localização na África do Sul? A probabilidade estatística de ser uma coincidência é...

Niels já não a estava escutando. Ele sentiu seu corpo ficar mais pesado, quase como se estivesse sendo pressionado para baixo – como se, sem aviso prévio, a gravidade tivesse dobrado de intensidade. Ele olhou para Hannah, que ainda mexia os lábios finos. Argumentando, conferenciando. Niels se forçou a prestar atenção no que ela estava falando.

– Eu estou lhe dizendo, Niels, há um sistema muito claro nisso. Um sistema de... digamos: de proporções divinas. Ele está nos dizendo que o próximo assassinato irá acontecer hoje no crepúsculo em Veneza ou em Copenhague.

– Mas em que lugar de Copenhague?

Hannah rasgou mais um pedaço de papel da toalha da mesa – que a essas alturas já estava com as bordas totalmente esfarrapadas – e escreveu alguns números. O jovem casal estava indo embora. Antes de sair, a moça deu a Hannah um olhar de aprovação. Hannah não notou; estava entregando a Niels o papel com os números.

– O que é isso?

– A latitude e longitude aqui em Copenhague. Hoje ou na próxima sexta-feira.

– Você tem certeza, Hannah?

– Não me pergunte isso, Niels. Eu estou apenas dizendo como funciona o sistema. A matemática nunca mente. Hoje no pôr do sol em Copenhague ou algum lugar de Veneza.

Niels apontou para os números que ela havia escrito.

– Onde exatamente é isso?

– Eu não entendo o que você quer dizer. A latitude e a longitude estão exatamente aqui no papel.

– Tudo bem, Hannah, mas *onde* é isso?

56

Nørrebro – Copenhague

Niels saiu do café. A mudança da luz interna para a externa era quase imperceptível. O dia mais escuro e mais curto do ano não demoraria a chegar. Os postes de luz antigos, com seu fraco brilho amarelo, não eram páreo para a escuridão que se adensava.

– O sol se põe muito cedo – disse Hannah. – Nós só temos umas poucas horas.

Ela ficou atrás dele, pondo na carteira o troco da conta do almoço. Tinha posto na calçada a caixa de papelão com os materiais sobre o caso.

Niels olhou em volta e depois para ela.

– Quando é que o sol está se pondo?

– Logo depois das quatro. Por quê?

– Por quê? – Niels olhou-a perplexo. Para ela tudo aquilo era mera teoria? Um jogo de salão? – Hannah, você disse que o assassinato ocorreria no crepúsculo. Certo?

– Certo, é isso mesmo. No exato momento em que o sol se puser.

– Isso significa que nós temos cinco ou seis horas para descobrir o local. E a pessoa que está para ser assassinada.

Hannah olhou para Niels com um ar surpreso, como se a sua teoria tivesse assumido um significado novo.

– Você veio para cá de carro? – indagou ele.

– Vim.

– Onde é que você estacionou?

– É aquele Audi ali.

– Ele tem GPS?

– Tem, veio com o carro. Eu nunca usei. Nem sei como é que funciona.

Niels foi o primeiro a chegar ao carro. Hannah se acomodou no banco do passageiro, segurando no colo a caixa de papelão. Ela não estava acostumada a essa mentalidade prática. Niels percebia isso. Ela havia comunicado os resultados, completado a sua conferência. Para ela o mundo era principalmente um lugar de teoria. Ocorreu a Niels uma ideia: ela teria estado flertando com ele no café? Seria assim que um gênio como Hannah flertava? Desenhando átomos na toalha de papel e tagarelando sobre como era a Terra há um bilhão de anos? De repente ele entendeu como a vida dela devia ser difícil.

– Escute aqui, Hannah. Foi você que falou primeiro: talvez a gente possa impedir o próximo assassinato. E você ligou para mim.

– Foi. – Ela balançou a cabeça resolutamente.

– Então, eu estou pronto. – Niels pegou a caixa no colo dela e a atirou no assento traseiro. – Vamos dar uma olhada no GPS. Ele ajuda o motorista a se orientar com base na latitude e na longitude?

– Não sei. Pode ser.

Niels girou a chave na ignição. O carrinho deu partida com um ronronar suave. Hannah ligou o GPS e olhou para Niels esperando suas instruções. Vai ser uma longa viagem, pensou ele antes de começar a rodar, quase batendo num caminhão.

Jagtvej. Outro nome de rua que todos os policiais de Copenhague relacionavam com confusão e manifestações de adolescentes. O tipo de coisa que antigamente podia se espalhar, atraindo segmentos insatisfeitos da população para uma revolta capaz de derrubar reis e governos. Mas agora não mais. A época da revolução tinha passado. Quando os cidadãos resolveram que a monarquia absoluta devia ser abolida, menos de dez mil pessoas marcharam num desfile pacífico até o palácio real. Hoje todas as manifestações pelo clima ocorridas em Copenhague não podiam esperar com seus esforços nada além de um bom resfriado. No rádio um comentarista calculou que naquela hora havia cem mil pessoas nas ruas de Copenhague, participando de teatro de rua e marchas de protesto.

Niels balançou a cabeça. Um milhão de pessoas nas ruas de Londres não tinham sido capazes de influenciar na decisão de Tony Blair de mandar soldados ingleses para o Iraque. Assim, como é que cem mil ativistas em defesa do clima poderiam diminuir a temperatura da Terra?

– Está funcionando? – Niels observou Hannah tocar desajeitadamente a tela do GPS. – É difícil descobrir?

Ela lhe dirigiu um olhar ofendido.

– Niels! Com quatro anos eu resolvia equações de segundo grau.

– Foi só uma pergunta.

Silêncio. Ela estudou a tela.

– Tudo bem, está pronto. Precisamos ir um pouco para o sul.

– Sul?

– Sudoeste, na verdade.

O trânsito simplesmente não avançava. A Jagtvej estava sempre assim. Houve época em que a rua tinha sido reservada para o uso dos membros da família real no seu trajeto do palácio até o campo de caça. Quando foi aberta para o público em geral, ela se tornou imediatamente popular. Numa capital onde o planejamento urbano era aleatório e caótico, para dizer o mínimo, a Jagtvej deve ter proporcionado um alívio; uma linha ininterrupta de um extremo a outro da cidade, do bairro Nordhavn, no nordeste, até Carlsberg, no sudoeste. Niels tinha de enfrentar o trânsito da Jagtvej todo dia e detestava fazer isso. Além de tudo era uma prática insalubre. A tecnologia moderna estava presente em toda parte, medindo a poluição criada pelos motores a gasolina contra os quais os manifestantes estavam protestando. O ar naquela rua devia ser tão nocivo à saúde quanto o da Cidade do México. Se Copenhague fosse no Japão, todos estariam andando com máscara na boca. Mas não era Tóquio nem Osaka. Era Copenhague, e as pessoas ali não estavam tão preocupadas com o ar que respiravam.

Niels acendeu um cigarro.

– Você se importa se eu fumar dentro do carro?

– Parece que é exatamente isso que você já está fazendo.

– Eu posso jogar pela janela.

– Bobagem. Eu também vou fumar.

Niels descansou a mão na buzina.

– Nós não vamos a nenhum lugar desse jeito – disse ele.

– Não, eu também acho.

Ele desviou o carro para a outra faixa. Um idiota vestido de terno e dirigindo um enorme BMW avançou para bloquear a interseção. Niels bateu a sua identidade policial contra a janela.

– Imbecil!

– Essa rua não é mão única? – perguntou Hannah enquanto o BMW dava marcha a ré, e Niels acelerava pela rua lateral.

– Pegue o meu celular.

– Para quê?

– Você disse que há dois lugares onde os próximos assassinatos vão ocorrer, certo?

– Certo. Aqui e em Veneza.

– Ligue para Tommaso. O italiano.

– Di Barbara?

– Diga a ele que... Não; dê a ele coordenadas. Conte para ele o que você descobriu.

Relutantemente, Hannah pegou o celular de Niels. Ele já havia digitado o número. Hannah ficou ouvindo.

– Correio de voz.

– Deixe uma mensagem.

– O que é que eu falo?

Niels deu a Hannah um olhar aborrecido. Pouco tempo antes aquela mulher tinha sido uma central elétrica, uma incrível explosão de pensamentos e ideias, cálculos e magnitude, mas agora ela se reduzira a uma total amadora. Alguém que era uma turista na vida real, que logo iria correr para casa, para a fortaleza da teoria e do luto que ela havia criado dentro da sua casa de campo.

– Diga a Tommaso que você descobriu que vai acontecer um assassinato hoje, em Veneza ou em Copenhague, quando o sol se puser.

Hannah se virou para o celular e começou a dizer seu recado falado.

– *Bonjour*, Monsieur Di Barbara.

Seu francês enferrujado prosseguiu do mesmo modo que o carro que Niels estava dirigindo na contramão da rua: hesitando e desviando. Niels manobrou desajeitadamente, contornando um caminhão de lixo. Um ciclista não vacilou em manifestar sua irritação. Esmurrou o teto do Audi. Hannah deu um pulo. No trânsito de Copenhague ciclistas se opunham a motoristas, e as pessoas passavam de um papel para o outro na maior facilidade.

– Diga que você vai mandar para ele como texto a latitude e a longitude. Então ele pode encontrar o local num GPS.

Hannah voltou a falar em francês.

Niels ouvia. Embora Hannah de vez em quando parasse repentinamente no meio de uma frase, as palavras francesas nunca tinham parecido mais bonitas que as que saíam dos lábios dela.

57

Veneza

O ruído do motor do barco avançando pela água turva abafou o chamado do celular. O motor de popa Yamaha de Tommaso tinha estado na oficina para reparos desde outubro, mas ele finalmente o pegara de volta. Agora apreciava o som do seu ronco ininterrupto, sem uma única nota discordante – ele estava funcionando como um sonho. Um raio de sol iluminava a laguna, prometendo um tempo melhor. Tommaso olhou para o bassê estendido precariamente no alto de uma pilha de cordas apodrecidas. O cachorro era da sua mãe, e ele ia levá-lo para o depósito de animais abandonados.

– Você está nauseado? – indagou Tommaso tentando sorrir. O bassê lhe dirigiu um olhar infeliz, como se soubesse o que lhe ia acontecer.

Agora Tommaso estava vendo a ilha. A ilha da baía doente, como chamavam Santa Maria di Nazareth. Quatrocentos anos atrás, quando as pessoas chegaram na extremidade do Adriático, a peste estava devastando o continente e elas tinham sido forçadas a passar quarenta dias na ilha. *Quaranta*. A palavra "quarentena" tem sua origem nesse fato. Quarenta dias para as pessoas provarem que sua pele não ia se encher de pústulas. Quarenta dias sem saber se a ilha seria o último lugar visto na terra. Talvez fosse a ideia da peste, mas Tommaso sentiu como se os sintomas parecidos com os da gripe, que ele vinha sentindo nos últimos dias, estivessem mais insistentes.

– Gripe suína – murmurou ele ao diminuir a velocidade do barco. Ele estava tendo um pouco de dificuldade para respirar. Fechou os olhos e saboreou o calor do sol. Se não tivesse sido suspenso, ele estaria na estação ferroviária com seus colegas policiais. A chegada dos políticos e do ministro da Justiça era um grande evento, e o comissário Morante havia ordenado estado de prontidão para toda a força policial. Isso poderia acontecer sem Tommaso. E para ele era muito bom.

Os prédios que davam para a laguna estavam todos desaprumados. O solo pantanoso sob a ilha lhes tinha entortado o alicerce, e as estruturas estavam começando a se inclinar. A ferrugem das barras de ferro nas janelas escorrera, formando listras nas paredes de tijolo. Depois do controle da peste a ilha tinha sido usada como prisão para doentes mentais, mas agora era um depósito de cães abandonados. Cães de rua do continente e das ilhas eram levados para lá. Muitos eram sacrificados; outros ficavam à espera de um novo dono.

Tommaso desligou o motor a alguns metros do desembarcadouro. Nesse instante ouviu o toque do celular. Ligação da Dinamarca. De Niels Bentzon. Nove ligações da casa de repouso. Mau sinal.

58

Copenhague

– Salve o planeta. Se não agirmos agora será o apocalipse. Exigimos ações.

Niels e Hannah estavam sentados no carro, olhando para toda aquela movimentação. Alguns manifestantes dançavam, enquanto outros pareciam a ponto de explodir de raiva pela injustiça que se vê no mundo.

– Qual é a distância daqui até lá? – indagou Niels.

– Depende do modo de transporte.

– Quantos décimos de latitude e longitude?

– Décimos? – ela sorriu. – Os graus são divididos em minutos – o que significa sextas partes – e segundos. Assim, o número de segundos depende do...

Niels a interrompeu.

– Hannah! Qual é a distância?

– Mais ou menos dois quilômetros e meio.

Niels estacionou o carro junto da calçada, puxou o freio de mão e arrancou da tomada o GPS.

– O que é que você está fazendo? – perguntou Hannah.

– Vamos a pé.

À distância havia algo de estético nos manifestantes. Era um quadro que Hannah e Niels já tinham visto centenas de vezes – um denso enxame de gente seguindo pelas ruas. Mas quando eles se juntaram à multidão e caminharam com ela as coisas foram bem diferentes. Niels pegou o braço de Hannah e eles forçaram a passagem. Ali, no centro da ação, foram cercados por uma energia feroz e caótica. E pelo fedor de bebida destilada. Niels fez contato visual com uma mulher que tinha muitos piercings. As pupilas dos olhos dela estavam ligeiramente dilatadas e o rosto tinha uma expressão distante. Nada podia acontecer a ela; ela nem sequer sentiria se a polícia lhe desse uma cacetada. Isso era algo que as pessoas sentadas em casa diante da televisão não sabiam. Os jovens se drogavam e frequentemente eram necessários dois ou três policiais para dominar um anarquista irado e anestesiado por algum estranho coquetel de drogas que burlam a lei. Eles não reagem à dor.

Onde estava Hannah? Poucos minutos antes ele a havia segurado pelo braço, mas agora ela desaparecera. Niels olhou em torno. Todos estavam vestidos de preto, como se prontos para o Dia do Juízo Final. Um grande tambor tentava não sair do ritmo. De repente ele a viu. Ela parecia amedrontada. Um bêbado que já deveria ter desistido desse tipo de manifestação havia mais de dez anos a enlaçara com o braço e estava tentando dançar. Como se o evento fosse a Terça-Feira de Carnaval.

– Niels!

Ele abriu caminho pela multidão, andando contra a corrente.

– Ei! – Um jovem tinha agarrado o paletó de Niels. – Eu conheço você. Você é policial. Um policial filho da puta! – gritou ele, e quando Niels o empurrou para o lado era evidente a sua disposição de repetir sua frase em voz mais alta. O rapaz se desequilibrou e caiu no chão como o orvalho no verão, leve e quase imperceptível. Pelo menos a coisa aconteceu com tanta rapidez que Niels pôde segurar Hannah antes que alguém descobrisse o rapaz. Ele agarrou a mão dela, que estava quente apesar da temperatura fria.

– Você está bem?

– Quero sair daqui.

– Não se preocupe. Vou tirar você daqui – disse Niels olhando por sobre o ombro. O garoto estava de pé, olhando à sua volta. Eles quase não conseguiram ouvir o que ele disse antes de suas palavras serem abafadas pelo barulho do tambor grande:

– Seu policial filho da puta! Filho da puta!

Copenhague se tornara uma cidade raivosa. As pessoas tinham rabiscado até nas paredes de estuque amarelo que cercavam o Cemitério Assistens, proclamando as suas frustrações. "FODA-SE" era aparentemente a expressão que melhor descrevia a crise existencial da cidade. "A TERRA LEVA A SUA MARCA" estava escrito com letras simpáticas sobre a entrada do cemitério. Talvez mais uma mensagem sobre o clima. Ou poderia ser a verdade simples de um coveiro: Deixamos uma marca se nos permitimos ser enterrados.

Dentro do cemitério eles pararam para recuperar o fôlego.

– Vamos atalhar por aqui. Certo? – indagou Niels.

Hannah examinou o cemitério e depois olhou de novo para os manifestantes, como se estivesse pensando em dar meia-volta.

– É o caminho mais curto. Alguma coisa errada?

– Não. Claro que não.

Ele precisou controlar um desejo de pegar novamente na mão de Hannah. Tinha sido uma sensação muito boa, a da mão dela na sua.

– O que é que o GPS diz?

Ela tirou do bolso o aparelho.

– A bateria está fraca.

– Então venha.

Niels pegou no cotovelo de Hannah, o que a fez sobressaltar-se. Depois ela mudou de expressão, parecendo tão vulnerável que ele quis envolvê-la com os braços. Um pensamento ocorreu a Niels, mas tarde demais. O filho de Hannah estaria enterrado ali?

Alguns anos antes Kathrine o havia arrastado até aquele cemitério para um tour à meia-noite que tinha uma preparação especial. Os participantes recebiam tochas acesas e passavam de um túmulo para outro enquanto dois pastores, uma mulher e um homem, se revezavam contando a história do cemitério. "O suor inglês." Niels se lembrava do termo porque ele lhe parecera muito estranho. Era um vírus que tinha matado milhares de cidadãos de Copenhague no século XVI. Havia tantos corpos que foi preciso construir um novo cemitério. Desde então os dinamarqueses mais famosos tinham sido enterrados ali.

– O que é que o GPS diz agora?

– Siga em frente – respondeu Hannah, ainda parecendo intranquila. A neve tinha transformado o cemitério numa paisagem monocromática. A coberta branca só se interrompia nas lápides escuras. O cemitério parecia um tabuleiro de xadrez em branco e preto. As lápides menores eram dos peões, os mortos desconhecidos. O musgo e todo tipo de intempérie haviam, fazia muito tempo, apagado os nomes gravados nas pedras. Bem maiores eram as dos reis: Hans Christian Andersen, Søren Kierkegaard e Niels Bohr. Em volta deles os bispos e as torres: atores e autoridades muito conhecidos na sua época, mas que tinham sido esquecidos.

Finalmente havia aqueles que tinham alcançado a imortalidade em razão do modo incomum como deixaram a vida. Uma jovem viúva, por exemplo, que fora enterrada viva alguns séculos atrás. Niels se lembrava da história que a pastora contara. Naquela época um coveiro trabalhava também fora do expediente. Ele enterrava as pessoas durante o dia e à noite trabalhava como ladrão de sepulturas. Quando ele abriu o túmulo da jovem viúva os olhos dela se abriram.

– Me tire deste lugar terrível! – gritou ela. O coveiro golpeou com a enxada a testa da mulher, pegou as suas joias e voltou a cobrir de terra o túmulo. Muitos anos depois, no seu leito de morte, ele confessou o assassinato. Bem mais recentemente o corpo da viúva foi exumado e se constatou que ela havia se mexido no caixão e estava sem nenhuma joia; a agressão ficou evidente. Hoje esse túmulo recebe tantos visitantes quanto o de Hans Christian Andersen.

Hannah pareceu aliviada ao deixar o cemitério e voltar para a rua. Eles atravessaram a Nørrebrogade e caminharam pela Møllergade, passando pelo Centro Literário e pelo cemitério judeu. A neve estalava sob seus pés e o ar era terrivelmente frio. Eles caminhavam em silêncio. Hannah mantinha os olhos fixos no GPS. Então ela parou abruptamente.

– Aqui!

– Aqui? – Niels olhou em volta. O que ele havia esperado? De qualquer forma não um velho e sombrio prédio de apartamentos de cooperativa. Dois carrinhos de bebê haviam se aliado à bicicleta de entregas para bloquear a passagem na calçada.

– Você tem certeza?

Ela olhou com desconfiança para o GPS.

– Pelo menos eu acho que sim – respondeu ela insegura. – Embora a bateria esteja acabando. Ele parou.

– Mas você acha que seria aqui?

– Acho. Claro, há uma margem de erro. Mas tem de ser dentro de poucos metros daqui.

Niels caminhou alguns metros para a frente e para trás. O prédio de apartamentos era o único por ali. Em outros tempos havia prédios vizinhos dos dois lados, mas eles tinham sido demolidos. A única coisa que se via além dele era um *playground* sombrio e deserto.

– Eu não sei – disse Hannah apreensiva, mudando o peso do corpo de um pé para o outro.

– O que é que você não sabe?

– Tem uma pequena margem de erro. Talvez poucas centenas de metros. Se eu tivesse mais tempo...

– O lugar não pode ser este.

Ela olhou para ele.

– O que é que você esperava encontrar?

Niels balançou a cabeça.

– Não sei. Um maníaco religioso, talvez. Vamos supor que o seu sistema esteja certo. Quem é que poderia ter pensado numa coisa dessas?

– Por que é que em vez disso você não procura a próxima vítima?

Niels deu de ombros.

– Poderia ser qualquer pessoa. Alguém que por acaso esteja passando a pé por aqui. – Ele olhou para as placas com os nomes dos moradores do prédio.

– Se você for pensar nisso, Niels... Quer dizer, pense na precisão matemática. – Esse pensamento fez Hannah sorrir.

– O que é que você está imaginando?

– Vamos dizer que é um fenômeno – ela propôs.

– Um fenômeno? – Niels não podia compartilhar a aparente alegria de Hannah com a sua teoria. Em vez disso ele ligou para Casper na chefatura de polícia.

– Niels Bentzon. Eu quero que você cheque para mim alguns nomes.

Hannah olhou surpresa para Niels quando ele começou a ler os nomes no quadro do portão eletrônico do prédio. Carl Petersen, terceiro andar. Lisa O. Jensen, terceiro andar. De repente a porta abriu. Niels recuou um passo. Um velho olhou mal-humorado para eles.

– O que é que vocês estão fazendo aqui?

Niels nem se deu ao trabalho de mostrar sua identidade policial.

– Polícia de Copenhague. Vá circulando.

O velho já ia dizer alguma coisa, mas Niels o interrompeu.

– O senhor não tem nada a ver com isso.

O morador do prédio se foi pela rua, mas olhou para trás pelo menos cinco vezes. Enquanto isso Casper tinha pesquisado os nomes.

– Acho que tenho a pessoa que você está procurando – disse ele.

– Quem é?

– Carl Petersen, terceiro andar à direita.

– É mesmo? O que você me diz sobre ele?

– Estuprou e estrangulou uma menina em 1972. Enterrou seu corpo perto do lago Damhus. Ganhou liberdade condicional em 1993. Nascido em 1951.

59

Ospedale Fatebenefratelli – Veneza

Tommaso amarrou no barco a correia do bassê e atracou atrás da ambulância que balançava mansamente de um lado para o outro no ancoradouro coberto. Era possível entrar com o barco até o meio da casa de repouso, e ele acabara de fazer exatamente isso. O cachorro latia e resmungava, parecendo deliciado por estar novamente a uma distância segura do depósito de cães. Tommaso saltou para o escorregadio piso de mármore e começou a correr. Como se isso fizesse alguma diferença. Exatamente quando chegava à ilha da baía doente ele havia recebido a mensagem de que sua mãe tinha morrido. Embora viesse se preparando para isso havia meses, a culpa que sentia era mais forte do que ele havia esperado. *Ele devia ter estado lá na hora.*

O padre mais velho estava no quarto, mas não ao lado da cama. Ele se sentara ao lado da janela e com a cabeça pendida rezava um terço. Ao ouvir alguém entrando, ergueu o olhar. Havia naquele olhar uma sombra de censura? Tommaso não se importou com o homem; ele não era tão complacente e amoroso quanto a irmã Magdalena.

– Que bom que o senhor veio – disse o padre.

Tommaso contornou a cama e se sentou numa cadeira. Sua mãe estava com o mesmo aspecto de sempre.

– Quando foi que ela morreu? – indagou ele.

– Há mais ou menos uma hora – disse o padre.

– Ela estava sozinha?

– A irmã Magdalena tinha vindo vê-la antes de ir para casa. Quando viemos aqui, algum tempo depois...

Não era preciso dizer mais nada. A signora Di Barbara tinha morrido sozinha.

As lágrimas foram inesperadas. Tommaso havia pensado que se sentiria aliviado. Mas não foi o que aconteceu. Durante alguns momentos ele soluçou sem emitir nenhum som, depois ficou sem fôlego, deixando seus pulmões assumirem o controle, proclamando a sua dor. O padre foi ficar atrás dele e pôs a mão no seu ombro. Naquele momento isso foi bom; era o que ele precisava.

– Eu gostaria de ter estado aqui – ele conseguiu balbuciar.

– Ela morreu dormindo. É o melhor modo de morrer.

O melhor modo de morrer. As palavras tentaram encontrar um significado na mente de Tommaso.

– O melhor modo de morrer – repetiu o padre.

– É.

Tommaso acariciou a mão da sua mãe. Estava fria. Os pequenos nós dos dedos, que tinham trabalhado tanto durante toda a sua vida, estavam dobrados, fechando as mãos. Uma moeda caíra ao lado da sua mão. Dez centavos. A moedinha brilhante repousava sobre o cobertor. Tommaso se surpreendeu, e se voltou para o padre. Ele também tinha visto. Tommaso virou para cima a mão de sua mãe e cuidadosamente abriu os dedos. Havia duas moedas. Meio euro e vinte centavos.

– Por que é que ela ficou segurando essas moedas?

O padre ergueu os ombros.

– Vou perguntar à Magdalena. Estamos tentando ligar para ela. Tenho certeza de que vamos conseguir falar logo com ela.

Tommaso ficou sentado ali, segurando as três moedas e sem saber o que fazer com elas. Era como se o aparecimento inesperado daquele dinheiro tivesse amortecido a sua dor, acrescentando um leve mistério à situação. Por que a sua mãe estaria segurando oitenta centavos? Tommaso pôs as moedas no bolso e então virou a mão dela e a colocou com a palma para baixo, como estava a outra.

60

Nørrebro – Copenhague

Antes de bater à porta, Niels estendeu o braço e levantou a gola do casaco de Hannah.

– Agora eu estou parecendo uma policial? – perguntou ela.

Ele sorriu.

– Mas deixe que eu mesmo fale.

Niels bateu na porta. Não havia placa. O morador escrevera seu nome diretamente na madeira com pincel atômico. Eles estavam ouvindo barulho dentro do apartamento, mas ninguém abria a porta. Niels desabotoou o paletó para poder ter acesso mais fácil à sua arma.

– Polícia de Copenhague! Abra!

Dessa vez ele quase esmurrou a porta. Hannah pareceu alarmada. Ele não a devia ter trazido consigo. Levá-la ali tinha sido um comportamento nada profissional. Quando já ia mandá-la descer de volta a escada, um homem desarrumado e com olhos injetados abriu a porta.

– Carl Petersen?

– O que foi que eu fiz agora?

Niels mostrou sua identidade para o homem. Carl a estudou. Niels estava bem mais jovem na foto.

– Podemos entrar um minuto?

Carl olhou por cima do ombro. Talvez estivesse fazendo uma última vistoria na sua própria ruína antes de permitir a entrada de estranhos. Ele deu de ombros e escancarou a porta. Eram eles que tinham insistido em ir ali.

– Depressa, para os pássaros não saírem.

O mau cheiro dentro do apartamento era insuportável. Comida, urina, animais e decadência. Dois quartos e cozinha. Por alguma razão havia em cada um dos quartos uma cama de casal, atravancando o exíguo espaço.

– O senhor mora sozinho?

– Quem é que você acha que ia querer morar comigo? Um assassino condenado?

Hannah olhou perplexa para Carl.

– Por que você está fingindo surpresa? – disse ele. – Não é por isso que vocês estão aqui? Toda vez que uma mulher é estuprada aqui no bairro e o cara não deixa pistas vocês aparecem aqui. Quem é, desta vez?

Niels o ignorou e foi para a cozinha, mas Carl não queria deixá-lo sozinho.

– Então, quem foi que eu estuprei desta vez? Fala! Eu cumpri a pena, droga!

Havia recortes de jornal fixados na geladeira. Artigos contra os imigrantes, recortados dos jornais distribuídos gratuitamente: "20.000 trabalhadores poloneses na Dinamarca. Alunos bilíngues se saem mal na escola, se comparados com os dinamarqueses. Cinquenta por cento das muçulmanas estão desempregadas." No meio havia um cartão-postal com a foto de uma sorridente Pia Kjærsgaard, uma das fundadoras do Partido do Povo Dinamarquês: "Precisamos do seu voto". Niels deixou a galeria de artigos da geladeira e se voltou para olhar Carl. O ódio era um artigo de consumo. Era possível vender ódio e receber alguma coisa em troca. Carl tinha uma pequena ajuda doméstica e uma refeição barata uma vez por dia. Em troca, vendera seu ódio, que provavelmente era em primeiro lugar ódio a si mesmo, para aquela senhora ultraconservadora cuja importância na política nacional era mínima. E ela agora estava livre para usá-lo.

– O que é que você quer comigo? – As palavras de Carl foram interrompidas por um acesso de tosse. – Bronquite – sussurrou ele antes de ser acometido por outra onda. Ele estava usando uma tigela azul-anil funda e oval para escarrar.

Será que isso já foi um balde de champanhe? Hannah se fez essa pergunta antes de olhar para dentro. Não devia ter feito isso. Sentiu a náusea aumentar. Com dois passos apressados, ela foi até a janela e já ia abri-la quando Carl gritou:

– Não! – Ele a olhou assustado. – Os passarinhos estão soltos. – Ele apontou para uma gaiola vazia. Um casal de periquitos estava pousado numa prateleira guarnecida com espelhos e vigiava todos os movimentos do seu dono. Só então Hannah notou os excrementos dos pássaros. Havia por toda parte manchinhas circulares brancas e cinza, nenhuma delas maior que uma moedinha de cinco centavos.

– Então, você vai me dizer que diabo está acontecendo? – perguntou Carl.

Hannah e Niels se entreolharam. Não poderia ser aquele homem. Impossível.

Nesse momento eles ouviram um helicóptero perto da janela. Um grande Sikorsky estava voando baixo sobre os telhados.

– Essas merdas desses helicópteros. Ficam aterrissando dia e noite – resmungou Carl enquanto Niels e Hannah correram para olhar pela janela da cozinha, que ficava no sul. O helicóptero já ia aterrissar. Carl estava reclamando no fundo. – Eu não tive uma única noite inteira de sono desde que eles construíram o heliporto no alto do hospital.

Niels e Hannah se entreolharam. Ela foi a primeira a dizer:

– O Hospital Nacional.

61

Ospedale Fatebenefratelli – Veneza

Tommaso di Barbara se encostou na parede. O sol tinha desaparecido novamente. Ele era a única pessoa na varanda da casa de repouso, mas outros fumantes tinham estado ali antes dele. Na mesa de plástico branco havia dois cinzeiros com temas bíblicos pintados nas laterais. Os cinzeiros atestavam as chuvas de dezembro. Tinham água até a borda, com as pontas de cigarro boiando, esbarrando umas nas outras.

Ele estava fazendo uma pausa. O padre queria tentar novamente localizar a irmã Magdalena por telefone. Os dois tinham ficado juntos no quarto durante cerca de meia hora sem dizer uma única palavra. Então Tommaso se lembrou do cão da mãe, esquecido no barco. O padre tinha prometido ir cuidar dele. Insistiu nisso porque achava que Tommaso devia ficar sozinho durante algum tempo.

Como disse o padre: "Quando uma pessoa encarou a morte é importante ficar só durante algum tempo antes de voltar para o mundo".

Sua família. Tommaso devia chamá-los agora? Os tios e tias. A irmã caçula da sua mãe, que não a visitara uma única vez. Ele pegou o celular no bolso. Alguém tinha lhe deixado uma mensagem, mas ele não teve tempo de ouvi-la antes de ser interrompido.

– Sinto muito pela sua mãe, signor Di Barbara.

Tommaso se assustou, embora a voz fosse muito fraca, parecendo ter viajado duzentos quilômetros para chegar até ele. Mas não tinha. O homem estava de pé ao lado dele. Signor Salvatore. Tommaso o conhecia muito superficialmente. Ele tinha algumas lojas de *souvenirs* perto da Piazza di San

Marco. Era bem mais novo que a mãe de Tommaso, mas estava igualmente em situação terminal.

– Sua mãe. Sinto muito.

As pernas nuas do velho eram visíveis sob a bainha do roupão. Cobertas de vasinhos e de pelos grisalhos.

– Obrigado.

– Posso pegar um cigarro?

A ideia não parecia muito boa, pensou Tommaso, mas, diabo!, o signor Salvatore estava com os dias contados.

– Obrigado.

Eles fumaram em silêncio. Tommaso lembrou que ia ligar para a irmã da sua mãe e despejar nela a sua culpa. Olhou para o celular. Ainda não tinha ouvido a mensagem. De um número na Dinamarca. Ele acionou o correio de voz.

– Eu conversava com a sua mãe de vez em quando, signor Di Barbara.

– Obrigado por fazer isso.

Tommaso ouviu a mensagem. "Hannah. Chamando em nome de Niels Bentzon. O policial dinamarquês. Com relação ao caso...", e então ela disse algo em francês que ele não entendeu.

– Eu conheci o seu pai, também.

– Me dê licença um momento.

Tommaso se levantou e afastou-se um pouco... "... retirei os oceanos, toda a água. Espero que o senhor entenda, é um pouco difícil explicar por telefone".

– Ele não teve sorte, o seu pai.

Tommaso olhou aturdido para o velho. Que diabo ele estava tagarelando? Hannah lutava com o seu vocabulário limitado em francês – ou talvez ela estivesse com dificuldade porque o assunto era muito complicado. "... quer dizer, com toda a água retirada e todas as massas de terra reunidas do modo como eram os continentes nos primeiros tempos..."

Tommaso ignorou Salvatore. Ele estava ouvindo Hannah. "Procure num atlas e veja. Você só precisa tirar fora a água. Então vai ver imediatamente. Ponha todos os continentes em torno do polo Sul."

– Mas hoje nós finalmente podemos voltar a falar sobre isso. Ele não era tão ruim, o Benito.

Tommaso não tinha a menor ideia de quem era o homem sobre quem o velho estava falando. O nome do seu pai não era Benito.

Então o velho pronunciou o nome com uma certa exultação, como se ousando muito.

– Il Duce.

Hannah estava concluindo seu recado. "... as coordenadas aqui em Copenhague e em Veneza. O próximo assassinato. Vou lhe mandar uma mensagem de texto. *Au revoir.*"

Tommaso se precipitou para fora da sala. Muitas enfermeiras o detiveram, querendo expressar suas condolências.

– Obrigado. Muito obrigado. A senhora foi muito boa para a minha mãe – respondia ele e então se apressava. Ele sabia que era por ali. A biblioteca. Lembrava-se de a ter visto na sua primeira visita à casa de repouso. Três meses antes, logo antes de sua mãe ir para lá como paciente. Ele havia percorrido todo o prédio, embora soubesse muito bem que sua mãe provavelmente não sairia mais da cama.

O cheiro de cloro. Tommaso estava de pé em frente de uma piscina usada para fisioterapia. Não era aquele o lugar.

– Perdão. Onde é a biblioteca?

Da piscina o fisioterapeuta olhou para ele. Estava com as mãos sob os braços de um paciente que olhava sem expressão para o teto.

– A biblioteca? O senhor quer dizer a sala de leitura?

– Isso.

– É no segundo andar. Na outra ala do prédio, bem no final.

Tommaso saiu correndo enquanto tentava entender a estranha mensagem que a dinamarquesa deixara no seu celular. Desceu apressado a escada e se arremeteu por uma ala que não cheirava a morte. Só a doença.

A sala de leitura ficava na seção da casa de repouso que permanecera exatamente como na época em que o prédio era usado como claustro. Uma velha era a única pessoa na sala, embora não estivesse lendo. Estava sentada e parecia ansiosa, com as duas mãos agarrando a bolsa. Como se Tommaso fosse tentar roubá-la.

– *Ciao.*

Ele foi direto para as estantes, cheias de volumes empoeirados. Sobretudo romances. Livros para o gosto dos pacientes, embora estes atualmente preferissem assistir à televisão. Devia haver um atlas em algum lugar.

Ele olhou para a velha.

– A senhora poderia me ajudar?

Inicialmente ela pareceu surpresa. Depois seu rosto se iluminou e ela disse:

– Posso, claro.

– Precisamos encontrar um atlas. A senhora poderia começar por aqui.

Aquilo era claramente uma quebra na monotonia dos seus dias. Ela se atirou à tarefa, até se esqueceu da bolsa. Tommaso correu o dedo pela lombada dos livros, olhando os títulos. Por que havia tantos livros de cozinha? Certamente essa era a última coisa de que alguém precisaria numa casa de repouso.

– Pronto. – A velha lhe entregou um livro infantil: *Nosso mundo*. Na capa havia uma figura de caubóis e índios.

– Obrigado. Obrigado pela ajuda.

Lá pelo meio do livro Tommaso encontrou um mapa-múndi colorido. Ele olhou para a mulher. O sorriso dela desapareceu quando ela o viu arrancar as páginas.

62

Hospital Nacional – Copenhague

Uma ligação direta e imediata entre a teoria e a comprovação era algo totalmente inédito para Hannah. Ela estava acostumada a passar anos discutindo teorias com seus colegas. Quando os físicos finalmente apareciam com uma teoria mais ou menos satisfatória, eles podiam começar a procurar a prova. E não era absolutamente certo que a prova surgisse enquanto eles estivessem vivos. O físico inglês Peter Higgs podia se considerar um homem de muita sorte. Em 1964 ele propôs sua teoria sobre a partícula e agora ela estava sendo investigada, com o uso de todos os meios disponíveis, num túnel subterrâneo de vinte e sete quilômetros especialmente construído para isso na Suíça. Higgs está com oitenta anos. Quarenta anos atrás ele elaborou uma teoria sobre a existência dessa partícula, e se a correção dessa teoria for constatada ele será um dos poucos físicos a experimentar uma convergência direta entre teoria e comprovação. Junto com Hannah Lund.

Ela olhou para as pessoas que estavam no corredor do Hospital Nacional. Homens e mulheres envergando jalecos brancos. Na noite anterior ela havia descoberto a lógica no padrão dos assassinatos. Com precisão geográfica, calculara essas coordenadas sem ter a menor ideia de que elas apontavam para o maior hospital da Dinamarca.

Niels voltou do seu percurso pelo corredor.

– Claro, claro – murmurou ele.

Hannah não sabia o que dizer. Estava inquieta. Pegou o GPS. Talvez sua consulta estivesse equivocada. Ela ligou o aparelho.

– A bateria está funcionando de novo?

– Não sei. Talvez.

O localizador de posição começou sua busca. Pegou instantaneamente o sinal do satélite que fazia a sua eterna órbita em torno da Terra.

– O que é que você acha? – indagou Niels impaciente.

– É o que ele diz. O lugar é este. – Ela o olhou resignada.

Niels balançou a cabeça.

– Médicos. Parteiras.

Hannah tomou a dianteira:

– Pesquisadores de câncer, técnicos de laboratório, cirurgiões. Quase todo mundo que trabalha no hospital está envolvido com o salvamento de vidas. Todos eles seriam classificados como pessoas boas.

– Não dá para encontrar uma localização mais precisa? – perguntou Niels.

– Nós não vamos chegar mais perto. Não há tempo.

Niels murmurou alguns xingamentos e então voltou a perambular pelo corredor. Passou pela sua cabeça um pensamento: se não fosse por essa maldita fobia de viagens, agora ele estaria sentado à beira de uma piscina. Poderia ficar lá, sem dar a menor bola para tudo isso, bebendo e jogando conversa fora. Em vez disso lá estava ele, olhando para a lanchonete frequentada pelos empregados do hospital. Centenas de pessoas usando jalecos brancos. Branco era o símbolo da bondade. Os soldados em quem Hitler mais confiava usavam preto. Os médicos sempre usavam branco.

Hannah pegou na mão dele.

– Eles são muitos – disse ela.

– É – respondeu ele. – Demais, na verdade.

Área de recepção do Hospital Nacional – Copenhague

O recepcionista não desviou os olhos do computador para atendê-los. Talvez pensasse que Niels estivesse brincando quando perguntou, sem nenhum preâmbulo:

– Quantas pessoas trabalham aqui?

– As perguntas de ordem geral sobre o hospital devem ser feitas à nossa divisão de Relações Públicas.

Niels pegou sua identificação policial.

– Eu lhe perguntei quantas pessoas trabalham aqui.

– Mas...
– Inclusive todos os empregados. Médicos, enfermeiros, equipe de limpeza. Todos.
– O senhor está procurando algum paciente?
– Inclusive todos os pacientes e seus visitantes. Tudo bem, vou refazer a pergunta. Quantas pessoas você acha que estão aqui no hospital neste exato momento?

O recepcionista dirigiu a Niels um olhar indefeso. Hannah cutucou seu braço.
– Niels.
– E quantos têm entre quarenta e cinco e cinquenta anos?
– Niels. Isso não tem sentido.
– Por que não? O que é que você está querendo dizer?

Ela olhou para o recepcionista com uma expressão que era um pedido de desculpa. Ele apenas deu de ombros.
– Niels.
– Tem de ser possível! Hoje em dia tudo entra nos computadores. Deve ser fácil descobrir quais são os empregados que têm uma determinada idade e estão trabalhando aqui no momento.
– E daí?
– Precisamos descobrir qual deles mais merece ser chamado de pessoa boa, justa. E evitar um assassinato. Não foi por isso que você me ligou?
– Não sei. Parece que temos muito pouca chance.
– Por quê? Dê uma olhada na lista das vítimas. Pediatras, pastores, advogados, professores – a maioria tinha contato com muita gente. Estavam tentando ajudar os outros.

Hannah suspirou alto. Assim como Niels, ela já havia imaginado que poderia estar em algum outro lugar. No lago. Reclinada numa espreguiçadeira. Com um maço de cigarros e uma xícara de café. No seu próprio mundo.

Ali perto havia uma maquete do hospital protegida por uma caixa de vidro. Niels se inclinou sobre ela, apertando as mãos contra o vidro. Estava suando muito. Quando levantou as mãos, suas palmas ficaram marcadas no vidro. Hannah foi até lá e eles estudaram juntos, em silêncio, a versão em miniatura do hospital, como se isso facilitasse o entendimento. O prédio principal tinha dezesseis andares. A seção antiga ficava numa área grande o suficiente para abranger uma pequena vila. Subitamente, Niels se voltou para Hannah.
– Tudo bem, você tem razão. Precisamos fazer isso de um jeito diferente.

63

Amager – Copenhague

    Ilha da Merda. Niels detestava aquele apelido. Mas na estrada havia dois manifestantes segurando um cartaz com letras mal desenhadas: BEM-VINDO À ILHA DA MERDA – PONTO DE ENCONTRO DOS LÍDERES DE MERDA DO MUNDO INTEIRO. Hannah também os viu, mas não fez nenhum comentário. A barba de um dos homens tinha neve e gelo dependuradas. Seu aspecto era de um maluco, e ele não podia ser senão isso. Eventos como a conferência sobre o clima sempre atraíam esse tipo de gente. A Décima Quinta Conferência sobre o Clima era um material estimulante para as teorias da conspiração e o raciocínio paranoico que está sempre à espreita de sinais do apocalipse, tais como ter todos os líderes mundiais num único lugar. E esse lugar era a área onde antigamente os cidadãos de Copenhague jogavam seu lixo. Simbólico *demais*. Hoje uma fina camada de asfalto cobre o pântano e sobre ela fica um bairro urbano que saiu diretamente das visões de futuro apresentadas nos filmes franceses de ficção científica da década de 1960. Trens correndo em elevados sem ninguém nos controles e arranha-céus pintados de branco que tinham todos o mesmo aspecto. Arquitetura asséptica projetada na época em que se achava que o futuro anularia o indivíduo em favor da comunidade. Mas não foi isso que aconteceu. Naqueles tempos, mais de quarenta anos atrás, ninguém teria previsto que o mundo se tornaria um termostato passível de ser regulado para cima ou para baixo. Principalmente para cima.

    Alguns retardatários estavam caminhando na neve das laterais da estrada, rumo ao Bella Center.

– Parece que abriram o portão do hospício – sussurrou Niels.

Hannah tentou rir, mas não conseguiu.

– Você tem certeza de que eu preciso ir lá?

– Tenho. Você precisa explicar tudo.

Hannah olhou através da janela do carro. Lamentava ter se envolvido naquilo. Não tinha vontade de explicar nada.

O Bella Center. Um nome elegante para um prédio feito de concreto aparente localizado na extensão pantanosa mais plana da Europa. Niels estacionou um pouco longe. Para entrar de carro era preciso uma permissão especial. O Bella Center não estava sob jurisdição dinamarquesa durante a realização da conferência. Nesse período ele pertencia às Nações Unidas. Se não fosse assim, meia dúzia de déspotas não teriam podido participar. Chefes de Estado que, de acordo com os padrões ocidentais normais, deviam estar cumprindo trinta e oito prisões perpétuas consecutivas por crimes contra a humanidade. Mas estavam todos ali. Mugabe, Ahmadinejad e toda a gangue. Pelo objetivo de baixar a temperatura da Terra. Era quase tocante.

– Você viu o Sommersted? – perguntou Niels a um dos policiais.

– Está em algum lugar lá dentro. Confusão total, agora. O Obama está aqui. – Niels sorriu e deu um tapinha nas costas do homem. O policial balançou a cabeça.

– Não dá para saber se quem está dirigindo o espetáculo é o Serviço Secreto ou somos nós – disse o policial.

"Espetáculo", pensou Niels. Talvez a palavra se aplicasse ao evento com mais propriedade do que imaginava o seu colega. Os manifestantes eram mantidos à distância por uma cerca de três metros de altura. Ficavam do outro lado, parecendo refugiados da Revolução Russa: vestidos de preto, tiritantes de frio e inofensivos. Os que eram considerados potencialmente perigosos, isto é, todos aqueles que tinham uma chance real de passar pela cerca, haviam sido presos e ficariam detidos enquanto Obama estivesse em cena.

Sommersted estava diante das câmeras de televisão e dos repórteres, sorrindo tranquilamente apesar das perguntas que lhe dirigiam. Por que os manifestantes eram forçados a se sentar no chão por tanto tempo? Por que a polícia não era mais bem preparada? "Os manifestantes foram levados para o hospital." "A polícia agiu com brutalidade." O sorriso de Sommersted parecia maior a cada acusação dirigida à polícia de Copenhague. Por fim ele ergueu as mãos, como se tentasse parar um trem descontrolado.

– Exatamente agora cinco policiais estão no pronto-socorro. Três deles com lesões graves. Um tem o nariz e o maxilar quebrados. Foram golpeados com canos de ferro. Mas evidentemente eu lamento o fato de que alguns manifestantes possam ter sofrido uma leve infecção de bexiga por terem ficado sentados no chão frio.

Ele fez uma pausa para impressionar. De repente todos os repórteres pareciam crianças e Sommersted o único adulto presente ali. Ele deu um sorriso simpático para as câmeras.

– A principal responsabilidade da polícia de Copenhague é garantir que os líderes mundiais possam se encontrar em segurança e sem interferência aqui no Bella Center. Em segundo lugar devemos garantir que haja o menor número possível de manifestantes feridos – embora eles nos ataquem com tijolos e até coisa pior. Mas quando se trata de segurança a ordem das nossas prioridades é essa. Alguma pergunta?

Murmúrios esparsos. Os repórteres estavam arrependidos. Sommersted era especialista em apaziguar o pessoal da mídia. Quando as perguntas cessaram, Niels abriu caminho pela multidão.

– Sommersted?

O chefe da polícia o olhou surpreso.

– Bentzon? Que ótimo trabalho você fez, pegando o Abdul Hadi.

– Obrigado.

– Mas você não ia tirar férias?

– Eu sei que você está ocupado – disse Niels ignorando a pergunta –, por isso vou apressar as coisas. – Ele fez Hannah avançar. – Essa é Hannah Lund, pesquisadora do Instituto Niels Bohr.

Sommersted olhou confuso para Hannah e repetiu:

– Niels Bohr?

– Na verdade ex-pesquisadora – Hannah se apressou a murmurar antes que Niels prosseguisse.

– Os casos de homicídios ocorridos em vários países – pessoas boas que estão sendo assassinadas. Lembra? Constatamos que os assassinatos estão sendo cometidos de acordo com um sistema complexo que aparentemente se liga a um mito religioso antigo. – Niels sabia que isso parecia muito estranho, então se calou por um momento. Um grupo de delegados chineses vestidos de terno começou a empurrá-lo. O que lhes faltava em altura era compensado pelo número.

Niels continuou: – Não daria para a gente conversar num lugar mais tranquilo? É apenas um minuto.

Sommersted olhou em torno, pensando durante quinze segundos se ouviria Niels durante o minuto solicitado.

– Tudo bem. Pode falar.

– Certo. Hannah?

Ela pigarreou e durante cinco segundos ficou olhando nos olhos de Sommersted.

– Primeiro nós constatamos que a distância entre um assassinato e outro era de aproximadamente três mil quilômetros. Mas a coisa é bem maior e mais complicada que isso. Estou falando do sistema. Veja: primeiro os números não tinham lógica. Mas então eu retirei a água, os oceanos, e juntei as massas de terra. O senhor precisa imaginar a superfície do globo como sendo composta apenas de terra...

– Reunida no polo Sul – interpôs Niels.

– O polo Sul? – indagou Sommmersted.

– Exatamente. Como os continentes se dispunham um bilhão de anos atrás. O supercontinente de Rodínia. É um pouco difícil explicar tudo em apenas trinta segundos, mas eu vou tentar: se pusermos os locais dos trinta e quatro crimes nos paralelos doze, vinte e quatro, trinta e seis e quarenta e oito, então – Hannah olhou para Niels antes de prosseguir –, eles formarão pequenos círculos e... – Ela parou de falar.

Niels continuou:

– Resumindo, sobraram dois locais: Copenhague e Veneza.

Sommersted não disse nada. Os segundos passavam.

– Veneza? – Sommersted olhou para Hannah e para Niels, depois disse:

– Veneza? Eu fui para Veneza na minha lua de mel.

Seu sarcasmo não surtiu efeito em Hannah.

– E o que é que isso tem a ver com o caso? – indagou ela.

Niels assumiu o relato novamente. Limpou a garganta e falou mais alto para ser ouvido sobre uma mensagem em inglês que estava sendo irradiada pelos alto-falantes em todo o centro de conferências.

– Esta noite – disse ele –, ou melhor, esta tarde, quando o sol se puser, logo antes das quatro...

– Às três e trinta e sete da tarde – interrompeu Hannah.

Niels prosseguiu:

– Às três e trinta e sete um assassinato será cometido aqui ou em Veneza. – As pessoas começaram a olhar para eles. Ou melhor, as pessoas que falavam dinamarquês. Repórteres, com a credencial de imprensa dependurada no pescoço por um cordão que fazia publicidade da Nokia.

– Em Veneza o sol irá se pôr dentro de menos de quatro horas. Aqui ele se porá daqui a três horas. Não temos muito tempo.

64

Ospedale Fatebenefratelli, na sala de leitura – Veneza

Tommaso se lembrava dos locais onde todos os assassinatos tinham sido cometidos. Até os primeiros: Tanzânia, Peru, Brasil. Ele tinha usado uma caneta para marcá-los no mapa arrancado do atlas infantil. Com um estilete ele retirara toda a água. Depois empurrara os continentes para formar um único bloco. Agora ele podia ver, mesmo a olho nu, como tudo se ajustava.

Tommaso tinha fechado a porta da sala de leitura, mas continuava ouvindo vozes no corredor. Olhou para o trabalho manual infantil que estava na mesa. Um mundo recortado em pedaços e depois novamente reunido. Lá fora uma sirene tinha começado o seu lamento. Tommaso levou um tempo para se dar conta do que significava aquele som. Só entendeu quando chegou até a janelinha e viu os venezianos correndo para casa. A cidade seria inundada dentro de alguns minutos. A água dos canais subiria sem nenhum ruído. Ele olhou novamente para o mapa reformulado. Era como se agora a água da laguna estivesse querendo se vingar porque Tommaso tinha retirado do mapa os mares que ele continha.

Absurdo.

Era época de inundação na laguna. Várias vezes por semana os venezianos precisavam pôr galochas, obstruir com barricadas suas portas e vedar as fendas. Ele também devia ir para casa. Ou talvez pudesse ligar para o vizinho do térreo e pedir-lhe para pôr as tábuas. Pensar em usar o celular fez Tommaso se lembrar da mensagem que tinha recebido da Dinamarca. Ele tentou novamente ligar para a dinamarquesa que havia deixado a mensagem no correio de voz. Ninguém respondeu.

A mãe de Tommaso estava deitada na cama exatamente como ele a havia deixado. Sozinha. Tommaso estava com dor de cabeça e suas costas também doíam. Passou pelo quarto uma enfermeira.

– Perdão – disse ele. – Seria possível a senhora me trazer, por favor, alguns analgésicos?

A enfermeira olhou para ele e sorriu.

– Vou chamar o médico.

Ela se foi. A casa de repouso estava deserta, com apenas uns poucos funcionários – e os pacientes, claro. O resto saíra correndo para casa, como faziam todos quando a água começava a subir. Alguns rumando para o continente, outros indo proteger sua casa.

– Não estou encontrando o médico. – Da porta, a enfermeira pôs a cabeça dentro do quarto novamente. – Mas falo com o senhor assim que conseguir.

– Obrigado.

Ela o olhou com uma expressão pesarosa.

– Eu falei com a irmã Magdalena agora há pouco.

– A irmã passou muito tempo com a minha mãe e eu sou muito grato a ela por isso.

– A irmã Magdalena está vindo para cá. – A enfermeira sorriu. – Apesar da inundação. Disse que é importante. Pediu que o senhor não vá embora antes de ela conversar com o senhor.

Tommaso teve dificuldade em imaginar o que poderia ser tão importante.

– Outros membros da família estão vindo para cá? – perguntou a enfermeira.

– Acho que não.

– Talvez o senhor queira ir até a igreja acender uma vela para a sua mãe.

– Talvez eu faça isso.

– Se for, eu aviso à irmã Magdalena que o senhor não está longe.

Tommaso sorriu, e então sua criação católica o fez se levantar. Claro que ele iria acender a vela que a mãe usaria no seu caminho pelo purgatório.

Ele parou na entrada principal. O leão veneziano estava esculpido na pedra ao lado dos pilares de mármore que sustentavam o peso do teto do prédio antigo. O leão parecia bravo. A praça diante da casa de repouso já estava com mais de meio centímetro de água. A igreja não ficava longe. Os pés de Tommaso ficariam molhados, mas não havia nada a ser feito quanto a isso. Ele precisava acender a vela, embora a irmã Magdalena tivesse dito que ele não devia deixar o hospital antes de conversar com ela. Mais que qualquer outra pessoa, ela saberia da importância de acender uma vela para um morto. Os fogos do purgatório não iriam esperar por causa de uma pequena inundação.

– Signor Di Barbara.

Tommaso viu o velho padre.

– O senhor está indo embora?

– Vou apenas acender uma vela para a minha mãe. E o senhor?

– Não vou demorar. Nosso cardeal está chegando com o ministro da Justiça – respondeu o padre com o rosto iluminando-se a esse pensamento.

– Na estação ferroviária?

– Isso. Volto logo.

O padre pôs o capuz na cabeça e saiu – bem preparado, com grandes galochas cuja ponta aparecia sob a batina comprida. Por um momento Tommaso se sentiu livre. Totalmente livre. Livre de ficar de plantão, usando uniforme e participando de uma daquelas intermináveis cerimônias de boas-vindas para o chefe de polícia; livre de visitar esse lugar, essa casa de repouso. Ele estava livre. Com o dinheiro da casa... se ele a vendesse... Não. Era cedo demais para pensar nisso. Ele não tinha nem mesmo acendido uma vela para a sua mãe. O sentimento de liberdade foi substituído pela culpa, e ele saiu correndo em direção à igreja.

65

Bella Center – Copenhague

– Estamos presos? – perguntou Hannah depois de os dois ficarem sentados por muito tempo dentro de um galpão usado normalmente por operários.
– Claro que não.
Niels avistou Sommersted através de uma janela fechada. O chefe da polícia estava atravessando a praça diante dos manifestantes, passando pela fila de representantes de ONGs e membros da imprensa que esperavam para pegar a credencial. Chegando ao galpão, o chefe da polícia puxou com tanta força o trinco da porta que Hannah deu um salto. Ele fechou a porta atrás de si, espumando de raiva.
– Obrigado por esperar – disse ele.
– Então preste atenção – disse Niels –, eu sei que parece maluco.
Sommersted se sentou diante deles. Desabotoou o colete à prova de balas, revelando uns fiozinhos de cabelo grisalho no peito, que chegavam quase até o pescoço.
Niels prosseguiu:
– Como eu estava tentando dizer, o assassino age de acordo com um mito antigo sobre os trinta e seis homens bons graças aos quais o mundo se mantém. Você conhece esse mito? Podemos até calcular o local do próximo assassinato. Conhecemos as coordenadas precisas, e tudo aponta para o Hospital Nacional.
– O Hospital Nacional?
– A matemática nunca mente. Resumindo o caso, precisamos evacuar o hospital.
Eles foram interrompidos por Leon, que abriu a porta.
– Ele está a caminho.
– Acabou?
– Acho que eles estão só fazendo uma pausa.

– Obrigado, Leon.

Leon cruzou o olhar com o de Niels antes de voltar a fechar a porta.

– Você me deu a tarefa – começou Niels. Ele se empertigou e tentou uma nova tática. – Eu contatei alguns dinamarqueses considerados boas pessoas e os adverti. Por causa de um dos nomes da lista conheci por acaso Hannah Lund. – Niels olhou para Hannah e depois se voltou para Sommersted. – Você precisa se dar conta, Sommersted, de que essa mulher é um gênio.

Sommersted balançou a cabeça e olhou para a mesa com uma expressão pesarosa.

– Eu não posso mais proteger você, Niels. Primeiro você usa o seu tempo livre para visitar criminosos na prisão, e agora isso.

– Você precisa encarar os fatos – disse Niels. – Nós sabemos quando o crime vai acontecer. No anoitecer de hoje, no pôr do sol, às três e trinta e sete da tarde. E nós sabemos o local. O Hospital Nacional. Também temos um perfil da próxima vítima. Uma pessoa boa, sem filhos e que tem entre quarenta e quatro e cinquenta anos. Você só precisa encarar os fatos.

Sommersted esmurrou a mesa.

– Fatos? – berrou ele. – O fato é que eu lhe dei uma chance de executar uma tarefa simples. Com ela você poderia readquirir a minha confiança. – A essas alturas Sommersted já estava obviamente lamentando a sua explosão. – Nós não vamos entrar nisso agora, Bentzon. Neste momento há coisas mais importantes. Vejo você na semana que vem na minha sala.

– Pelo menos preste atenção no que ela tem a dizer.

– Niels. Eu acabei de fazer uma checagem do histórico da sua amiga.

Hannah olhou surpresa para Sommersted, depois se virou e olhou para Niels.

– Talvez você devesse ter feito a mesma coisa antes de vir aqui com essa mulher. Logo aqui! Hoje! Passando por todos os controles de segurança para ter acesso ao local onde Obama e todos os outros estão reunidos.

– O que é que você quer dizer?

Sommersted se levantou.

– Que tipo de checagem de histórico? – disse Hannah levantando-se também.

Niels olhou perplexo para eles. Era como se os dois compartilhassem algum tipo de segredo.

– Do que é que vocês estão falando? – indagou ele.

Sommersted olhou com simpatia para Hannah, que exclamou:

– Aquilo não tem nada a ver com isso.

Niels interrompeu-os.

– Do que é que vocês estão falando?

Hannah respirou fundo. Sommersted recostou-se na porta olhando-a em expectativa.

– Conte para ele o que você descobriu – disse ela sem erguer o olhar.

– Eu não ia mencionar isto, mas uma vez que você insiste... – Sommersted pareceu quase humano. – Nós sabemos que você foi paciente de um pavilhão psiquiátrico. E você sabe o que isso significa no meu mundo?

Hannah estava tentando não chorar.

– Mas o meu filho tinha morrido.

– Isso significa que você não é confiável. E pessoas não confiáveis são uma ameaça para a segurança.

Hannah sussurrou:

– Idiota!

– E o que eu realmente não preciso agora que estou cuidando dele – Sommersted apontou para a janela onde Obama, que caminhava da entrada do prédio para a sua limusine estacionada – é de malucos não confiáveis. Porque eles são perigosos.

Obama acenou para os manifestantes. Parecia mais baixo pessoalmente. "AJUDE O MUNDO", foi o que Niels conseguiu ler num dos cartazes antes de Sommersted abrir a porta.

– E agora eu vou voltar para o meu trabalho.

Hannah estava chorando. Sommersted parou no vão da porta. Niels olhou para ele. Sabia que tudo estava perdido. Que ele não era mais subalterno de Sommersted e não seria empregado pela força policial em nenhuma cidade do país. Ele poderia perfeitamente ser o último a falar.

– Dê o fora, Sommersted. Adeus.

A viagem de volta para Copenhague foi feita em silêncio. Niels dirigia. Hannah olhava pela janela, tão quieta que Niels começou a duvidar até mesmo de que ela estivesse viva.

– Você está respirando? – indagou ele.

– Estou.

– Bom.

– Mas não sei para quê.

Para que nós continuamos respirando?, pensou Niels. Ele não podia responder à pergunta. Não naquela hora.

– Me deixe onde você quiser. Para mim tanto faz. Onde foi que você estacionou o seu carro? – Pela primeira vez ela olhou para ele.

– Perto do café.

– Ah, está certo.

O café. Era estranho como as coisas podiam mudar no decorrer de um dia. De manhã Hannah tinha se maquiado. Agora a pintura estava toda borrada. De manhã ela havia sido uma cientista no seu elemento. Agora era um caso psiquiátrico.

– Niels... Eu devia ter percebido que isso ia acontecer. Nós fomos longe demais. Sinto muito.

O celular de Niels estava tocando.

– É o policial italiano. – Ele passou o telefone para Hannah.

– O que é que eu falo?

– Fale que o próximo assassinato será cometido na cidade dele ou na nossa. – Niels entrou no acostamento. O celular parou de tocar. Ele desligou o motor e olhou para Hannah. – Não sei o que aconteceu com você na época, mas sei que você não é louca.

Ela conseguiu esboçar um sorriso e deu de ombros.

– Não se passa um único dia sem que eu me compare com os padrões aceitos do que se considera normal. Eu mantenho um diário. Toda vez que vejo uma conexão, anoto.

– O que é que você está querendo dizer?

– O meu cérebro. Está sempre procurando sistemas em tudo. A vida inteira foi assim. Meu cérebro é um supercomputador que nunca desliga. Desde quando eu era muito nova. É uma maldição. A certa altura ele parou. Foi quando eu dei à luz o meu filho. Mas depois eu comecei a ver sistemas que não existiam.

– Em que sentido?

– Placas de carro, por exemplo. Comecei a procurar conexões numéricas. Faço isso até hoje. Eu as anoto e mostro para o meu psiquiatra. E você sabe de uma coisa?

– Não. O quê?

– A placa do seu carro. Ela me chamou a atenção quando você foi saindo da minha casa, na sua primeira visita. É II 12 041.

– E daí?

– 12 04. Pode ser o dia 12 de abril. É o dia do aniversário do meu filho. E tem também o último número, que é 1, e o "I" duplo no início.

– Não estou entendendo.

– A letra "I" é a nona letra do alfabeto. Assim, temos "199". E se acrescentarmos o número seguinte, então teremos...

– O número 1991. É o ano em que o seu filho nasceu?

– Exatamente. Então você percebeu a coisa, Niels. Eu estou sempre vendo sistemas. O tempo todo. Vi esse sistema na placa do seu carro em menos de um segundo. Você entende? É uma maldição. Uma calculadora que eu não posso desligar.

Niels ficou calado, pensando em tudo aquilo, e depois disse:
– Olhe para a estrada.
– O que é que você quer que eu faça?
– Olhe, só isso. Há algum sistema no modo como os carros estão andando?

Ela sorriu.
– Você só está tentando ser gentil.
– Responda à minha pergunta. Faça de conta que eu sou um idiota.
– Tudo bem. Sim. *Há* um sistema.
– Exatamente. As pessoas dirigem do lado direito da estrada. Assim, embora você veja sistemas que não são importantes, você também vê alguns que são. Tenho sido chamado de maníaco-depressivo. Vítima de esgotamentos, depressões e psicoses. Tudo isso. Todo mundo está sempre muito ocupado fazendo o nosso diagnóstico. Explicam as mudanças do nosso comportamento relacionando-as com alguma doença.

Ela hesitou.
– Você tem razão. Mas agora é melhor eu ir para casa.

Niels a examinou.
– Acho que é a melhor coisa que você pode fazer. Porque o problema não está no fato de você ver sistemas demais. – Ele deu partida no carro.
– Do que é que você está falando?
– O problema tem a ver com as pessoas, Hannah. Enquanto houver sistemas, teorias, alguma coisa se passando dentro do seu cérebro, está tudo bem. Mas quando se trata de pessoas reais, como agora, você sai do ar. É ou não é?

Ela o olhou surpresa.
– Não foi isso que eu quis dizer, absolutamente.
– Existem sistemas, buracos negros e matéria escura. Você sabe tudo sobre esse tipo de coisa, Hannah. Com eles você está em casa. Mas existem também pessoas reais. Eu... as pessoas da sua vida... a próxima vítima... seu filho.
– Você...

Ela estava tão estarrecida quanto Niels com aquela perda de controle. Mas foi ele que recebeu o impacto da sua raiva. Primeiro ela deu um grito meio sufocado que ecoou no carro pequeno. Depois começou a golpeá-lo com o punho.
– Hannah! Acalme-se! – gritou Niels erguendo as mãos para proteger o rosto. Ele poderia ter segurado os braços dela, mas não fez isso.

– Você, você... – repetia Hannah sem parar, deixando a frase inconclusa. Ela o golpeava com toda a força.

Então ela parou. Niels sentiu o gosto de sangue. Hannah não parecia se importar por ver o resultado da sua raiva. Os segundos tornaram-se um minuto. Talvez mais.

– Você está sangrando – disse ela.

– Não é nada.

Hannah tinha a respiração acelerada quando tocou a boca de Niels. Limpou nos lábios dele o sangue escorrido e ele agarrou a sua mão. O beijo foi a coisa mais natural do mundo. Ela se voltou para olhá-lo, levantou-se apoiada num joelho e se inclinou sobre ele. Foi ela que beijou. Sua língua deslizou cautelosamente pelo corte minúsculo do lábio inferior antes de encontrar a dele. Eles ficaram assim por um bom tempo.

Então Hannah se reclinou sobre o banco do passageiro e olhou pela janela. Como se nada tivesse acontecido. Nem o beijo nem a sua explosão. Ela foi a primeira a quebrar o silêncio.

– Você tem razão – disse ela.

66

Chiesa dei Santi Geremia e Lucia – Veneza

A chamada do celular aconteceu no exato segundo em que a sirene parou de berrar. Um número com o código de país 45. Da Dinamarca. As pessoas não deviam atender o celular dentro da igreja, mas Tommaso já havia acendido uma vela para a sua mãe, feito o sinal da cruz e se comportado como um bom menino. Na realidade ele tinha acendido duas velas, só por segurança. Velinhas de Natal que se extinguiriam quase instantaneamente. Ele passou para o corredor lateral para não perturbar ninguém. Em voz baixa, disse:

– Tommaso di Barbara.

Era a dinamarquesa. Queria saber se ele tinha recebido a mensagem.

– *Oui*.

O francês dela tinha um forte sotaque dinamarquês. Mas ela pronunciava cada palavra com cuidado.

– O sistema funciona com toda a precisão – explicou ela.

– Que coisa incrível!

– Se o número está correto – se estamos falando do número trinta e seis...

Havia muito ruído na linha. Tommaso ergueu o olhar para a pintura acima dele: Jesus estava de pé ali com os braços estendidos. São Tomé, o Incrédulo, espetava o dedo numa das feridas de Cristo, no local onde a lança romana havia penetrado no flanco do Salvador.

– Você ainda está aí?

Hannah respondeu:

– Sim, perdão. Ainda vão ocorrer dois assassinatos. O próximo vai acontecer na sua cidade ou na nossa daqui a algumas horas.

– Você tem certeza?

– Tenho. – Ela respondeu sem hesitação, confiante na sua convicção, que se ajustava ao lugar onde Tommaso se encontrava naquele momento.

– Mas... – Tommaso lutou para expressar o seu espanto. No alto, perto do altar, uma caixa de vidro abrigava uma figura vestida de vermelho. Um turista a fotografou. Tommaso se afastou daquele lugar. – Quando?

– Parece que todos os assassinatos foram cometidos no crepúsculo.

Tommaso recapitulou mentalmente a lista de vítimas. Por que ele não havia notado isso? Talvez porque a hora exata da morte havia sido registrada em apenas alguns assassinatos. Mas mesmo assim. Todo dia nos últimos seis meses ele tinha passado horas debruçado sobre o caso, e essa mulher fora capaz de solucionar todo o caso em pouquíssimo tempo.

– Monsieur Di Barbara?

– *Oui*.

– Estou lhe mandando um texto. Ele contém as coordenadas do local onde o assassinato será cometido.

– O que você quer que eu faça?

Hannah ficou em silêncio durante alguns segundos. Então disse:

– O que você queria que nós fizéssemos quando nos mandou aquelas informações sobre o caso?

Tommaso olhou à sua volta.

Hannah perguntou:

– Quando é que o sol vai se pôr em Veneza?

– Dentro de muito pouco tempo, acho eu.

– Então você poderia usar o tempo que nos resta para localizar as coordenadas que eu estou lhe mandando. Encontre o local onde o assassinato vai ocorrer. Tente impedi-lo.

– Sei. Claro. É que a minha mãe...

Ele pensou em explicar a situação. Que a sua mãe tinha morrido. Ele precisava voltar. As pessoas o desaprovariam por ir embora logo depois da morte dela. Mas ele não disse nada.

– O GPS tem uma certa margem de erro. Mas num raio de alguns metros deve ser preciso. Agora eu tenho de ir.

Luciano estava sentado na escadaria da igreja. Era um dos poucos moradores de rua remanescentes. Em Veneza não os toleravam, por causa dos turistas.

Quando Tommaso era criança, eles eram em número bem maior. Agora Luciano era praticamente o único que restava. Por outro lado, toda a vizinhança queria ajudá-lo. Como se ali ele fosse um bichinho de estimação.

– Tommaso. Tem um trocado?

Tommaso remexeu nos bolsos.

– Só tenho oitenta centavos.

– Esquece. – Luciano recusou os oitenta centavos com um gesto de mão e um suspiro indignado. Então Tommaso achou no bolso de trás uma nota de cinco euros e a entregou ao homem.

Ao se precipitar pela praça, Tommaso viu que a água já havia subido mais um centímetro. Com exceção de Luciano nos degraus da igreja, as ruas estavam desertas.

– Feliz Natal – gritou o velho bêbado, e então Tommaso dobrou a esquina.

67

Hospital Nacional – Copenhague

Hannah estava sentada no corredor do Hospital Nacional, e Niels andava impaciente de um lado para outro, quando através da janela viu seu colega. Casper estacionou a bicicleta, retirou os faróis e entrou.
– Vim tão rápido quanto pude. – Casper parecia sem fôlego.
– Você falou com alguém aonde ia?
– Ninguém perguntou.
– Bom. Quero que você conheça a Hannah. Vocês vão trabalhar juntos.
– Eu nunca estive em campo antes – disse ele agitado. Hannah veio encontrá-los. Niels a apresentou.
– Hannah Lund. Professora do Instituto Niels Bohr – acrescentou ele. Ela não tentou corrigi-lo. Qualquer outra explicação teria sido complicada demais. A apresentação de Casper foi mais fácil e também mais próxima da verdade: o gênio da computação da polícia.

Departamento de Pessoal, Hospital Nacional – Copenhague

As luzes fluorescentes levaram uma eternidade para acender. O brilho frio iluminou a placa na porta de vidro fosco: DEPARTAMENTO DE PESSOAL DO HOSPITAL NACIONAL.
– Eu já ia encerrar o meu dia de trabalho – disse Thor, o homem de meia-idade responsável pela informática que lhes havia aberto o acesso à sala.

Os pais dele não devem mais achar que o nome é adequado para Thor, um homem tão miúdo, pensou Niels. Talvez eles soubessem antes mesmo do nascimento do filho que ele seria baixinho e tivessem tentado compensar o seu tamanho com aquele nome. Thor Jensen. Ele não chegava a ter um metro e quarenta de altura.

– Ok, Parque Jurássico da Computação – disse Casper, correndo a mão pela tela de um computador antigo.

Thor não tinha ideia do que poderia ser o objeto do comentário de Casper.

– Hoje é sexta-feira. As pessoas vão para casa mais cedo – respondeu ele.

– Você sabe ligar o sistema?

– Sei.

– Então ligue – disse Niels.

Suspirando, Thor pôs a mochila na escrivaninha, foi para o fundo da sala e ligou o interruptor principal. Um zumbido elétrico se espalhou pela sala.

Casper riu encantado.

– Estamos voltando atrás no tempo.

– Na verdade ele funciona otimamente. Melhor que o sistema antigo.

– E qual era o sistema antigo? Cartões perfurados?

Thor não parecia disposto a discutir com Casper os computadores do hospital. Ele deu de ombros e disse:

– Mais alguma coisa?

Casper olhou para Niels. Hannah respondeu-lhe:

– Você poderia imprimir uma relação completa de todos os empregados do hospital?

– Teoricamente, sim.

– E todos os pacientes também – acrescentou Niels.

– Meu horário de trabalho acabou três minutos atrás.

– Quando é que eu vou descobrir exatamente o que nós estamos fazendo aqui? – indagou Casper.

Niels olhou para Casper e depois para Thor. Ele sabia que não havia alternativa. Seria preciso explicar, tão breve e precisamente quanto possível.

– Vamos tentar encontrar uma pessoa boa que exatamente agora está trabalhando neste hospital.

Ninguém disse palavra. Thor olhou embasbacado para Niels.

Casper abriu a sua mochila e tirou de lá um laptop. No alumínio brilhante estava impresso o logotipo do departamento de polícia: dois leões com as patas dianteiras levantadas e entre eles uma mão entreaberta segurando um olho. O olho da polícia.

– A mesma busca que nós fizemos antes? – perguntou Casper.
– Não – disse Niels. – Desta vez temos de ser mais precisos. Não estamos interessados em figuras públicas muito conhecidas.

Casper ergueu os olhos.

– Então como é que você quer fazer isso?

– Estamos procurando alguém que tenha entre quarenta e quatro e cinquenta anos.

Hannah acrescentou:

– Sem filhos.

– Eu poderia ser essa pessoa – disse Thor. Todos eles se viraram para olhá-lo.

Niels prosseguiu.

– Alguém que tem contato com muita gente. E que salva vidas.

– Deve haver poucas pessoas assim neste lugar.

– É por isso que você está aqui, Casper.

– O que é que você está querendo dizer?

– Precisamos selecionar essas pessoas.

Thor pigarreou.

– Desculpem a interrupção, mas...

Niels olhou impaciente para Thor.

– Sim?

– O que vem a ser isso?

– Estamos tentando impedir um assassinato que vai ser cometido neste hospital às três e trinta e sete da tarde. Ou seja, dentro de menos de uma hora.

Casper levantou-se, ansioso.

– Talvez seja melhor você arrumar outra pessoa.

Niels segurou-o pelo braço, dizendo com autoridade:

– Calma. Sente-se, Casper. – Mas Casper continuou de pé. – Temos uma chance de evitar isso, precisamos do seu cérebro. Você é o único que pode conseguir.

– E se eu não conseguir?

– Isso não vai acontecer. A gente só não consegue se não tenta. Sente-se.

Finalmente Casper voltou a se sentar. Niels notou que as mãos do seu colega tremiam levemente. Hannah pôs a mão no ombro dele para tranquilizá-lo.

– Como eu estava dizendo, Hannah e Thor vão encontrar os candidatos no computador do hospital.

– Sinto muito, mas eu já passei do meu horário.

Niels se recusou a liberá-lo.

– Thor? Alguma vez você experimentou a comida da Prisão Vestre? Goulash servido numa lata.

Silêncio. O baixinho do computador desabotoou o paletó e se sentou perto dos outros.

– Estamos procurando alguém que tenha entre quarenta e quatro e cinquenta anos.

– Isso deve ser possível.

Niels continuou.

– E Casper, você vai conferir para ver se eles se enquadram ou não.

Hannah suspirou.

– O que desqualificaria uma pessoa? O que a deixaria fora da lista?

Niels ficou pensando.

– Problemas frequentes e graves com a lei. Esse tipo de pessoa não poderia ser considerado bom. Você se surpreenderia se soubesse quantas pessoas têm registro na polícia.

– E o russo? – disse Hannah. – Ele estava numa prisão.

– Estava, mas por ter se manifestado contra o sistema político. Ele não tinha cometido nenhum crime contra alguém. Pelo contrário.

– E tem também aquele de Israel, que libertou os prisioneiros.

– É a mesma coisa. Ele foi preso por fazer uma coisa boa que por acaso era contra a lei.

Casper estava com o computador pronto.

– Por onde começamos? Pelos médicos? Pelas enfermeiras?

– E quanto aos serventes? – indagou Hannah. – Eles também podem ser considerados bons?

– Claro. Mas vamos começar por cima.

Hannah balançou a cabeça.

– Isso não é sistemático, Niels. Pode ser um paciente.

– Thor? Você pode nos dizer também quem são os pacientes internados no hospital?

– Claro.

– Certo. Mas vamos começar pelos empregados. Médicos, parteiras, pesquisadores. Entre quarenta e quatro e cinquenta anos. Sem filhos.

– Posso checar isso no registro civil – disse Casper.

– Temos sorte por hoje ser sexta-feira. E a sexta-feira antes do Natal. Muita gente já saiu de férias. Outros foram para casa mais cedo. Não é mesmo, Thor?

– É, você tem razão.

– Bom. Eu quero que todos vocês me digam os nomes e os departamentos. Aí eu contato os candidatos.

– O que é que você está pensando em falar para eles? Vai chegar e perguntar para o sujeito se ele é uma pessoa boa? – perguntou Hannah.

Por um momento Niels ficou apenas olhando para ela. Depois disse:

– É. Isso mesmo.

– Niels, isso é impossível.

Ele pensou e então assentiu com a cabeça.

– Você está certa. É impossível. Quase. Normalmente nós temos de encontrar um assassino. Nesse caso não sabemos nada sobre ele. A coisa mais lógica a fazer seria evacuar o hospital. Mas nós não podemos fazer isso. – Ele ficou em silêncio durante algum tempo. – Por outro lado nós temos algumas vítimas. Todas entre quarenta e quatro e cinquenta anos. Todas sem filhos. E parece que elas tinham uma curiosa capacidade de estar – quase contra a sua vontade – no lugar exato onde mais precisavam da sua ajuda. Estamos procurando alguém que tenha uma grande interação com muitas pessoas diferentes. Alguém ligado a uma rede.

Ele estava olhando apenas para Hannah, e então sorriu.

– Essas pessoas são como aranhas numa teia. Como têm antenas para todo lado, podem sentir quando alguém fica preso na rede, e então se apresentam para ajudar.

Todos os três estavam olhando para ele em expectativa. Niels continuou:

– Por que é que isso seria tão impossível? Eu passei quinze anos correndo atrás do mal. E ninguém se surpreende com isso. Então qual é o problema de passar mais ou menos uma hora para encontrar uma pessoa boa? A bondade é mais difícil de enxergar que a maldade?

Ele apontou para a janela e para o sol de dezembro que baixava, pairando logo acima do alto das árvores nuas do Parque Amor.

– Temos uma hora antes do pôr do sol. E, sim, provavelmente parece impossível. Quase ridículo. Mas não vale a pena sacrificar uma hora para tentar? Mesmo sendo estatisticamente improvável que a gente vá conseguir?

Durante alguns segundos ficaram todos pensando no que ele acabara de dizer. O ruído dos computadores era o único som que se ouvia na sala. Surpreendentemente, Thor foi o primeiro a responder.

– Vale – disse ele.

– Eu também acho – acrescentou Casper, que readquirira a autoconfiança.

– Tudo bem. Então vamos começar. Vejam os registros do hospital. Comecem pelos empregados – disse Niels voltando-se para o aturdido especialista em tecnologia da informação.

Hannah ligou seu computador.

Niels prosseguiu:

— Depois chequem o registro civil para ver se eles têm filhos. Liguem para o meu celular quando tiverem alguns nomes.

Thor olhou por cima do computador.

— Localizei uma aqui. Tanja Munck. É parteira. Trabalha à noite, portanto está aqui agora. Posso verificar se ela já registrou a sua chegada.

— Qual é o número do registro civil dela?

Thor leu o número. Os dedos de Casper dançavam sobre o teclado.

— Tanja Munck tem três filhos. Seu divórcio foi concluído em 1993 no tribunal do bairro de Lyngby...

Niels interrompeu-o impaciente.

— Tudo bem. Passe para o próximo.

Hannah havia encontrado um.

— Thomas Jacobsen. Quarenta e oito anos de idade. Como é que eu posso saber que tipo de trabalho ele faz? — Ela se voltou para Thor.

— Qual é o número do registro civil dele? — indagou Niels.

— Aqui. — Casper encontrou o nome Thomas Jacobsen no registro civil. — Sem filhos. Registrado como vivendo com outro homem.

Hannah sorriu.

— Isso significa que ele está desqualificado?

— Claro que não. Descubra onde ele está e me ligue — disse Niels.

— Ele está trabalhando agora?

Thor fez uma ligação. Niels consultou o relógio enquanto transpunha a porta. A última coisa que ele ouviu foi a voz de Thor, cheia de ansiedade e entusiasmo.

— Segurança? É do departamento de pessoal. Thomas Jacobsen. Ele já chegou para o turno?

Corredores do Hospital Nacional – Copenhague
14h37

Dentro de uma hora alguém ia morrer.

As pessoas morriam o tempo todo, especialmente num lugar como aquele. Em média, a cada dia vinte pessoas resolviam deixar seu corpo naquele hospital. Por outro lado, o mesmo número de bebês nascia. O telefone de Niels tocou. Era Hannah.

— Thomas Jacobsen não tem nada a ver.

– E quem é o próximo?
– Vá para a ala cirúrgica.
Uma enfermeira estava passando por Niels.
– Onde fica a ala cirúrgica? – indagou ele.
– Vá de elevador até o sexto andar e depois siga à esquerda.
– Obrigado.
Ele ouviu a voz de Hannah no telefone.
– Posso lhe passar algumas estatísticas enquanto você está no elevador?
– Claro, pode começar.
– O hospital tem mais de sete mil e quinhentos empregados. A qualquer hora do dia metade deles está aqui. Mas os que nos interessam são os que têm entre quarenta e quatro e cinquenta anos, e mil e cem pessoas se enquadram nessa categoria.
– Quantas dessas estão trabalhando agora?
– Mais ou menos a metade.
– Então estamos falando de quinhentas e cinquenta pessoas? – perguntou Niels parecendo otimista.
– Além disso nós podemos identificar rapidamente as que não têm filhos. Cerca de um terço, ou seja: cento e oitenta pessoas.
– E dessas eu imagino que Casper possa constatar que um terço tem registros policiais.
– Então restam cento e vinte. Estatisticamente falando, pelo menos.
– Quem é que eu estou procurando agora? – perguntou Niels.
– Um médico-residente. Dr. Peter Winther.

O corredor estava silencioso. Havia um televisor ligado mas sem som, totalmente ignorado. Uma enfermeira que examinava papéis ergueu o olhar. Niels lhe mostrou sua identificação policial.
– Estou procurando Peter Winther.
– Ele está visitando os pacientes.
– Onde?
Ela apontou para o final do corredor. Niels viu um médico sair de um quarto com um pequeno cortejo de enfermeiras.
– Peter Winther! – Niels caminhou na direção dele, tirando do bolso sua identificação policial antes de alcançar o grupo. O rosto do médico ficou lívido.
– Vão na frente e me esperem no quarto do próximo paciente – disse ele num murmúrio ríspido para as enfermeiras.

– Polícia de Copenhague. – Niels não disse mais nada. Ele percebeu que o médico estava prestes a confessar alguma coisa. Ele ficou vermelho ao olhar para Niels.

– Você sabe por que eu estou aqui – disse Niels.

O médico relanceou o olhar por sobre o ombro e se aproximou mais de Niels.

– Você vai me prender?

– Não. Nós só queremos ouvir o seu lado da história. Antes de tomarmos uma decisão.

– Meu lado? – O médico bufou. – O meu lado da história é que ela é totalmente doida.

Niels viu a saliva se acumular nos cantos da boca do médico.

– E qualquer psiquiatra concordaria com isso. Ela não tem a menor chance no tribunal. Você entende? Além disso foi em defesa própria. E as cicatrizes que eu tenho provam isso.

Peter Winther desabotoou a camisa para mostrar o seu pescoço. Longos arranhões começavam ali e desciam até o peito.

– Droga, quem tinha de dar queixa na polícia era eu. O que é que você faria se tivesse uma mulher... – Ele se aproximou de Niels. Estava realmente emocionado. – Tudo bem, eu dei um tapa nela. Mas só um! Um único tapa, e devia ter feito isso três anos atrás.

Niels olhou para o celular. Tinha uma mensagem de texto: Ida Hansen. Da obstetrícia. Uma parteira.

– Que merda. Eu não posso acreditar que ela foi dar queixa na polícia. É inacreditável. Eu tenho de arranjar um advogado?

Niels balançou a cabeça.

– Não. Peço desculpas por ter tomado o seu tempo.

Niels deixou para trás o dr. Peter Winther com o seu casamento e o seu desespero.

– Fale comigo, Hannah. – Niels estava correndo.

– Ela é parteira, mas está no intervalo de almoço. A lanchonete fica no térreo.

– Você não poderia organizar a relação pelo critério geográfico?

– Não estou entendendo.

– Pelo critério geográfico eu poderia começar em uma extremidade do prédio e passar para a outra. Nós não vamos conseguir nada se ficarmos sempre correndo de uma parte do hospital para outra.

Hannah não respondeu. Niels olhou pela janela enquanto esperava o elevador. O sol ainda não avermelhara, embora estivesse descendo rápido no céu.

Ele ouvia a respiração de Hannah. Uma placa indicava a ala da maternidade. Uma mãe cansada empurrava um carrinho com o filho recém-nascido enquanto devorava distraidamente uma barra de chocolate. O bebê olhava para o sol, exatamente como fazia Niels. O que será que se passa na cabeça dele?, pensou Niels. Se eu não soubesse das coisas poderia pensar que as faias do parque estão carregando nas costas o sol. Como carregadores de caixão num cortejo fúnebre. Um sol agonizante que está sendo levado para o oeste.

Com um *ding* que até mesmo um surdo ouviria, o elevador anunciou a sua chegada.

– Agora eu estou no elevador. Vou descer – anunciou Niels para Hannah pelo celular.

– Ok. Ida Hansen. Quarenta e oito. Parteira. Depressa.

Hannah desligou.

68

Cannaregio – Veneza

A cor das galochas da irmã Magdalena poderia ser adequadamente descrita como cor-de-rosa gritante.

Tommaso sorriu ao vê-la cortando caminho pela Madonna dell'Orto. A parte norte da cidade era um pouco mais baixa que o resto e por isso ficava inundada mais rapidamente.

Ele a chamou:

– Irmã! Você ia me dizer uma coisa. Um recado da minha mãe.

A sirene de alarme abafou as suas palavras. Ela desapareceu dentro da casa de repouso sem olhar para trás. A menos que Tommaso quisesse atravessar a pé a ponte em Dell'Orto e se molhar até os joelhos, seria preciso voltar para chegar ao desembarcadouro do norte, que raramente inundava. Ele deu uma olhada no relógio. O desvio em torno de Fondamenta Nuove significaria pelo menos quinze minutos a mais. Ele tinha uma hora, talvez menos, até o crepúsculo. A dinamarquesa havia lhe dado as coordenadas do GPS: 45°26'30" e 12°19'15". Seu celular podia mostrar longitude e latitude. Sua posição naquele exato momento estava em 45°26'45" e 12°19'56". Tommaso não tinha ideia de quanto tempo levaria para chegar ao local certo, qualquer que fosse ele. Assim, era melhor sair logo. A inundação tomaria conta da cidade durante pelo menos duas horas e ele não acreditava que a irmã Magdalena fosse a algum lugar nesse meio-tempo. Além disso, o que ela poderia ter de tão importante para contar-lhe?

Suas meias já estavam ensopadas quando ele correu pela Fondamenta dei Mori rumando para o sul. Seus sapatos chapinhavam na água. Ele era a única pessoa na rua. O lugar era aquele. Ele parou na frente da casa de Tintoretto.

Tommaso gostava muito desse pintor. Não tanto pela sua lendária pintura do roubo do corpo de são Marcos, mas pelo fato de Tintoretto praticamente não ter saído de Veneza. Somente uma vez em toda a sua vida o pintor se arriscou a afastar-se da laguna, e dizia-se que ele se sentiu muito mal durante toda a viagem. Tommaso era outro que não havia jamais se afastado da laguna.

O sinal do GPS começou a oscilar freneticamente. Era difícil conseguir um sinal nas ruas estreitas.

Ele continuou andando na direção do cassino e do Grand Canal, esperando obter um sinal melhor perto do canal. Seus pensamentos ainda estavam com Tintoretto. Não. Com são Marcos. Talvez por ser mais fácil pensar no evangelista morto que na sua mãe que acabara de morrer. Ele imaginou o corpo de são Marcos, a primeira pintura vista por todas as crianças de Veneza. Afinal de contas o santo era o anjo da guarda da cidade. A praça central tinha o nome dele. Dois mercadores venezianos tinham roubado o seu corpo em Alexandria – menos a cabeça, caso se possa dar crédito ao povo de Alexandria. Dizia-se que a cabeça tinha sido roubada no Egito.

O cadáver acéfalo, a mão murcha da sua mãe e as cores da morte, tudo isso perseguia Tommaso quando ele chegou a Strada Nova. O sinal do GPS oscilou novamente. No canal ele viu a luz do sol que se punha. Daquele jeito ele jamais encontraria o lugar certo; Veneza não tinha sido construída para receber sinais de GPS nem para carros. Ele precisava arranjar um computador.

A entrada estava inundada. Anúncios, comida de cachorro e os sapatos pretos da sua mãe flutuavam num lago de água do canal; na superfície uma fina camada de óleo dos motores dos barcos tentava parecer um arco-íris. A luz apagou um segundo depois de ele a ter acendido. O interruptor central tinha desligado. Ao subir a escada, saltando três degraus de cada vez, ele se lembrou da bateria do seu laptop. Ele balançou a cabeça. Seu prédio havia sobrevivido a quatrocentos anos de inundações mensais. O seu laptop IBM tinha apenas seis meses de uso e, no entanto, já indicava que a bateria estava quase apagada. *Google Earth*. Ele procurou um lugar onde pudesse digitar as coordenadas. Não encontrou. *Bateria fraca*. Tommaso encontrou a laguna no globo, clicou freneticamente nele, depois deu *zoom* em Veneza. Estava chegando perto. *Bateria fraca, salve seus documentos*. Tommaso conferiu as coordenadas no celular e levou o mouse ligeiramente para o norte. Lá estava.

Ele se recostou, olhando para os resultados. Então seu computador apagou.

69

Departamento de Pessoal, Hospital Nacional – Copenhague
14h50

A experiência de Hannah lhe possibilitou reconhecer a metodologia. As engrenagens cerebrais de Casper estavam bem lubrificadas e ele as tinha em profusão. Milhares de tipos de informação podiam passar pela sua cabeça simultaneamente, para serem manejadas, avaliadas, pesadas e categorizadas. Ao contrário de Thor, que se ocupava de uma coisa de cada vez.

– Encontrei mais uma – exclamou Casper. – E acho que ela está trabalhando.
– Acho?
– Vou ligar para a segurança e descobrir.
Hannah se sentou ao lado dele.
– Escute. As outras vítimas de assassinato...
– Eu sei. Precisamos encontrar mais fatores comuns, ou isso vai levar horas. Dias. E não temos tanto tempo – disse Casper.
– Exatamente.
– O que nós sabemos, além da sua idade e do fato de que eles não têm filhos?
– Todos eles fizeram algo notável. Um estava na prisão por ter se manifestado contra Putin. Outro foi preso porque libertou dois palestinos. Uma canadense usou medicamentos não autorizados e por isso foi demitida.
– Então vocês estão dizendo que todos eles acabaram no noticiário por alguma razão? – disse Casper.
– Isso mesmo. Todos eles fizeram alguma coisa que saiu na mídia.
– Se você esteve no noticiário na Dinamarca, seu nome deve estar no Google. Tudo é lançado na internet. Até o menor artigo de um jornal local. Se você

trabalhou como voluntário durante apenas uma hora em alguma organização beneficente, seu nome estará numa lista. E essa lista estará num *site*. Até mesmo o trabalho de alguém numa associação que acha pessoas para dividir apartamentos é lançado.

– É isso que eu penso em explorar.

– Vamos fazer a busca para... – Ele olhou para Hannah.

Ela concluiu a sentença:

– Os candidatos que se enquadram.

– Certo. Em dois segundos o Google achará cada um deles. Então a gente passa os olhos por todos os candidatos e depois isola aqueles que são mais prováveis.

Thor desligou o telefone.

– Ela ainda não registrou a saída.

– Rápido! Me dê um nome, Thor! – disse Casper.

– Maria Deleuran.

Thor soletrou o último nome, mas, antes mesmo que ele tivesse concluído, Casper já a havia encontrado.

– É enfermeira – disse ele.

Eles estudaram a foto do seu perfil no Facebook: loira, linda. Ruguinhas que a tornavam ainda mais atraente.

Ela lembra a mocinha com quem Gustav fugiu, pensou Hannah.

– Ok. Já temos alguma coisa. – Casper se empertigou. – Ela é voluntária da IBIS.

Casper clicou num *link* e chegou ao *site* do IBIS. Trabalho de ajuda humanitária na África e na América Latina. Fotos de Maria Deleuran.

– "Ruanda. HIV. Aids. Educação e prevenção" – ele leu em voz alta.

– Ela foi coordenadora de projeto lá – disse Hannah.

– Duas vezes.

Casper passou para o banco de dados da polícia.

– Pura como neve. Só conseguiu obter carteira de motorista na terceira tentativa. Não há mais nada sobre ela.

70

14h52

A enfermeira falava amável e pacientemente com o velho, embora ele a estivesse atazanando. De longe Niels o ouviu queixar-se.
– Não, eu não quero ir lá em cima.
– Mas nós prometemos ao médico. O senhor não se lembra?
– Estou me lixando para o médico.
A enfermeira riu e deu uma palmadinha no ombro do velho enquanto soltava o freio da cadeira de rodas e começava a empurrá-lo de volta para o quarto.
Niels a deteve.
– Perdão, onde fica a lanchonete dos empregados?
– No fundo, por ali. Vire à direita na capela.
O velho bufou:
– Capela.
– Obrigado – disse Niels. – A propósito, sei que a pergunta vai parecer estranha, mas você tem filhos?
– Tenho – respondeu surpresa a enfermeira. – Por quê?

Lanchonete dos empregados – Copenhague
14h57

Niels estava com a impressão de que aquilo não ia terminar bem. Nos andares inferiores era impossível ver o sol. Então ele consultou o relógio. Restavam quarenta minutos. No máximo. Ele não ficou mais otimista quando abriu a porta da lanchonete. Homens e mulheres com jaleco branco. Centenas. Era impossível. Não. Ele não tinha nada a perder. Subiu numa cadeira.

– Eu sou da polícia de Copenhague.

Todos se calaram. O único som que se ouvia era de uma máquina em funcionamento na cozinha. Os olhos estavam todos voltados para ele. Rostos acostumados a ouvir notícias ruins.

– Estou procurando Ida Hansen.

Ninguém respondeu. Uma única mão se ergueu timidamente no ar. Niels saltou da cadeira e caminhou entre as fileiras de mesas de madeira laminada. Comida de lanchonete – o prato do dia era frango, purê de batata e ervilhas. Todos o olhavam. Os médicos parecendo mais concentrados. Expressões de autoridade.

– Ida?

Ela baixou a mão. Não podia ser ela. Aquela era uma mulher jovem demais.

– Não. Eu só queria dizer que ela já saiu. Aconteceu alguma coisa?

– Saiu? Aonde ela foi?

Ele olhou para o celular. Era a terceira vez que Hannah ligava.

– Ela precisou ir ajudar num parto de emergência. Saiu correndo.

– Quanto tempo vai levar isso? – Niels percebeu que sua pergunta era idiota. Hannah ainda estava tentando acalmá-lo. – Espere um pouco – disse ele.

Ele se afastou para atender a ligação.

– Hannah?

– Niels. Nós inventamos um novo método. Em vez de... – Ela fez uma pausa. – Bom, basicamente nós temos três candidatos que se enquadram perfeitamente. Talvez haja outros. Mas comece pela Maria Deleuran. Ela trabalha no Departamento de Pediatria. E foi trabalhadora de ajuda humanitária em Ruanda.

Niels ouviu a voz de Casper, bem fraca, dizendo algo ao fundo.

– E ela escreveu artigos sobre os esforços inadequados do Ocidente no combate à Aids na África.

– Tudo bem. Vou descobrir essa mulher.

Ele encerrou a ligação e voltou para a jovem colega de Ida Hansen.

– Então, aonde você disse que ela foi?

– Para a ala de partos.

Niels hesitou. Ele tinha acabado de chegar de lá. Levaria cinco minutos para voltar.

– O que você acha dela?

A jovem enfermeira olhou perplexa para Niels.

– O que eu acho da Ida? – Uma risadinha nervosa.

– Você gosta dela? Ela é uma boa pessoa?

– Por que você está me perguntando isso? Você não pode simplesmente esperar até...

Niels a interrompeu.

– Qual é a sua opinião sobre ela?

– Ela fez alguma coisa errada?

– Responda à minha pergunta! O que você acha dela? Ela é amável? É bondosa? É severa? É uma boa pessoa?

A enfermeira olhou para as colegas durante alguns segundos.

– Na verdade eu não sei. A Ida é boazinha, mas...

– Mas o quê?

Niels olhou para ela. Ninguém disse nada quando ela se levantou, pegou a bandeja com tiras de alface e o frango comido apenas pela metade, e foi embora.

71

Cannaregio, o Ghetto – Veneza

Tommaso havia encontrado muitos analgésicos no armário de remédios de sua mãe e levara consigo alguns. Quando chegou em casa engoliu – sem ler as bulas – um coquetel de pílulas de cores vivas, empurradas com um copo de água morna. Lembrou-se do teste que seu pai fazia para saber se ele estava com febre: "Dói quando você olha para cima? Se doer, então você está com febre". Tommaso experimentou. Doía. Ele estava tonto. Tentou se lembrar do que tinham dito na reunião para transmissão de instruções, na chefatura de polícia. Muitos políticos. Ele não se lembrava de nenhum. Um juiz. Um cardeal. Poderia ser qualquer um deles. A próxima vítima poderia ser qualquer pessoa, mas ele ou ela estava no trem que ia chegar na estação dentro de alguns minutos. Disso Tommaso não tinha dúvida. Quer dizer, se as coordenadas diziam a verdade.

Tommaso não conseguia ver o sol, apenas o brilho atrás do prédio em Santa Croce. Não restava muito tempo. Se os cálculos da dinamarquesa estavam certos e o assassinato realmente aconteceria quando o sol se pusesse, o tempo estava se esgotando. Por um momento ele perdeu a confiança. Olhou para a exposição de vítimas na parede do seu apartamento. O caso tinha se tornado uma maldição na sua vida. Ou seria uma bênção? Tommaso já não sabia mais. Pensou casualmente na sua mãe – ainda estava com as moedas no bolso – e no cachorro dela. Lembrou-se do olhar de leve censura que o bassê lhe dirigira quando ele o abandonou à própria sorte. Tommaso afastou esse pensamento. Era preciso ir para a estação ferroviária.

Suas costas doeram quando ele se inclinou para calçar as galochas. Chegou ao alto da escada e quase caiu nos degraus escorregadios. Sentou-se. Precisava descansar durante um momento. Talvez fosse bom chamar Flavio. Explicar-lhe a situação, dizer que eles tinham de ficar vigilantes. Não. Era tarde demais para isso. Ele teria de tentar sozinho.

72

Hospital Nacional – Copenhague
15h04

Um novo corredor no universo aparentemente infinito de corredores estéreis, portas fechadas e pessoas com jalecos.

– Perdão, onde fica o Departamento de Pediatria? – perguntou Niels a uma enfermeira.
– À direita – respondeu ela.
– Obrigado. – Ele começou a correr.

Clínica Pediátrica – Copenhague
15h07

As crianças haviam se sentado em círculo na sala de recreação. Duas delas estavam doentes demais para se levantar, por isso suas camas tinham sido levadas para a sala. Um jovem com camisa de xadrez vermelho estava sentado numa cadeira pequena demais para ele e tinha na mão um livro. Acima dele estava dependurado um cartaz que dizia: "CONHEÇA O AUTOR DA SÉRIE DE LIVROS DE HORROR INFANTIS".

– Onde é que você vai buscar todas as suas ideias para os monstros? – perguntou uma criança quando Niels abriu caminho e entrou. A enfermeira sentada no chão com uma garota de cinco anos no colo olhou contrariada para o intruso.

– Maria Deleuran? – indagou ele.

– Elas foram todas descansar enquanto as crianças ficam aqui conhecendo o autor.
– É urgente. Eu sou da polícia de Copenhague.

Nesse momento todas as crianças se viraram e olharam para Niels.

– Por que você não vai até a sala de descanso e pergunta se ela está lá? – A enfermeira se reclinou e apontou para o corredor.

Niels olhou para o relógio. Menos de meia hora até as 15h37. Ele parou e esfregou os olhos. Não sabia dizer se era por causa dos rostinhos das crianças, mas se sentia arrasado com tanta injustiça. Crianças pequenas não deviam ficar doentes. Deve haver alguma falha na criação; aquilo era o tipo de coisa que levava uma pessoa a querer exigir de Deus uma explicação. Ou talvez fosse a sua tarefa que o arrasasse. Ele ia malograr. Hannah tinha razão, era impossível. Uma nova ideia: talvez a sua reação fosse apenas uma manifestação da personalidade maníaco-depressiva que os outros lhe atribuíam. Será que ele estava em pleno episódio maníaco? Ele se inclinou contra a parede para se apoiar enquanto tomava fôlego. Talvez Hannah fosse mesmo louca, como Sommersted achava. Ou talvez fosse o contrário: talvez os assassinos fossem reais demais. E inexplicáveis.

A porta no final do corredor se abriu. Ele viu de relance uma loira sair rapidamente e desaparecer. Só pôde ver as costas. Seria ela?

– Tudo bem. Você precisa se concentrar – murmurou ele para si mesmo. As crianças estavam rindo de alguma coisa e Niels vislumbrou o sol pela janela. Os risos infantis espontâneos reacenderam a sua esperança. Ele se viu correndo novamente. Virou num canto e ouviu as vozes das enfermeiras na sala de descanso.

– Maria Deleuran? – Sem resposta. As três enfermeiras continuaram conversando. Niels mostrou sua identificação policial. – Estou procurando Maria Deleuran.

Elas pararam de conversar e se voltaram para encará-lo.

– Aconteceu alguma coisa?

– Ela está trabalhando? – indagou ele.

– Ela não está aqui.

Niels olhou para as outras enfermeiras. A mais velha parecia conhecê-la melhor, ou pelo menos foi ela quem falou.

– Aconteceu alguma coisa?

– Você tem certeza de que ela não está aqui?

O olhar da enfermeira hesitou. Niels notou isso imediatamente.

– Você poderia ligar para ela?

– Posso tentar. – Sem se apressar, ela se pôs de pé. Seu traseiro tinha deixado um grande afundado na imitação de couro do sofá.

– Você poderia ser um pouco mais rápida?

Ela olhou zangada para Niels. Uma matrona velha. Dominadora. Era evidente que as outras enfermeiras tinham medo dela.

– Nós não somos obrigadas a fornecer números de celular, na verdade.

– Eu não estou lhe pedindo para me dar o número. Você só precisa ligar para ela e dizer que a polícia de Copenhague está aqui e quer falar com ela.

– Mas ela já foi embora.

– Então por que ela não registrou a saída?

– Às vezes nós esquecemos. O que é que está acontecendo?

– Eu preciso lhe pedir para ligar para ela. Agora!

Espero que você não seja casada, pensou Niels enquanto ela digitava o número. E se for, eu tenho pena do seu marido. Ele olhou em torno de si. Um quadro de avisos. Cartões-postais, horários de trabalho, fotos, bilhetinhos. Uma linda jovem loira numa aldeia africana, cercada de crianças.

– Talvez eu possa ajudá-lo de alguma outra forma – disse a enfermeira velha.

Niels a ignorou enquanto retirava a foto.

– Esta é a Maria?

Ninguém respondeu. As enfermeiras se entreolharam. Nas costas da foto estava escrito: *Estes são meus filhos. Espero que todas vocês estejam bem, aí no norte gelado. Tenho saudade da nossa farra na hora do café.* O desenho de um rosto sorridente, seguido por: *Amo vocês. Maria.*

– Maria Deleuran?

– É.

– Ela tem filhos?

– Por quê?

– Maria Deleuran tem filhos?

Um silêncio inexplicável se instalou na sala.

– Não – disse a matrona depois de algum tempo.

– A que horas ela saiu? Você tem certeza de que ela já foi embora? – Niels apontou para uma cadeira vazia com um jaleco dependurado no espaldar. – Aquilo é dela?

Uma das enfermeiras se levantou e lhe dirigiu um sorriso simpático.

– Escute: a Maria saiu às duas da tarde. Ela trabalha no turno da manhã. Você pode ver isso no horário de trabalho. – A enfermeira fez um sinal de cabeça apontando para o quadro de avisos. – Pode ser que ela tenha trabalhado um tempo extra, mas ela não está aqui, de qualquer forma. Eu teria prazer em levar um recado para ela.

A matrona disse:

– Ela não está atendendo a ligação.

– Ela tem alguma amiga aqui? – perguntou Niels. – Costuma se encontrar com alguém depois do trabalho?

– Eu sou amiga dela.

Niels se voltou. Era a primeira vez que aquela enfermeira falava. Ele leu o nome no crachá: "TOVE FANØ, ER".

– Ela passa muito tempo com mais alguém no hospital, Tove? É um lugar muito grande.

– Acho que não.

– Amigos, amantes, talvez alguém que está ligado ao seu trabalho de ajuda humanitária.

Tove parou para pensar e depois balançou a cabeça. Niels olhou para a matrona. Ela deu de ombros, com uma cara mal-humorada.

– Vocês todas gostam dela?

– O quê?

– Vocês têm filhos? Todas vocês?

Olhares confusos.

– Eu fiz uma pergunta.

Todas assentiram com a cabeça. Exceto a amiga de Maria. Tove estaria a meio caminho entre os quarenta e os cinquenta anos. Então ela levou as mãos à barriga grávida.

73

Departamento de Pessoal, Hospital Nacional – Copenhague
15h16

Normalmente Hannah preferia as horas que antecedem o crepúsculo. Para alguém que tinha dado uma parada no meio da vida as horas do dia eram difíceis. Gente apressada, pessoas indo ou vindo do trabalho, da escola, da creche. Durante o dia outras pessoas faziam tudo o que lhe mostrava o que era a vida dela. *Nada*. Sem trabalho, sem marido e – o pior de tudo – sem nem mesmo o seu filho. Então o sol se punha, as pessoas desapareciam e as coisas ficavam um pouco mais fáceis para Hannah. Mas não naquele dia.

Ela se levantou, foi até a janela e olhou para o sol, que estava se escondendo atrás das árvores. Apenas um disco pálido, chato, que se recusava a compartilhar seu calor com aquela parte do mundo. Ainda levaria algum tempo para o sol descer. Na outra extremidade do corredor os empregados ainda trabalhavam. Um aparelho de televisão estava ligado. Hannah não podia evitar ser envolvida no tumulto frenético da tela. Alguma coisa havia acontecido. Alguém estava no chão. Homens de terno se agachavam em torno dele; outros corriam para lhe trazer água e um cobertor. Hannah visualizou o Bella Center – um lugar horrível. O ar lá dentro era ruim, gente demais e tempo escasso demais. Quem não desmaiaria dentro daquele lugar?

– Tudo bem! – Casper olhou por sobre a tela do computador com uma expressão ansiosa. – Encontrei outro anjo.

Hannah voltou para o lugar onde Casper e Thor se curvavam diante da tela do computador.

— Tudo bem, então me diga — pediu ela.
— No Centro de Parasitologia Médica. Professor Samuel Hviid. Quarenta e nove anos. Sem filhos, de acordo com o registro civil. Mas ouça isto. — Casper deu uma olhada em Hannah antes de prosseguir. — Ele é um dos mais proeminentes pesquisadores de malária em todo o mundo. Dizem que o trabalho dele já salvou a vida de meio milhão de pessoas que vivem perto do equador.
— Ele está trabalhando agora?
— Ele é pesquisador da universidade, mas parece que alguns departamentos de lá têm ligações com o hospital.
— Se ele não está no prédio, não corre perigo — disse Hannah a Casper enquanto olhava para a foto do pesquisador. *Alexandre, o Grande, morreu de malária, doença considerada um dos três maiores desafios à saúde pública, que todo ano mata três milhões de pessoas.* Foi tudo o que ela conseguiu ler do texto sob a foto de Samuel Hviid. Então lhe ocorreu uma ideia. — Ligue para o departamento dele. Descubra se ele está no prédio.
— Tudo bem. — Thor fez a ligação.
Casper continuou fazendo a sua pesquisa e murmurou:
— Gry Libak. Esse também não é nada mau...
Thor o interrompeu.
— Ele está no prédio. Samuel Hviid. Na ala administrativa, Seção 5222. Está em reunião.

15h19

Maria Deleuran ainda estava no hospital. Niels tinha certeza disso. Por que as colegas dela insistiam em mentir? Ele viu que Hannah estava tentando falar com ele no celular, mas não respondeu. As enfermeiras estavam se levantando e deixando a sala de descanso. Niels esperou até a matrona mal-humorada sair. Então seguiu a amiga de Maria, Tove, até o interior do banheiro feminino.
— O que é que você está fazendo? — Ela olhou zangada para ele enquanto ele fechava rapidamente a porta atrás de si. — Eu devo começar a gritar?
— Você precisa me contar onde ela está.
— Do que se trata? Por que é tão importante? Por que é que você não pode simplesmente esperar até...
— A vida dela está em perigo — disse Niels interrompendo-a.
Tove parou para pensar no que ele havia dito.

– Mas por quê? Maria é um anjo. Ninguém iria querer feri-la. Eu simplesmente não acredito nisso.

– Confie em mim.

Tove hesitou em lhe contar algo – Niels viu isso no rosto dela. As palavras estavam na ponta da língua dela. Sua expressão era a mesma do criminoso minutos antes de resolver confessar.

– Ela foi embora. Eu não sei lhe dizer mais nada.

Tove se afastou resolutamente da porta. O celular de Niels estava tocando.

– Hannah?

– Samuel Hviid. Você tem de ir para a Seção 5222. Ele é pesquisador. Tem todas as características do perfil. No momento está numa reunião administrativa.

A secretária olhou com uma tranquilidade surpreendente para a identificação policial de Niels. Estava acostumada a ter autoridades passando pela sua mesa: o ministro da Saúde, altos funcionários do governo e cientistas de toda a Europa. Tinha a responsabilidade de decidir quem poderia ver o diretor do hospital, e não deixava qualquer um entrar.

– O professor Hviid está em reunião com a diretoria. O senhor não pode esperar?

– Não, não posso.

– Posso saber do que se trata?

– Preciso falar com Samuel Hviid. Agora.

Ela se levantou numa lentidão vergonhosa. Neste país as pessoas fazem os policiais se sentirem como se fossem mais um aborrecimento que uma ajuda, pensou Niels. Por outro lado a secretária tratava os diretores do hospital como se eles fossem o oráculo de Delfos. Ela bateu cuidadosamente na porta e depois entrou, parecendo tímida e curvando-se de modo submisso. Na tela da televisão atrás da secretária Niels viu as mesmas imagens que Hannah havia visto. A conferência sobre o clima estava nos seus últimos estágios e um dos delegados mais importantes tinha desmaiado subitamente. Sangue escorria da sua cabeça e ele ofegava como um peixe agonizante que tivesse sido retirado do seu hábitat. A imprensa do mundo inteiro estava ali, registrando a cena.

A secretária ainda estava falando com os diretores. As paredes da sala de reuniões do hospital eram de vidro. Transparência total, parecendo sublinhar que nenhuma decisão obscura jamais era tomada ali. Niels olhou para as pessoas que estavam na sala. Elas o olharam, por sua vez. Ele não ouvia o que elas diziam. O silêncio só era quebrado pelo débil som da televisão: *Não sabemos se ele só está se sentindo mal... ou se seu estado é mais sério. Talvez um acesso. Já está a caminho uma ambulância.*

A secretária voltou.

– Tudo bem. Ele virá num minuto.

– Bom.

Samuel Hviid levantou a calça e pigarreou ao passar pela porta. As outras pessoas que estavam na sala tentaram dissimular sua curiosidade.

– Samuel Hviid? – perguntou Niels.

– Em que posso ajudá-lo?

– Sou Niels Bentzon. Da polícia de Copenhague.

O celular de Niels soou. Uma mensagem de texto de Hannah: *Temos mais um. Gry Libak.*

– Do que se trata? – O professor olhou para Niels com olhos bondosos, inteligentes.

O sol ia se pôr dentro de poucos minutos. Niels estava vendo o céu rosado através das grandes janelas panorâmicas da sala da administração.

– Temos motivos para acreditar que a sua vida está em perigo.

A expressão de Hviid não mudou.

– Preciso lhe pedir que saia do hospital. Somente durante a próxima meia hora.

– Sair do hospital? Por quê?

– No momento eu não posso lhe dizer. Só posso lhe dizer que não é seguro o senhor permanecer aqui.

Hviid balançou a cabeça e em seguida olhou por sobre o ombro.

– Eu me recuso a me esconder. Esse caso já tem quase vinte anos de idade. – Ele olhou para Niels. Havia uma sombra de angústia nos seus olhos?

– É somente por meia hora. Nem mesmo isso.

– E depois?

– Depois a situação estará sob controle.

– Não. É a minha vida e eu tenho de aprender a viver com isso. Se toda vez fugir com o rabo entre as pernas eu não aprendo. Quando foi que ele fugiu?

Niels não tinha a menor ideia do que dizer.

– Não posso me permitir lhe dar essa informação.

– Não pode se permitir? Ora! Eu sou médico. Nós cometemos erros. O homem tem me ameaçado durante metade da minha vida por causa de algo em que eu não tive responsabilidade. Eu era um médico jovem e fui por acaso o último a estar em contato com a mulher dele antes da sua morte trágica. Administrar a medicação – é isso que fazem todos os anestesiologistas. Essas coisas acontecem.

Samuel Hviid olhou para trás, para os diretores que estavam na sala de reuniões. Niels sabia o que o homem estava pensando: ele havia feito uma longa jornada e ninguém ia destruir o que já conquistara. Os diretores sentados atrás do vidro grosso não sabiam nada sobre aquilo. Se ele deixasse a reunião naquele momento as pessoas iam começar a imaginar.

Mas chegara outro texto de Hannah. *Esqueça o Hviid. Concentre-se no Gry Libak. Departamento C. Temos só mais alguns minutos.*

74

Cannaregio, o Ghetto – Veneza

A irmã Magdalena tinha entrado na Ordem do Sagrado Coração porque acreditava em Deus. Por essa mesma razão um pouco de água nas ruas não iria segurá-la. O signor Tommaso precisava receber o recado. Magdalena tinha prometido a uma agonizante, uma mulher que havia recebido a última mensagem do além, e era importante entregar mensagens como aquela. Magdalena sabia disso melhor que qualquer outra pessoa. Se ela não tivesse prestado atenção, não estaria viva hoje. Teria morrido na Estação Shaw em Manilha, junto com as outras dezenove pessoas. Mas ela tinha sido salva por Deus. Na sua bolsa ela guardara durante todo esse tempo o recibo da oficina de bicicletas. Aquilo era para ela uma prova. Uma prova tangível da existência de Deus. Era sobretudo um lembrete para si mesma, caso algum dia acontecesse de ela duvidar da sua memória.

Ela bateu. A porta estava aberta e a entrada fora inundada.

– Signor Di Barbara? Tommaso? Tenho um recado da sua mãe.

Silêncio total. Magdalena entrou e chamou novamente. Era contra a sua natureza invadir a casa dos outros, mas naquele caso era preciso. Aquilo era importante.

Ela subiu para o andar de cima, chamando o nome dele, mas ninguém respondeu. Na sala ela viu a exposição que Tommaso fizera das fotos das vítimas. O caso dos assassinatos em todo o mundo cobria a parede do teto ao chão. A princípio ela não entendeu aquilo. Depois percebeu que eram fotos de pessoas mortas. Sua boca ficou seca e ela sentiu o próprio sangue. Irmã Magdalena não entendeu, mas sentiu que tinha chegado tarde demais.

75

Departamento de Pessoal, Hospital Nacional – Copenhague
15h21

– Poul Spreckelsen, da Clínica de Cardiologia – disse Casper olhando para cima. – Seus feitos podem não ser tão espetaculares quanto os de Samuel Hviid e a luta contra a malária. Mas Spreckelsen desenvolveu...

Hannah não estava ouvindo. Ela olhava através do vidro para a tela da televisão ligada na sala contígua. Câmeras em helicópteros mostravam duas ambulâncias chegando ao Bella Center. Médicos e paramédicos saindo delas. O texto corrido na base da tela dizia: *Últimas notícias. Negociador de questões climáticas sofre colapso.*

– Você está ouvindo?

Hannah não estava. Ela deixou o departamento de pessoal e foi para a sala ao lado.

– Posso ajudá-la? – A mulher olhou para Hannah.

– Pode. Você se importaria de aumentar o volume?

A mulher não se mexeu.

– Será por apenas dois minutos. Por favor.

A mulher deu um suspiro, mexeu no controle remoto e aumentou o som. *Ele está sendo transportado pelo Bella Center*, disse o repórter da TV. Casper apareceu atrás de Hannah.

– Você está pensando a mesma coisa que eu? – perguntou ele.

– Talvez.

O repórter continuou descrevendo em detalhe o que as câmeras estavam mostrando na tela: *Ele está sendo transportado. Passou em frente da área de imprensa. Dois médicos o estão ladeando e parece que vão lhe aplicar uma injeção intravenosa.*

– Por que você não fala o nome dele! – gritou Hannah impaciente. Nesse mesmo instante, como se por uma ordem dela, o repórter da TV resumiu a situação: *Estamos assistindo a um momento decisivo. No meio das negociações, Yves Devort, o negociador de questões climáticas que representa as ONGs, teve um colapso. Ele está sendo levado para o Hospital Nacional.*

Casper e Hannah correram de volta para os computadores.

Google: ONG. Copenhague e... Casper foi soletrando alto enquanto digitava o nome: – Yves Devort.

– Só temos mais quinze minutos – disse Hannah. – A ambulância pode chegar aqui em quinze minutos?

– Provavelmente não.

Casper já havia encontrado Yves Devort no Google. Um homem bonito. Tão francês quanto uma baguete.

– Cinquenta anos de idade. Não sei se tem filhos. E não sei o que a polícia francesa teria a dizer sobre ele.

Eles olharam para a tela da TV. Comoção. Caos. Delegados, manifestantes, ambulâncias, homens da segurança e policiais.

Niels estava ligando para eles. Hannah atendeu. Ele parecia sem fôlego.

– Estou perdido.

– Onde é que você está? Leia para mim uma das placas.

– Departamento de Ortopedia. Seção 2162.

Hannah olhou para Thor.

– Qual é o caminho mais rápido da Seção 2162 para o Departamento de Cardiologia?

– Diga para ele procurar o elevador mais próximo.

– Você ouviu, Niels? Agora são duas horas e vinte e dois. Você tem exatamente quinze minutos.

– Hannah?

– Oi, Niels.

– Não vai dar certo. Nós não vamos conseguir.

Hannah hesitou. Ela olhou para a tela da TV. A ambulância ainda não tinha deixado o Bella Center. Estavam levando Yves Devort numa maca. Ela se perguntava se devia falar para Niels sobre o negociador que tinha tido um colapso.

Hannah rompeu o silêncio com uma voz confiante, mas rouca.

– Niels, o que você está fazendo... é simplesmente espantoso.

A voz dela tremeu na última palavra. *Espantoso.* Ela sentiu que estava à beira das lágrimas.

– As chances são todas contra nós, Hannah. Estou com vontade de desistir.

– Não, não faça isso, Niels. Você está tentando encontrar uma pessoa boa. Somente *uma* pessoa boa.

– E eu só encontro as falhas delas. Desde o começo tem sido isso. Eu procuro uma pessoa boa mas encontro apenas o... o lado mau. As falhas.

Hannah ouvia a respiração de Niels enquanto mantinha um olho na tela da TV. E teve uma sensação incômoda no estômago que a fez lembrar a ocasião em que ela e Gustav sofreram um acidente de carro. Ela estava dirigindo. Era assim que ele gostava. Ela ao volante enquanto ele dava ordens. "Desacelere, Hannah. Prepare-se para virar, Hannah." Naquele dia eles tinham tido uma briga, como sempre acontecia, e quando Hannah se aproximou da saída da rodovia ela estava correndo demais. Eles acabaram no campo de uma fazenda, com o Volvo de Gustav coberto de lama. Mas logo antes de eles desviarem para o campo, no instante imediatamente anterior àquele acontecimento desastroso – no segundo em que ela percebeu que a coisa não ia terminar bem –, ela havia tido a mesma sensação que experimentara agora.

– Hannah? – disse Niels ao telefone.

– Oi.

– Quem é que eles estão trazendo para cá numa ambulância?

– É isso que nós estamos tentando descobrir. Você está bem agora?

– Estou.

– Você precisa ir para a Seção 2142. A Clínica de Cardiologia. Encontrar Poul Spreckelsen.

Niels encerrou a ligação.

Casper olhou por cima do seu computador.

– Vou começar com os pacientes agora.

Ela assentiu com a cabeça. Casper era infatigável. Ela estava observando a ambulância na TV: saindo da rodovia e rumando para o Hospital Nacional; com uma escolta policial abrindo caminho.

O telefone tocou novamente.

– Niels?

– Você vai precisar me ajudar. Não sei se vou conseguir. E você está mais perto.

Ele estava sem fôlego. Estava chorando?

– Tudo bem, Niels.

– Gry... a vítima é ela. Acho que é ela. Lá na ala de cirurgia.

– Tudo bem, Niels. Eu vou lá.

– Correndo.

Hannah se voltou para Casper.

– Vou sair para ajudar o Niels.

– Eu ligo para você se encontrar algum candidato entre os pacientes? – indagou ele.

Hannah olhou pela janela. Somente a borda superior do sol estava visível.

– Não. Nós não temos tempo para mais nada.

76

Santa Croce – Veneza

Oficialmente, Veneza era uma loja aberta vinte e quatro horas, o ano inteiro. Princesas, xeques, políticos e celebridades da Itália e estrangeiras estavam sempre desembarcando ali. A polícia usava praticamente todos os seus recursos para recebê-los e escoltá-los do hotel até a Piazza di San Marco e de volta ao hotel. Tommaso nem se lembrava de onde era a última princesa. Ele a havia acompanhado de barco pelo Grand Canal enquanto os turistas ficavam acenando da Ponte Rialto. Nesses momentos Veneza não era nada mais que uma Disneylândia com mais bom gosto e uma comida saborosa. Felizmente ele devia jogar futebol à noite, se estivesse se sentindo melhor. O estádio ficava longe, ao lado do Arsenale, perto da nova construção e do estaleiro. Ali não havia Disneylândia. Apenas um campo sempre lamacento, um fedor de podre da laguna, luz forte dos refletores e um paredão de moradias baratas por toda parte.

Tommaso sabia que precisava estar na cama. Em vez disso ele havia ido para a estação ferroviária, dessa vez usando galochas. Que acolhida a laguna havia preparado para o ministro da Justiça. Ele não podia ser a próxima vítima – Tommaso tinha certeza disso. O ministro da Justiça, Angelino Alfano, não era nada mais que um lacaio de Berlusconi. Ex-secretário do primeiro-ministro corrupto, Alfano tinha sido nomeado ministro da Justiça apenas para criar uma rede de leis bizantinas que manteriam Berlusconi fora da cadeia.

Tommaso percorreu a Ponte delle Guglie na direção da estação ferroviária. Os donos de lojas já haviam encerrado o expediente fazia muito tempo, e as ruas estavam desertas. Os turistas estavam recolhidos com pés molhados no quarto do hotel, estudando suas apólices de seguro de viagem para saber se inundação era uma razão suficiente para exigir o dinheiro de volta.

Finalmente ele viu a estação. Santa Lucia. A grande escadaria, asas de águia e linhas horizontais, remanescentes do fascismo que o pai de Tommaso havia apoiado. Um passado que estava sempre a um fio de penetrar no presente. Os *carabinieri*, a polícia militar, estavam na escadaria. Um dos policiais deteve Tommaso.

– Eu sou da polícia – disse ele ao homem.

– Identificação policial?

Em vão Tommaso remexeu nos bolsos. Ele entregara a sua identificação policial.

– Não estou encontrando.

– Então precisa esperar – disse o policial. – Eles não vão ficar mais de dez minutos aqui.

A droga da polícia militar! A polícia regular não suportava os *carabinieri*, com seu uniforme elegante e as botas reluzentes. Tommaso contornou por trás. A rua depois da igreja levava ao escritório de cargas e ali não havia nenhum guarda. Ele parou e então ouviu o trem entrar na estação com um rugido que anunciava a sua chegada. Já não restava muito tempo. Dentro de um momento alguém seria assassinado na estação de trem. A menos que ele pudesse impedir isso.

77

Hospital Nacional – Copenhague
15h26

Hannah não estava correndo, embora fosse isso que Niels queria que ela fizesse. Ela ainda tinha aquela impressão – a sensação de morte iminente.

– Perdão – disse ela a um servente que passava. – Onde fica a ala de cirurgia?

– A senhora precisa descer um andar. Fica bem na outra extremidade – respondeu o homem segurando para ela a porta do elevador.

– Obrigada.

Ela ficou no elevador ao lado do servente. Tentou sorrir, em consideração ao paciente na cama, mas não chegou a fazê-lo. Na verdade não havia razão para sorrir. Hannah sabia que o sistema estava certo – que a probabilidade de seus cálculos estarem errados era uma em muitos milhões. Ela fora capaz de localizar trinta e quatro coordenadas com grande precisão. Isso não podia ser coincidência.

– Desça aqui – disse o servente – e siga na outra direção.

– Obrigada.

Hannah começou a correr, mas a aceleração foi apenas um material estimulante para a sua calculadora interna. Trinta e quatro assassinatos. Localizados com precisão divina. Faltavam ainda dois. Hannah tinha certeza disso. Ela também estava convencida de que não havia nada que eles pudessem fazer. Era como se estivessem à mercê do sistema. Parecia que eles estavam lutando para impedir que dois mais dois fossem iguais a quatro. Ou lutando para impedir que o carro acabasse dentro do campo, naquele dia com Gustav – contrariamente a todas as leis da natureza.

15h28

Niels virou num ângulo, guiado pelo som da Terceira Sinfonia de Mahler. A ala de cirurgia estava deserta, mas tinha uma aura de limpeza fria. Enquanto ele corria, imagens de pessoas dos dois últimos dias rodopiavam em sua mente: Amundsen, da Anistia Internacional. As vidas que ele salvara e a que ele estava destruindo: a de sua mulher. Niels pensou na sua expressão inocente e nos vivos olhos azul-claros quando ela o cumprimentou na entrada. Ela não tinha a menor desconfiança. Amava o marido e acreditava piamente nele. E o pastor Rosenberg. Seria correto sacrificar uma pessoa para salvar doze? Rosenberg sabia a resposta. Ele havia tomado a decisão errada. Mas Niels ainda gostava daquele homem. Thorvaldsen era o único com quem ele não se importava. Era um pouco enfatuado demais quanto à sua própria bondade. E era muito obviamente um tirano com os seus colaboradores.

As portas das salas de cirurgia estavam fechadas. No passado as igrejas davam uma impressão de estar em contato com o além; hoje as salas cirúrgicas eram os espaços sagrados. Assim, Niels não se surpreendeu por ouvir uma música tão bela. Sala Cirúrgica 5. Sobre a porta estava acesa uma luz vermelha. Não entre.
Niels abriu a porta o suficiente para entrever o que estava acontecendo lá dentro. Viu que algum tipo de cirurgia estava em andamento. Uma equipe de médicos, enfermeiras e cirurgiões trabalhava concentrada. Um mulher veio ao encontro dele.

– O senhor não deve fazer isso!
– Sou da polícia. Estou procurando Gry Libak.
– O senhor precisa esperar até a cirurgia acabar.
– Não, eu tenho de falar com ela agora.
– Estamos no meio de uma operação! O que é que o senhor está pensando?
– Eu sou da polícia.
– Nenhuma pessoa sem autorização pode entrar aqui – interveio ela. – Nem mesmo da polícia. O senhor precisa ir embora!
– Ela está aqui? Gry Libak? Você é Gry?
– Gry acabou de sair. E agora o senhor precisa mesmo ir embora. Ou registramos uma queixa amanhã.
– Saiu? Ela volta? Já terminou seu turno?
– Vou fechar a porta agora.
– Só mais uma pergunta. – Niels pôs o pé na porta.

– Vou ter de chamar a segurança.
– A vida dela corre perigo. Essa é a única razão pela qual eu estou aqui.

Os médicos não tinham desviado o olhar do seu trabalho. Nem por um segundo. Mas então um deles olhou para Niels. Por um momento os únicos sons que se ouviram foram a música de Mahler e o bip monótono indicando que o paciente estava vivo. Ritmo significava esperança, um som constante significava morte. Era assim. Um médico com máscara branca respondeu à pergunta de Niels.

– Você deve encontrá-la no vestiário. Estivemos trabalhando por doze horas a fio, por isso ela provavelmente vai tomar um banho demorado.

– Obrigado. Onde fica o vestiário?

Niels deixou a sala cirúrgica enquanto a enfermeira dizia:

– Seção 2141.

Hannah chegou correndo.

– Niels!

– Spreckelsen foi um fiasco. Mas talvez Gry Libak...

– Onde?

– No vestiário. Seção 2141.

Niels olhou para o relógio. Sete minutos.

Seção 2141
15h30

Vestiário feminino. Longas fileiras de pequenos armários de metal brilhante entremeadas por bancos estreitos. Ninguém à vista.

Niels gritou:

– Gry Libak?

– Os nomes estão em ordem alfabética.

Niels parou um pouco para pensar. Eles deviam ter começado por ali. As pessoas sempre escondem seus segredos pessoais e seus pecados no trabalho, onde não podem ser encontradas pelos entes queridos.

– Encontre o armário dela. Gry Libak.

– E depois?

– Depois o arrombe.

– Niels?

– Faça isso!

Os cadeados das portas estavam quase todos à mostra. Hannah percorreu uma fileira. Jakobsen, Signe. Jensen, Puk. Klarlund, Bente. Kristoffersen, Bolette. Lewis, Beth. Libak, Gry. Ela pressionou a porta. Trancada.

Niels estava percorrendo o alfabeto de trás para diante. Fiola, Finsen, Ejersen, Egilsdottir, Deleuran, Maria.

Ele tentou puxar a porta. Não, isso não funcionaria. Então ele deu meia volta, procurando alguma ferramenta. Algo que pudesse... O cabo da vassoura! Ele tirou a vassoura do carrinho de limpeza, enfiou o cabo sob o cadeado e torceu. O cadeado cedeu facilmente e caiu no chão com um estalo metálico. Hannah estava de pé atrás dele, parecendo desesperada.

– Não consigo abrir.

– Tome. Use isto para romper o cadeado.

Hannah pegou a vassoura. Decididamente, aquilo não era o forte dela.

– Ela está aqui! – gritou Niels.

– Quem?

– Maria. A mulher que nós não conseguimos encontrar. As roupas dela ainda estão aqui.

Um casaco, cachecol, sapatos. Maria estava no prédio.

No lado interno da porta do armário havia várias fotos e cartões-postais colados. Uma carteira artesanal africana de couro estava na prateleira. Num dos cartões-postais estava escrito: *Você é um anjo, Maria. Deus a abençoe. Rwinkwavu Hospitals, Ruanda.* Niels examinou a foto. O perfil de uma linda loira.

– Eu vi você – murmurou ele. – Eu vi você. – Ele se voltou para Hannah. – É ela. Tudo se ajusta.

– Olhe o tempo. Só temos mais cinco minutos.

Niels não ouviu o resto dos protestos de Hannah. Ele já estava correndo.

Ela ficou onde estava, olhando-o enquanto ele se afastava. O que ele lhe havia dito? Que as pessoas o consideravam maníaco-depressivo? De qualquer maneira "maníaco" descrevia adequadamente o seu comportamento naquele momento.

78

Estação ferroviária Santa Lucia – Veneza

As primeiras pessoas que Tommaso viu foram os fiéis. Homens e mulheres com roupas de religiosos, brancas ou pretas. Padres e freiras dos claustros de Veneza.

– Quem é que está chegando? – indagou Tommaso a uma das freiras. Sua voz soou rouca.

A estação ferroviária estava interditada para os viajantes comuns e todo o tráfego havia sido interrompido para permitir que o cortejo fosse escoltado na saída do trem e depois para o Grand Canal.

– Perdão, mas quem a senhora está esperando? – perguntou ele novamente.

A freira olhou zangada para Tommaso. Ele se deu conta de que estava agarrando o braço dela.

– O senhor pode me soltar, por favor?

– Perdão.

Ele soltou o braço dela. A freira que estava ao lado dela se apiedou dele.

– É o nosso cardeal. – Ela mencionou um nome, que foi abafado pelo barulho do ambiente. Naquele momento o trem ribombante entrou na estação. Tommaso se recostou na parede. A próxima vítima podia estar naquele trem. Ela *tinha* de estar naquele trem. Se ele conseguisse encontrar o chefe da polícia. Advertir alguém. Qualquer pessoa. As portas se abriram. O ministro da Justiça, com sua cabeça calva, foi o primeiro a aparecer. Ele deu um aceno exagerado para os que estavam esperando na plataforma. Atrás dele Tommaso viu o cardeal. Ele reconheceu o homem, que já havia visto na televisão. Não tinha sido ele que emitira a opinião de que a Igreja Católica devia recomendar o uso do controle da natalidade na África como uma medida que salvaria pelo menos dez milhões de vidas anualmente?

Alguém estava batendo palmas. Ou seria a chuva no teto? O chefe da polícia apareceu.

79

Clínica Pediátrica, Hospital Nacional – Copenhague
15h32

– Sinto muito!
Niels não teve tempo de ajudar a mulher a se levantar. Eles haviam se chocado quando ela virou num canto da Clínica Pediátrica. Ele olhou dentro dos quartos enquanto passava. Para os rostos, as enfermeiras. Viu-a na extremidade do corredor. Tove Fanø, a amiga de Maria. Agarrou-a pelo braço e a arrastou para dentro de um closet para suprimentos.
– Me solte!
Niels bateu a porta atrás dos dois. Luvas descartáveis, urinóis e lençóis. Ele procurou uma cavilha morta mas não encontrou.
– Onde é que ela está?
– Eu lhe disse... ela não está...
– Eu sei que a Maria está aqui!
A enfermeira hesitou. Niels se aproximou mais.
– Você sabe qual é a pena para obstrução do trabalho da polícia? Quer ser culpada da morte dela?
Ela não respondeu. Niels pegou suas algemas.
– Tove Fanø. Você está presa por obstruir...
– Vá até o subsolo, sob o Departamento A – disse ela. – Lá embaixo tem alguns quartos que são para os cirurgiões que precisam descansar um pouco. Eles nunca são usados.
– O que é que está escrito na porta?

15h34

 Niels encontrou Hannah enquanto descia.
– Ela está aqui. A Maria. No subsolo.
 Hannah parou de repente. Niels parecia meio enlouquecido. Ela sentiu uma necessidade premente de detê-lo. De fazê-lo se acalmar. Naquele exato momento não sabia no que acreditar.
– Quanto tempo? – perguntou ele arquejante.
 Hannah olhou resignada para o relógio.
– Três minutos.
– Venha comigo!
– Niels... isso é loucura.
 Niels olhou para ela. Riu e balançou a cabeça. – Você também?
– O quê?
– Você também acha que eu estou fora do meu juízo perfeito? É isso que você está dizendo? – ele agarrou o braço dela e a puxou para dentro do elevador. – Vá para a esquerda. Procure uma porta com a inscrição APENAS INTEGRANTES DA EQUIPE.
 O elevador parou nas entranhas do hospital e as portas abriram.

Subsolo, Hospital Nacional – Copenhague
15h35

– E o que é que eu faço se encontrar?
 Niels não ouviu a pergunta de Hannah. Ele já estava na metade do corredor. O som desesperado dos seus passos se fundia com um zumbido fraco que vinha dos fossos de ventilação.
 Hannah respirou fundo. Ela estava realmente sentindo falta da abordagem teórica. Ideias. Imaginar o universo sem jamais ir além da banca do jornaleiro para comprar cigarros.
 A maioria das portas não tinha inscrição alguma. Umas poucas prometiam suprimentos. DEPÓSITO B$_2$. DEPÓSITO DO DEPARTAMENTO DE RADIOLOGIA. Nenhuma dizia APENAS INTEGRANTES DA EQUIPE. Hannah pensou em Søren Kierkegaard. Ele tinha passado a vida inteira num espaço de poucos metros quadrados, andando de um lado para outro, possivelmente passeando um pouquinho na rua, mas sempre completamente absorto nos seus próprios pensamentos. Não

é preciso muito espaço para imaginar o mundo inteiro – na verdade isso podia ser feito dentro de um barril. DEPÓSITO. SUPRIMENTOS/ANESTESIOLOGIA. Ela não estava ouvindo os passos de Niels quando virou num canto, seus pensamentos tomados por filósofos em barris. O grego Diógenes, inventor do cinismo. "Cinismo" vem da palavra grega que designa o cão. Diógenes achava que nós poderíamos aprender muito com os cães. Um cão pode instintivamente diferenciar entre amigo e inimigo. As pessoas não fazem isso. Elas podem compartilhar um apartamento com seu pior inimigo sem nem mesmo saber disso. Por que ela estava pensando nisso agora? Às vezes ela estava simplesmente entediada e cansada das suas próprias associações... Ah, agora ela percebia por que Diógenes havia surgido na sua mente: porque de vez em quando ele deixava seu barril e saía pelas ruas de Atenas procurando uma "pessoa de verdade". Uma pessoa boa. Diógenes tinha vindo ajudar Hannah. Como ele, ela tinha saído do seu próprio barril para encontrar um verdadeiro ser humano.

Eles chegaram ao canto no mesmo instante, Hannah e Niels.

– Encontrou alguma coisa? – indagou ela. – É agora. Pôr do sol. Agora são três e trinta e sete.

Ele sussurrou.

– Ali está. A inscrição APENAS INTEGRANTES DA EQUIPE naquela porta. Ele tirou a arma do coldre preso ao ombro.

"Eu me pergunto o que vamos encontrar." Foi só isso que Hannah teve tempo de pensar antes de ele forçar a entrada no quarto.

Apenas integrantes da equipe
15h37

Niels entrou no quarto escuro. Trevas interrompidas apenas pelo brilho débil de um aparelho de televisão e um grito de terror.

– Maria Deleuran? – gritou ele.

Era uma mulher que estava na cama? Niels se aproximou um pouco passando a mão pela parede, na tentativa de encontrar um interruptor de luz.

– Maria?

– Sim?

– Você está sozinha?

– Estou – respondeu ela. Niels piscou. Os contornos do quarto começavam lentamente a tomar forma. Ela estava deitada na cama. Ele se aproximou mais um passo antes de descobrir uma segunda pessoa. Uma sombra – algo se movendo rapidamente na direção dele.

– Pare!

– O que é que está acontecendo? – gritou Maria.

Niels tirou a trava da sua arma.

– Que diabo está acontecendo aqui? – berrou ela novamente.

Niels não hesitou. Estendeu a mão no escuro e agarrou um colarinho. A outra pessoa se contorceu, livrou-se dele e lhe deu um soco no rosto. Maria estava chorando. Niels havia acidentalmente atingido a sua perna com o braço esquerdo ao cair. A outra pessoa imediatamente caiu sobre ele tentando agarrar sua cabeça.

– Acenda a luz! – Niels agarrou o pulso do homem, torceu-o e tentou se levantar. Novamente foi atingido, dessa vez na parte traseira da cabeça, antes de conseguir se pôr de pé.

– Chame a segurança! – gritou o homem. Ele segurava firmemente o braço de Niels.

– Hannah! Acenda a luz! – Niels conseguiu livrar seu braço e tirou as algemas. Finalmente conseguiu agarrar a mão do homem. Uma torcida rápida, um grito de dor, e Niels atirou o homem no chão com uma força feroz. Naquele momento Hannah acendeu a luz. O homem seminu se afastou um pouco no chão antes de Niels arrastá-lo até a cama, atirando-o sobre ela e prendendo a algema numa barra de ferro.

Só então Niels olhou para Maria, que aterrorizada tentava cobrir com o lençol o corpo nu.

– O que... o que você quer?

Niels estava sem fôlego. Sangue escorria do seu nariz até a camisa. Seus olhos vagavam pelo quarto, absorvendo a cena. Ele olhou para Maria. Depois para o ágil homem quase nu, um quarentão algemado na cama. Para o paletó do homem, caído sobre uma cadeira; para o crachá que mostrava o seu nome: MAX ROTHSTEIN, MÉDICO. Para a garrafa de vinho branco aberta, sobre uma mesinha. Para Maria, que não dissimulava o choro.

– Responda! – pediu ela. – O que está acontecendo?

– Não é ela – disse Niels. – Não é ela.

– O que é que você quer?

Exaurido, Niels lhe mostrou sua identidade policial. Hannah retrocedeu um passo, saindo para o corredor.

– Que horas são? – perguntou ele.

– Niels, isso é loucura.

– Alguém pode me dizer por favor o que está acontecendo aqui? – gritou o homem.

Niels notou um pequeno televisor no quarto. As palavras "Ao vivo" estavam no alto da tela; um helicóptero seguia uma ambulância que corria pela cidade com sirenes gemendo.

– Ligue o som – disse ele. O médico estava prestes a protestar quando Niels o interrompeu. – Ligue o som!

Ninguém reagiu. Niels foi até o aparelho de TV e apertou um botão do controle remoto. *Um negociador de questões climáticas representante das ONGs sofreu um problema grave de saúde durante a rodada de encerramento das negociações. Fontes próximas do negociador dizem que seu colapso pode ser uma consequência das duas semanas de pressão desumana para chegar a um acordo... Neste momento ele está chegando ao Hospital Nacional.*

– Ah, meu Deus – disse Hannah.

O helicóptero do noticiário da TV2 captou uma linda tomada do crepúsculo na cidade. Os últimos raios de sol.

– Que horas são?
– É agora, Niels. Ou...
– Onde a ambulância vai chegar?
– Eu exijo que vocês me digam que história é essa – protestou o médico.
– *Onde?*

Quem respondeu foi Maria.

– No pronto-socorro. Pegue o elevador para o primeiro andar.

15h40

Niels estava mancando. Hannah tentou andar do lado dele, mas ele chegou ao elevador antes dela. Apertou o botão várias vezes, mas isso não fez o elevador chegar mais rápido. Hannah o alcançou.

Nenhum deles disse uma única palavra no elevador. Ela quase não ousou olhar para ele. Mas registrou o modo como as pessoas reagiam a ele ao saírem no primeiro andar. Surpresa, choque. Niels estava mancando, com a arma na mão, e não fazia o menor esforço para esconder o sangue que lhe escorria do nariz.

– Polícia! Onde fica o pronto-socorro? – indagou ele.

Todos apontaram para a mesma direção. Niels se arremeteu pelo corredor com Hannah bem atrás dele. Eles chegaram ao pronto-socorro junto com a ambulância. Uma equipe de médicos estava à espera. As duas motocicletas da polícia que tinham feito uma escolta pela cidade se retiraram a fim de abrir espaço para a equipe do hospital. Uma janela de vidro impedia que Niels avançasse mais.

– Como é que nós entramos lá?

– Niels! – Hannah tentou agarrar seu braço. Ele se soltou. O paciente na maca foi retirado da ambulância, e os médicos cerraram fileiras em torno dele.

– Não!

Eles não ouviam Niels gritar. O vidro o separava dos outros. Ele esmurrou a janela.

– Onde fica a porta?

– Niels. – Hannah estava puxando o seu braço.

– Aqui! – alguém gritou.

Niels se dispôs a correr, mas Hannah o deteve.

– Niels! Olhe o relógio. Já passaram muitos minutos da hora. O sol já se pôs.

Niels olhou para o negociador de questões climáticas que estava na maca. O homem se sentou e sorriu para os médicos; já se sentia melhor. Niels conhecia bem o fenômeno. Logo que chegava a ambulância as pessoas muitas vezes começavam a se sentir melhor. Infelizmente Sommersted estava de pé ao lado do homem. Seus olhos de águia aterrissaram em Niels. Claro.

80

Estação ferroviária Santa Lucia – Veneza

A polícia militar estava impedindo a entrada. Os visitantes oficiais passavam lentamente pelas fileiras de altos funcionários e oficiais de polícia.

– Comissário! – Tommaso tentou gritar mas suas palavras foram abafadas. – O cardeal está correndo perigo!

Ele viu Flavio e o chamou. Finalmente alguém o ouviu. Mas Flavio não reagiu. Ficou em posição de sentido enquanto o ministro da Justiça cumprimentava o chefe da polícia, enxugava o suor na testa e apresentava seus acompanhantes. Mais cumprimentos nervosos, beijos na face e uma troca de frases bem ensaiadas. O cardeal ficou no meio do grupo. Tommaso olhou em torno. Não viu ninguém suspeito, com exceção de um homem escondido atrás de óculos escuros. Não havia sol na estação ferroviária, então, por que ele estava com óculos de sol?

– Flavio!

Finalmente Flavio respondeu. Ele se afastou das fileiras de oficiais da polícia e foi encontrar Tommaso.

– O que é que você está fazendo aqui? – indagou ele.

– A vida de alguém está correndo perigo – disse Tommaso.

– Do que é que você está falando?

– Você precisa acreditar em mim...

Flavio o interrompeu.

– Você está com um aspecto péssimo. Deve estar doente. Não devia ter vindo aqui. Devia estar com a sua mãe.

Tommaso o empurrou. O homem de óculos escuros tinha desaparecido na multidão. Não; ele estava ali, de pé a pouca distância do cardeal. Com a mão numa sacola.

– Aquele homem lá, Flavio! – gritou Tommaso apontando.

O comissário viu Tommaso. Flavio pegou o seu braço.

– Você precisa ir embora. Preste atenção: você está se arruinando.

O cortejo de dignitários começou a se afastar da estação ferroviária. O homem de óculos escuros o acompanhou.

81

Subsolo, Hospital Nacional – Copenhague

Uma gota de sangue caiu no chão. Pingara do nariz de Niels. O dr. Max Rothstein estudou Niels enquanto ele abria as algemas.

– Os policiais cometem erros, da mesma forma que os médicos – disse Niels numa tentativa de evitar todas as perguntas e acusações iradas de Maria Deleuran e de seu amante secreto, Max Rothstein.

– Você errou, sem dúvida.

– Sinto muito.

Maria já estava vestida. O médico lhe dirigiu um olhar de dúvida e então se voltou para Niels.

– Vai haver um relatório registrando o incidente?

Niels lhe dirigiu um olhar atônito, imaginando que resposta o homem preferia ouvir.

– Relatório?

O médico limpou a garganta.

– Escute: eu tenho família. Você cometeu um erro. E eu não acho que tenha de sofrer porque você precisa escrever um relatório sobre o que aconteceu aqui.

– Não, claro que não. Não vou escrever nada.

Rothstein tentou cruzar o olhar com o de Maria, mas aquela atitude protetora em relação à sua "família" a havia esfriado. Hannah estava se perguntando se Maria não passara no teste ou se ela devia ser considerada uma "pessoa boa" apesar de estar tendo um caso com o marido de outra mulher. Rothstein se voltou para Hannah.

– E quem é você?
– Hannah Lund.
– Mulher do Gustav.
– Sim. – Ela se surpreendeu com o acerto dele.
– Nós moramos juntos no dormitório de Regensen quando éramos estudantes.
– Ah, entendi.
Rothstein esfregou os pulsos, que estavam vermelhos e inchados.
– Posso dar uma olhada no seu nariz?
Ele se aproximou de Niels e examinou-lhe o nariz. Cuidadosamente inclinou para trás a cabeça de Niels para olhar dentro das narinas. O equilíbrio de poder entre os dois havia mudado. Talvez fosse exatamente isso que Rothstein tinha em mente: readquirir um pouco da sua dignidade.
Maria fez uma bolinha com um pouco de algodão e a entregou a Rothstein. Ele a enfiou numa das narinas de Niels e disse:
– Tudo bem. Acho que com isso ficamos quites.
Rothstein deixou o quarto, meneando a cabeça para Hannah ao passar por ela. Talvez esse fosse o modo de reconhecê-la como uma igual, já que ambos eram acadêmicos. Enquanto a enfermeira e o policial pertenciam a outro mundo.

Saguão de entrada, Hospital Nacional – Copenhague

Niels insistiu em se sentar e esperar um pouco. Talvez alguém tivesse morrido de repente no hospital no momento do pôr do sol. Eles esperaram durante meia hora sem dizer uma única palavra. Por fim Hannah se levantou.

82

Estação ferroviária Santa Lucia – Veneza

O sol já ia se pôr em Veneza. Tommaso ficou diante da estação ferroviária, observando a nata do sistema judiciário italiano desaparecer no barco da polícia. Ninguém tinha morrido. O homem de óculos escuros os havia retirado e desaparecera para os lados do Ghetto.

Tommaso decididamente não estava bem. Ele sentiu escorrer catarro do nariz. Quando o limpou, viu que era sangue.

Além disso estava com dificuldade para se manter equilibrado. Precisava encontrar alguma coisa para beber e simplesmente sentar-se sozinho, longe da vista de todos. Flavio estava indo embora. Acenou para Tommaso, que ao sair correndo esbarrou num casal jovem atracado num beijo.

– Perdão – resmungou ele.

Diante do banheiro feminino havia uma fila. Ele foi para o masculino, mas uma barra de metal bloqueava a entrada.

– É preciso pagar – disse alguém atrás dele. Sentindo-se tonto, Tommaso revirou os bolsos à procura de moedas. O homem atrás dele estava se impacientando. Por fim Tommaso encontrou as três moedas. Ele pôs na fenda a de cinquenta centavos. A barra de metal não saiu do lugar. O homem atrás dele bufou:

– Custa oitenta centavos!

Tommaso introduziu as duas últimas moedas. OITENTA CENTAVOS, lia-se na tela. A barra de metal lhe abriu passagem.

83

Kongens Nytorv – Copenhague

Uma árvore de Natal num trenó. Pai e filho empurrando o trenó pela camada fina de neve. Niels os observava através do para-brisa do carro que começava a embaçar. Ele devia estar na África. Comemorando a véspera de Natal numa piscina, saindo para ver leões no Dia de Natal e sentindo o oceano Índico acariciar seus pés descalços. Em vez disso o que ele sentia era um frio desagradável subindo do chão do carro de Hannah.
– Você quer que eu dirija? – perguntou ela.
– Não, está tudo bem.
O vermelho do semáforo passou para verde. Niels engatou a primeira, soltou a embreagem e os pneus dianteiros deslizaram pela neve. Durante alguns segundos ele perdeu o controle do veículo, mas depois levou-o para a direção certa e eles seguiram. Controle? No momento Niels sentia que qualquer coisa podia acontecer e ele não seria capaz de fazer nada. Se soltasse o volante suas mãos começariam a tremer e ele desmoronaria chorando, bastando para isso que Hannah o tocasse. Ela não o tocou, e ele continuou segurando firme a direção. Eles seguiram assim. Cruzaram a ponte entre os lagos. Passaram por Kongens Have. Até chegarem a Kongens Nytorv nenhum deles tinha dito uma única palavra, mas os dois olharam para um Papai Noel que caminhava com um cortejo de crianças.
No meio da praça, cartazes de um metro e meio de altura tinham sido afixados, mostrando centenas de lugares da Terra que corriam perigo de desaparecer em razão da mudança climática. Dentro do carro eles ouviam bem baixa a voz de um homem com um microfone que falava para um grupo reduzido: "Mais

de setecentos mil trabalhadores ganham a vida com a produção de chá em Sri Lanka. A seca vai destruir toda a sua produção".

O trânsito parou. As pessoas carregavam pela praça suas compras de Natal. Passavam pelos cartazes das ilhas Salomão, pouco mais de dois metros acima do nível do mar, onde a população vivia de coco e peixes. Rumavam para os antiquários de Bredgade e no caminho passavam pelas fotos iluminadas do lago Chad, cujo processo de evaporação transformaria mais um canto da África numa desolação de poeira e areia. O trânsito começou a andar de novo. Hesitantemente, de modo incerto, como se todos os motoristas na praça estivessem pensando em tomar a dianteira da luta: desligar o motor, jogar fora a chave do carro e tentar salvar as ilhas Salomão. No último minuto os motoristas mudaram de ideia e os carros seguiram normalmente. Se ficassem muito quietos poderiam ouvir o último coco cair do galho e flutuar para o mar que pretendia tragar tudo.

Hannah rompeu o silêncio:
– Para onde nós vamos? – Ela falou olhando pela janela. Como se a sua pergunta não estivesse sendo feita para Niels, e sim para toda a humanidade.
– Não sei.
Ela olhou para ele e sorriu.
– Este dia inteiro... Sinto muito, Hannah.
– Você não precisa se desculpar.
– Eu só gostaria de lhe pedir uma última coisa.
– O quê?
Ele hesitou.
– Acho que não vai dar para ficar sozinho esta noite. – Ele pigarreou. Aquilo pareceu totalmente errado. Soou como um convite. – Quer dizer – resmungou ele –, não é nada...
– Tudo bem. Eu entendo.
Ele olhou para ela. Ela realmente entendia.
– Tudo bem para você? Eu tenho um bom sofá-cama. Poderíamos tomar uma taça de vinho.
Ela sorriu.
– Sabe de uma coisa? Acabei de notar isto. Gustav nunca me disse três coisas: "Não sei", "Sinto muito" e "Tudo bem para você?".

84

Silo de Carlsberg – Copenhague

– Minha mulher é arquiteta – disse Niels quando a porta do elevador se abriu mostrando seu apartamento.

Hannah não comentou o tamanho do apartamento. Apenas afundou no sofá como se morasse ali. Todos ficavam enfeitiçados com a vista de trezentos e sessenta graus. Mas não Hannah. Certamente ela já viu coisas muito mais impressionantes, pensou Niels enquanto abria uma garrafa de vinho tinto. Como astrônoma, ela havia se deitado sob o céu aberto nos Andes, vira sóis explodirem no Cinturão de Órion e muitas outras coisas do tipo. Contemplar a vista de Carlsberg era algo que ficava muito aquém daquelas experiências. Ele lhe passou uma taça de vinho.

– Pode fumar aqui.

Subitamente Niels sentiu uma pontada de culpa. Como se estivesse sendo infiel. Hannah estava agora de pé próximo à janela.

– Eu sempre me impressiono...

– O quê? – Ele se aproximou.

– Quando lá de cima eu olho para as cidades. Como aqui. Ou quando de lá eu olho para a Europa à noite. Com todas as luzes. Você já experimentou essa sensação?

– Não. O meu forte não é voar. Viajar.

Ela pareceu pasma.

– Não? – Hannah olhou para ele. Como se tivesse acabado de perceber algo.

– Então, você estava dizendo... – Niels lembrou-a.

– Que as luzes das cidades têm exatamente a mesma aparência da luz no espaço. Quando olhamos para as galáxias, Niels. É assim que ela é. – Hannah apontou para uma luz distante no horizonte. – Impressionantes áreas de nada. E então, de repente, um enxame de luzes. Vida. Quase como uma cidade.

Niels não sabia o que dizer. Ele encheu de novo as taças.

– Talvez fosse bom ligar para o Tommaso. Saber se ele descobriu alguma coisa.

– Descobriu alguma coisa? Não sei se eu aguentaria estender esse assunto hoje.

– Então eu ligo. Só quero saber se ele atende. Você traduziria, se ele atender? – Niels digitou o número. Tentou novamente. – Alô? Inglês? Esse é o número do Tommaso di Barbara?

Hannah se serviu de um pouco mais de vinho tinto. Ela estava ouvindo Niels, no seu quarto, falar no telefone. Que história era aquela que ele lhe contara havia pouco? Hannah não conseguia tirar da cabeça aquelas palavras. *O meu forte não é voar. Viajar.* Ele estava gritando no quarto:

– O quê? Eu posso falar com ele? Não estou entendendo.

Depois de alguns minutos ele saiu do quarto e se encaminhou para o banheiro. Ela teve um relance da sua expressão confusa.

– Acho que estão tentando encontrá-lo. Na verdade eu não sei lhe dizer o que está acontecendo.

Hannah o seguiu. À distância. No banheiro ele tirou a camisa e a jogou no chão. Ela olhou para ele. Havia sangue na camisa. Ele virou de costas para ela. Hannah sabia o que ia ver, mas mesmo assim ficou chocada.

– O quê? Não? Tommaso? – disse Niels no celular.

Niels estava tentando entender o que fora dito no telefone, mas a pessoa do outro lado da linha já havia desligado. Ele depôs o celular num banquinho. Estava diante da pia, inclinado sobre as duas mãos. Hannah não tirava os olhos dele. Finalmente ele se virou.

– Ele... ele... – gaguejou Niels.

– Ele morreu – disse ela.

– Como é que você sabe?

– A questão é: como é que nós não percebemos isso antes?

– O que é que você quer dizer?

– Niels. Ele foi o número trinta e cinco.

Hannah o tinha perdido. Ela via isso claramente. Entrou no banheiro e cuidadosamente tomou a mão de Niels.

– O que foi?

– Vire-se.

Cautelosamente ela o virou diante do espelho. Pegou um espelhinho na pia e lhe entregou.

– Use isto.

Ele não conseguiu ver logo de início. Depois viu. Uma marca havia surgido nas suas costas. Ainda não estava muito clara. Quase parecia um eczema. Mas a forma era inequívoca. Ele deixou cair o espelho, que se espatifou no chão de azulejo prometendo sete anos de má sorte. Então saiu correndo do banheiro.

– Niels?

Ele já se fora. Bateu a porta do quarto atrás de si. Hannah gritou:

– Vocês dois se encontraram. Isso é óbvio. Eram os únicos que prestariam atenção.

Ela o ouviu remexer por toda parte no quarto.

– Vocês eram os únicos que prestariam atenção – repetiu ela para si mesma. Niels escancarou a porta. Estava com outra camisa e tinha na mão uma mala. A mala que ele havia feito muito tempo atrás – a que não tinha querido viajar. Mas agora queria.

85

Ospedale dell'Angelo – Veneza

O comissário Morante tinha na mão o celular de Tommaso.

Pesada. Era exatamente assim que a responsabilidade parecia. *Pesada*. Uma responsabilidade que ele havia descuidado. Era como um caroço nos seus pulmões, algo que estava reduzindo a sua capacidade de inalar oxigênio. A responsabilidade pode ser pesada como um peso físico real, refletiu ele antes de Flavio interrompê-lo dizendo:

– Eu devia ter prestado atenção ao que ele me disse.

Morante olhou para Flavio, sentado numa das cadeiras de plástico cor-de-rosa do hospital. Estavam ambos à espera de que o médico os atendesse; queriam lhe fazer algumas perguntas. Uma turista sueca havia encontrado Tommaso morto no banheiro masculino. Segundo lhes contaram, os gritos da turista foram ouvidos em toda a estação.

– Ele disse que nós estávamos correndo perigo. Que alguém corria perigo – explicou Flavio.

– Quando?

– Na estação de trem. Eu achei que ele estava doente. Afinal de contas você tinha dito que ele estava suspenso.

– Eu disse? Então a culpa é minha? É isso que você está insinuando?

Flavio olhou surpreso para o comissário. Ele nunca ouvira o chefe gritar.

Morante tentou se levantar e ficar empertigado, parecendo tranquilo apesar da sua explosão. Seria preciso abrir uma investigação, ele sabia disso. Ele seria entrevistado. Por que ele havia suspendido Tommaso? Ele devia ter prestado mais atenção ao que o homem estava dizendo? Os médicos tinham tentado ressuscitar Tommaso no banheiro masculino. E então viram as suas costas. Quando cortaram o paletó para usar o desfibrilador no seu coração eles viram a estranha marca, que se estendia de um ombro ao outro. A pele estava inchada e com desenhos. Um dos médicos tinha dito: "As costas dele estavam quentes, como se estivessem pegando fogo".

O médico pôs a cabeça para fora da porta e gritou:

– Venham comigo!

Ninguém jamais havia falado com o chefe de polícia de Veneza naquele tom de voz. Talvez isso fosse uma antevisão do que o esperava. Rebaixamento de posto. Humilhação. Provavelmente artigos sarcásticos nos jornais.

Mesmo numa situação em que um colega havia morrido, a coisa mais importante para a mente do comissário Morante era o seu próprio *status*.

Necrotério – Veneza

Uma única guirlanda enfeitava a entrada. Era Natal também ali, no domínio do médico legista.

O corpo de Tommaso di Barbara repousava na gélida mesa de aço, a cabeça levemente inclinada para um lado. Mas não era apenas um corpo na mesa. Era um corpo decorado.

O comissário se aproximou para examinar as costas de Tommaso.

– O que é isso?

– Eu estava esperando que o senhor pudesse me dizer. – O médico continuou perto da janela, com uma expressão acusadora no rosto. Como se toda aquela situação fosse culpa de Morante.

– Como é que eu posso saber?

O médico deu de ombros.

– Era disso que o Tommaso andava falando. – A voz de Flavio era quase inaudível. Ele olhou para o chão e prosseguiu. – Ele falava sobre gente que tinha morrido com marcas nas costas. Ficava repetindo isso. O pacote da China. Todos os recortes de jornal. Nós não acreditamos nele.

O silêncio dominou a sala de autópsia.

– Qual foi a causa da morte? – perguntou o comissário.

O médico deu de ombros.

– Enquanto não me esclarecerem o que é isso, eu direi que foi assassinato.

– Assassinato?

341

– Assassinato por veneno. Não sei que outra coisa poderia ter causado isso.

Uma respiração profunda. Flavio tinha se retirado para a outra extremidade da sala.

– Flavio – chamou o comissário Morante.

– Sim, senhor?

– Fale com a secretária de Tommaso. Ela sabe muita coisa sobre o caso. Tommaso lhe pedia para traduzir coisas.

– Tudo bem.

– E vamos contatar a Interpol. – Morante olhou para o médico e depois para Flavio. – É importante agir rapidamente. E isso significa: agora.

Parte II
O LIVRO DOS JUSTOS

Abraão aproximou-se e falou: "Vais realmente exterminar o justo com o ímpio?
Se houvesse cinquenta justos na cidade, acaso os exterminarias?
Não perdoarias o lugar por causa dos cinquenta justos que ali vivem?" [...]
O Senhor respondeu: "Se eu encontrasse em Sodoma cinquenta justos,
perdoaria por causa deles a cidade inteira".

Gênesis 18:23-24, 26

1

Vesterbro – Copenhague

A neve estalava sob os sapatos de Niels enquanto ele trotava pelo estacionamento. Embora não ouvisse Hannah, ele sabia que ela estava ali.
– Niels!
Ele desistiu de puxar a mala pela neve do chão e a levantou para carregá-la. Havia algo de protetor na mala pesada. Quase como um colete à prova de balas.
– Você sabia disso o tempo todo, Niels.
Agora ela estava logo atrás dele.
– Não sei do que você está falando.
– É você, Niels.
– Você não vê que isso é ridículo demais?
– Ridículo?
Ele passou a andar mais devagar.
– É porque agora a coisa tem a ver com pessoas reais? É isso que torna o caso tão ridículo? – Ela o alcançou e agarrou o seu braço. – Não foi isso que você me disse?
Niels não respondeu. Eles tinham chegado no carro.
– Quando foi a última vez que você viajou para algum lugar?
Niels evitou olhar para ela. Recusou-se a responder à pergunta.
Hannah elevou a voz:
– Me responda, Niels! Se é tão ridículo, você pode perfeitamente me responder.
Niels estava remexendo nos bolsos.
– É isto que você está procurando? – Ela segurava a chave do carro diante dele.
– Droga. É o seu carro.

– Exatamente. Vamos?

Hannah destravou as portas. Niels jogou a mala no banco traseiro, ao lado da caixinha de papelão com todos os documentos referentes aos assassinatos. Depois ocupou o banco do motorista e bateu a porta. Hannah se sentou ao lado dele.

– Tudo bem, Niels Bentzon – disse ela. – Aonde nós vamos?

Ela olhou para ele, esperando uma resposta. Finalmente ele disse com voz tensa:

– Eu não sou médico. Mas já ouvi falar em reações psicossomáticas. Percepções sensoriais perturbadoras. Estados de consciência anormais. Por exemplo, o fenômeno da *stigmata*.

O cérebro de Niels estava trabalhando febrilmente. A lembrança de um programa de televisão veio em seu socorro.

– São Francisco de Assis.

– O que é que tem ele?

– Nos últimos anos de vida ele andava por toda parte com pés e mãos sempre sangrando. A coisa vinha de dentro dele. E quanto àquele outro homem... qual era o nome dele? – Niels enterrou o rosto nas mãos enquanto recapitulava o programa de televisão. – Um padre baixo e gordo. Era italiano? Até puseram uma estátua dele no fundo do mar, perto das ilhas Tremiti. Padre Pio! Você já ouviu falar dele? Viveu no século XX. Durante mais de cinquenta anos ele sofreu com a *stigmata*. O corpo humano pode produzir os fenômenos mais inexplicáveis. É com isso que nós estamos lidando aqui. Não pode ter outro sentido.

– Por que você está falando de sentido?

Niels não respondeu.

Ela persistiu.

– Quem diz que tem de haver um sentido? Tem um sentido no fato de os planetas se moverem numa elipse em torno do Sol? Ou no...

– Eu não sou religioso, Hannah. Para mim é preciso ter uma explicação natural.

– Sim. E nós encontramos a explicação natural. Só que não a entendemos. É assim que começam todas as descobertas.

Ele balançou a cabeça.

– Pense nisso como o fenômeno que se comporta como uma lei da natureza.

– Uma lei da natureza?

– A definição é algo assim: uma conexão bem fundamentada entre entidades físicas. Essencialmente, uma lei da natureza não pode ser alterada. Você pode gritar e chorar, Niels, mas não pode fazer nada quanto a isso. Olhe para mim.

Ele obedeceu sem nada dizer.

– Por que é tão impensável que o fenômeno siga um padrão específico?

– Como é que isso é possível?

– É como na matemática. Inicialmente parece que o caos domina. Não conseguimos entendê-la. Mas de repente – quando podemos nos distanciar um pouco, quando quebramos o código – o sistema se torna aparente. O sistema surge do caos. As coincidências se dissolvem bem diante dos nossos olhos. Coisas, números, convergem e podem ser inseridos em fórmulas. Todo matemático sabe disso.

– Hannah.

Ela não quis deixá-lo falar.

– A coisa pode parecer completamente aleatória, Niels. O modo como o caso chegou a você. Tommaso. Seu encontro comigo. Mas tudo se ajusta. Tudo faz parte do sistema. A lei da natureza.

– Isso está muito além da minha compreensão – disse Niels, que na verdade falava consigo mesmo. Balançando a cabeça.

– Nem você nem ele conseguem viajar – prosseguiu ela. – Vocês são como torres de celular à espera de um sinal. E então, de repente, vocês fazem uma coisa. *Vocês começam a agir*. Um feito que é parte de algo maior.

– Algo maior?

– Como o soldado que libertou os prisioneiros e com isso os fez ter fé em...

– Isso é somente um exemplo – disse Niels interrompendo-a. – E quanto ao russo?

– Ele salvou a mãe e as crianças no teatro. Quem sabe o que vai resultar disso? Ou do garoto que recebeu um remédio não autorizado e com isso sobreviveu? Todos vocês são como ilhazinhas, Niels. Estão destinados a locais geográficos específicos. É neles que vocês agem como protetores.

– Protetores! – Niels a olhou insolente. – Eu não consigo proteger nem a mim mesmo.

– Isso não é verdade. Foi você mesmo quem me disse que quando as pessoas se cansam de tudo e tentam cometer suicídio é para você que apelam. Você é como os outros trinta e cinco. Médicos, defensores dos direitos humanos. Pense naquele russo no teatro, que se apresentou para ser morto em vez da mãe, muito jovem ainda, e seus filhos. É exatamente isso que você faz. Desde o início você enfrentou a ameaça com decisão. Você é o único que fez isso.

Ele notou que Hannah estava apertando a sua mão. Ela relaxou a tensão, mas não a soltou.

– Um provérbio antigo diz assim: "O maior golpe de gênio do diabo foi..."

– Convencer as pessoas de que ele existe – completou Niels.

– O maior erro que podemos cometer é pensar que nós já entendemos tudo. Entre as pessoas que eu conheço, as mais céticas, aquelas que têm menos certeza sobre o funcionamento do mundo e do universo, são também as mais inteligentes. As mais brilhantes. – Ela fez uma pausa. – Deus não existe. Tudo começou com o Big Bang. Podemos fazer a temperatura subir ou descer, como um termostato. – Ela balançou a cabeça e sorriu para ele. – A certeza absoluta é apenas para os idiotas. É preciso um certo grau de inteligência para percebermos como na verdade nós somos pequenos.

– É por isso que nós não sabemos o que está acontecendo comigo? É isso que você quer dizer?

– É. Mas nós podemos ver um sistema. Com a gravidade é a mesma coisa. Nós não temos ideia de por que ela funciona do jeito como funciona. Mas sabemos que a bola vai cair quando a jogamos para cima. O que quer que você faça, Niels, não importa: você vai acabar no Hospital Nacional daqui a seis dias. Na sexta-feira.

Niels não respondeu. Ele girou a chave na ignição. Havia algo de libertador no ato de acabar com o silêncio.

– Aonde vamos? – perguntou Hannah.

Ele olhou para ela e disse:

– Sair de férias. Eu preciso de um descanso.

Rumo ao oeste

A neve começou a cair na estrada enquanto eles saíam de Copenhague. Inicialmente eles foram para o norte. Os altos edifícios de apartamentos deram lugar a casas. Estas foram ficando cada vez maiores, acabando por se tornar mansões antes de cederem espaço à natureza.

– Não. – Niels mudou de ideia. – Vamos para o oeste.

Ele pegou a entrada para Odense. Queria ir para tão longe quanto possível. No rádio, vozes agitadas discutiam o malogro da conferência sobre o clima. Obama já havia ido embora. Alguns comentaristas diziam que o mundo estava condenado. "E talvez nós não mereçamos estar aqui, na verdade. Nós, os seres humanos. Os destruidores." As palavras do rádio voaram pelo ar como a neve do outro lado das janelas do carro.

– Olhe para isso – disse Hannah baixinho, quase como se estivesse falando para si mesma. Ela olhava encantada para os bilhões de flocos de neve através dos quais o carro avançava. – Fico me perguntando se flutuar no espaço é assim.

Os faróis dianteiros do carro iluminavam os dois lados dos campos cobertos de neve.
– Precisamos ouvir música. – Niels remexeu na pilha de CDs. Milli Vanilli e Nina Hagen numa caixa quebrada.
– Olhe para a estrada.
– Você não tem nada dos Beatles? Ou do Bob Dylan? – indagou Niels. – Alguma coisa de antes de 1975?
– Só tenho música que eu não ouvia quando o Johannes estava vivo.
Ele olhou para ela.
– Isso faz parte do que você chama de projeto?
– Exatamente. Mas tome cuidado!
Eles começaram a deslizar. Por alguns segundos Niels perdeu o controle do carro.
– Eu disse para você olhar para a estrada.
Niels sorriu. Hannah acendeu dois cigarros, entregou um para ele e abriu a janela.
– Obrigado. – Ele ligou a música. Uma melodia pop monótona que em certo sentido era apropriada ao momento. – Mas na verdade isso não importa, não é mesmo?
– O que é que você quer dizer?
– Se o carro desliza e sai da estrada. Ou se nós temos um acidente. Você mesma disse que é uma lei da natureza que eu vou acabar no Hospital Nacional na sexta-feira. Não interessa o que eu possa fazer.
– Não sou eu quem decide isso. É o sistema. É matemática. Mas ele não se aplica a mim. E eu não sei se estou pronta para...
Niels olhou para ela.
– Nem eu.

Eles passaram por aldeiazinhas que pareciam todas iguais. A mesma vista, de dentro do carro: postes de iluminação, uma estação de trem, uma mercearia, uma pizzaria, uma banca de jornais, tudo projetado pelo mesmo arquiteto que projetara todas as cidadezinhas dinamarquesas. Seguramente esse homem era ocupadíssimo.
Eles pararam num semáforo. Não havia ninguém à vista. Nenhuma luz em nenhuma das janelas. Nem no consultório do veterinário nem no posto de saúde da comunidade. Tampouco na farmácia ou no bar.
– O semáforo está verde.
Niels não se mexeu.
– Niels?

Ele levou o carro para o acostamento.
– O que é que está acontecendo? Onde é que nós estamos?
– Tanto faz.
– *Tanto faz?*
– É um nome bom demais para este lugar, você não acha?
– Niels. Por que é que nós paramos?
Ele olhou para ela.
– Para frustrar a sua matemática.

2

Algum lugar em Sjælland

Kathrine dizia que havia dois tipos de pessoa. As que se sentiam tranquilizadas quando iam consultar um médico e as que ficavam aterrorizadas. Niels pertencia à segunda categoria. Médicos em qualquer ambiente médico: centros médicos, hospitais e clínicas. Ele fazia o possível para evitá-los. Sempre tentava adiar qualquer tipo de contato enquanto isso não fosse absolutamente necessário. Seis anos antes ele havia forçado demais a sua sorte. Uma inocente infecção respiratória, que poderia ter sido curada em poucos dias com uma dose de penicilina, quase lhe custara a vida. Como ele havia se recusado a tomar qualquer providência, a infecção se espalhara pela pleura, tecidos pulmonares e alvéolos. Quando Niels concordou em ser internado num hospital, seu estado era de tamanha debilidade que os médicos suspeitaram inicialmente de um câncer pulmonar de tipo agressivo. Kathrine ficou furiosa com ele. Por que ele não havia procurado um médico antes? "Eu pertenço à segunda categoria" foi a única frase que ele pôde dizer.

A princípio nada aconteceu quando Niels quebrou o vidro com o cotovelo. Depois o alarme disparou. Um som feio. Um grito alto, agudo. Sua mão estava sangrando e ele hesitou. Depois começou a remexer nas gavetas e no armário, tentando ler os rótulos no escuro. Prednisolon, Albuterol, Aspirina, Terbasmin. Como é que a morfina era chamada? Ele examinou os rótulos: *Sedativo. Sonífero. Laxativo. Anti-histamínico.* A maioria dos remédios era jogada no chão, mas qualquer coisa que pudesse ter um efeito tranquilizante ia parar nos seus bolsos. Quanto tempo havia se passado? Poderia levar dez minutos para a polícia chegar no local. Pelo menos. Esse tipo de arrombamento não tinha alta prioridade. Ele ouvia mentalmente os policiais na delegacia recebendo o comunicado: "Esses merdas desses viciados!" Eles tomariam mais um café. Pois de que adiantaria ir lá? Que policial gostaria de sair no escuro, no meio de uma nevasca, para lidar com um drogado desesperado, provavelmente infectado com o HIV? Sempre haveria mais pobres coitados dispostos a engolir uma porção de pílulas – qualquer que fosse o tipo delas – na esperança de satisfazer a sua ânsia. Cortisona, baclofeno, bromhexina. Niels atirou alguns no chão e outros ele pôs nos bolsos, antes de encontrar o material realmente bom: duas marcas diferentes de morfina.

– Que diabo você está fazendo aqui?

As luzes foram acesas. Fortes e implacáveis, cegando Niels.

O homem era mais jovem que Niels. Alto, de ombros largos e furioso.

Niels não encontrou nada para dizer. Isso acontecia frequentemente quando alguém era preso. Silêncio. Como se a pessoa presa estivesse em estado de choque. Mas nem sempre era esse o caso. Às vezes a pessoa simplesmente não tinha o que dizer.

– Não se mexa. Vou chamar a polícia.

Niels olhou em torno. Não havia outra saída. Para fugir seria preciso passar pelo homem. Agora. Ele deu um passo à frente.

– Fique onde você está!

Niels estava bem diante dele. O homem estendeu as mãos para agarrá-lo. Instintivamente, Niels as afastou com um golpe. O homem tentou esmurrá-lo, mas acabou aplicando-lhe apenas um golpe de relance. Niels não queria atingi-lo. Queria apenas passar. Tentou se espremer pela porta. O homem o agarrou e durante alguns terríveis segundos eles cambalearam como dois lutadores amadores. O homem era mais forte que Niels mas não estava desesperado. Com um rugido, Niels derrubou seu opositor. Então o homem o arrastou até umas prateleiras livres. Por um instante – ou seria imaginação de Niels? – o alarme parou de gritar e cedeu lugar ao som do armário que desmoronava. Depois recomeçou.

Niels foi o primeiro a se levantar. Empurrou o homem, notando que ele tinha um caco de vidro espetado na bochecha, logo abaixo do olho. Seu rosto estava ensanguentado. Havia sangue no seu cabelo.

Então Niels saiu de lá.

Ele correu para o carro. Quase perdeu o equilíbrio na calçada escorregadia, coberta de neve. Hannah já havia aberto a porta. Eles ouviram à distância a sirene da polícia.

– Niels! Que diabo foi isso, Niels?
Ele deu partida no carro.
– O que foi que aconteceu lá, Niels?
Eles se foram.

Eles estavam estacionados no acostamento. A neve tinha amainado, provavelmente para reunir suas tropas e voltar com força renovada. Não se ouvia um único som no mundo todo.

Niels olhava através do para-brisa. Para a escuridão. O relógio do painel indicava pouco mais de três da tarde.

– Eu nunca fiz uma coisa dessas antes – disse ele.
– Se continuar assim, talvez você acabe não comparecendo na sexta-feira.
– O que é que você quer dizer? – Niels se virou e olhou para Hannah.
– Talvez seja isso que você deva fazer. Coisas ruins. Assim já não será mais considerado uma pessoa boa.

Niels não respondeu. Esvaziou os bolsos e leu os rótulos dos remédios roubados.

– Acho que tenho tudo.
– O que é que você pretende fazer com isso?
– Seringas, álcool e morfina suficiente para derrubar um elefante.

Pareceu-lhe que suas palavras não tinham chegado até ela. Hannah não estava ouvindo. Mas nem por isso ele ficou em silêncio.

– Ainda temos uma semana. Pouco menos que uma semana. Assim... – Ele parou de repente.

– E daí, Niels?
– Daí que eu vou tomar morfina, me esconder em algum barco e navegar para longe.

– Navegar para longe?
– Isso mesmo.
– Para onde?
Ele encolheu os ombros.
– Para onde você gostaria de navegar? – insistiu ela.
– Argentina, talvez.
– Argentina? – Ela estava sorrindo? – É uma viagem e tanto.
– Buenos Aires. Eu tenho uma amiga lá. Ela já me contou tudo sobre os lagos verdes da Patagônia. Verdes como esmeraldas.

– Quem ela é?

Ele hesitou.

– Não sei. Eu nunca a conheci de fato. – Ele se voltou e olhou para Hannah. Ela era tão bonita. Feliz, assustada, triste. Aquela era uma lágrima escorrendo em seu rosto? – Não, tem de ser com você, Hannah.

– Pensei que você não conseguia viajar.

– Talvez eu consiga. Se estiver dormindo.

– Você não entende, Niels. Você realmente não entende. – Sim, era uma lágrima. Agora ele conseguia ver. Hannah apressou-se em enxugá-la. – As leis da natureza não se importam com o fato de você estar dormindo ou não.

3

A Ponte do Grande Belt

Niels se lembrava de quando a ponte sobre as águas do Grande Belt foi inaugurada, em 1998, ligando as ilhas dinamarquesas de Sjælland e Fyn. Kathrine tinha ficado colada à tela da televisão, assistindo com inveja à cerimônia, fascinada por aquela monstruosidade de mais de dezoito quilômetros que se estendia a perder de vista. Ela sabia os números: setenta metros até a superfície da água. Entre os dois pilares de duzentos e cinquenta metros de altura, uma distância de mil e quinhentos metros. Os suportes eram dezenove, cada um pesando seis mil toneladas. Niels não compartilhava do entusiasmo dela. Achava que a ponte era um desperdício de dinheiro. E, pior ainda, significava a morte das balsas. A perda de uma oportunidade de encontrar pessoas, conversar com caminhoneiros e políticos de todo tipo e de todas as partes do país. Kathrine queria projetar uma ponte por dia. Às vezes ela passava noites inteiras navegando na internet, admirando a Golden Gate, o Ponte Vecchio, Karlsbroen, Akashi Kaikyō e a South Congress Bridge de Austin, de onde todo entardecer um milhão e meio de morcegos voavam para buscar comida. Ela disse para Niels que ele não tinha razão quanto à Ponte do Grande Belt. Na sua opinião a ponte ia ligar as pessoas. Levá-las a conversar umas com as outras.

Niels observou o tráfego que se concentrava em torno das máquinas de pedágio, no pé da ponte. Ninguém estava conversando. As pessoas passavam mais apressadas do que nunca enquanto o sol subia sobre o mar.

A Ponte do Grande Belt
Sábado, 19 de dezembro

Os raios do início da manhã coloriam a água de alaranjado. A fila de carros no pedágio não saía do lugar fazia pelo menos dez minutos. Hannah estava dormindo. Niels olhou para ela. Uma expressão tranquila, sem sombra de preocupação. Um tremor quase imperceptível sob as delicadas pestanas. Ela estava sonhando.

Finalmente ele chegou ao posto de pedágio.
– Bom dia. – Niels entregou para o homem o cartão de crédito.
– Cuidado. Há trechos com pista escorregadia.
– Obrigado.
Niels conduziu o carro para a ilha de Fyn.
– Niels? – Hannah estava semiacordada. Parecia grogue.
– Continue dormindo.

Ele ligou o rádio. Música de Natal. Depois más notícias, ligadas principalmente à conferência sobre o clima. O governo estava dizendo que a reunião havia sido um enorme sucesso, mas para os partidos de oposição ela fora um desastre. Os chineses eram uns canalhas. Quanto a isso todos concordavam. Um político declarou: "Era como se os chineses achassem que estavam num planeta diferente de todos os demais. Senão, por que eles estariam tão indiferentes quanto ao clima?" Passando para outros tópicos: um político exigia reforma tributária, outro se queixava de fraude com gêneros alimentícios; combates na fronteira de Gaza; vazamento de óleo na costa do Canadá. Não era isso que Niels estava procurando. Quando ouviu o boletim de notícias, levou um tempo para saber de quem o locutor estava falando. "Parece dinamarquês, um metro e oitenta e cinco de altura, usa jeans e paletó escuro. Considerado perigoso." A última palavra impressionou particularmente Niels. Ele já fora chamado de muitas coisas na vida – ingênuo, covarde, diplomata, vago, distante, esperto, idiota, maníaco-depressivo –, mas nunca o haviam chamado de perigoso.

"Perigoso." A palavra o perseguiu por muitos quilômetros enquanto ele dirigia na autoestrada. Ele aumentou a velocidade ao se pegar lançando olhares paranoicos no espelho retrovisor. Alguém teria visto seu carro quando ele fugira do posto de saúde comunitário? Niels recapitulou mentalmente a cena. De início ele estava convencido de que não tinha havido testemunhas, fora o homem que o descobriu dentro do prédio. E este não podia ter visto o carro. Depois ele começou a ter dúvidas. O homem teria se levantado e ido até a janela? Teria reagido tão rapidamente que conseguira ver a placa do carro? Niels não sabia com certeza. Ele não tinha certeza de nada, fora o fato de estar se sentindo mal com relação a toda aquela situação. Ao sair da rodovia e rumar para uma estrada secundária ele já estava quase certo de se lembrar de ver o homem de pé na janela. Niels havia vislumbrado a sua silhueta. Se ele chegara a anotar a placa do carro, a polícia não levaria muito tempo para pegá-los. Umas poucas horas, no máximo. Especialmente por Niels ter sido rotulado de perigoso. Ele sentia as pernas dormentes; precisava sair e espichá-las. Resolveu mandar tudo às favas – ele encontraria algum lugar para parar. Decidiu não contar para Hannah que a polícia os estava procurando.

Eles acabaram parando à beira-mar, num pequeno porto. Talvez o porto de Kerteminde.

Hannah acordou quando ele parou o carro.

– Onde é que nós estamos?

– Bom dia. Vamos tomar café. E parar um pouco para pensar.

Hannah se espreguiçou com uma expressão de agrado. Niels não sabia se era a ideia do café que a fazia feliz ou a de pararem para pensar.

Eles encontraram um pequeno prédio portuário com um quiosque. Hannah ficou esperando lá fora enquanto Niels foi pegar o café. A moça do quiosque olhou desconfiada para ele. Ou talvez ele estivesse imaginando aquilo. Era normal a polícia notificar os postos de gasolina sobre pessoas que estavam sendo procuradas. Mas um quiosque como aquele mereceria esse trabalho? A moça já teria recebido uma descrição dele, que estaria guardada sob o balcão? Ou ela a teria visto no laptop que estava ao lado da janela? Niels olhou para ela. Ela estava olhando para ele e tentando avaliar a sua altura? Seu peso? Niels tentou relaxar, retirar a tensão dos ombros e do rosto. O resultado – ele tinha consciência disso – foi ele parecer um robô neurótico. Ao deixar o quiosque ele imaginou a moça correndo para ligar para o posto policial mais próximo. Ele afastou da sua mente esse pensamento e foi encontrar Hannah.

– Não acredito que a gente tenha viajado até tão longe – disse ela parecendo cansada.

– Você dormiu um pouco? – Ele lhe entregou a xícara com café.

– Um pouquinho. – Ela moveu a cabeça de um lado para outro a fim de diminuir a rigidez da nuca.

– Está frio demais para ficar aqui?

– Não, está bom.

Eles olharam para a água. Dentro em pouco as nuvens de vapor na superfície se converteriam em minúsculos cristais e toda a baía congelaria. Niels ligou o celular. Nenhuma mensagem.

– Eu tive um colega no instituto – disse Hannah olhando alguns pescadores que se preparavam para zarpar no seu barco. Um deles acenou. Ela acenou de volta. – Ele achava impossível dizer não. Era como se no vocabulário dele não existisse essa palavra. Sempre que alguém lhe pedia para fazer alguma coisa, ele dizia sim. – Ela se calou. – Isso se tornou um problema para ele, porque depois de algum tempo ele simplesmente não conseguia mais dar conta do recado. Era impossível fazer tudo o que ele tinha concordado em assumir. Comissões, reuniões, conferências, relatórios. E no final... – Ela se virou para olhar Niels nos olhos. – No final as pessoas ficaram contra ele.

– Aonde você quer chegar?

– A bondade é um problema, Niels. É nisso que eu quero chegar. A bondade dele se tornou um problema para todo o instituto. Nós logo começamos a fazer reuniões sem ele. Só para poupá-lo, pois assim ele não desapontaria nem a si mesmo nem a nós. Você está entendendo?

– Acho que não.

– O que é que significa ser bom, Niels?

Ele fez com a cabeça um sinal negativo enquanto estudava o cascalho no chão.

Hannah prosseguiu:

– A filósofa Hannah Arendt escreveu sobre a banalidade do mal. Ela acha que a maioria das pessoas tem o mal adormecido dentro de si. Basta as condições certas, ou melhor, erradas, aparecerem e esse mal é liberado. Mas e quanto à bondade? A banalidade da bondade. Quando penso no meu colega e em você, eu quase poderia lhe dizer que vocês não têm livre arbítrio. Não escolhem. Vocês *são* bons. Assim, isso significa que a bondade continua sendo boa?

– Hannah.

– Não, espere um pouco. Isto é importante: você não escolheu ser bom. No nosso entendimento de bondade e boas ações, achamos, do ponto de vista existencial, que temos uma escolha. Mas você não tem. Pense na história de Jó! Você faz parte de um quebra-cabeça maior, e alguém – ou melhor, *alguma coisa* – estabeleceu as regras do jogo. O que é paradoxal na história de Jó é que não há ninguém em quem Deus pense mais do que nele, embora lhe tire tudo. Com todos vocês acontece a mesma coisa. Com você pessoalmente, Niels. Também lhe tiraram o livre arbítrio, a possibilidade de agir livremente.

– Pare agora!

– Dizem que hoje a maioria dos prisioneiros tem transtorno do déficit de atenção e hiperatividade. Diversos graus de autismo. Distúrbios neuropsicológicos que só estamos começando a conhecer. E se nós tivermos muito menos controle sobre a nossa vida do que imaginamos? E se a maioria das nossas ações for biologicamente determinada?

– Hannah! É muito difícil esquecer tudo se você não para de falar sobre o problema. Nós estamos de férias. Certo?

– Tudo bem. – Ela estava sorrindo.

– Vamos continuar.

Eles voltaram para o carro e entraram. Sentaram-se, desfrutando a proteção contra o vento gelado. Niels já ia dar partida no motor quando Hannah disse:

– O que é aquilo? – Ela estava olhando para trás.

– Onde?

– Atrás de nós. Estão vindo na nossa direção.

Ele olhou. Dois policiais. Um deles inclinado para a frente e dando pancadas na janela.

4

Nyborg

O lugar tinha mesmo potencial. Inicialmente Niels não havia percebido isso, mas depois sim.

A cela quase parecia um quarto de residência de estudantes, embora o espaço fosse ligeiramente maior. Não havia muita semelhança com Alcatraz. Nada de portões de ferro batendo, som de argolas com chaves se entrechocando ou de botas militares no passo duro de guardas sádicos. Nada de prisioneiros psicopatas com rosto tatuado, presos por terem cometido vários assassinatos em seguida a roubos malogrados, à espreita para investir contra ele durante o seu sono. Nada de murmúrios ansiosos vindos do corredor onde os prisioneiros condenados à morte se arrastam no longo caminho para a cadeira elétrica. Apenas um quarto absolutamente comum com fedor de vômito. A cela era como um hotel. As pessoas chegavam, tinham sua entrada registrada, ficavam ali por pouco tempo e depois iam embora. O convidado de hoje era Niels Bentzon.

Ele deu uma olhada nos arredores: um beliche, uma cadeira, uma mesa, um armário e quatro paredes vazias. Alguém sem grande domínio da ortografia escrevera com um pincel atômico na parede: *Os políticos robam*. Mas o lugar tinha potencial. Ele estava *trancafiado*. Tudo o que eles tinham de fazer era lhe dar um pacote com comida enlatada e jogar fora a chave durante uma semana.

Onde estaria Hannah? Em outra cela? Sendo interrogada? Talvez a tivessem deixado ir embora. Niels ficou pensando no modo como acontecera a prisão. Imaginando como tinham conseguido encontrá-lo tão depressa. Talvez fosse por causa da moça do quiosque. Até onde ele sabia, normalmente não havia câmeras de segurança nas pontes. Ele desistiu de tentar descobrir. Havia anos ele já não participava de buscas de pessoas e ultimamente havia surgido muita tecnologia nova. Talvez um satélite os tivesse rastreado.

A cela estava fria. A delegacia de polícia daquele lugar devia estar tentando poupar energia elétrica. Ou então aquilo era parte de uma estratégia mais ampla. Já que não era possível desgraçar a vida dos prisioneiros fazendo-os passar fome ou surrando-os, nos meses do inverno a temperatura do ar-condicionado era mantida baixa. Niels conhecia essa tática.

Ele ouviu o som de uma porta sendo destrancada. Uma mulher entrou. Lisa Larsson. Esse nome ficaria muito bem numa atriz pornô, pensou Niels quando ela se apresentou. Ou numa escritora sueca de romances de detetive. Ela deu um rápido sorriso mas não havia nada de agradável no seu tom de voz quando o convidou para segui-la.

– Você é da polícia? – Lisa Larsson – jovem, atraente, com uma expressão fria – parecia genuinamente surpresa. Os olhos de Niels passearam pelas figuras de duendes de Natal no peitoril da janela.

– Sou. Sou negociador da polícia para conversar com pessoas que mantêm reféns ou ameaçam cometer suicídio.

– Por que você não disse isso antes? – O outro policial, Hans Rishøj, era um homem mais velho e fazia Niels se lembrar de um professor que ele havia tido em outra vida. O homem olhava para baixo examinando papéis e parecia confuso enquanto cofiava a barba curta e bem aparada, cujo fim era lhe emprestar a autoridade que evidentemente ele não tinha.

Niels perguntou levantando os ombros:

– Como foi que vocês me encontraram tão rapidamente?

Sua pergunta foi ignorada.

– Você trabalha em Copenhague?

– Trabalho.

Eles trocaram um olhar. Passaram-se muitos segundos de um silêncio penoso. Niels não se surpreenderia se eles resolvessem libertá-lo imediatamente. Deve ter ocorrido um engano – esse pensamento era palpável. Eles obviamente sofriam com a ideia generalizada de que policiais nunca tinham problemas com a lei. Sentiam-se constrangidos por estarem sentados diante de um colega naquela situação. Niels viu isso nos olhares trocados entre eles e entendeu perfeitamente aquele sentimento. Era como se eles estivessem traindo a instituição. Dado que todos odiavam a polícia, o que aconteceria se eles começassem a prender uns aos outros?

– Em Copenhague? – Hans empurrou os óculos para cima. – Subordinado ao Sommersted?

– Sim. Você conhece o Sommersted?

– Um pouco. Não somos exatamente amigos íntimos, mas estivemos juntos em várias ocasiões.

– Sommersted não tem amigos íntimos. – Niels tentou sorrir.

– O que foi que aconteceu no posto de saúde comunitário? – Lisa estava menos impressionada com o *status* de Niels.

Niels olhou para ela. Recém-treinada, ansiosa por seguir rigorosamente as normas que tinha ainda frescas na cabeça. Ele resolveu que olharia só para ela durante aquela conversa. Gostaria de seguir as regras e não tinha vontade de continuar conversando fiado com Hans.

– O que foi que ele lhe disse? O cara que eu esmurrei?

– Allan... – Ela deu uma olhada no relatório. Era eficiente e inteligente. Evidentemente ambicionava subir na carreira. Não era sua intenção desistir disso e arriscar ficar na ilha de Fyn nos próximos vinte anos, pedindo às pessoas diante do restaurante que fizessem o teste do bafômetro quando elas saíssem para a rua trocando as pernas depois do almoço de Natal. – Ele disse que perto das catorze e trinta você arrombou a clínica e entrou, nocauteou-o e depois saiu. Com isso. – Ela apontou para a morfina que estava na mesa junto com algumas seringas de plástico e outras pílulas que Niels havia juntado. Uma clara prova de que ele era dependente químico. Niels não estava pretendendo negar isso. A verdade era complicada demais – quase sempre é.

Silêncio. Hans se levantou.

– Vou ligar para o Sommersted. – Ele foi para a sala contígua mas voltou logo em seguida.

– Seu chefe quer falar com você.

Assim que pegou o telefone, Niels percebeu: Sommersted estava tentando agir com calma e simpatia, mas sem conseguir transmitir nem uma nem outra. Sua respiração era rápida e irregular, e isso o entregava.

– O que é que está acontecendo?

– Eu sei, eu sei. – Niels se aborreceu porque sua voz saiu muito fraca.

– O que é que você sabe?

– Sei que fui preso por forçar a entrada num posto de saúde.

– O que é que está acontecendo, Niels? – perguntou novamente seu chefe, desistindo de parecer simpático. O que restou foi um Sommersted absolutamente furioso. – E que diabo você está fazendo em Fyn?

Niels não respondeu. Achou o silêncio preferível a tentar apresentar explicações impossíveis. O que ele devia dizer?

– Estou esperando, Bentzon. – Sommersted havia abrandado sua raiva.

– Tem a ver com o caso das pessoas boas que estão sendo assassinadas.

– Outra vez? – Um suspiro resignado, melodramático. Seguido pelo silêncio. Sommersted estava pensando no que faria. Niels sentia isso. E como era de se esperar: – Então é verdade o que eles estão dizendo.

– Eles?

– Era por isso que você precisava dos remédios. Para você mesmo. Você não está bem, Niels.

– Não. Não estou.

– Não me parece mesmo que você esteja bem.

Niels podia praticamente ouvir Sommersted pensando no telefone.

– Tudo bem. Eu quero que você volte para Copenhague. Vou dizer para o Rishøj atravessar a ponte com você. E o Leon vai te buscar lá.

– Rishøj? – Niels olhou para Hans, que sorriu.

– Exatamente. Saia agora. Eu encontro você na sede às... Ligue para mim quando você estiver chegando. Não poderemos evitar uma investigação interna.

Niels não estava ouvindo. Ele tinha ouvido apenas uma frase: *Eu quero que você volte para Copenhague.*

– Eu não vou voltar para Copenhague.

– O quê? – Sommersted pareceu hostil.

– Eu não vou voltar para Copenhague.

Niels desligou. Ficou olhando para o ambiente, que era uma réplica de *Little House on the Prairie* na polícia. Dois computadores. Paredes decoradas com fotos de filhos e netos. Um artigo recortado do jornal local. *Polícia trava batalha contra a obesidade.* Niels se perguntou o que seria aquilo mas não se deu ao trabalho de ler o artigo. O que eles estariam fazendo? Será que teriam começado a dar prêmios para quem não negligenciasse suas atividades físicas?

– Temos de ir agora– disse Rishøj como quem pede desculpa.

Niels não se mexeu.

– Niels? A sua mulher está esperando no carro.

– Ela não é minha mulher.

Rishøj vestiu o paletó.

– Rishøj, eu sei que provavelmente isso vai lhe parecer maluco, mas e se eu lhe pedir para me prender aqui até sábado de manhã?

5

Fyn

O encontro da neve com a parte meridional de Fyn não era um belo panorama. Em torno da delegacia os aglomerados de cristais brancos se misturavam com lama rodopiante. Em vez de branca, essa parte do mundo havia se tornado marrom-clara.

O carro da polícia também estava coberto de neve suja e semiderretida. Hannah estava sentada no assento dianteiro de passageiro, o que surpreendeu Niels. Aquilo era uma clara transgressão dos regulamentos, mas talvez fosse porque Rishøj os tinha mais como amigos que como inimigos. Hannah não disse nada quando Niels e Hans entraram. Niels se sentou atrás. As portas não podiam ser abertas por dentro.

Rishøj girou a chave na ignição. Lisa ainda estava dentro da sala, o que também contrariava as normas. Um policial para dois prisioneiros. *Prisioneiros.* A palavra soava errada.

O velho se virou e olhou para Hannah e Niels. Como um professor que vai levar as crianças para uma excursão e quer lhes fazer algumas recomendações. Niels quase esperou que ele dissesse: "Estaremos na casa de Hans Christian Andersen dentro de uma hora. Vocês se lembraram de trazer o lanche e leite?" Mas em vez disso ele disse:

– Preciso ser sincero. Eu nunca vi nada parecido com isso antes.

Niels e Hannah ficaram em silêncio, um esperando que o outro dissesse alguma coisa. Mas parece que isso não aborreceu Rishøj.

– Por aqui não acontece grande coisa. Garotos valentões se metendo em encrenca. Brigas no bar. Esse tipo de coisa. De vez em quando vamos até

Vollsmose para ajudar quando os jovens árabes ficam fora de controle. E sabe o que acontece?

– Não. O quê? – Hannah se apressou a indagar.

– A maioria deles é gente boa. Claro, alguns são o fim da picada, mas a maioria só está entediada. Então por que não lhes damos um centro de juventude ou um campo de futebol? Mas não era isso que eu queria falar.

Niels olhou para ele. Rishøj estava sorrindo, como um homem que houvesse há muito tempo perdido totalmente a ligação com o mundo que o rodeia. Um homem perplexo, ligeiramente distraído, que deve se livrar do uniforme da polícia e perceber que suas batalhas futuras serão travadas na sua casa de campo, onde os inimigos não seriam "jovens árabes" e sim as ervas daninhas do seu jardim.

Sempre que Rishøj fazia uma pausa no seu monólogo eles viajavam em silêncio. A neve estava mais densa. Correntes de vento vindas dos campos varriam a estrada e o tráfego estava lento. Hans falava muito. Principalmente sobre sua filha cabeleireira. Hannah meneava a cabeça de tempos em tempos, mas Niels não estava prestando atenção. Pensava apenas no que aconteceria quando eles chegassem a Copenhague. Ele já imaginava a cena: a raiva de Sommersted. O desdém de Leon. E o pior de tudo: a avaliação psicológica a que teria de ser submetido na unidade psiquiátrica do Hospital Nacional. Ele tinha vontade de gritar: *Não quero morrer!* Mas era como se alguma coisa – *alguma coisa* – o estivesse puxando.

– Um colega seu está nos esperando do outro lado da ponte – explicou Rishøj. – Ele vai levar você de carro pelo resto do caminho de volta até a cidade.

Hannah olhou para Niels.

– Está vendo, Niels? Não adianta fazer nada. Agora nós estamos de volta.

– Exatamente como você falou.

– Mas veja o outro lado da coisa: isso é algo maior que nós. Algo que nós desconhecemos totalmente. E que agora você pode perceber.

– Você está tentando me consolar?

– Estou.

– Tudo bem.

Rishøj olhou para ela aturdido.

Niels teve vontade de se encolher em posição fetal. Dentro de menos de duas horas ele estaria de novo em Copenhague. Mais adiante eles veriam a fila que começava a se formar para a travessia da Ponte do Grande Belt. Eu não vou voltar a atravessar essa ponte, disse ele para si mesmo. Se chegar no outro lado, tudo estará acabado.

Uma longa fila de carros estava esperando diante da ponte.

– O que é que está acontecendo? – resmungou Rishøj para si mesmo.

– Fechada por causa do tempo, talvez? – arriscou Hannah.

O policial meneou a cabeça. Ficou ali sentado, batendo impacientemente os dedos no volante.

– Vou sair para fumar – murmurou ele, e abriu a porta. – Mais alguém? – indagou.

Niels assentiu com a cabeça.

Hannah tinha razão. A ponte havia sido temporariamente fechada por causa da má visibilidade. Niels cruzou o olhar com o dela quando ela também descia do carro.

– Vou ligar para os seus colegas do outro lado. Para eles saberem que nós não os esquecemos. – Rishøj se afastou alguns metros para fazer a ligação.

– Você está pronta? – sussurrou Niels para Hannah.

– O que é que você está querendo dizer?

– Eu não vou atravessar a ponte.

– Niels, não interessa o que... – Hannah não conseguiu falar mais nada: Rishøj estava de volta.

– Dizem que o vento está começando a amainar. – Ele pegou o cachimbo e tentou acendê-lo, mas o isqueiro não funcionou.

Niels pensou rápido.

– Eu tenho um isqueiro na minha mala, no porta-malas.

Rishøj assentiu com a cabeça e buscou as chaves. O porta-malas abriu com um estalo fraco. Niels pegou a mala no seu interior.

– Aí para a frente tem mais neve. Olhe lá – disse Hannah, e o velho olhou preocupado para o norte. Quando se virou, ficou na linha de fogo da Heckler & Koch de Niels. Mas ele não percebeu isso. Havia muito tempo já não tinha todos os seus reflexos. Era uma sorte a força policial nacional ainda encontrar algum uso para ele.

– É sempre esse trecho de água que é mais atingido – resmungou ele. – Eu tenho um barco em Kerteminde que...

Niels precisou levantar a arma e dar um tapinha no ombro do policial para que ele percebesse que sua mão não estava vazia. Ele não ficou com medo. Nem mesmo se surpreendeu. Simplesmente não entendeu o que estava acontecendo.

– Entre no carro – disse Niels para Rishøj. Ele pegou a mala e a entregou a Hannah.

– O quê?

– Eu quero que você se sente no banco traseiro do carro.

– Mas por quê? – A voz de Rishøj era quase inaudível.

Niels não respondeu, apenas abriu a porta.

– Me dê as chaves.

– Tudo bem, mas...

– Agora! – A voz de Niels havia se elevado.

O clique ouvido quando Niels abriu a porta traseira do carro fez a expressão de Rishøj mudar. Niels viu isso imediatamente. Tudo ficou claro. Niels percebeu que na verdade ele havia feito um favor para Rishøj. O momento foi de importância crucial para o policial. A sua imagem do mundo como uma Duckburg em tamanho grande onde todos eram no fundo basicamente bons – uma imagem que ele tinha cultivado durante décadas – desmoronou quando Niels e Hannah fecharam a porta. Não restou nada além de desapontamento. *Eu achei que nós jogávamos no mesmo time*, dizia a sua expressão.

– Suba no carro – insistiu Niels calmamente.

– Mas por quê?

– Porque eu não vou voltar para Copenhague. Eu preciso ficar longe. – Niels se curvou dentro do carro e bateu o cano da sua arma contra o rádio da polícia até destruí-lo, deixando para fora alguns fios soltos. – Me dê o seu celular.

A pancada na cabeça pegou Niels totalmente desprevenido. A dor se espalhou pelo seu crânio e ele ouviu um grito no ouvido esquerdo.

– Que diabo você acha que está fazendo? – rugiu Rishøj. – Acha que pode me trancar aqui?

Outra pancada. Mais forte, dessa vez. Niels cambaleou e deixou cair a arma. Rishøj estava tateando para pegar a sua arma. Niels se virou e golpeou-o.

– Niels! – O grito de Hannah pareceu vir de outro mundo, embora ela estivesse bem do lado dele. Niels levou um segundo para refletir. *A morfina. As seringas.* No porta-luvas. Ele sabia que Rishøj estava gemendo de dor e desespero. Encontrou o pacote de morfina dentro de um dos sacos plásticos clinicamente limpos que a polícia usava para colher provas.

– A mala! – disse Niels. Ele apanhou a mala, agarrou a mão de Hannah e os dois começaram a correr.

Eles escalaram a cerca divisória, saltaram sobre uma poça e correram por campos cobertos de gelo. Olhando rapidamente para trás, Niels viu o velhote apontar a pistola para eles.

– Hannah, eu acho que ele vai...

Pelo terreno gelado ecoou o som fraco de um tiro. Depois outro. Os tiros soavam mais como traques.

– Ele está atirando em nós! – gritou Niels ofegante enquanto eles corriam para finalmente desaparecer na neve rodopiante.

Os pés deles afundavam na neve quebradiça entre as árvores.

– Ele está vindo atrás de nós? – perguntou Hannah olhando sobre o ombro.

– Eu estou vendo uma estrada lá na frente.

Ela estava chorando.

– Onde?

Na Dinamarca sempre há uma estrada lá na frente.

– Continue andando.

Eles deixaram para trás as árvores e percorreram ao longo de um aclive os honestos esforços feitos por um paisagista para unir campos de cultivo a uma área de piquenique.

– E agora? Para que lado? – Hannah começou a andar pela estrada. – Talvez um carro nos dê carona ou... – Ela foi interrompida pelo som de um ônibus que vinha na direção deles.

– Lá vem o calvário – resmungou Niels fazendo sinal para o ônibus.

O ônibus parou.

– Seu carro não aguentou o frio? É isso? – gritou o motorista com o sotaque cantado de Fyn. – Eu só vou até a estação, mas de lá vocês podem pegar um trem para Odense.

– Obrigado. – Niels entrou na frente, tentando evitar o olhar do motorista.

Sentaram-se os dois no último lugar e olharam pela janela. A estrada estava coberta de gelo e com isso o veículo avançava devagar, o que não se harmonizava com a pulsação acelerada de Niels. Mas o motorista estabelecia a velocidade, e era assim que tinha de ser. Não havia alternativa senão permanecer calmo e agir como os demais.

Niels sabia da existência de criminosos profissionais que cometeram roubos – de bancos, carros blindados, joalherias – planejados com extrema meticulosidade e no final, quando o trabalho já havia sido feito, foram dominados pelo pânico. Esse era um comportamento profundamente impregnado na psique humana. Depois de cometer um crime o impulso era fugir logo. Para bem longe.

O ônibus parou numa estação pequena e o motorista saiu do veículo junto com os passageiros.

Hannah e Niels entraram numa sala de espera minúscula. A máquina de café não estava funcionando e o lugar cheirava a urina.

– A estação de trem fica lá. – Niels apontou. – Vamos comprar as passagens. Para onde a gente vai?

Ela tocou o lábio inferior de Niels.

– Você está sangrando.

Niels balançou a cabeça. Ele estava tonto. Rishøj o atingira com força.

– Na verdade você não precisa... – Ele parou.

– O quê? Fugir com você?

– É. Não é a você que estão procurando.

– Que *uma coisa* está procurando – disse ela sorrindo. – Não alguém. Se fosse uma pessoa eu não estaria aqui. Mas, uma vez que é uma coisa, fica muito mais interessante.

– A ponto de valer a pena ir para a cadeia? Se for esse o final dessa história?

– Eu digo para eles que você me sequestrou.

O trem parava toda vez que havia duas casas próximas o suficiente para serem chamadas de uma aldeia. Mas isso não tinha importância. Eles se sentaram de frente um para o outro e se sentiram bem acomodados. Niels tentou olhar de soslaio para Hannah, mas ela percebeu isso. Ele se virou para olhar pela janela, tentando fixar o olhar na paisagem. Quando o trem entrou num túnel ele viu o reflexo de Hannah no vidro da janela. Ela o estava estudando. De um modo que lhe agradou.

– Olhe para mim – disse ela.

Niels obedeceu. Ele achou que de repente o túnel parecia comprido demais. Quando já iam sair novamente para a luz ele pensou por acaso em Kathrine – sua consciência culpada se manifestando. Tentou imaginar que quem estava sentado diante dele era Kathrine, mas viu apenas Hannah.

Uma experiência da sua infância o salvou daquela situação constrangedora. Niels começou a falar e não parava, como se Hannah fosse atacá-lo e tirar toda a sua roupa se ele se calasse.

– Eu estava com seis anos de idade – disse ele. – Ia para a Costa Brava de ônibus com a minha mãe. Na hora em que nós chegamos em Flensburg as coisas começaram a dar errado. Já era noite alta e a maioria dos outros passageiros estava dormindo. Eu acordei me sentindo mal, quase como se estivesse sufocando. Minha mãe ficou preocupada e pediu para o motorista parar o ônibus. Os outros passageiros se enfureceram. Estavam saindo de férias e não queriam ter de parar porque o movimento do ônibus estava provocando náusea num garoto. Mas quando eles viram o garoto, quando eles me viram, deitado no corredor central com dificuldade para respirar, o corpo todo em convulsão, eles não disseram nada.

"Chamaram uma ambulância. Foi tudo muito complicado porque inicialmente não deixaram a ambulância entrar na Alemanha. Finalmente o ônibus foi até a fronteira da Dinamarca e os médicos me levaram. Acho que eu não estava consciente; pelo menos não me lembro do que aconteceu. Acordei algumas horas depois no hospital de Aabenraa e me sentia bem."

– Você não pode deixar o seu território. Isso é fantástico.

Ele olhou para o chão.

– Sinto muito. Estava querendo dizer "fascinante". Como um fenômeno.

– Pode ser. – Niels não sabia o que pensar do fato de ser considerado um fenômeno fascinante.

– E o que foi que aconteceu com as suas férias? – perguntou Hannah quando percebeu que havia um aspecto humano na história.

Niels encolheu os ombros.

– Nós passamos uma semana numa casa de campo no fiorde, pegando uma porção de caranguejos. Tantos que quase foi um assassinato em massa. – Ele deu uma risadinha ao se lembrar. – Depois disso as coisas ficaram um pouco melhores – prosseguiu ele. – Talvez pela idade, mas o fato é que hoje eu consigo me arrastar até Berlim. Embora passado algum tempo acabe me sentindo mal.

Eles mudaram de trem em Odense e continuaram na direção oeste, rumando para Esbjerg. Agora Niels estava sentado ao lado de Hannah. Embora sentados lado a lado, um deles estava voltado para uma extremidade do vagão e o outro para a oposta, e assim eles se olhavam sem ter de virar a cabeça.

– Imagine um trem muito comprido sem vagões separados – disse ela de repente. – Quer dizer, um único espaço longo, e assim é possível ficar no meio dele e ver de um extremo a outro.

– Você quer dizer que eu estou no trem?

– Não, você está na plataforma. Eu estou no trem. – Ela se levantou. Os outros passageiros a olharam mas ela não se importou. – Imagine que eu estou com uma lanterna em cada mão. – Hannah estava de pé no corredor central segurando duas lanternas fictícias. – Você pode imaginar isso? As lanternas estão iluminando em direções opostas. Uma está voltada para a frente do trem, a outra para o final. É um trem muito comprido.

Os outros três passageiros tinham deixado de fingir que não estavam prestando atenção. Eles puseram no banco o jornal, fecharam o notebook e ficaram olhando para Hannah. Ela ficou olhando para eles.

– Todos vocês estão na plataforma. O trem está passando veloz. É muito comprido. Vocês estão me acompanhando?

– Sim. – Todos eles assentiram com a cabeça.

– O trem passa depressa e todos vocês estão de pé na plataforma. No segundo em que estou bem diante de vocês eu acendo as duas lanternas simultaneamente. – Ela deu um tempo para a imagem ser assimilada. – Qual clarão de luz chega primeiro a vocês?

Eles pensaram no problema. Niels já ia responder quando um jovem perto da porta se antecipou a ele.

– O clarão voltado para a parte traseira.

– Exatamente. Por quê?

– Porque o trem alcança a lanterna. Ao passo que a frente do trem está se afastando da outra lanterna – respondeu ele.

– Exatamente!

Hannah estava no seu hábitat: a sala de conferências. Imersa em teorias e ideias e transmitindo conhecimento.

– Agora imaginem que todos vocês estão aqui, dentro do trem. E estão com lanternas na mão. O trem avança veloz. Então vocês acendem as lanternas simultaneamente. Qual clarão de luz vocês veem primeiro? O que está voltado para o final do trem ou o que está voltado para a frente dele?

Seguiram-se alguns segundos de silêncio. Niels foi o primeiro a falar.

– Eles chegam ao mesmo tempo.

– Exatamente. Eles chegam ao mesmo tempo.

– É ilusão de ótica? – arriscou uma voz atrás de Niels.

– Não. Não é uma ilusão. Os dois resultados estão igualmente certos. Depende apenas da posição em que você está. É... *relativo*. – Ela sorriu.

A teoria da relatividade tornou-se a ponte de Fyn para Jutlândia. Hannah queria lembrar Niels de como na verdade os seres humanos são pequenos. Einstein desenvolveu a teoria cem anos atrás, e ela virou de cabeça para baixo a visão do mundo, embora muito poucas pessoas a tenham entendido realmente. Niels achou que ela não estava com intenção de parar. Tinha a impressão de que Hannah se via com a missão de convencê-lo.

Eles se esqueceram do tempo, e quando voltaram a olhar pela janela as cercas eram altas e brancas. Tinham chegado a Jutlândia.

Era impossível dizer quando eles seriam pegos, mas Niels esperava que se passassem muitos dias, talvez até algumas semanas. Ele estava longe de ser considerado alta prioridade, e o tempo estava do lado deles. Surgiriam outros casos, perseguições a criminosos mais ameaçadores, e lenta mas seguramente eles seriam passados para trás na lista das prioridades. Claro que eles seriam pegos. Era apenas uma questão de tempo.

6

Jutlândia

Mães e pais de meia-idade esperavam na estação para receber seus filhos adultos que voltavam para comemorar o Natal. As pessoas estavam olhando para eles? Ao pisar na plataforma Niels sentiu sua paranoia aumentar. Eles poderiam ter sido localizados umas cem vezes entre Odense e Esbjerg.

Niels viu o homem antes de ele vê-lo. A expressão fria, um pedaço de papel na mão, os olhos vagando pelos passageiros que desembarcavam. Niels puxou Hannah para o banheiro masculino da estação.

– O que está acontecendo? – indagou ela.

Ele não respondeu. Estava tentando refletir. Como eles poderiam tê-lo encontrado tão rapidamente? Com a mesma celeridade com que eles foram descobertos no porto. Era rápido demais. Alguém deve ter ligado para a polícia. Hannah? Niels olhou para ela, recapitulando. No porto ele tinha ido para o quiosque, portanto ela poderia ter usado o celular. E no trem ela havia saído a certa altura para ir ao banheiro.

– Por que você está me olhando assim? – perguntou ela.

Niels passou a olhar o chão.

– Tinha um homem lá. Um policial à paisana. Ele está à nossa procura.

– Como é que você sabe disso?

– É fácil de ver.

Niels pensou na situação. Hannah era a única que poderia tê-lo entregado. Ou então era... Ele tirou do bolso o celular. Estava ligado.

– Droga!

– Qual é o problema?
– Nenhum.
– Eles estão seguindo você pelo celular?
– Pois é.

Niels esperou alguns minutos antes de olhar pela janela do banheiro. Os passageiros ainda estavam embarcando e desembarcando. Havia pilhas de bagagens e as pessoas abriam caminho pela multidão arrastando pesadas malas. O mundo deve pesar bem mais na época do Natal, pensou ele. E então voltou a ver o homem. Na extremidade da plataforma.

– Ele ainda está lá?

Niels fechou a porta. O policial se denunciou não tanto pelo modo como encarava as pessoas, mas pelo fato de olhar para o papel que tinha na mão toda vez que passava um homem de meia-idade.

Niels puxou Hannah para um dos compartimentos sanitários. Alguém entrou no compartimento vizinho para urinar. Hannah sorriu e segurou a respiração. As paredes estavam cobertas de convites desesperados. *Rapaz procura rapaz. Rapaz procura parceiro masculino adulto.*

– Acho que aqui não é muito fácil encontrar alguém que não se enquadre nas normas sexuais – disse Niels quando eles voltaram a ficar sozinhos.

– Não. Mas nunca é fácil. – Ela parecia falar por experiência própria.

– Agora saia e dê uma olhada na ponta da plataforma. Um homem de meia-idade, mais ou menos um metro e oitenta, com um paletó de camurça clara. Está procurando a gente. Se ele ainda estiver lá, tussa.

– E depois?

– Vire-se e entre calmamente no banheiro ao lado. Como se você simplesmente tivesse entrado no banheiro errado.

Ela saiu. Um momento depois Niels ouviu uma tosse surpreendentemente natural e depois a porta do banheiro feminino sendo fechada com estrépito. Ele esperou durante longos cinco minutos. Então abriu a porta. O homem estava começando a descer a escada. Tinha desistido.

Em frente da estação ferroviária, antes de entrarem num ônibus, Niels praguejou. Já fazia anos que ele não participava de uma perseguição a um criminoso. Ele era negociador – não estava acostumado a pensar em coisas como rastreadores, satélites, sinais de GPS e torres de celulares. Primeiro ele jogou fora o seu cartão SIM, depois pisoteou o celular. Isso lhe deu uma sensação de satisfação.

— Posso fazer isso com o seu celular? – perguntou ele.

Hannah lhe entregou o celular sem protestar. Um casal de velhos observou do outro lado da rua enquanto Niels atirava no chão o celular de Hannah e o destruía sob seus pés. Eles balançaram a cabeça.

O ônibus começou a trafegar pela rodovia, mas depois saiu dela e continuou por pequenas estradas secundárias.

— Eu acho que sei onde nós estamos – disse Hannah olhando para a paisagem. — Não venho aqui há trinta anos. E quando vim era verão.

— Tem hotel por aqui?

— Deve ter. Você não acha?

Eles entraram na cidadezinha. Como a maioria das cidadezinhas dinamarquesas, aquela pareceu bem aborrecida: um supermercado e prédios térreos de tijolinho vermelho. Mas aquela, particularmente, no final se tornou encantadora graças à área onde antigamente ficava a aldeia de pescadores. O ônibus saiu da estrada e parou.

Hannah se levantou.

— É isso.

Lá fora eles viram dois moradores do lugar, dois homens já velhos que estavam de pé ao lado da bicicleta.

— Olá. – Niels se aproximou deles. – Os senhores sabem se tem um hotel aberto?

Olhares desconfiados e o tipo de tratamento mudo que se vê apenas nas cidadezinhas. Niels já se dispunha a perguntar novamente quando o homem que ainda tinha dentes cuspiu seu rapé e respondeu:

— Está fechado para turistas. Volte no verão.

— *Fechado* ou fechado só para turistas?

O homem não respondeu. Hannah interveio.

— O senhor tem certeza de que na cidade não existe nenhum lugar para a gente passar a noite?

O homem sem dentes disse:

— Vocês têm de ir até praia e virar para o norte. Mas cuidado com os trens de carga. A cancela do cruzamento não está funcionando direito.

— Obrigada.

Eles seguiram as pegadas na areia, que ficavam maiores à medida que a trilha se aproximava do mar. O som também era um guia. O estrondo das ondas na praia. Niels nunca entendera como era possível alguém querer morar perto da costa, onde nunca havia silêncio.

– Cuidado! – Niels agarrou o braço de Hannah e puxou-a para trás. O trem passou disparado por eles e só então o condutor apitou, mais como um cumprimento que para avisar.

– Idiota – disse Niels.

– Eles nos avisaram que a cancela não estava funcionando.

– Claro, mas e as pessoas que não foram advertidas?

Os trilhos estavam quase cobertos de areia e neve e o rugido do mar encobria o som do motor a diesel. A cancela fazia o possível para descer, mas não conseguia se mover. Por algum tempo nenhum deles falou. Como todos os policiais, Niels sentia uma aversão visceral pelas condições inseguras de tráfego. Algum dia um dos seus colegas estaria ali consolando os sobreviventes, coordenando ambulâncias e carros de bombeiros e tentando descobrir quem seria o responsável pelo acidente.

A costa do mar do Norte é ampla, com riachinhos minúsculos e lagoas abrindo caminho na areia compactada. As pessoas precisavam saltar sobre eles enquanto o vento tentava derrubá-las. Hannah riu.

– Do que você está rindo?

Ela não conseguia parar.

– O que é que há? Por que você está rindo?

Ela pôs a mão sobre a boca enquanto ria. Eles continuaram caminhando e ela ria sozinha.

Talvez fosse apenas porque ele parecia muito tolo.

7

O mar do Norte

O hotel cheirava a excursão escolar, lanche embalado e roupas úmidas. Pisos e paredes de madeira e, como únicos adornos, fotos do mar – embora este se encontrasse logo além da porta. A recepção estava vazia e Niels procurou na mesa uma campainha que ele pudesse tocar com seu pulso congelado. A funcionária do hotel finalmente apareceu atrás deles.
– Boa noite. – Niels tinha o rosto rígido de frio. – O hotel está aberto?
– Está. Funcionamos durante o ano inteiro. Quantas noites vocês vão ficar? – Ela ocupou seu lugar atrás do balcão.
– Hum... – Hannah olhou para Niels.
– Cinco, por enquanto – disse ela. – Talvez mais.
A funcionária olhou para a tela de um computador.
– Quarto de casal?
– Não. – Niels olhou para Hannah. – Dois quartos de solteiro.

A janela dava para o mar. Uma cadeira, uma mesa instável, guarda-roupa e um grosso tapete vermelho. Niels se espichou na cama por um momento. Ela rangeu e o colchão cedeu. Era quase como se deitar numa rede. Mas ele não se importou. Fechou os olhos, virou de lado, encolheu as pernas e usou as mãos como travesseiro. Imaginou alguém olhando de cima para ele. Talvez ele próprio estivesse fazendo isso. Ou um pássaro. Ele precisava ir ao banheiro para dar uma olhada na marca nas suas costas. Afastou rapidamente esse pensamento. Afundou mais um pouco no colchão. Outros pensamentos desagradáveis lhe ocorreram: sua mãe, a conferência sobre o clima e Abdul Hadi. *As palavras do pastor: Mas mãezinha, e se o monstro também tiver uma mãe?*

– Niels?

Uma voz vinda de longe. Ele teria caído no sono?

– Niels.

Hannah. No corredor.

– A gente precisa comer. Vamos nos encontrar no restaurante dentro de dez minutos? Fica no terceiro andar.

– Tudo bem. – Ele se apoiou nos cotovelos. – Vejo você lá em dez minutos.

A decoração do restaurante era madeira pintada de branco e flores secas do mar do Norte enfeitando as paredes. Os enfeites natalinos estavam no peitoril das janelas. Não havia outros hóspedes. Hannah apareceu na outra extremidade do restaurante.

Niels teve a impressão de que ela já havia estado no restaurante por algum tempo mas resolvera sair e ficar atenta para entrar novamente em grande estilo. Ela parecia diferente.

– Você já fez o pedido? – perguntou Hannah.

– Não. A moça da recepção é a garçonete. E também a cozinheira, provavelmente.

– E a gerente do hotel.

Eles riram. A recepcionista veio até a mesa.

– Vocês já sabem o que vão pedir? – indagou ela dirigindo-se a Niels.

– Vamos começar com alguma coisa para beber.

– Vinho branco – disse Hannah imediatamente.

– Algum tipo específico?

– O melhor que vocês tiverem. – Niels sorriu para a funcionária. – Já que de qualquer forma o mundo vai acabar neste fim de semana, podemos ter o melhor.

– Não estou entendendo. – A jovem olhou para ele aturdida.

– Nem eu.

Um sorriso indeciso e uma risadinha. Depois a funcionária desapareceu.

– Não deixe a moça nervosa – disse Hannah.

– Não vejo por que não lhe dizer o que vai acontecer. Talvez haja alguma coisa que ela precise fazer.

– No instituto a gente sempre fala sobre isso.

– O fim do mundo?

– Claro. Nós ficamos lá sentados olhando para o espaço, vendo sóis agonizantes e galáxias que se chocam.

– E meteoros?

– Esses são um pouco mais difíceis de ver. Mas o meu trabalho é um lembrete constante do final. Felizmente ele também é um lembrete do nascimento de novos mundos.

A funcionária do hotel estava de volta. Ela abriu a garrafa de vinho, encheu as duas taças e se foi. Então um silêncio tranquilo se instalou sobre eles.

Niels arruinou o momento.

– Seu filho.

– É. Meu filho. Meu amado filho.

Ele seguramente lamentou ter abordado o assunto, mas já era tarde demais. Embora tenha assumido um ar distante, ela prosseguiu:

– Ele se matou.

Niels baixou o olhar para a mesa.

– Johannes era uma criança-prodígio. Um garoto extraordinariamente dotado. – Ela bebericou o vinho.

– Quantos anos ele tinha quando morreu?

A pergunta foi ignorada.

– Ele começou a mostrar sinais de perturbação psicológica. Johannes era esquizofrênico. Você sabe o que eu estou dizendo?

– Sei.

– No dia em que recebemos o diagnóstico no hospital Bispebjerg foi como se o mundo inteiro desabasse sobre mim e o Johannes.

– E o seu marido?

– Gustav não estava lá. Sempre que as coisas ficavam complicadas do ponto de vista psicológico ele viajava para dar palestras. Quando eu lhe falei no telefone sobre o diagnóstico, ele disse: "Bom, pelo menos nós agora temos uma explicação, Hannah. Eu preciso correr. Vou para uma reunião".

– Sinto muito.

– Talvez tenha sido bom ele dizer aquilo. O modo que ele encontrou para lidar com a situação foi continuar a sua vida como se nada tivesse acontecido. Assim, havia pelo menos uma coisa que não tinha mudado. Gustav.

– Johannes estava internado em alguma instituição?

Hannah assentiu com a cabeça. Não disse nada por tanto tempo que Niels chegou a achar que ela havia encerrado o assunto.

– Eu o deixei no hospital e o visitava só nos domingos. E ele ficava lá.

Outra pausa, ainda mais prolongada que a anterior. O silêncio já estava começando a se tornar constrangedor.

– Você sabe que dia ele escolheu para se enforcar? – perguntou ela finalmente.

Niels permaneceu de olhos fixos na mesa.

– O dia em que Gustav recebeu a Medalha Fields. Foi a mensagem mais clara que um filho jamais mandou para os pais: "Parabéns. Vocês me abandonaram". Isso você não vai encontrar na Wikipédia, se for pesquisar lá sobre nós.

– Você não devia pensar assim. – Niels percebeu que seu protesto soou débil demais.

– Nos primeiros meses o meu único pensamento era partir.

– Você quer dizer... cometer suicídio?

– Eu não merecia viver. Cheguei a conseguir as pílulas necessárias. Planejei tudo.

– Por que você mudou de ideia?

– Não sei. Eu simplesmente resolvi que não faria isso. Talvez porque precisasse... – Ela se calou.

– O quê, Hannah?

– Porque eu precisava encontrar você, Niels. – Ela olhou para ele. – E fazer algo certo.

Niels queria dizer alguma coisa. Precisava dizer alguma coisa, mas Hannah pôs as mãos sobre as dele e isso tornou supérfluas todas as palavras.

8

O vento do mar do Norte gemia no hotel antiquado. Enquanto Niels e Hannah percorriam o corredor a caminho dos quartos, ele imaginou que durante a noite o vento poderia empurrar com tanta fúria o hotel que o prédio acabaria em Copenhague. Ele deve ter dito isso em voz alta, porque Hannah riu e disse:

– É melhor não fazer tanto barulho. Acho que já é muito tarde.

– Por que você está dizendo isso? – Só então Niels percebeu que tinha bebido demais. – Nós somos os únicos hóspedes.

Hannah parou e pegou a chave dela.

– Obrigada pela noite encantadora.

– Sou eu que devo lhe agradecer.

Havia algo muito ponderado no modo como Hannah virou as costas para ele. Sem olhá-lo, ela perguntou:

– Você gostaria de entrar?

– O último desejo do condenado?

Ela se virou.

– Eu só pensei que podia ser consolador. Ou maravilhoso. Você sabe o que eu quero dizer.

Niels fez um afago na face dela. Aquilo foi idiota. Se ele tivesse parado para pensar alguns segundos, encontraria pelo menos dez coisas que seria preferível ele ter feito.

– Eu não acho que seria uma boa ideia – disse ele. – Durma bem.

Ele não se mexeu. Tudo no corpo de Niels estava lhe dizendo para ir para o seu quarto – fora os pés.

– Você devia fazer uma coisa errada de vez em quando. – A voz dela o pegou desprevenido.

– O que é que você quer dizer?
– Você devia fazer alguma coisa ruim.
– Pode ser. Mas ir para o seu quarto com você não teria nada de ruim.

Niels fechou a porta atrás de si. Ouviu Hannah falar consigo mesma no corredor. *Fazer alguma coisa ruim*, disse ela duas vezes antes de abrir a porta do quarto e entrar.

A marca estava ficando mais clara. Niels estudou suas costas no espelho do banheiro. Virou a cabeça o máximo que seu corpo permitia, examinando a pele inchada e avermelhada. Um tipo de erupção cutânea. Uma erupção com vontade própria. Ainda não se viam números. Ainda?

Ele foi até a mesa e se sentou. Não conseguia dormir. O estado de semiembriaguez e grande cansaço não lhe conferia a calma necessária para adormecer. Ele ignorou a placa NÃO FUME que viu na porta e acendeu um cigarro; depois contou quantos ainda restavam no maço. Olhou à sua volta no quarto. Pensou em Hannah e na dolorosa perda que ela sofrera. Em Kathrine e no quanto ansiava por ela, que estava a milhares de milhas de distância. Aquilo era mais intenso que quando ela estava bem diante dele. Tentou afastar de sua mente esse pensamento, mas ele não se movia. Dois cigarros depois ele viu a cena da última briga se desenrolar palavra por palavra no meio do quarto. Viu os dois com toda a clareza: como atores amadores, eles estavam na sua frente, gritando um com o outro. Sentiu-se a ponto de avançar como um juiz de boxe, gritar *"Break"* e depois mandar cada um para um canto diferente – ele para o mar do Norte e ela para a Cidade do Cabo.

Algo o fez abrir a gaveta da mesa. Encontrou ali um catálogo telefônico local, um cartão-postal que nunca havia sido remetido para a avó de alguém em Gudhjem. E uma Bíblia. Pegando o livro de capa preta, ele o folheou. Abraão, Isaac, Rebeca. Já fazia uma eternidade que ele não segurava nas mãos uma Bíblia. Ele dependurou o coldre e a pistola no espaldar da cadeira. Parecia errado ter essas duas coisas tão próximas uma da outra – uma arma e uma Bíblia. Os Beatles vieram em seu socorro, como somente a música popular é capaz, quando emoções contraditórias precisam ser resolvidas. Ele ainda estava meio embriagado – na verdade mais que meio –, senão teria começado a cantar "Rocky Raccoon".

Niels foi para a cama e ficou deitado de costas. Fechou os olhos e com voz rouca ainda cantarolou um verso antes de flutuar na terra dos sonhos.

9

Niels abriu o armário de remédios no banheiro. Alguém tinha deixado ali um inseticida em spray e um filtro solar, FPS 25. Ele espalhou um pouco de filtro na mão e cheirou o spray. O cheiro de verão. Não seja tolo, pensou ele. Provavelmente o inseticida tinha sido produzido em alguma fábrica polonesa cinco invernos atrás. E, no entanto, lhe ocorreu uma enxurrada de lembranças. Sol e mosquitos, água, sorvete e flores de sabugueiro.

Ele se sentou na borda da banheira. Percebeu no peito uma sensação vigorosa. Queria viver. Não queria morrer. Ainda restava muita coisa que ele não havia feito.

Domingo, 20 de dezembro

Claro que ele podia fazer aquilo, pensou Niels ao abrir o chuveiro. Ele tinha um plano. As pílulas de morfina estavam na sacola, e eram muitas. Ele se instalaria num barco, tomaria o suficiente para derrubá-lo, se afastaria e permaneceria longe por um longo tempo.

– Niels?

Hannah. Estava no quarto.

– Niels?

– Espere um minuto. – Ele fechou o chuveiro, enrolou na cintura uma toalha e pôs a cabeça para fora da porta do banheiro.

– Você quer tomar café da manhã? Eles só servem até as nove.

Somente então Niels notou que ela estava com a sua arma na mão.

– Hannah! Isso está carregado!

– Desculpe. Ela estava na cadeira e... pronto. – Hannah lhe entregou a pistola. Ele retirou o pente e lhe devolveu a arma.

– Tudo bem. Agora ela não pode ferir ninguém.

– Tem certeza?

– Tenho. No momento ela é segura. Mas se você fizer isto... – Ele entregou a Hannah o pente e lhe mostrou como colocá-lo na arma. – Então ela pode disparar.

– Eu gosto mais do outro modo. Você já atirou em alguém?

Ele meneou a cabeça e sorriu.

– Esqueceu que teoricamente eu sou bom?

– É por isso que você andou lendo aquilo ali? – Ela apontou para a Bíblia, na cama desarrumada.

– Talvez.

Ela sorriu.

– Vejo você lá embaixo.

Depois que ela saiu, Niels se vestiu e fez a cama com todo o capricho. Então pôs a Bíblia de volta na gaveta. Foi ao banheiro e se olhou no espelho, levantando a camisa. A marca se estendia de um ombro ao outro e descia até quase metade das costas. Linhas finas que sob a pele pressionavam para cima. Ele se inclinou, aproximando-se do espelho. Daria para ver algum número? Talvez a marca desaparecesse se ele parasse de pensar nela.

Mais tarde eles foram passear ao longo da praia. O vento nunca dava trégua ali, mas finalmente as nuvens de tempestade se dissiparam.

– Eu me lembro de ter entrado numa casamata alemã em alguma costa – disse Hannah.

– Quando garota?

– Você acha que a gente pode encontrar uma?

Niels olhou para a extensão de praia que tinha diante de si. Nevoeiro marinho. Movimento de carros na areia. Ele se virou e olhou para Hannah. Observou como o seu cabelo estava se agitando ao vento, batendo no rosto, bloqueando a sua visão.

– O que foi?

– Nada – disse ele. – Por quê?

– Você está me olhando de um jeito esquisito. – Ela o cutucou. – Vamos, velhote. Aposto que eu chego primeiro nas dunas.

Hannah começou a correr. Niels a seguiu. Com sapatos, cabelo e olhos enchendo-se de areia. Ele tropeçou ao subir pela duna e ouviu Hannah rir.

– Você está rindo de mim?

– Você é muito desajeitado.

Na escalada das dunas, Niels lutou para chegar no alto em primeiro lugar, mas eles chegaram juntos. Sem fôlego e praticamente cobertos de areia, caíram sobre a urze e a relva congelada. Ali estavam protegidos do vento.

Por um momento eles ficaram quietos sem falar.

– Você falou que estava lendo a Bíblia – disse ela.

– Um pouco.

– O que você estava lendo?

– A história de Abraão. E Isaac.

– Deus diz a Abraão que leve seu único filho, Isaac, até a montanha para sacrificá-lo ali – disse ela resumindo a história.

– Certa vez eu ouvi um pastor falar sobre isso no rádio. Ele disse que essa história devia ser banida da Igreja Luterana Dinamarquesa.

– Mas ela nos diz uma coisa importante – disse Hannah. – Algo que nós esquecemos.

– E você vai me contar o que é, certo?

Ela riu.

– É a professora que há em mim. Perdão. – Ela se sentou. – Acho que a história sobre Abraão nos diz que nós precisamos ouvir. Pelo menos de vez em quando.

Niels não fez nenhum comentário.

– Mas você tem razão. É uma história aflitiva. Deus não tinha nenhum outro modo de dizer a mesma coisa?

– Você acredita? – indagou Niels.

– Em quê?

– Você sabe.

– Você não consegue nem falar a palavra.

– Em Deus.

Hannah se deitou de costas na areia, olhando para o céu.

– Eu acredito no que nós ainda não sabemos. E isso é muito – bem mais do que nós percebemos.

– Você está pensando nos quatro por cento de que já falou? – perguntou Niels.

– Exatamente. Quatro por cento. Nós sabemos o que significam quatro por cento do universo. Mas tente falar isso para um político quando você está pedindo dinheiro para pesquisa. É muito melhor gritar que você tem certeza absoluta de que os oceanos vão subir dois metros e meio durante o próximo... – Ela parou de repente. Sentou-se e olhou solenemente para Niels. – Polícrates. Você se lembra da história de Polícrates?

387

– Acho que nunca ouvi falar dela.

– Era um rei grego. Tudo o que ele experimentava fazer dava incrivelmente certo. Ele era um sucesso total: tinha mulheres, saúde, vitórias militares. Polícrates tinha um amigo – acho que era um governante egípcio – que lhe escreveu dizendo que ele precisava sacrificar alguma coisa. E precisava ser a coisa mais preciosa que ele tinha. Do contrário os deuses ficariam invejosos. Polícrates pensou muito nisso, por muito tempo. Finalmente ele remou até o mar e atirou na água o seu anel mais caro e de que ele mais gostava. Alguns dias depois um pescador presenteou o rei com um peixe que ele havia pescado. Quando cortaram o peixe para comê-lo, o que foi que eles encontraram?

– O anel.

– Exatamente. O anel. Polícrates escreveu imediatamente para o seu amigo no Egito, que respondeu dizendo estar pondo um ponto final na amizade deles. Não ousava ficar próximo de Polícrates quando os deuses algum dia decidissem despejar nele a sua fúria.

Hannah se ajoelhou na areia e o vento começou a brincar com o seu cabelo.

– É o mesmo tema da história de Abraão e Isaac. O tema do sacrifício de algo – comentou ela.

– O que, exatamente, nós devemos sacrificar, Hannah?

Ela pensou nisso.

– Nossa temerária autoconfiança. Essa é uma palavra real? – Ela sorriu. – Quer dizer, uma coisa é acreditar em nós mesmos. Outra totalmente diferente é nos adorarmos como se fôssemos pequenos deuses.

Um sorriso desaprovador. Como se ela achasse que tinha dito alguma coisa tola. Hannah olhou para ele. Depois se inclinou sobre ele tão rapidamente como fizera antes e lhe deu um beijo.

Eles estavam muito cientes daquele beijo quando pouco tempo depois caminhavam pela praia deserta. Niels saboreava o vento frio contra o rosto, o ar fresco com gosto de sal. Mais tarde ele pretendia chegar até o porto e falar com um pescador que estivesse pensando em ir para o mar antes do Natal. Isso não devia ser difícil, disse ele para si mesmo. Ainda seria preciso pescar muito bacalhau antes da véspera do Ano-Novo. Ele ofereceria alguns milhares de coroas por um leito no seu barco e depois tomaria pílulas suficientes para desacordar.

– No que é que você está pensando? – perguntou Hannah.

– Em nada.

– Vamos tomar um drinque – exclamou ela. – Afinal de contas nós estamos de férias. Eu sempre me esqueço de como é isso.

– Gim e tônica?

– E depois um cochilo à tarde. Ou vice-versa?

– Acho que não há muitas fórmulas para esse tipo de coisa.

– Não diga isso. – Ela sorriu. – Vamos para a cidade.

Niels parou perto de uma cabine telefônica antiquada. Do outro lado da rua havia uma loja de conveniência.

– Vou só fazer uma ligação rápida.

– Você tem moedas?

Ele assentiu com a cabeça. Hannah foi até a loja enquanto ele se instalou na cabine telefônica, inseriu moedas na fenda e começou a digitar o número quilométrico da África do Sul. Ele parou antes do último número. Estava vendo Hannah dentro da loja. Ela acenou para ele. Ele acenou de volta e se virou. A luz de inverno estava banhando o mar com um branco cauteloso. Sob os pés dele a terra se moveu ligeiramente. Ou ele estaria imaginando coisas? O tremor continuou, subindo pelo seu corpo. Um pequeno choque elétrico ou um terremoto muito fraco. Ele balançou a cabeça, atribuindo aquilo à tensão nervosa. Digitou novamente o número. Para Kathrine. Ou pelo menos era o que ele pensava. Mas quem atendeu foi Rosenberg. Niels ficou surpreso. Ele tinha decorado o número do telefone do pastor?

– Quem fala? – A voz do pastor era mais profunda do que a que ele guardava na sua lembrança.

Niels hesitou. Queria dizer alguma coisa, mas não encontrava as palavras.

– Tem alguém na linha?

Hannah acenou novamente. Já estava no balcão, pronta para pagar os cigarros. O olho de Niels foi atraído por outra coisa. Mais adiante um carro estava se aproximando na rua. Niels olhou para a cancela no cruzamento com a ferrovia: ela estava tentando descer, como da outra vez; ou seria o vento que a fazia se mexer?

– Não sei com quem eu estou falando, mas acho que se você me ligou é porque está disposto a ouvir – disse o pastor.

Niels viu o trem. O motorista do carro o teria visto também?

De novo o pastor, com voz quase cantante:

– Talvez você tenha experimentado algo que o levou a duvidar. Algo que o tornou disposto a ouvir.

Silêncio. O pastor queria lhe dar uma chance de dizer algo, mas Niels não falou.

– Você não precisa dizer nada.

Duas garotinhas saíram da loja. Rindo, cada uma com uma sacola de bombons. Tinham o rosto rubro de frio e estavam com gorros tricotados. Caminharam até suas bicicletas.

Rosenberg pigarreou e disse:

– Basta que você esteja disposto a ouvir. Basta você mostrar que está prestando atenção.

Niels ouvia a respiração do pastor. Ele parecia um pouco ofegante.

– Você ainda está aí?

Niels desligou o telefone e saiu da cabine. Viu o carro – um modelo antigo de Volvo – aproximando-se e notou que o motorista não desacelerara. As meninas estavam ao lado das bicicletas, em frente da loja. Uma delas ajeitava o cachecol. Ele avançou alguns passos e acenou para o carro.

– Ei! – Niels estendeu lateralmente o braço, fazendo um sinal para o motorista. Mas o carro continuou se aproximando. – Pare! – O mar e o vento gelado abafavam qualquer outro som. O motorista não conseguia ouvi-lo, mas Niels gritou novamente: – Pare!

Uma das meninas se virou assustada com os gritos de Niels. Nesse instante ela escorregou na neve e a bicicleta se soltou da sua mão, chocando-se contra a porta da loja de conveniência. Niels olhou para Hannah. Ela não havia percebido nada. Ele olhou mais uma vez: o trem, o Volvo, a cancela que não estava funcionando, as menininhas, as bicicletas, Hannah dentro da loja, a porta fechada. Niels começou a correr na direção do carro, acenando para que ele parasse.

– Pare! – Pareceu-lhe que o motorista tinha finalmente ouvido o seu grito. O carro desacelerou. Niels parou. Estava de pé a meio caminho entre a loja e os trilhos do trem. Por um segundo teve a mesma sensação de quando estava sentado no banco traseiro do carro da polícia, rumando para Copenhague. Como se alguma coisa o estivesse puxando.

Quando o motorista viu o trem e freou já era tarde. O freio travou, e o carro deslizou sobre os trilhos com um chiado forte. A neve agiu como um lubrificante, fazendo o veículo acelerar ainda mais. O trem atingiu a traseira do Volvo. O baque foi terrível, um som que Niels nunca ouvira. Ele olhou mais uma vez para a loja. Hannah estava abrindo a porta para sair. O Volvo ia atropelar as meninas.

– Saiam daí! Corram! – As meninas fizeram exatamente o contrário. Ficaram ali estáticas, olhando embasbacadas para Niels, que então correu na direção delas. Atrás de si, em algum ponto, ele ouvia o carro descontrolado.

– Corram! Saiam daí!
 Uma das meninas percebeu o que ia acontecer. Ele não poderia alcançá-las a tempo. Gritou para as meninas, agitando os braços.
– Saiam daí! Corram! – Ele olhou sobre o ombro para ver onde o carro estava agora. Conseguiu ver a expressão horrorizada do motorista antes de um acidente... Antes que o carro colidisse com Hannah, a loja e ele próprio.

10

Escuridão

O som de algo gotejando ao longe. Ou bem perto. Aquilo não significava nada. Uma calma impressionante. A escuridão o protegia. Como um cobertor que ele poderia retirar, se quisesse. Mas ele não queria. Estava muito confortavelmente deitado no escuro.

Vozes. Alguém gritava. Chorava. Clamava. Algo esbarrou no seu nariz. Cheiro de gasolina. Cheiro de álcool, gim. Gosto de sangue na boca. Ele queria afastar tudo aquilo. Queria que tudo desaparecesse novamente. Alguém estava retirando o seu cobertor. Os olhos de um estranho o examinavam.

– Você está bem? – A voz oscilava. Niels quase não a ouvia.

– A cancela não abaixou e... Eu chamei uma ambulância.

Niels mexeu os lábios. Teria mesmo mexido?

– Eu não sei – disse o homem. Ele estava chorando. – O quê? As meninas? É isso que você está perguntando?

Escuridão.

Dessa vez durou uma eternidade. Ou teriam sido apenas alguns segundos? Niels estava debaixo d'água. Indo para longe. Mergulhando na escuridão. Querendo desaparecer. Permitindo-se ser tragado. Desaparecer. Não. Ele precisava ir embora dali. Encontrar um barco. Estava pensando em comer bacalhau no Ano-Novo.

Vozes, novamente. Dessa vez uma voz mais profunda. Por que não o deixavam em paz?

– Fique quieto. Não tente dizer nada.

A voz estava falando com ele?

– Pense apenas em respirar calmamente. O melhor que conseguir. Do resto nós tomamos conta.

Outra voz. Dessa vez mais alta e clara.

– Estão mandando um helicóptero?

Ele não ouviu a resposta.

O que ouviu foi a sua própria voz.

– Não... eu não quero. Não quero...

– Fique quieto agora. Nós vamos ajudá-lo.

Ele ainda não sentia dor. Não sentia o seu corpo. O que teria acontecido? Ele viu Hannah mentalmente. E o mar. E a praia ampla, gelada. E duas menininhas com sacolas de bombons e gorros tricotados. Duas...

– As meninas? – Era novamente a sua própria voz. Que tinha vida própria.

– Sim?

O som de hélices girando. Aquilo seria um sonho?

– Havia duas garotinhas.

A voz do segundo homem interveio.

– Precisamos tirar ele daqui.

– As meninas.

Alguém o levantou. Como num sonho dos primeiros anos da sua infância. Ele era levantado pela mãe e acalentado. Kathrine. Agora ele a via mentalmente. Ela saía da escuridão e se inclinava sobre ele sussurrando: "Niels. Você não devia estar no aeroporto?"

– Um, dois, três.

Era ele que estava gritando?

– Morfina. Agora – disse uma voz vinda de muito longe. Isso, morfina. E depois ganhar o mar. Um leito, navegando longe de Copenhague. Nos bancos de Dogger, pensou ele. Ou até mais longe.

– Vamos pôr uma máscara de oxigênio em você. – A voz o atravessou. Era quase insuportavelmente alta. – Seus pulmões...

Ele ouviu alguém dizer:

– Os pulmões dele fecharam. – Uma impressão de calor. Ele virou a cabeça.

– Precisamos rasgar a camisa dele.

Som de tecido sendo rasgado.

– Hannah? – Ela estava deitada ao lado dele. De olhos fechados, recebendo soro e com máscara de oxigênio. Parecia quase cômica. Ele teve vontade de rir.

Queria perguntar: "Por que você está deitada assim?" Em vez disso ouviu um som dentro da sua cabeça que só podia querer dizer que o mundo em torno dele tinha explodido, e depois um silêncio agourento.

– Você está me ouvindo?

Outra voz.

– Eu sou médico.

– Hannah...

– A sua mulher está inconsciente. Estamos levando você para Skejby. Lá você vai receber o melhor tratamento e...

O homem foi interrompido. Alguém estava falando com ele. Uma breve discussão. *Queimaduras nas costas dele.* O médico voltou a falar com ele.

– Estamos levando você para o Hospital Nacional. São só uns poucos minutos de viagem. Eles têm a única unidade de queimados da Dinamarca.

– O Hospital Nacional...

– Em Copenhague. Você está entendendo o que eu falo? Está me ouvindo? Parece que você tem uma queimadura feia nas costas.

– O Hospital Nacional...

O médico e uma outra pessoa sussurravam. As vozes iam e vinham.

– O carro pegou fogo?

– Acho que não.

– Então eu não entendo.

Um rosto se aproximou dele. Dois olhos cinzentos e graves.

– Ele está totalmente fora do ar.

Outra voz.

– Ele não vai resistir?

– Ele está voltando.

– O Hospital Nacional não... Hospi... não...

Ocorreu a Niels que ele era incapaz de mover os lábios. Estava falando mas não saía nenhum som.

Alguém o cobriu novamente com um cobertor.

Parte III

O LIVRO DE ABRAÃO

Isaac disse ao pai Abraão: "Pai!" – "O que queres, meu filho?", respondeu. E o menino disse: "Temos o fogo e a lenha, mas onde está o cordeiro para o holocausto?" E Abraão respondeu: "Deus providenciará o cordeiro para o holocausto, meu filho". E os dois continuaram caminhando juntos.

Gênesis 22:7-8

1

Hospital Nacional – Copenhague

Niels estava inconsciente. Se não estivesse, teria visto o helicóptero aterrissar no teto do Hospital Nacional, teria visto os médicos e serventes esperando para recebê-lo, teria sentido ser erguido até uma maca e transportado por um corredor estreito que levava a um elevador.

Ele estava viajando ao lado de Hannah. Talvez tenha acordado. De qualquer forma, ouviu vozes dispersas, pedaços de frases, palavras que passavam flutuando: *Colhido por um trem... Não, colhido por um carro num cruzamento com ferrovia... Por que não Skejby?... Condições climáticas ruins... unidade de queimados... centro de trauma.*
Uma frase ele ouviu muito claramente. *Não consigo sentir o pulso dela.*
Alguém respondeu. Parecia uma discussão, mas Niels não tinha certeza. Ele viu sua mão se estender na direção dela. Ouviu-se sussurrando:
– Hannah.
– Já estamos chegando.
– Hannah.
– Ela está piorando. Precisamos começar...
Eles pararam. Pelo menos foi o que Niels pensou. Até ter a percepção, envolta numa névoa de morfina, de que era apenas Hannah que tinha parado. Ele continuou, e aquele foi o pior momento. Pior que o próprio acidente. Pior que o instante em que o carro o atingiu. Niels tinha a impressão de que havia sido partido ao meio, e no canto do olho ele viu – ou talvez tenha apenas sentido – que os médicos estavam debruçados sobre ela e...

De novo ele estava inconsciente.

Não fazia diferença. Agora tudo havia acabado. Foi bom. Durou apenas um momento. Porque um momento depois...

Quarta-feira, 23 de dezembro

... a luz chegou até ele. Ele pensou: Então é isso. Não estava com medo, podia conseguir somente um dar de ombros resignado para a luz que se aproximava no final da escuridão, sua vida que estava lentamente declinando, um rosto que se inclinou sobre ele, uma linda mulher, talvez um anjo que...

– Ele está acordado?

O anjo falava com ele.

– Está. Está voltando a si agora.

Duas enfermeiras olhavam para ele. A mais jovem – o anjo – parecia genuinamente curiosa. A outra apenas via o lado prático, observava.

– Hannah – murmurou ele.

– Vou chamar o médico.

Niels não sabia dizer qual das enfermeiras falara. Era muito difícil separar os pensamentos dele das palavras delas. Ele olhou por uma janela: flocos de neve iluminados pela claridade do hospital, cujas lâmpadas nunca apagavam. Ele tentava se lembrar, tentava reunir todos os fragmentos numa lembrança do que havia acontecido.

– Niels Bentzon?

Niels reprimiu um sorriso inadequado, que supostamente se devia a algo tão banal como a alegria sentida por ele ser capaz de se lembrar do seu nome.

– Você está acordado. Isso me alegra. Meu nome é Asger Gammeltoft. Sou o cirurgião principal daqui. Faço parte da equipe que o operou. A operação durou oito horas.

– Hannah? – Niels não ouvia a sua própria voz. – E as meninas?

– Pode falar um pouco mais alto? – O médico se curvou, aproximando-se de Niels.

– Elas se feriram?

– Você está falando das crianças? – O médico se empertigou e confabulou rapidamente com as enfermeiras; eles murmuravam como se estivessem conspirando. – As meninas não se feriram. Escaparam ilesas. Você salvou a vida delas. – Ele empurrou para cima os óculos. Sua expressão era bondosa mas arrogante.

Ele fazia um esforço honesto para ser atento, embora outras coisas ocupassem a sua mente. – Vou ser franco e lhe dizer que você tem várias lesões sérias. Muitas delas são típicas das pessoas que sofreram um acidente de carro. Lesões na bacia e nas costas, na cavidade abdominal, costelas quebradas e vértebras cervicais contundidas, acumulação de sangue nos pulmões. Não vou sobrecarregá-lo agora com todos os detalhes. O importante é que você sobreviveu.

Ele enxugou o suor alojado na sobrancelha e depois guardou de volta o lenço.

– Durante as primeiras horas da operação nós não tínhamos certeza de que você sobreviveria. – Ele suspirou. – Está com sede?

Antes que Niels pudesse responder, uma enfermeira já estava pondo um canudo na sua boca.

– Beba um pouco. É suco. Você precisa de muito líquido.

Morango e framboesa. Doce a ponto de nausear. O canudo na sua boca despertou lembranças perdidas da sua infância. O ruibarbo atrás do campo de futebol. Os tomateiros, com talos peludos como as pernas das aranhas.

– Bom. Amanhã você talvez possa comer algo sólido.

Provavelmente foi a ideia da comida sólida que fez Niels baixar o olhar para o seu corpo. Seus braços se projetavam sob as cobertas. Ele viu um tubo de soro e ataduras.

– O que foi que aconteceu comigo?

– Talvez fosse melhor você deixar para conversar mais tarde.

– Não! Eu quero saber agora.

A enfermeira sussurrou algo no ouvido do médico. O dr. Gammeltoft balançou a cabeça.

– Niels. Você perdeu muito sangue, mas nós conseguimos estabilizar a sua situação e por isso estamos otimistas. – Ele se corrigiu: – Quer dizer, *muito* otimistas. Nós também descobrimos alguns acúmulos de sangue atípicos nas suas costas. Os médicos que o atenderam no local do acidente acharam que seriam queimaduras. E por isso o trouxeram para cá. Mas o que você tem nas costas não são queimaduras.

Ele pigarreou.

– Inicialmente nós achamos que uma tatuagem antiga que você tinha havia gerado uma erupção, mas o mais provável é que os vasinhos de sangue da pele, ou melhor, *sob* a pele, tenham se expandido ou... Vamos pedir para um dermatologista dar uma olhada nisso. Mas é muito comum haver uma infecção fúngica depois de uma operação. Isso é sinal de que o seu sistema imunológico está em ação.

"Mas no momento o que você precisa fazer é descansar. É provável que nós tenhamos de voltar a operá-lo, mas por enquanto a coisa mais importante para você é ter paz e sossego. É como nós costumamos dizer aqui: 'O melhor médico é o seu próprio corpo'." – O médico meneou a cabeça, o que aparentemente indicava que a conversa tinha se encerrado.

Niels tentou detê-lo. Ele sussurrou:

– Hannah.

– Eu não consigo ouvir o que você está dizendo.

Niels tentou reunir toda a sua energia para falar.

– Hannah...

O dr. Gammeltoft continuava sem ouvir. O nome dela era composto de sons demasiadamente indistintos que quase não eram outra coisa senão ar.

– Han... – Niels tentou mais uma vez.

– Você precisa descansar. – O médico já ia sair, mas mudou de ideia e de novo chegou bem perto.

– ...han...

– Você ficou inconsciente por quase setenta e duas horas. Teve lesões sérias. Precisa descansar.

Setenta e duas horas? Niels olhou pela janela. Era como se a data tivesse despertado o seu cérebro adormecido. Setenta e duas horas.

– Quarta-feira?

– Sim, hoje é quarta-feira, 23 de dezembro. Você esteve ausente por três dias.

– Sexta-feira.

– O quê?

– Vai acontecer na sexta-feira.

O médico olhou para a enfermeira. Os olhos deles mantiveram uma conversa que Niels não entendeu, mas isso não tinha importância. Ele precisava sair dali. Ir para o mais longe possível. Ele olhou pela janela e imaginou como faria isso. Era impossível andar. Ou será que não? Ele olhou em torno de si. O médico havia deixado o quarto.

A enfermeira jovem veio até Niels.

– Você precisa entender que é muito comum ter lapsos de memória depois de um acidente grave. Mas a sua memória vai voltar lentamente. Esses lapsos não significam uma lesão cerebral importante. Eu tenho certeza de que você vai se recuperar totalmente.

– Hannah?

A enfermeira mais velha apresentou uma explicação. Niels ouviu uma versão um tanto distorcida do que ela havia dito.

– Ele está falando da namorada.

– Hannah!

– Calma. Você precisa relaxar.

– Me conte.

A enfermeira jovem olhou para o estômago dele. Fazendo um grande esforço, ele virou a cabeça e também olhou para baixo. Então viu que ele estava agarrando com muita força o pulso dela. Suas unhas estavam cravadas na pele dela.

– Uma coisa de cada vez. Certo? A coisa mais importante agora é você readquirir a sua resistência.

– Me fale!

– Nós vamos chamar um médico, Niels. Espere um minuto.

A enfermeira mais velha desapareceu. Niels precisou lutar para não dormir. Ele queria esperar até o jaleco branco novo chegar para lhe dizer algumas palavras alentadoras e lhe dar um sedativo. Queria sentir a enfermeira pegar na sua mão e apertá-la com genuína simpatia enquanto o médico dava a Niels a notícia que ele já sabia. A notícia que havia muito tempo ele lera nos olhos da enfermeira jovem quando ela tentou não olhar para ele. A notícia de que Hannah estava morta.

2

Centro de trauma, Hospital Nacional – Copenhague

Hannah se sentia melhor que nunca. Um sentimento explosivo de liberdade. Ela era capaz de pensar com muito clareza, sem nenhum limite. Ali havia espaço para os seus pensamentos.

Quinta-feira, 24 de dezembro

Uma faixa de escuridão numa luz avassaladora. Hannah virou o rosto. Não se importava. Até que acidentalmente pensou em Niels. Então a escuridão se expandiu e não lhe era possível fazer nada; apenas permitir que ela a tragasse.
Eu acabei de experimentar uma coisa incrível.
Formas nebulosas, quase oníricas, num quarto branco. Uma das formas se aproximou. Inclinou-se sobre ela. Um brilho nos olhos...
– Ela voltou!
– O quê?
– Venha ver.
Murmúrios em volta dela. *Espantoso.* Alguém riu aliviado. *Que mulher resistente.*
As vozes estavam ficando mais altas. Especialmente uma voz feminina. As outras formas chegaram até ela. Ligaram coisas ao seu corpo, que tinha a interferência de diversas máquinas, e falavam em voz baixa enquanto se concentravam no trabalho.
– É inacreditável – disse alguém.

Outra pessoa disse que ela precisava ser estabilizada. A quem eles estavam se referindo com aquele "ela"?

Eles aproximaram luzes dos seus olhos. Espetaram agulhas nas suas mãos. Ela ouviu um bip soar debilmente no quarto.

– Onde...?

Seria Hannah sussurrando? Não havia nenhuma reação. Ela tentou limpar a garganta. Só então sentiu seu corpo. E o encontro não foi prazeroso. Uma dor abrasadora no peito e na garganta. Uma sensação de dormência nas pernas. A voz estava mais baixa.

– Onde é que... – Hannah foi interrompida pelo som de um helicóptero. Ao olhar pela janela, ela o viu se afastar. O Hospital Nacional. Claro.

– Ela está tentando dizer alguma coisa.

Rostos a olhavam. Ela estava deitada imóvel, reunindo forças para tirar as pernas da cama. Precisava encontrar Niels e adverti-lo. Mas isso era impossível. Ela não conseguia se mexer. Não por causa de dores. Seu corpo estava paralisado.

– Você está me ouvindo?

Alguém falava com ela. Uma frenética voz masculina que tentava ser gentil.

– Hannah Lund? Você está ouvindo o que eu digo?

– Estou.

– Você ficou inconsciente por muitos dias. Ficou mais que inconsciente. Você sabe onde está?

O Hospital Nacional. As palavras se recusavam a passar do pensamento para a fala. Recusavam-se a deixar a sua boca.

– Você sabe que está no Hospital Nacional, em Copenhague? Você se envolveu num acidente grave em Jutlândia e foi trazida para cá de helicóptero.

Hannah não tentou responder. O médico lhe falava como se ela fosse uma criança.

– Você está ouvindo tudo o que eu lhe digo?

– Estou.

– Bom. Porque é importante que você...

– Que dia é hoje?

– Quinta-feira, 24 de dezembro. Feliz Natal. – O rosto estava ficando mais nítido e Hannah notou um leve sorriso. Um homem jovem com óculos de armação escura.

– Amanhã...

– O quê?

– Onde é que está o Niels?

– Ela está falando do amigo. O homem que também se envolveu no acidente – disse uma voz.

– Onde é que está o Niels?

Ela se soergueu e derrubou o suporte do soro, e só então percebeu que tinha conseguido girar suas pernas até elas ficarem para fora da cama. Dor de cabeça. Parecia que ela havia batido a cabeça em alguma coisa. Talvez no chão ou no suporte do soro. A porta abriu. Jalecos brancos entraram apressados. Mais rostos anônimos, bem-intencionados. Uma voz disse:

– Ela está em estado de choque. Precisa...

Hannah não ouviu o nome do sedativo que queriam lhe dar, mas lhe ocorreu que a voz tinha razão. Ela estava em estado de choque. Seu cérebro era uma confusão de pensamentos desconexos. Durante breves intervalos de tempo ela sentia cada artéria e cada veia do seu corpo, assim como o sangue que se agitava no seu cérebro. Então ela se ouviu dizer:

– Eu não estou em estado de choque.

Puseram-na de novo na cama. Ela foi incapaz de resistir. Uma voz tranquilizante, quase arrastada, disse:

– Você sofreu um grave acidente de carro. Um carro em alta velocidade a atropelou.

– Amanhã...

– Você precisa descansar, Hannah.

– Quando o sol se puser... Niels.

– Preste atenção, Hannah. O seu marido, ou seu amigo, está vivo. Vocês dois precisam descansar.

– O que é isso?

Novamente a voz sussurrante:

– Podemos ir um pouco mais depressa?

– Não...

Uma sensação de calor na sua mão.

– Que dia é hoje?

– Nós já falamos isso. É quinta-feira de manhã. Véspera de Natal. Mas você não devia estar pensando em nada, além de descansar um pouco. Vocês dois tiveram muita, muita sorte. Nós estamos lhe dando um medicamento, vai ajudá-la a relaxar.

A voz ficou pastosa. Hannah ainda a ouvia, embora as palavras não tivessem sentido. O remédio estava dominando o seu corpo. Ela lutou contra ele, mas era uma luta desigual e a escuridão voltou. Libertando-a.

3

UTI, Hospital Nacional – Copenhague

Acordar era como uma escalada interminável para chegar à vida, deixando para trás a morte. A luz lhe feria os olhos. Era como se o seu corpo fosse submetido à força gravitacional do reino da morte, bem mais forte que a da Terra. Deve ter sido assim que Lázaro se sentiu quando Jesus o fez voltar à vida, pensou Niels apertando os olhos e percebendo como o seu corpo estava sendo pressionado contra o colchão, para o chão, para a terra.

Sua respiração estava pesada. Ele olhou em volta. O hospital. Sempre o hospital. Ele fechou os olhos. Deixou-se cair.

Quinta-feira, 24 de dezembro

– Niels?
Ele reconheceu a voz.
– Niels.
A cabeça calva. Os olhos bondosos que lhe lembravam os do seu pai.
– Você está me ouvindo? É Willy. Seu tio.
– Willy?
– Eu já vim aqui algumas vezes. Você estava inconsciente, meu filho. Foi muito bom o seu pai e a sua mãe não terem visto você assim. Eles não teriam suportado.

Niels sorriu. Willy era praticamente o único remanescente da sua família. Pelo menos o único de quem ele gostava.

– Você pode me dizer onde a Kathrine está trabalhando? Ela está fora do país? Eu quero ligar para ela.

Niels balançou a cabeça.

– Não. Eu ligo para ela quando estiver melhor.

– Tudo bem, tudo bem, meu filho. Você vai ficar bom. Os médicos também dizem isso. Você é forte. Sempre foi um garoto forte. O queridinho do seu pai.

Niels quis voltar para a escuridão e para aquela sensação de peso. Longe. Enquanto se deixava cair ouvia a tagarelice de Willy. Ele falava sobre flores. E chocolate. E todos os membros da família que tinham morrido. Era uma voz agradável para acompanhá-lo na sua descida para a escuridão.

– Feliz Natal – disse alguém. Ou cantou. Talvez ele já estivesse sonhando.

– Niels Bentzon?

Um homem de jaleco. Um homem jovem. Parecia que aquele lugar tinha um número infinito de homens de jaleco. Onde estava o tio Willy? Ele havia estado ali ou não? O desconsolado buquê de flores na mesa era uma prova da visita. Somente Willy era capaz de aparecer no hospital com um buquê mais adequado a um velório.

– Você está me ouvindo? – indagou o homem de jaleco.

– Estou.

– Tenho uma boa notícia.

Niels tentou se concentrar. Parecia que um véu se estendera diante dos seus olhos, fazendo-o se sentir como se ele estivesse olhando debaixo d'água.

– Boa notícia?

– Sobre a sua namorada.

– Hannah? – perguntou Niels.

– Ela não morreu.

– Não morreu?

– Ela vai ficar boa, Niels. – O homem sorriu. – É uma coisa muito incomum, voltar à vida duas vezes. Sou médico, por isso raramente uso a palavra "milagre". Mas se alguma vez eu testemunhei pessoalmente um milagre, foi certamente quando a sua namorada abriu os olhos, algumas horas atrás. Pode até ser que ela não tenha sofrido nenhuma lesão permanente.

"Namorada." A palavra aborreceu Niels. O médico estava dizendo mais alguma coisa, mas Niels já não o ouviu.

– Eu quero vê-la. – Ele falou alto e claramente.

– Vamos ter de providenciar isso. Assim que for possível.

– Eu preciso vê-la.

– Primeiro você vai ter de esperar aqui por mais um tempinho. – O médico trocou um olhar com uma enfermeira. Não pronunciou uma única palavra, mas Niels não tinha dúvida do que ele quis dizer: não posso continuar aqui falando com esse paciente. Tenho outras coisas para fazer. Você vai ter de explicar a ele que ele precisa ficar aqui.

A enfermeira se aproximou.

– Acho que isso não vai ser possível agora, Niels. Vocês não estão na mesma ala do hospital. A sua namorada foi levada para o departamento de cardiologia, que fica longe, lá.

Ela apontou para a ala que se via através da janela. O hospital tinha sido construído na forma de um H incompleto, e assim dois pacientes podiam ficar muito longe um do outro embora estivessem no mesmo prédio. Tão longe que era impossível ver as pessoas atrás das janelas do outro lado.

– Toda vez que deslocamos um paciente aumentamos o risco de estresse e complicações. Será preciso esperar um pouco. Isso é para o seu próprio bem. Contatamos os membros da família de vocês dois.

– Mas é importante.

– Talvez nós possamos providenciar um contato telefônico. O que você acha disso? – Ela sorriu e tocou na atadura da sua cabeça.

– Ótimo.

Ela foi embora. Niels olhou para a ala oposta do prédio. Então deixou sua memória assumir o controle: o mar do Norte. O trem de carga. A loja de conveniência. O acidente. *O que quer que você faça, Niels, não importa: você vai acabar no Hospital Nacional daqui a seis dias.* Foi o que Hannah disse. Por causa do *sistema*.

– Niels Bentzon?

Niels foi sacudido abruptamente de seus pensamentos. Quanto tempo tinha se passado? O homem se apresentou:

– Meu nome é Jørgen Wass. Sou dermatologista. Esse jovem é meu aluno e visita os pacientes comigo.

Um homem mais jovem e de óculos estava ao lado do médico.

– Me pediram para dar uma olhada nas suas costas.

– Agora?

– Foi para isso que eu vim. – Ele sorriu. – Eu não faço parte da equipe. O Hospital Nacional não tem mais um departamento de dermatologia. Mas eles resolveram que você não devia ficar indo de um lado para outro para ver diversos médicos. Eu não vou poder fazer um exame detalhado agora; só vou dar uma olhada para determinar se será preciso fazer algum tipo de tratamento e, se for o caso, o que devemos fazer. Você poderia se virar de bruços?

Sem esperar a resposta e usando um tom de voz que fez Niels se sentir um bebezinho, o dermatologista olhou para a enfermeira e disse:

– Certo? Vamos virá-lo de bruços.

O dr. Wass calçou luvas de borracha. Niels havia resolvido não olhar enquanto estivessem se ocupando dele. A enfermeira tirou a sua camiseta. O dermatologista se sentou. Examinou-o demoradamente. Niels achou humilhante aquele tempo de espera.

– O senhor precisa de alguma coisa? – O aluno se aproximou do médico.

– Não, obrigado. Isso é rápido. Espero que não esteja muito desconfortável. – O último comentário foi dirigido a Niels.

Niels não disse nada enquanto o médico tocava as suas costas.

– Alguma sensibilidade? Coceira?

– Não. Nada.

– Quando foi que você fez isso?

– O que o senhor quer dizer?

– A tatuagem. Ou... – O dermatologista ficou em silêncio. – Isso é uma tatuagem?

– Eu não tenho tatuagens. – Niels não viu que o médico não estava acreditando nele.

– Você tem certeza? Nem uma tatuagem com hena? Você já viajou para o exterior?

– Eu quero ver isso.

– Deve ser tatuagem mesmo. – O aluno estava decidido a externar a sua opinião. Falava em voz baixa para o médico. – Ou seria uma mancha mongólica?

– Eu não tenho tatuagem nas costas. – Niels tentou falar mais alto, mas isso era difícil por ele estar naquela posição desajeitada, com o rosto no travesseiro.

– Você não retirou uma tatuagem? – indagou o dermatologista. – Você já teve problemas com infecções fúngicas?

– Não.

Niels não podia dizer se o médico estava conversando com o aluno, com as enfermeiras ou com ele quando murmurou:

– Um leve inchaço da epiderme. Sinais de variação de pigmento e inflamação.

– Eu quero ver. – Niels tentou se virar.

– Se você não se importar em esperar um momento. – O dr. Wass raspou as costas de Niels com algo afiado. – Eu preciso colher uma amostra. Está doendo?

– Está.

– Não há muita coisa para olhar. Vamos virá-lo de volta?

– Não! Eu quero ver.

Silêncio. O médico não estava muito inclinado a atendê-lo. Niels percebeu a sua oposição.

– Tudo bem, mas vamos precisar de dois espelhos.

Niels ficou como estava enquanto as enfermeiras trouxeram para o quarto dois enormes espelhos. A operação de colocá-los nos devidos lugares levou algum tempo.

– Assim ela parece pior do que é – avisou o dermatologista. – Não fique impressionado. Com o tratamento certo, talvez uma pomada de cortisona, você ficará bom em pouco tempo.

Niels olhou para as suas costas. A marca já havia ficado parecida com as outras, estendendo-se de um ombro ao outro. O desenho começava a se revelar. Mesmo sem ver os números, Niels sabia que eles estavam lá. Um três e um seis. Trinta e seis.

O médico se endireitou e olhou para o seu aluno.

– Eu já vi isso antes – disse ele.

– Onde? – perguntou o aluno.

– O que é que o senhor está querendo dizer? – indagou Niels, insistindo em olhar o médico diretamente. – O senhor já viu isso antes? Onde?

– Muito tempo atrás. Mas...

– Mas o quê?

O médico se levantou.

– Vou ter de fazer uma pesquisa, depois volto aqui.

Ele meneou a cabeça para o aluno. Sem dirigir a Niels uma única palavra, saíram ambos do quarto.

4

Departamento de Cardiologia, Hospital Nacional – Copenhague

Os pais de Hannah agradeceram à enfermeira quando ela lhes trouxe um pouco de comida. Hannah já vinha inalando o aroma havia horas. Carne de porco assada e molho. Seu pai comeu a porção dele e depois a da esposa, que não fazia outra coisa além de chorar sem nada dizer. *Não podemos desperdiçar.* Esse era o lema da vida dele. Um olhar para a sua barriga enorme faria qualquer um se perguntar se as palavras eram tão sensatas quanto pareciam.

Hannah sempre achara constrangedor ter o pai por perto. Ela se lembrava horrorizada de quando o casal aparecera na sua defesa de tese de doutorado, sentando-se na última fileira de cadeiras do auditório. Seu pai ficou emitindo ruídos desagradáveis; era tão gordo que ocupava uma cadeira e metade de outra. Sua mãe não disse nada. Exatamente como agora.

Foi uma visita prolongada, embora se tenha dito pouca coisa. Havia muito tempo Hannah achava que seus pais tinham desistido dela. Depois da doença e da morte de Johannes. E depois que Gustav a deixara. Tudo isso era demais para eles. Estranho demais. Mesmo quando criança, Hannah lhes parecera uma estranha.

Finalmente eles se foram. Já na porta, uma última pergunta: ela queria que eles ficassem mais um pouco?

– Não, é melhor vocês irem. Eu quero descansar um pouco.

Os pais de Hannah estavam pretendendo passar a noite ali com seu meio-irmão. Como o velho tinha problemas de coluna e só conseguia dormir bem na sua própria cama, ele dormiria sentado numa poltrona. Umas poucas horas apenas. No dia seguinte eles voltariam para casa.

– Minha doce menininha – sussurrou sua mãe antes de sair. Mas Hannah não era mais a menina de ninguém. Nem de Gustav nem dos seus pais.

– Você tem certeza de que não quer nada? – indagou a enfermeira enquanto limpava os pratos da visita dos velhos.

– Eu quero falar com o Niels.

A enfermeira olhou para ela sem entender.

– Niels Bentzon! O homem que estava envolvido no acidente.

– Ele está aqui no hospital?

Pasma, Hannah balançou a cabeça. Devia ser por causa do Natal, pensou ela. Muitas enfermeiras substitutas, menos experientes, tinham sido recrutadas para os feriados. Finalmente apareceu uma enfermeira conhecida. Bochechas gorduchas, olhos sorridentes. O nome dela era Randi? Isso, era Randi.

– Randi? – disse Hannah.

– Você está acordada?

– Eu quero conversar com o Niels.

– Sim, eu sei. Mas ele está cochilando o tempo todo, assim como você. Tomou sedativos e por isso está sonolento. Acorda durante dez minutos e depois cai no sono por três ou quatro horas.

– Nós não poderíamos conversar por telefone? É realmente importante.

Randi sorriu.

– A coisa mais importante para vocês dois é voltar a ficar fortes. Eu tenho ou não tenho razão? – Ela tomou a mão de Hannah. – Mas eu vou tentar providenciar isso. Você gostaria que eu fosse vê-lo? Tentasse marcar uma hora para vocês se falarem por telefone?

– Gostaria. Por favor.

Randi foi embora. Hannah olhou pela janela. Agora estava escuro. Era véspera de Natal no Hospital Nacional. Hannah fechou os olhos até ouvir novamente passos cautelosos aproximando-se. Inicialmente ela achou que a velhota devia estar perdida. Não usava jaleco branco e havia algo de muito confuso e distante no seu olhar.

– Hannah Lund? – disse a mulher aproximando-se. – É você?

Hannah não respondeu. Sentia-se lerda e fraca.

– Meu nome é Agnes Davidsen. – A mulher estendeu para Hannah a mão frágil. Mas acabou por apenas lhe afagar as costas da mão. – Eu poderia falar com você um momento?

Ela já devia ter bem mais de setenta anos. Sua pele parecia um pergaminho e o cabelo lembrava uma planta murcha, mas seu olhar era vivo, inteligente.

– Você esteve num acidente de carro, certo?
– Sim.
– Você estava num carro que foi atingido por outro?
– Eu não estava num carro. Eu fui atingida por um carro.
– E isso aconteceu cinco dias atrás?
– Mas o que é que vem a ser isso?
– Eu estou aqui para lhe perguntar sobre a sua experiência de quase morte.
 Hannah sorriu e balançou a cabeça.
– O coração da pessoa não tem de parar para que isso aconteça?
Então foi a vez de Agnes, surpresa, balançar a cabeça.
– Ninguém lhe contou nada sobre o que aconteceu?
– Sim, eles contaram. Disseram que foi... sério.
– Hannah. – Agnes chegou mais perto. – Você morreu. Duas vezes.
– Você deve estar enganada.
– Eu não entendo por que eles não lhe contaram. Imagino que isso seja típico do Hospital Nacional. Durante os feriados parece que a comunicação com os pacientes deixa de existir. Confie em mim: eu sei. Trabalhei aqui toda a minha vida.
– Eu não entendo.
 A enfermeira entrou quando Hannah estava tentando sair da cama e derrubou o suporte do soro. Alguém começou a protestar. Ela quis berrar: "O que é que aconteceu comigo?" Mas o que conseguiu dizer num grito rouco foi:
– Eu quero respostas! Agora!

– Pneumotórax espontâneo.
 O médico havia resolvido que Hannah era "uma das nossas", como disse para ela. Não somente uma acadêmica mas uma cientista respeitada. Por isso não se recusou a lhe dar uma explicação complexa.
– As pleuras pequenas da superfície dos pulmões se rompem, levando o ar da cavidade pleural e do pulmão a se compactar. Muitas vezes essa ruptura se fecha espontaneamente, e então o pulmão se expande de novo. – O médico olhou para ela. – Você precisa descansar?
– Não. Quero ouvir tudo.
– Por causa da colisão houve no seu caso um gotejamento, que age como uma válvula para que o ar chegado à cavidade pleural não entre nos pulmões. Nesse ponto ocorreu o pneumotórax induzido por pressão, com cada vez mais ar sendo aprisionado na cavidade pleural. Esse é um estado grave e potencialmente fa-

tal. Mas... – Ele sorriu. – Agora temos os seus pulmões novamente sob controle. Assim como a contusão no seu coração.

– A velha disse que eu morri.

– Eu tenho tentado imaginar o que foi que aconteceu de errado para não terem lhe transmitido essa informação. Parece que nós precisamos fazer um trabalho melhor no que diz respeito à comunicação entre médicos e pacientes durante os feriados.

– É verdade? – Hannah insistiu. – Eu morri?

Ele respirou fundo, como se a culpa da parada cardíaca de Hannah tivesse sido dele.

– Morreu. Já deviam ter lhe dito isso há muito tempo. Eu lhe peço perdão. Seu coração parou. Duas vezes. Da primeira vez nós conseguimos fazê-lo bater novamente depois de alguns minutos. Mas quando eu pus você na mesa...

– Mesa?

– A mesa de operações. Seu coração parou novamente. Na verdade... – Ele sorriu e balançou a cabeça. – Nós achamos que você tinha morrido.

– Por quanto tempo?

– Quase nove minutos. Isso é extremamente raro.

Silêncio.

– Eu fiquei morta durante nove minutos?

Ele pigarreou. Olhou para o relógio.

– Você pode confiar na Agnes. Quer dizer, se quiser conversar com ela. Se não, diga a ela que vá embora. Ela está sentada na sala, esperando você acordar.

– Que dia é hoje?

– Ainda é véspera de Natal. – Ele sorriu com simpatia. – Imagino que você não terá um grande Natal este ano. Mas nos feriados eles sempre procuram fazer algo especial na cozinha do hospital.

– Quanto tempo eu devo ficar aqui?

– Vamos ver como as coisas evoluem.

Ele se levantou com uma expressão estranha, que talvez fosse a sua tentativa de sorrir novamente.

5

UTI, Hospital Nacional – Copenhague

– Niels.

Niels acordou com um solavanco e olhou aturdido à sua volta. Ele ainda não tinha visto aquela enfermeira.

– Como é que você está? – perguntou ela.

– Quem é você? Que dia é hoje?

– Meu nome é Randi. Eu trabalho na ala de cardiologia, onde a sua namorada é paciente. Hannah.

– Como é que ela está?

– Ela vai ficar bem. Tem perguntado por você. Você gostaria de falar com ela pelo telefone?

– Que dia é hoje?

Randi arriscou um sorriso amável.

– Vocês dois estão sempre fazendo essa pergunta. Tem alguma coisa que vocês precisam fazer num dia determinado?

Niels tentou se sentar mas sentiu tanta dor no quadril e no ombro que desistiu.

– Fique aí e eu vou trazer um telefone. Volto em dois segundos. – Ela saiu do quarto.

Niels tentou novamente se sentar. Precisava ter controle sobre seu corpo, descobrir como mexer pernas e braços o suficiente para poder fugir. Ir para longe do hospital. Ele pensou nos participantes da Paraolimpíada. Alguns não tinham braços ou pernas e no entanto eram capazes de realizar coisas formidáveis. Certamente ele poderia arrastar sua carcaça até a rua e então pegar um táxi.

Randi voltou com um telefone.

– Tudo bem. Cá estou eu. – Ela digitou o número.

– É a Randi. Eu estou aqui com o amigo da Hannah. Ela está acordada? Não está no quarto? E foi levada por quem? – Ela ouviu com ar preocupado. – Tudo bem. – Ela desligou o aparelho e olhou para Niels. – Alguém levou a sua namorada embora do quarto.

– Eu não estou entendendo.

– Nem eu. A menos que ela tenha piorado.

– O que é que você quer dizer com "piorado"?

Randi saiu do quarto depois de prometer voltar logo. Vinda lá de fora, Niels ouviu uma voz que lhe pareceu muito conhecida. Autoconfiante, brusca, capaz de ser encantadora quando seu dono assim resolvesse. Niels fechou os olhos e fingiu estar dormindo. O que não lhe foi nada difícil. Então ouviu passos se aproximando. Loção após barba Hugo Boss. Um leve vestígio de perfume feminino no paletó.

– Bentzon? – sussurrou Sommersted. – Bentzon? Você está me ouvindo? Não. Você não está parecendo muito bem.

Sommersted não falou durante muitos minutos. Apenas ficou ali sentado. Niels fingiu estar bem longe.

– Bom. Amanhã eu volto, Niels. Espero que você fique bem. Eu... – Sommersted parou repentinamente. Depois se inclinou e murmurou: – Você estava certo, droga. Sobre Veneza. Não sei como é que você ficou sabendo. Mas você tinha razão.

Sommersted se levantou. Resmungou alguma coisa sobre o que Niels havia lhe dito, que o Hospital Nacional seria o próximo local de assassinato. Depois, silêncio total. Niels se convenceu de que seu chefe havia ido embora. Do contrário ele teria adormecido.

6

Corredores do Hospital Nacional – Copenhague

Ela não tem um lugar melhor para estar na véspera de Natal? Hannah não podia deixar de pensar isso enquanto Agnes empurrava sua cama hospitalar para dentro do elevador.

– Até agora tudo bem. Não deixe de me avisar se começar a sentir dor. – A velha sorriu. Dos seus lábios rachados saiu um riso rouco, quase sem som, que revelou uma longa vida de fumante. – Sou aposentada e trabalhei aqui na ala de maternidade até dez atrás, quando me diagnosticaram com câncer. Os médicos me deram dois anos de vida, no máximo. Então eu dediquei meu tempo a algo que sempre havia me interessado. E é por isso que eu a procurei.

– Você está interessada em acidentes de carro?

– Não. Em experiências de quase morte. Talvez essa minha sobrevida se deva ao fato de eu ter passado tanto tempo pensando na morte. Você até pode dizer que a morte pôs em fuga o meu câncer. – Ela sorriu. – De qualquer forma ele ainda não acabou comigo. Eu pareço mórbida? Fique à vontade para dizer o que estiver pensando. Você acha que eu sou maluca, não é?

– Não.

– Então tudo bem. Para mim há uma certa lógica em continuar o meu trabalho de parteira com um estudo de experiências de quase morte. Eu passei a primeira parte da vida ajudando as pessoas a virem ao mundo; estou usando a segunda parte para tentar entender o que acontece quando nós o deixamos.

– Mas eu não tive uma experiência de quase morte.

– Eu quero lhe mostrar o que aconteceu. Onde você morreu. Talvez isso refresque a sua memória.

O elevador chegou ao térreo, e Agnes empurrou a cama para o corredor. Era evidente que ela estava em terreno conhecido. Segurando com as duas mãos a cabeceira, ela empurrou a cama pela sala. Hannah ergueu o olhar para o queixo de Agnes até ela perceber isso e dizer:

– Vamos começar com o fenômeno da experiência de quase morte. O que é isso, exatamente? – Ela respirou fundo. – O fenômeno já é conhecido há muito tempo. Porque houve pessoas que morreram mas depois voltaram à vida e relataram o que experimentaram.

– As últimas convulsões do cérebro?

– Talvez. Poucas pessoas levam a sério essas histórias. A maioria apenas ri. Mas as técnicas médicas melhoraram gradualmente e nós nos tornamos capazes de reviver um número cada vez maior de pessoas, e com isso o nosso conhecimento aumentou bastante. Os médicos e cientistas estão começando a levar a sério o fenômeno. Você já ouviu falar de Elisabeth Kübler-Ross e Raymond Moody?

– Não tenho certeza.

– São dois médicos que na década de setenta empreenderam uma pesquisa pioneira sobre o fenômeno. De acordo com eles, há nove elementos básicos que frequentemente são considerados em relação às experiências de quase morte. Estou falando rápido demais?

– Eu sou astrofísica.

Agnes riu.

– Os nove elementos são: um som de zumbido; a diminuição das dores; uma experiência de estar fora do corpo, na qual o agonizante flutua, por assim dizer, fora do seu corpo; a impressão de ser puxado por um túnel escuro a uma velocidade absurda; a impressão de pairar acima da Terra e de olhar para ela como se de um ponto privilegiado de observação em outro planeta; encontros com pessoas que parecem impregnadas de uma luz interna, frequentemente amigos e parentes já mortos; um encontro com uma força espiritual...

– Deus?

– Talvez. Esse encontro é seguido por um breve resumo da vida da pessoa agonizante. A vida passa diante dos olhos dela, como costumamos dizer. Finalmente – e isso pode parecer o mais estranho de tudo – há uma oferta para voltar à vida ou permanecer onde está.

– Você quer dizer que perguntam para a pessoa se ela quer viver ou morrer?

– Essa é uma maneira de dizer o que ocorre.

– E nesse momento a maioria das pessoas escolhe o novo lugar?

– Parece que sim.

— Que grande bobagem! Vida após a morte.

— Pelo menos de acordo com Kübler-Ross e Moody. Para eles não havia dúvida. Eles consideraram isso uma prova de que um número significativo de pacientes foi capaz de descrever essas experiências. Claro, havia muitos céticos. Um deles era o dr. Michael Sabom. O dr. Sabom realizou ele próprio uma pesquisa. E se surpreendeu muito ao ver o resultado dela: até sessenta por cento dos pacientes ressuscitados na clínica cardiológica onde ele trabalhava foram capazes de descrever sua experiência de quase morte. E com grande detalhe.

Agnes olhou para Hannah antes de prosseguir.

— Há também uma explicação biológica. As pupilas dos olhos se expandem notavelmente quando o corpo está prestes a morrer. Assim, estamos falando de uma percepção visual muito real. Você pode chamar isso de uma forma de ilusão visual sofisticada. Outra explicação física é que no momento da morte o corpo experimenta um tipo de envenenamento por dióxido de carbono. Sabe-se que o envenenamento por dióxido de carbono dá às pessoas a impressão de estarem sendo empurradas ao longo de um túnel. Outros dizem que se trata simplesmente de alucinações. Uma espécie de doença mental.

Agnes Davidsen deu de ombros.

— Talvez tenha a ver com a tentativa subconsciente de ocultar da pessoa o fato quase insuportável de que ela está prestes a morrer. Assim, a mente cria uma experiência para mostrar que a coisa não é tão ruim. A pessoa está rumando para a luz, o calor e o amor. Mas isso não explica tudo.

— Eu achei que você ia dizer isso.

— Existem exemplos de pessoas que morreram e ao voltarem à vida foram capazes de descrever encontros com outras pessoas enquanto estavam mortas, embora na época elas não soubessem que essas outras pessoas estavam mortas. Isso não é fascinante? Agora até a ONU entrou na questão.

— O que é que você está querendo dizer?

Agnes começou a empurrar a cama de Hannah; transpôs uma porta, virou e ajustou o freio.

— Em 2008 aconteceu, com o patrocínio da ONU, uma reunião importante sobre as experiências de quase morte. Os pesquisadores puderam externar publicamente os seus questionamentos sobre a percepção da consciência e todas as experiências que nós não podemos explicar sem sermos ridicularizados.

— A ciência é implacável.

— Sim. Pela mesma razão, no ano seguinte um grupo de médicos resolveu iniciar uma investigação sobre experiências de quase morte.

– Eu não acho que seria fácil estabelecer fatos verificáveis.

– Não. E no entanto um médico inglês propôs um método muito simples, quase bobo.

– Qual é?

– Nos quartos de prontos-socorros e de centros de trauma de muitos países diferentes foram instaladas prateleiras perto do teto. Bem no alto, para que ninguém pudesse ver o que havia nelas. Diversas imagens foram colocadas lá.

Hannah estava começando a imaginar aonde Agnes ia chegar com aquilo. Ela olhou para cima. Inicialmente não viu, mas então olhou para o outro lado do quarto. E lá estava. Bem no alto, dez centímetros abaixo do teto, havia uma pequena prateleira preta.

Agnes estava olhando para ela.

– Ninguém sabe que tipo de imagem está lá. Nem mesmo eu. Ela chegou da sede em Londres num envelope selado.

Hannah sentiu a boca secando e o coração martelando. Queria sair dali.

7

UTI, Hospital Nacional – Copenhague

Uma enfermeira entrou no quarto.
– Isto é para você, Niels. – Ela estava com um livro na mão. – Do dermatologista. Como é que ele se chama?
– Jørgen Wass.
Ela sorriu.
– Você é bom nos nomes.
– Eu sou policial.
Ela lhe entregou o livro.
– O dr. Wass encontrou isso para você. Ele até marcou o lugar. Disse que depois do Natal vai passar aqui para examiná-lo novamente.
Niels olhou para o livro. A capa de couro preto não tinha nenhuma informação.
– Acho que ele fala de doenças da pele.
Uma pequena tira de papel amarelo se projetava fora do livro.
A enfermeira disse mais alguma coisa mas Niels já não a ouvia. Estava olhando para uma foto antiga em branco e preto que mostrava as costas de uma pessoa.
– O que é isso? – Ela não conseguia esconder sua curiosidade. – Uma tatuagem?
Niels não respondeu. Tinha dificuldade para respirar. As costas da pessoa estavam praticamente idênticas às de Niels. Trinta e seis. O número trinta e seis em muitas variações, desenhado com uma virtuosidade que fez seu estômago revirar.
– Alguma coisa errada?

Ele continuou olhando a foto.

– Niels?

– Quem é o homem dessa foto? – Niels se recompôs o suficiente para ler a legenda. – Um paciente. Hospital Nacional. Mil novecentos e quarenta e três. *Síndrome de Worning*.

– Ele é dinamarquês? – perguntou a enfermeira.

Niels folheou o livro grosso. Worning. Seria o nome de alguém? Havia ali outra informação qualquer? Ele precisou desistir.

– Só dizem isso. – Ele olhou para a enfermeira. – De onde veio o livro?

– Do dermatologista. Não sei onde ele conseguiu o livro.

– Eu preciso saber isso. Preciso saber quem é esse paciente. Preciso saber tudo. Ligue para o dermatologista e pergunte para ele.

– Mas é véspera de Natal.

– Agora!

– Só um minuto. – Ela tirou o livro das mãos de Niels. Ele quase protestou, mas se conteve.

Ela saiu do quarto. Antes de fechar a porta, desligou mecanicamente a luz. No escuro, Niels pensou em Hannah.

Luz.

A enfermeira estava de pé na porta.

– Eu apaguei a luz? Perdão. – Ela se aproximou.

Niels tentou acalmar a respiração.

– Você está com dor? Quer água?

– Você falou com ele? – Niels olhou para o livro nas mãos dela.

– Falei. Ele disse para você não se preocupar. Que ninguém morre disso. – Ela sorriu. Niels achou que na verdade ela não tinha falado com o médico. – Ele vem ver você depois do Natal. – Ela lhe devolveu o livro. – Quer ler mais?

De novo Niels estudou a foto, esperando ver mais alguma coisa. Um corpo magro. Braços estendidos lateralmente. O homem estava de pé quando tiraram a foto. Branco e preto. *Síndrome de Worning*. Talvez Worning fosse o nome do paciente.

Niels sentiu como estava cansado.

– No hospital há algum tipo de arquivo?

– Sim, há. Arquivos muito grandes.

– Você já viu esses arquivos?

– Duas vezes em quinze anos. Mas nós não vamos lá embaixo agora. Agora nós vamos dormir. E desfrutar o Natal. Ok, Niels?

Ela pegou o livro e o pôs longe de Niels.

– O homem da foto era paciente da dermatologia neste hospital – disse Niels. Um paciente do Hospital Nacional. É o que está aqui.

– Nós nem sabemos o nome dele.

– Worning. *Síndrome de Worning.*

– Worning também pode ser o médico que descobriu a doença.

Ela puxou as cobertas até os ombros dele. Como uma mãe solícita.

8

Centro de Trauma, Hospital Nacional – Copenhague

Agnes pegou uma caderneta e começou a ler em voz alta. Relatórios de experiências de quase morte vividas por outras pessoas.

– Veja essa, por exemplo. É uma versão editada de uma experiência de quase morte. Foi vivida por uma americana, que a documentou muito bem. Eu traduzi o texto para o dinamarquês. Se a linguagem está meio deselegante, a culpa não é da Kimberly Clark Sharp.

– Kimberly...

– Kimberly Clark Sharp. Temos de remontar à década de cinquenta, quando ela sofreu um ataque cardíaco sério e teve um colapso. Caiu numa calçada, sem respirar e sem pulso. Ouça isto: "A primeira coisa de que eu me lembro foi de uma mulher gritar em pânico: 'Não sinto o pulso dela. Ela está sem pulso!' Mas eu me sentia bem. Bem, mesmo. Na verdade eu achei que nunca tinha me sentido tão bem na minha vida. Tinha uma sensação de grande calma e de estar ligada às coisas, de uma forma que nunca me havia acontecido. Eu não via nada mas ouvia tudo. As vozes das pessoas debruçadas sobre mim. Então tive a sensação de estar em outro lugar – um lugar onde eu sabia que não estava sozinha, mas que eu não via claramente por causa da névoa escura que me rodeava".

Agnes ergueu o olhar.

– Continuo lendo? – Ela prosseguiu antes que Hannah pudesse responder.

Hannah desconfiava que a velha a estivesse submetendo a um estratagema psicológico simples: ao comentar com ela as experiências de quase morte de outras pessoas, Agnes a faria sentir que não era tão estranho passar por algo assim.

E isso, por sua vez, poderia levar Hannah a se dispor a falar sobre sua própria experiência. O estratagema estava funcionando.

– "De repente eu ouvi uma enorme explosão embaixo de mim. Uma explosão de luz que encheu a minha visão. Eu estava no centro da luz, e a névoa tinha desaparecido totalmente. Eu via todo o universo, refletido em camadas infinitas. Era a eternidade se mostrando para mim. A luz era mais forte que cem sóis, mas não me queimou. Eu nunca tinha visto Deus antes, mas reconheci aquela luz como a luz de Deus.

"Eu compreendi a luz, embora não tivesse palavras para ela. Nós não nos comunicamos em dinamarquês ou em outra língua. A comunicação foi num nível totalmente diferente do que a que acontece quando nos comunicamos com uma coisa tão banal como a linguagem. Estava mais para a música ou a matemática."

Com um esforço, Hannah ergueu a cabeça do travesseiro.

– É isso mesmo que ela escreveu?

– É.

Agnes olhou para ela. Hesitante. Depois continuou lendo.

– "Uma linguagem não verbal. E eu sabia as respostas para todas as grandes perguntas, as perguntas que beiram o clichê: Por que nós estamos aqui? Para aprender. Qual é o significado da vida? Amar. Era como se eu estivesse sendo lembrada de alguma coisa que eu já sabia mas tinha esquecido. Então eu percebi que era hora de voltar."

Agnes fez uma pausa para tomar fôlego.

– E veja como Kimberly Clark Sharp conclui o relatório dela: "Eu quase não suportava a ideia. Depois de ver tudo aquilo, depois de encontrar Deus, eu realmente precisava voltar para o mundo antigo? Mas não havia nada a fazer. Eu precisava voltar. Então, pela primeira vez, vi meu corpo e entendi que eu já não fazia parte daquele corpo. Eu não tinha ligação com ele. O que eu entendi naquele momento foi que o meu 'eu' não fazia parte do meu corpo. A minha consciência, a minha personalidade, as minhas lembranças, estavam num outro lugar, não na prisão de carne que o meu corpo representava".

Agnes ergueu o olhar.

– Tem mais? – indagou Hannah.

– A história é essa. Olhe uma foto dela. – Ela passou a caderneta para Hannah, que examinou a figura de uma típica dona de casa americana, como se a foto tivesse sido tirada diretamente de um programa da Oprah Winfrey.

– O corpo como uma prisão. – Hannah estava pensando alto.

– É uma impressão muito comum nos casos de experiências de quase morte. A separação de corpo e alma. Vamos para a Índia?

– Como?

– Experiências de quase morte podem ser encontradas em todas as religiões e culturas. Essa que eu vou relatar agora não está escrita, mas eu me lembro do que aconteceu. Um indiano chamado Vasudev Pandey. Aos dez anos de idade ele teve uma doença misteriosa que o matou.

– Eu sempre desconfiei das histórias que começam com uma doença misteriosa.

– Pela descrição dele seria um paratifo. De qualquer forma ele morreu. Depois de ter sido dado como morto, seu corpo foi transportado para o crematório. De repente ele mostrou sinais de vida. Foi imediatamente levado para o hospital, onde vários médicos o examinaram. Eles tentaram muitas técnicas de ressuscitação, inclusive injeções. Finalmente os médicos conseguiram fazer o coração funcionar de novo, mas ele não estava consciente. Só depois de três dias em coma profundo o menino despertou.

– E então o que foi que aconteceu com ele? – perguntou Hannah.

– Ah, você vai ver. – A velha sorriu. – Você está curiosa. Quando faço palestras sobre esse assunto costumo dizer que as experiências de quase morte impressionam tão fortemente que as pessoas nunca as esquecem. Isso pode parecer ridículo, mas é verdade. Tempos depois Vasudev Pandey descreveu a sua experiência, ou melhor, a *impressão*, de duas pessoas o terem erguido e levado para longe. Pandey logo se cansou, e então as duas pessoas precisaram arrastá-lo. Eles logo encontraram um aleijado.

Hannah riu.

– Um aleijado?

– Eu sei que é engraçado. Mas foi assim que ele descreveu o homem. O aleijado estava furioso e começou a berrar com os dois homens que tinham levado Pandey. "Eu pedi para vocês o jardineiro chamado Pandey", disse ele. "Olhem para o que vocês me trouxeram. Eu preciso de um jardineiro. Mas vocês aparecem aqui com um menino chamado Pandey."

– Parece uma comédia.

– Pode ser. Pandey disse que quando recobrou a consciência um grande grupo de familiares e amigos rodeava o que eles diziam ser um caixão de criança. Entre eles estava o jardineiro chamado Pandey. O menino contou para o homem o que tinha ouvido mas o jardineiro e todos os outros riram dele. O Pandey jardineiro era forte e jovem. Mas no dia seguinte... – Agnes fez uma pausa para impressionar.

– Ele morreu – sussurrou Hannah.

– Isso mesmo.

O silêncio envolveu o quarto como uma bolha à prova de som.

– A história é muito bem documentada. Mais tarde Pandey – o menino – disse que o aleijado era Yama, o deus hindu da morte. O menino disse também que os mesmos dois homens o trouxeram de volta quando ficou claro que eles tinham levado o Pandey errado.

A velha respirou fundo. Era evidente que falar tanto estava exigindo muito dela.

– Não tenho dúvida de que a história de Vasudev Pandey também vai acabar no livro.

– No livro?

Agnes sorriu.

– Pense no que a morte significa para todos nós. É a única coisa de que temos certeza: todos nós vamos morrer. A única coisa que nos liga genuinamente como seres humanos. A única coisa comum a todos nós que transcende todas as fronteiras nacionais, as diferenças culturais e religiosas. Todas essas coisas. Alguns psicólogos dizem que tudo o que nós fazemos se relaciona de algum modo ao fato de que a morte nos espera. É por isso que nós amamos. É por isso que temos filhos. É por isso que nos expressamos. Por outras palavras, a morte está presente em todas as ocasiões. Assim, por que não tentarmos descobrir o máximo possível sobre ela? Eu pensei no fato – e isso parece absurdo, então você pode rir à vontade; estou acostumada com essa relação – de que muitas pessoas leem guias antes de viajar. Querem saber alguma coisa sobre Paris ou Londres, ou outro lugar qualquer para onde estão indo. Assim elas ficam preparadas. A morte é o destino final, e eu quero escrever um guia. Isso lhe parece maluco?

Hannah balançou a cabeça.

– Explicado assim, não.

Agnes Davidsen se inclinou para a frente e olhou bem olhos de Hannah.

– Quer me contar o que lhe aconteceu quando você estava morta?

Hannah hesitou. Em algum lugar um rádio estava tocando música de Natal. "Estou viajando para passar o Natal em casa."

– Hannah... Nós falamos sobre o *momento* da morte, mas ela é mais um processo. A respiração cessa, o coração para de bater e o cérebro deixa de funcionar. Mesmo quando esse processo se encerra, há um período – para alguns indivíduos ele pode durar até uma hora – em que é possível fazer a pessoa reviver. Assim, a questão é: O que acontece com o morto durante esse tempo? É isso que nós estamos pesquisando. – Ela pôs a mão no braço de Hannah. – Quanto tempo você ficou morta?

– Não sei. – Hannah fez um esforço e encolheu os ombros.

– Cerca de nove minutos – disse-lhe Agnes. – Pelo menos foi o que me disseram.

Hannah não respondeu.

– Pode falar à vontade comigo. Eu não vou usar a sua experiência para fazer alguma coisa a que você se oponha. Meu principal interesse é apenas ouvir o que você tem a dizer. Lembre-se de que há muitos elementos comuns nas experiências de quase morte e ao mesmo tempo não existem duas experiências absolutamente iguais. Sempre há pequenas diferenças. Você estaria disposta a me falar sobre isso?

Hannah olhou para a prateleira.

– Acho que não.

– Por que não?

Ela hesitou.

– Acho que eu não quero ser a prova...

Riso rouco de Agnes.

– A prova da vida depois da morte? Não é isso que nós estamos procurando. Nós chamamos esse estudo de estudo da consciência. Assim ele não parece tão assustador.

Silêncio. Finalmente Agnes perguntou:

– Hannah, você sabe o que é que está lá em cima na prateleira? Você viu?

Agnes tentou outra abordagem.

– Você acredita em Deus?

– Não sei.

– Eu pergunto porque muita gente interpreta a experiência de quase morte – o vislumbre que elas tiveram do que pode ser uma vida após a morte – como uma prova definitiva da existência de Deus. Na minha opinião as duas coisas devem ser separadas. Nesse ponto eu discordo dos meus colegas. No meu mundo é possível imaginar uma vida após a morte que não envolve Deus.

– O que é que você quer dizer?

– A coisa mais importante para mim é provar a existência de uma consciência separada do corpo. Atualmente parece que nós acreditamos cada vez mais que tudo pode ser explicado, analisado e categorizado.

Hannah fechou os olhos. Pensou em Johannes. Em como ele era. Na sua figura. Nos últimos meses ela se pegara várias vezes tendo dificuldade em se lembrar do rosto dele. Faltavam detalhes, então ela recorria às fotos. Na primeira vez que isso aconteceu – no final do verão do ano anterior – ela havia ficado arrasada. Sentia-se como uma assassina. Muitas vezes ela pensara no fato de que embora

Johannes estivesse morto, de certo modo ele continuava vivo. Na lembrança dela. Bastava fechar os olhos e vê-lo bem diante dela, em pessoa. Agora que isso não era mais possível ela o havia empurrado definitivamente para a escuridão.

– Hannah?

A voz vinha de longe. Com um ligeiro eco.

– Fique de olhos fechados, se assim é melhor para você.

Hannah não disse nada. Manteve os olhos fechados e tentou se acostumar à escuridão cerrada em torno dela.

– Eu me vi dentro de uma escuridão impenetrável.

Hannah ouviu Agnes abrir a bolsa e tirar de lá alguma coisa. Talvez um gravador. Ou uma caneta.

– Em torno de mim havia ar, de todos os lados. Mas depois – na obscuridade – uma nesga de luz surgiu e começou a aumentar. A princípio era apenas uma listra branca. Como uma única linha de giz num enorme campo de futebol. Um campo negro. Uma coisa plana. Você entende?

– Entendo.

– Ela se ampliou lentamente e se transformou numa espécie de abertura. A luz invadia tudo; era suave e agradável.

Agnes estava respirando calmamente. Hannah não abriu os olhos. Agora ela teria de falar.

– Eu não estava me movendo por conta própria. Fui erguida e me puxaram. Como se tivessem me amarrado cordas – embora eu não as visse. Havia uma quietude que eu nunca experimentara em outro lugar. Uma calma tão... não... eu estava plenamente consciente. Pensava com muita clareza.

Hannah sorriu àquela lembrança, e Agnes deu uma palmadinha maternal no braço dela.

– E então o que foi que aconteceu?

– Eu pensei no Niels.

– Seu marido?

Hannah parou para pensar. Niels é meu marido?

– Você começou a voltar.

– É. Mas não do mesmo modo. Estava mais escuro.

– Então o que foi que aconteceu?

Hannah parecia estar à beira das lágrimas.

– Então eu estava pairando sobre mim mesma. E olhando os médicos trabalhando e trabalhando no meu corpo. Parecia tão estranho. Tão desagradável. Branco e arruinado. Feio.

– Você estava pairando sobre você mesma?
– Estava.
– Nesta sala?
– É.
– Você ficou surpresa com alguma coisa que viu?
Hannah não disse nada.
– Hannah?
– Sim.
– O quê?
– Uma imagem. Uma imagem de um bebê nu. Uma ilustração. Um bebê listrado.
– Listrado?
– É. Como aquela coisa do Flower Power: vermelho, amarelo, verde, azul, todas as cores do arco-íris. As cores mais vivas.
– E então você acordou?
– Não. Então tudo ficou preto. E eu desapareci.
Hannah abriu os olhos e enxugou as lágrimas. Agnes estava sorrindo para ela.
– Tudo bem, então se apresse – disse Hannah. – Eu sou astrofísica. Sei o que é esperar pela prova.
Agnes saiu, e Hannah ficou sozinha por um minuto. Então Agnes voltou com uma escada. Ela subiu. A escada deslizou uns cinco centímetros no chão de linóleo, e Agnes olhou para baixo amedrontada.
– Talvez fosse melhor você pedir a alguém para firmar a escada – disse Hannah.
– Não, está tudo bem.
Agnes Davidsen subiu os últimos degraus e pegou o papel que estava na prateleira. Sem olhar para ele, desceu e ficou diante de Hannah.
– Você está pronta?

9

UTI, Hospital Nacional – Copenhague

Niels começara implorando à enfermeira da noite que lhe emprestasse um computador. Ela se negou a fazer isso, dizendo que era véspera de Natal. Ele precisou ameaçá-la, dizendo-lhe para abrir o armário e tirar de lá sua arma e as algemas. Ela riu, balançando a cabeça, mas voltou com o laptop. Os dedos de Niels mal conseguiam tocar as teclas. Síndrome de Worning. *Enter.* "Síndrome" aparecia muitas vezes, mas "síndrome de Worning" apenas umas poucas. Niels clicou em um dos *links*. A mesma imagem do livro. O homem magro, de cabelo curto e escuro e pernas finas. Lá estava ele, nu, de costas para o fotógrafo. Niels leu o texto:

> Doença da pele. É rara e normalmente se liga à histeria religiosa. A síndrome de Worning começa com linhas rebaixadas ou faixas finas de pele avermelhada que depois se tornam brancas, lisas, brilhantes e mais rebaixadas. Essas linhas ou faixas são explicadas como uma reação a mudanças no peso ou na massa muscular e na tensão da pele.

Niels lamentou não estar com os óculos de leitura. Aumentou a claridade da tela e continuou lendo. O primeiro caso conhecido foi na América do Sul, em 1942. Depois houve dois casos nos Estados Unidos e por fim um caso no Hospital Nacional, na Dinamarca. Thorkild Worning. Telegrafista. Coisa estranha. Normalmente uma síndrome recebe o nome do primeiro paciente conhecido. Ou do médico que a descobriu. O coração de Niels falhou uma batida. Ele voltou à leitura: na maioria dos casos, considerada fatal – *afetando os órgãos do corpo*. Mas não no caso de Thorkild Worning. Ele recebeu alta do hospital. Sobreviveu.

23h15, quinta-feira, 24 de dezembro

A enfermeira encarregada da ala endireitou o jaleco branco e dirigiu a Niels um olhar de poucos amigos.

– Mas por que não? – perguntou Niels. – Eu tenho um nome. Thorkild Worning. E ele deve ter morrido há muito tempo.

– Nós temos de obedecer às leis sobre privacidade.

Niels a olhava insistentemente. A enfermeira pareceu hesitar.

– E se você for comigo? Ou talvez a gente consiga que um médico vá lá conosco. – Então Niels mudou de tática e elevou um pouco a voz. – Escute aqui. Eu preciso ir lá embaixo nos arquivos. Isso é de suma importância.

– Quem faz as normas não sou eu – disse ela. – Uma enfermeira só pode entrar nos arquivos se um médico solicitar um registro médico específico. O que dificilmente acontece. E além disso agora é noite. E véspera de Natal. O lugar está trancado!

Niels suspirou. Pressioná-la não levaria a nada. Claro que não. E ele estava apenas fingindo ser ignorante na questão. Claro que os arquivos com os registros dos pacientes, no porão do Hospital Nacional, não seriam acessíveis a qualquer um. Doenças, tratamentos médicos e a causa da morte eram inegavelmente a mais confidencial informação pessoal imaginável. Ele pensou no que Casper, na sede da polícia, diria se um passante qualquer pedisse para acessar os arquivos de casos da polícia.

– E você não pode arrumar uma chave?

– Sr. Bentzon, o senhor não está entendendo. Entre todos os milhares de empregados do hospital, apenas dois ou três têm acesso aos arquivos. Aquilo é território do Bjarne.

– Bjarne?

– O arquivista. Todos os pacientes admitidos no hospital nos últimos setenta anos estão arquivados. Todos os testes de sangue foram registrados, todas as pílulas que um paciente tomou entraram no complicado sistema que muito poucas pessoas conseguem entender.

– Mas Bjarne é uma delas?

– Ele poderia encontrar as coisas até dormindo.

– Pede-se uma senha? Estamos falando de um banco de dados computadorizado, certo?

– Só do ano 2000 para cá.

– O que é que você quer dizer com "só do ano 2000 para cá"? – Niels percebeu a impaciência na sua voz.

– Os registros médicos só foram informatizados em 2000. O resto faz parte de um arquivo antiquado. Em papel, em pastas.

– Isso deve ocupar muito espaço.

– Quinze quilômetros. Mais de quinze quilômetros de prateleiras. Parece que sai caro demais registrar todos os dados num computador. Há quem diga que levaria até dez anos para completar a transferência. Assim, os arquivos são compostos por armários metálicos, estantes, gavetas, fichas e registros de pacientes. Lá dentro fica todo um mundo. Segredos de todos e de tudo. Astrid Lindgren, a autora de *Píppi Meialonga*, deu à luz secretamente neste hospital. Tenho certeza de que há um registro disso, também.

Niels olhou para a enfermeira e viu a animação nos seus olhos, que tinham ganhado vida.

– Então sinto muito. – Ela deu de ombros. – Posso fazer alguma outra coisa por você?

– Não. Obrigado, de qualquer forma. Eu posso ficar um pouco com o livro?

– Claro.

Ela saiu, deixando-o na alvura do quarto. Niels abriu o livro e olhou para a foto das costas de Thorkild Worning. Sentiu novamente o estômago revirar. Trinta e seis. Não havia nada sobre Thorkild Worning no texto. Niels folheou todo o livro, correndo os olhos pelas páginas na esperança de esbarrar em algo que ele pudesse usar. Havia muita coisa sobre queimaduras. Fotos horrendas: as crianças da Escola Francesa da Alameda Frederiksberg, em Copenhague. Na primavera de 1945 a escola foi bombardeada por engano pela Força Aérea Real. Cento e quatro pessoas morreram queimadas. Oitenta e seis crianças. Muitas sofreram queimaduras medonhas.

Havia artigos sobre todos os tipos de doença de pele. Foi no item "doenças raras" que Niels encontrou a síndrome de Worning.

Ele não conseguiu ver mais nada. Seu corpo simplesmente se recusou. A última coisa que fez foi deslizar o livro para debaixo do travesseiro. – Worning – resmungou ele. – Worning recebeu alta. Ele sobreviveu.

Sobreviveu.

10

23h22, quinta-feira, 24 de dezembro

Talvez Hannah tivesse sonhado. Ela abriu os olhos. Sabia que havia estado dormindo, pelo menos. Olhou para si, para a mão que teimosamente agarrava um papel. Nomes, *sites* da internet recomendados por Agnes, para ela visitar quando estivesse melhor. YouTube: Dr. Bruce Greyson falando nas Nações Unidas; também no YouTube: Dr. Sam Parnia no MSNBC.

Era real. O estudo de experiências de quase morte estava sendo realizado em todo o mundo. Hannah tinha visto a prova. Prova de que a consciência podia existir separada do corpo. Hannah *era* a prova.

Ela queria voltar. Era a única coisa de que tinha certeza. Voltar para o lugar onde sua consciência existia fora do corpo. O lugar onde ela poderia encontrar Johannes. Os pensamentos ricocheteavam dentro do seu cérebro, que durante todos aqueles anos tinha conseguido manter intacta uma inteligência problemática. Uma inteligência que a tornara uma estranha para a sua família, para os amigos, para a própria vida, e que encontrou seu primeiro lar no Instituto Niels Bohr. Aquele foi um período bom. Sobretudo no começo, antes da entrada de Gustav em cena. Eles não deviam ter tido um filho. Era uma desvantagem grande demais para uma pessoa suportar. E "desvantagem" era a palavra certa. Ter uma tal sobrecarga de inteligência era uma desvantagem, não havia dúvida quanto a isso. Ela absolutamente não se incomodaria de deixar o mundo para trás.

Então tudo se encaixou. Como uma equação. Valores que pareciam inconciliáveis se uniram diante dos seus olhos. Hannah estava deitada na cama agarrando o papel com os nomes de cientistas americanos e ingleses enquanto recapitulava todos os elementos: Johannes. O suicídio dele. Consciência. Niels. O sistema. O trinta e seis. Ela sabia que precisava continuar, tinha de deixar seu corpo.

E ela sabia como Niels podia ser salvo.

– Isso é muito ruim? – murmurou ela para si mesma enquanto erguia as cobertas para ver seu corpo ferido. Ela não sabia. Estava quase tudo coberto por ataduras. Talvez fosse por causa das decorações de Natal que alguma enfermeira esforçada tinha dependurado no quarto, ou talvez fosse a química que lhe haviam administrado, mas quando ela se olhou teve a imagem pueril de um presente de Natal. Se a envolvessem com uma fita, ela estaria pronta para ser posta sob a árvore.

Hannah tentou girar as pernas para fora da cama, mas elas resistiram.

– Ora!

Tentou novamente. Dessa vez pôs no esforço toda a sua energia. O suor frio que porejou na sua pele seguiu-se à dor: na nuca, descendo pela coluna, até as coxas. Ela persistiu e tirou as pernas da cama. Ficou quieta. Depois, com um movimento rápido, tirou o soro da mão. Sentiu o sangue morno descer por entre os dedos e apertou a outra mão sobre a picada para estancar o fluxo. Depois se encaminhou para a porta.

Até mesmo o Hospital Nacional estava economizando energia. A luz só acendeu quando Hannah passou capengando diante de um sensor. Uma enfermeira apressada cruzou com ela no final do corredor. Fora isso a ala estava deserta. Hannah andava com muita dificuldade. Tinha a impressão de que puxavam a sua panturrilha; era como se o chão estivesse tentando se apoderar da sua perna. Ela não tinha ideia da sua localização no prédio do hospital. Dois médicos vinham na direção dela. Hannah abriu a porta de uma sala e entrou, fechando a porta atrás de si. Ficou esperando.

– Você veio rápido. – A voz assustou Hannah.

Uma moça de uns vinte anos estava deitada numa cama hospitalar. Tinha o pescoço engessado e falava com dificuldade.

– Estou com muita dor. Foi por isso que eu toquei a campainha.

Hannah se aproximou. A moça havia seguramente quebrado o pescoço, porque não conseguia manter a cabeça erguida.

– Eu não sou enfermeira. Sou paciente aqui, como você.

– Você está perdida?

– Estou.

Elas olharam uma para a outra tentando encontrar o que dizer para dar um sentido àquela situação.

– Fique boazinha. Eu espero que você melhore – disse Hannah, e em seguida saiu. Quando fechou a porta sentiu o desapontamento da moça espetando a sua nuca. Mas não havia tempo. Era preciso encontrar Niels.

– O que é que você está fazendo aqui?

Hannah havia trombado com uma enfermeira.

– Você devia estar na cama. – A mulher tentou ser amável mas a irritação e o cansaço estavam logo abaixo da superfície.

– Eu preciso encontrar... – Hannah percebeu que estava apertando a mão da enfermeira. Como estava se apoiando nela, se a moça a soltasse ela cairia.

– Não, você precisa ficar na cama. Você sofreu um grave acidente de carro e o repouso é importante para a sua recuperação.

– Eu tenho de encontrar o Niels. Você precisa me ajudar.

Hannah se soltou. Ela não soube onde encontrou a força para isso, mas conseguiu se arremessar pelo corredor. Ouviu a enfermeira gritar atrás dela:

– Alguém me ajude aqui!

Hannah caiu. Quando a enfermeira a alcançou, ela a agrediu. Não foi um golpe forte, mas sua mão atingiu a face da enfermeira. De todas as direções surgiram pessoas de jaleco branco. Hannah não tinha ideia do lugar de onde elas podiam ter vindo, do lugar onde elas estariam um momento antes.

– Ela me bateu. – A enfermeira estava prestes a chorar.

Hannah foi vigorosamente levantada. Estendeu o braço, tocou a mão da enfermeira e sussurrou:

– Desculpe. – Ela ficou sem saber se a mulher a havia ouvido ou não.

Puseram-na de volta na cama. Com um novo soro. Hannah tentou afastá-los.

– Tirem as mãos de mim!

Vozes tranquilizadoras entoaram: *Descanse, vai ficar tudo bem, fique calma.*

– Me larguem! – gritou ela. – Niels! Niels!

Ela ouviu um eco na sua voz e ficou sem saber se apenas tinha sonhado tudo aquilo.

11

23h40, quinta-feira, 24 de dezembro

Talvez fosse véspera de Natal. Niels olhava para a neve lá fora. Não sabia há quanto tempo estava acordado. A porta abriu.
– Niels? Telefonema para você. É a Hannah. – Randi estava de pé na soleira da porta com o telefone na mão.
– Você está a fim? Acho que ela quer muito falar com você. Até tentou fugir do quarto dela para encontrar você.
Ele tentou dizer que sim, mas a palavra ficou empacada na sua garganta. A enfermeira lhe entregou o telefone.
– Hannah? – disse ele.
– Niels?
– Você está viva.
Ele pôde perceber que Hannah estava sorrindo.
– Estou. Eu estou viva. Niels, aconteceu uma coisa realmente incrível.
– Você também viu?
– O bebê listrado?
– Bebê? Do que é que você está falando?
– Niels. Eu morri. Duas vezes. Estive do outro lado durante nove minutos!
Niels olhou pela janela enquanto Hannah lhe contava que havia morrido e depois voltado à vida. Que vira o que havia na prateleirinha perto do teto. Eles ficaram por algum tempo saboreando o silêncio, um atento à respiração do outro.
– Eu queria ver você.
Ele ouviu o anseio na voz dela. Então ela teve uma ideia.

– Tente dirigir a sua lâmpada de cabeceira para a janela. Dá para fazer isso? Você está podendo mexer os braços?

– Estou.

– Tudo bem. Eu vou fazer a mesma coisa.

Niels levou o abajur até a janela e dirigiu a luz para fora, iluminando a neve. Naquele mesmo instante ele viu uma luz na ala oposta do prédio, colocada numa janela quase no mesmo nível.

– Você está vendo a minha luz?

– Estou.

Silêncio.

– Niels, que bom que eu encontrei você. Embora nós tenhamos acabado aqui no hospital.

Niels a interrompeu.

– Há um precedente, Hannah.

– Um precedente para o quê?

– Aqui no hospital. Em 1943. Eu vi uma foto do homem. O nome dele era Thorkild Worning. E ele tinha exatamente a mesma marca nas costas. O número trinta e seis. O dermatologista me mostrou.

A porta do quarto abriu. Era Randi.

– Por hoje chega.

– Hannah. Você está me ouvindo? Ele sobreviveu. Não é certeza que tudo vá terminar amanhã.

A enfermeira estava de pé diante de Niels.

– Mais dois minutos. – Ela balançou a cabeça e saiu.

– Você consegue andar, Hannah?

Niels ouviu um ruído forte no telefone. Talvez ela tivesse deixado o aparelho cair. Ele esperou que ela ligasse novamente. Mas nada aconteceu, fora a entrada de Randi, que pegou o telefone e saiu outra vez.

Ele pegou a lâmpada. Desligou-a e ligou-a duas vezes. Logo em seguida, exatamente no mesmo ritmo, a lâmpada da ala oposta repetiu o sinal. Niels e Hannah. Separados mas ligados.

12

Sexta-feira, 25 de dezembro, 2009

Niels tentou mexer as pernas. Doeu, mas depois de pouco tempo seus pés já podiam novamente ser controlados. Sem sentir os músculos das coxas, ele se esforçou para despertar neles um pouco de vida. A princípio não teve sucesso, mas lentamente, muito lentamente, ele foi capaz de levantar as pernas.

A dúvida era se isso seria suficiente para ele poder fazer todo o percurso até os arquivos.

00h01 – 15 horas e 40 minutos até o crepúsculo

Niels parou de repente ao ouvir um grito. Seria Hannah? Impossível. Ela estava longe demais.

Ele andava como um velho. A dor nos tornozelos só lhe permitia arrastar os pés. Sua cabeça estava pesada, como um peso que ele fosse forçado a arrastar consigo; ele gostaria de poder cortá-la fora e carregá-la debaixo do braço. Duas costelas quebradas tentavam empurrar a sua pele, ou pelo menos era isso que lhe parecia. Como um corpo que devia ser partido em pedaços e guardado para esperar por tempos melhores.

Niels esperou uma eternidade, e quando o elevador chegou, um servente sonolento que saía olhou para ele. O homem não pareceu absolutamente surpreso por ver um paciente ferido fora da cama.

Ao parar no subsolo, o elevador deu um solavanco e Niels quase perdeu o equilíbrio. Ele saiu e olhou em torno. Viu uma placa: ACESSO PERMITIDO APENAS AO PESSOAL AUTORIZADO. Empilhados num canto estavam dezenas de colchões envoltos em plástico. Uma fileira de cadeados de metal se estendia pela parede, fazendo Niels pensar numa escola secundária americana. E havia também muitas portas – que lhe pareceram em número infinito ao longo dos corredores, como uma série de segredos. Niels experimentou algumas maçanetas mas estavam todas travadas. O único espaço em que pôde entrar – provavelmente graças ao descuido de algum funcionário – foi uma espécie de oficina. Apesar da pouca luz, ele conseguiu ver caixas de ferramentas, bancadas, serras, martelos e chaves de fenda. Então voltou para o corredor. Perguntou-se se estaria perto dos arquivos. Tentou pensar retrospectivamente; apenas uma semana atrás ele havia zanzado pelo hospital. Teria visto os arquivos nessa ocasião?

Vozes.

Do seu esconderijo atrás de um colchão colocado em pé contra a parede, Niels ouviu dois homens passarem. Um deles – o que falava muito alto – estava dizendo que a sua mulher tinha fobia de sexo. O outro homem riu. Então eles desapareceram no elevador. Niels esperou um pouco antes de rumar para a direção oposta. Ainda doía quando ele andava, e por isso ele avançava lentamente, mas estava se acostumando à dor. Suas costas eram o que mais doía, ao passo que os tornozelos simplesmente haviam ficado dormentes. Ele se recostou na parede e seguiu rastejando.

ARQUIVOS CENTRAIS

A placa e a flecha lhe deram um ânimo novo. Niels foi em frente, contornou um canto e se viu diante de uma porta. Não viu a placa ARQUIVOS, mas aquela era a única porta para a qual a flecha podia estar apontando. A porta estava trancada. Claro. E agora? Se ele estivesse na sua condição física normal talvez pudesse arrombá-la. Mas naquele momento isso estava fora de cogitação. Além do mais haveria muito barulho. Mas e a oficina?

As pernas de Niels reagiram antes do seu cérebro, levando-o de volta para a oficina. A porta estava aberta. Ele se arriscou e acendeu a luz. Pôsteres de mulheres nuas enchiam as paredes. Um cachecol com o emblema do time de futebol FCK estava jogado numa cadeira. Niels abriu uma gaveta e tirou de lá uma chave de fenda grande. Na parede havia um martelo pendurado em dois pregos. Alguém tinha desenhado com tinta o seu contorno, o que fez Niels se lembrar das linhas que os técnicos frequentemente desenham no chão em volta da vítima, no local do assassinato.

Ele conseguiu inserir a ponta da chave de fenda na fresta que havia entre a porta e o batente, imediatamente acima da fechadura. Então deu um golpe forte com o martelo. Depois da primeira tentativa viu que não levaria muito tempo para abrir a porta, pois a chave de fenda penetrara um pouco mais na abertura. Depois de mais dez tentativas a fechadura metálica cedeu. Niels teve de parar para se recompor. Respirou fundo, tentando se concentrar.

Então ele entrou nos Arquivos Centrais do Hospital Nacional.

Quinze quilômetros de registros de pacientes. Niels se lembrou do que a enfermeira havia lhe dito.

Quantos arquivos haveria ali? Centenas de milhares? Milhões? Para homens, mulheres e crianças de todas as idades. Todos os que nos últimos setenta anos haviam sido algum dia tratados no Hospital Nacional estariam relacionados naqueles arquivos.

Havia um leve cheiro de amônia. Niels ficou quieto e atento. Um zunido leve e constante vinha das instalações elétricas e de vários dutos; o tipo de som que só notamos quando cessa. Ele acendeu a luz. Susteve a respiração e olhou desanimado para as intermináveis fileiras de armários, prateleiras e sistemas de catálogos que se estendiam a perder de vista. A enfermeira tinha dito que os arquivos eram um sistema complexo que muito poucas pessoas entendiam. Niels acreditou nela. Quando o arquivista – o nome dele era Bjarne? – resolvesse se aposentar, talvez fosse sensato contratar bem antes o seu sucessor, que precisaria ficar em treinamento durante muito tempo.

Niels ouviu um som que o fez desligar a luz.

Vozes. Talvez alguém tivesse percebido que a porta estava aberta. Talvez tivessem visto a luz acesa e estranhassem a presença de alguém nos arquivos no meio da noite. Ou ele simplesmente havia imaginado os sons? Talvez as vozes fossem um produto da crescente paranoia que estava começando a tomar conta da sua mente. Niels resolveu arriscar e prosseguir. Avançando hesitantemente, ele percorreu os corredores de prateleiras e armários. Não tinha certeza, mas achava que tinha transposto a porta do fundo. Talvez fosse mais fácil ter uma visão geral do lugar se ele começasse na outra extremidade. Quando chegou à porta do lado oposto, ele encontrou uma mesa. Uma mesa velha de metal com pernas enferrujadas e cheia de xícaras de café, copos de água pela metade e uma caixa de pastilhas para a garganta. Niels olhou à sua volta. Tinha de ser possível conseguir uma visão geral.

Seu olhar recaiu em alguns livros com encadernação de couro que estavam lado a lado na prateleira inferior de uma estante. Eles tinham continuidade nas outras prateleiras. Niels pegou um: *Registros de Internação*. O exemplar escolhido cobria o período de outubro a novembro de 1971. Não era o que ele precisava. 1966. 1965. Ele foi para o outro lado do corredor. 1952. 1951. A década de 1940. Niels sentiu o coração se acelerar. 1946. 1945. 1944. Finalmente: 1943. Havia muitos livros para aquele ano. Ele folheou um deles. As páginas eram finas como papel de arroz e estavam grudadas umas às outras; aqueles livros não eram abertos havia anos. Ele procurou em "W" a palavra "Worning" mas não encontrou nada. Por quê? Os pacientes não eram relacionados em ordem alfabética? Então ele se deu conta: os nomes estavam em ordem alfabética, mas a lista recomeçava a cada mês. Aquele livro continha nomes de pacientes apenas dos meses de janeiro, fevereiro e março de 1943. Ele pôs de volta o livro e pegou o seguinte. Abril, maio e junho de 1943. Havia dois pacientes com o sobrenome Worning. Julia e Frank, mas não Thorkild. Ele tentou outro livro. Algumas páginas estavam soltas. Julho, agosto, setembro. Nada em julho nem em agosto. Mas nos registros de internação de dezembro de 1943, bem no pé da página, estava escrito Thorkild Worning. Niels achou numa gaveta uma caneta esferográfica. Na atadura que cobria a perfuração para a administração do soro na sua mão ele escreveu o que viu no livro: *Seção H, arquivo nº 6.458*. Depois voltou para os corredores de prateleiras.

E agora? Só então Niels notou que nas estantes havia minúsculas etiquetas com anotações manuscritas. Eram letras do alfabeto: A, B, C, D, E, F, G, H. Ele olhou para a estante que tinha diante de si. Estava tão próxima das outras que lhe seria impossível se espremer entre elas. Então ele viu uma alavanca projetando-se das prateleiras. Pegou-a e empurrou. A estante deslizou para um lado e ele se posicionou no espaço que se abriu. Viu caixas que tinham pequenas fichas, mais uma vez rotuladas por ano. Havia várias caixas para cada ano. 1940, 1941, 1942, 1943. Niels puxou uma das caixas de 1943. Janeiro, fevereiro, março. A próxima caixa. Setembro, outubro, novembro. E finalmente: dezembro. Ele correu os dedos pelo alto das fichas. Pedaços de papel amarelo. Rosenjøj, Roslund, Sørensen, Taft, Torning, Ulriksen. Lá estava! Thorkild Worning. Niels tirou a ficha e leu. *Thorkild Worning, internado no dia 17 de dezembro de 1943. Paciente dermatológico. Registro médico número 49.452*. Ele atentou para o número. 49.452. Pôs a ficha no bolso e voltou para o corredor. As prateleiras do outro lado continham os registros dos pacientes: 26.000 a 32.000. Ele foi percorrendo a fileira: 35.000 a 39.000. Estava tão nervoso que pensou em cigarros. 48.000 a 51.000. Parou. Era ali. Ele puxou a alça e as estantes se afastaram uma da outra. Então parou e respirou fundo, sentindo que seu corpo estava muito tenso. Ele sentia na boca um gosto químico ruim. Deu uma olhada rápida para a ficha que tinha na mão, embora isso nem fosse necessário. Ele tinha decorado o número: 49.452. O registro médico referente a Thorkild Worning.

Niels encontrou rapidamente o lugar certo. Descrições do estado de saúde dos pacientes e tipos de tratamento. Alguns ocupavam meia página, ao passo que outros eram quase uma novela. 49.452. "Thorkild Worning", estava escrito no alto da página. Internado no dia 17 de dezembro de 1943. Havia duas fotos, ambas em branco e preto. Uma delas era a mesma foto que ele vira no livro. A foto das costas de Thorkild Worning. Com a mesma marca, igual à de todos os outros que haviam morrido. Apenas com um número diferente. Trinta e seis. Como nas costas de Niels. A outra foto mostrava o rosto do paciente. À primeira vista Thorkild Worning parecia um tipo absolutamente comum. Um homem que podia ser encontrado atrás do caixa de um banco em 1943. Cabelo escuro puxado para trás e com uma risca impecável; nem um único fio fora do lugar. Um rosto fino e bem proporcionado. Óculos com armação redonda de aço. E no entanto havia algo nos seus olhos. Algo maníaco, quase demoníaco, na expressão do homem. O texto sob as fotos era decepcionantemente curto e escrito em estilo frio, clínico:

Internação 17-12-1943

Conclusões clínicas:

O paciente passou hoje por um exame preliminar. Queixou-se de dor forte nas costas. As compressas frias que lhe foram aplicadas não surtiram efeito. O paciente tem um inchaço significativo nas costas. Parece hostil e alheio. O paciente diz que a marca apareceu sem ser provocada e a dor está aumentando. O paciente descreveu a dor como "uma sensação abrasadora, corrosiva". E depois como "a sensação de que a minha pele está queimando a partir de dentro". Ele afirmou que a dor é intensa não só na pele como também por dentro das suas costas. "No meu sangue", como disse o paciente. O paciente foi tratado com aspirina mas sem o resultado esperado. O paciente parece ser extremamente desequilibrado e trata os médicos com desdém. Um exame das costas do paciente indicou uma forma de eczema grave, erosão ou possivelmente um estado desconhecido de inflamação. Recomenda-se o teste de alergia a metal na clínica dermatológica de Finsen. Não há pus vazando nas suas costas, embora a pele esteja vermelha e inchada. Sua pele apresenta um desenho nítido. O comportamento agressivo do paciente está se exacerbando. Ele está delirando e produzindo vômito com sangue.

Ocupação e estado civil do paciente:

Telegrafista. Casou-se com sua atual mulher em 1933. Reside em um apartamento de um quarto na Alameda Rahbæks.

Consumo de álcool e tabaco:

Moderado.

Outros órgãos:

Nenhuma queixa específica, fora um pouco de artrite em um ombro. Não se cogita relação.

Avaliação psicológica:

23-12-43: Presume-se que a enfermidade seja consequência de desequilíbrio mental. O paciente foi transferido para o departamento de psiquiatria do Hospital Nacional na manhã do dia 23 de dezembro.

Dr. W. F. Pitzelberger

Niels releu várias vezes o relatório médico antes de colocá-lo no bolso. Não sabia o que pensara que encontraria, mas tinha esperado mais. Voltou para o corredor, tentando esquecer o desapontamento e se convencer de que aquele era um passo intermediário necessário. Era no departamento de psiquiatria que ele encontraria a resposta para... o quê? Não era exatamente isso que Hannah tinha tentado lhe dizer? Que há muito tempo a ciência havia deixado claro que a ignorância humana era monumental? E que cada vez que se fazia um avanço, ele apenas revelava que havia mais e ainda maiores camadas de ignorância? Finalmente Niels se perguntou: Como foi que Worning sobreviveu?

Como qualquer policial de Copenhague, Niels conhecia o departamento de psiquiatria do Hospital Nacional, localizado na esquina diagonalmente oposta à do hospital. Era lá que a polícia entregava os loucos – pessoas que não podiam ficar na prisão. Havia muitos criminosos reincidentes. Demasiados. Na sede da polícia se discutia frequentemente esta questão: o número de leitos dos pavilhões psiquiátricos estava sendo constantemente reduzido. Se os políticos soubessem que os pacientes psiquiátricos cujo tratamento não era adequadamente financiado passavam frequentemente a integrar as estatísticas de crime, por certo eles pensariam duas vezes antes de reduzir o orçamento.

Niels saiu dos arquivos mas precisou deixar a porta aberta.

Ele ouviu vozes aproximando-se. Vindas do elevador. Tinha de acontecer, mais cedo ou mais tarde; obviamente eles iriam procurá-lo.

– É ele! Ali! – gritou alguém atrás dele.

Niels virou num canto e entrou em outro corredor, depois dobrou noutro canto e chegou a um saguão quase totalmente escuro. Ainda estariam atrás dele? Ele parou e ficou atento.

Ouviu uma porção de palavras bem-intencionadas ditas em voz áspera.

– Ei, você! Ei, cara. Os pacientes não podem vir aqui embaixo.

Niels não parou. Outro saguão. Seu pé tropeçou em algo e ele quase caiu. Mas se reequilibrou e continuou. Ele achava, pelos sons e vozes ouvidas, que mais de duas pessoas o perseguiam. Não se virou; isso seria uma perda de preciosa energia. Mas eles não demorariam a alcançá-lo.

Niels se viu dentro do elevador. Ele deve ter andado em círculo.

Um servente estendeu o braço e o agarrou. Niels não viu o rosto do homem, mas notou que ele estava usando um jaleco de laboratório e parecia determinado a segurar firmemente o seu braço. Teve medo que o homem lhe quebrasse o pulso. Outras pessoas o perseguiam. Eles estão esperando o quê?, pensou Niels.

– Já está na hora de ir para a cama, cara.

O servente tentou empurrá-lo para fora do elevador. Niels usou toda a sua raiva para convocar os últimos vestígios de energia. Girou e golpeou com o joelho a virilha do homem. Xingando, o servente relaxou a mão. Só por um segundo, mas o suficiente para Niels empurrá-lo para fora do elevador. A última coisa que ele viu antes de as portas fecharem foi o servente cair no chão de cimento.

13

2h41 – 13 horas antes do crepúsculo

O frio era maligno e pessoal. Perseguia Niels aonde quer que ele fosse.

Niels estava correndo de meias pela neve. Atravessando o estacionamento, em direção ao departamento psiquiátrico. Ele tirou as meias e as lançou longe. Não lhe estavam valendo para nada. Um motorista de táxi lhe dirigiu um olhar assustado ao sair do carro. Niels sabia o que ele estava pensando: bom que aquele maluco esteja correndo para o hospício e não fugindo de lá. Niels se perguntou se não seria mais sensato entrar no táxi. Ir para casa, pegar algum dinheiro no apartamento para pagar o motorista. Encontrar o passaporte e...

A Emergência da ala psiquiátrica nunca fechava. Ataques súbitos de ansiedade, conduta perturbadora, depressão, paranoia ou ideias de suicídio não se restringiam ao horário comercial. Um casal estava tentando acalmar a filha adolescente anoréxica que dizia aos berros não querer mais viver essa droga de vida. A mãe chorava. O pai parecia disposto a dar umas bofetadas na garota. Logo depois da porta um homem estava deitado no chão, dormindo. Ou então ele estava... Niels rejeitou a ideia. Claro que ele não estava morto.

Niels pegou uma senha e se sentou com os outros pacientes, sem querer atrair a atenção, embora quase ninguém o fitasse. Baixou a cabeça e olhou para os pés. Estavam vermelhos e desprendendo um leve vapor, agora que recebiam o calor da sala de espera. Seus dedões estavam insensíveis. A mulher atrás do balcão mandava para casa a maioria das pessoas depois de conversar brevemente com elas. Sua tarefa era essa. Ela era a primeira linha de defesa do sistema. Um anteparo humano. Muitas pessoas choraram ao serem atendidas. Era de cortar o coração, mas Niels sabia que havia boas razões para ela agir daquele modo. Mais que qualquer outro lugar, a Emergência psiquiátrica atraía almas solitárias que ansiosamente faziam todos os tipos de alegações apenas para ganhar um momento de atenção de outro ser humano. "Lembre-se: os dinamarqueses são o povo mais feliz do mundo", escreveu na parede alguém que tentava ser engraçado.

A adolescente anoréxica recebeu uma injeção e logo desapareceu no sistema. A mulher atrás do balcão se levantou para acompanhar a moça e seus pais. Era o momento pelo qual Niels estava esperando. Ele se esgueirou para trás do balcão e por um longo corredor, depois parou e olhou à sua volta. As paredes de tons pastel tinham uma decoração quase fanática: uma profusão de corações natalinos, duendes e guirlandas. Uma porta se abriu atrás dele.

– Você quer brincar? – Uma linda mulher de uns quarenta anos com um inquieto olhar maníaco estava atrás de Niels e dava risadinhas como uma colegial. Ela havia borrado com batom a parte inferior da face e não parecia muito sóbria. Aproximou-se de Niels. – Vamos, Carsten. As crianças estão dormindo. Já faz tanto tempo que...

– Carsten já está chegando – disse Niels, e se apressou pelo corredor.

Os arquivos não estariam localizados na ala de atendimento, resolveu ele. Arquivos ficam sempre no porão. Era sempre assim.

Paredes de tijolo. Um porão velho, deteriorado, que vinha recebendo umidade havia anos. Esses corredores eram consideravelmente menores que os que ele atravessara no outro prédio do hospital. Niels encontrou duas salas vazias e um quarto cheio de cadeiras dobráveis e mesas de terraço. Mas nada de arquivos. Então seguiu em frente. Eles tinham de estar lá. Mais salas. E depois a porta no final do corredor. Não havia placa nela, mas do lado de fora estavam empilhadas algumas caixas com registros médicos. Niels olhou em torno procurando algo que pudesse usar para arrombar a porta. Encontrou um tanque de oxigênio vazio. Já ia arremessá-lo contra a pesada porta mas mudou de ideia e pegou na maçaneta. Ele estava com sorte. A porta não fora trancada.

Aqueles arquivos eram minúsculos se comparados com o que ele acabara de visitar. Dessa vez ele conhecia o procedimento: encontrar o livro de entrada com o número do arquivo, depois a ficha com o número do registro, depois o arquivo do paciente. Ele precisou de apenas alguns minutos para localizar o armário dos arquivos com os pacientes a partir de 1943. Depois disso foi fácil achar o paciente número 40.12, Thorkild Worning. O relatório psiquiátrico era bem mais extenso e detalhado que o relatório dermatológico.

23 de dezembro de 1943

O paciente deu entrada. O paciente se queixa de dor aguda nas costas.

Conclusões clínicas:

O paciente tem nas costas uma doença de pele que no momento não pode ser definitivamente diagnosticada, mas acredita-se que se deva a uma forma de infecção bacteriana. Convocou-se um dermatologista da clínica de Finsen. O paciente sofre de oscilações de humor e num intervalo de segundos pode passar do silêncio total para os gritos e um comportamento perturbador. Ele está sendo tratado com um medicamento ansiolítico, mas sem resultado. O paciente demonstra claramente seu desagrado por estar sendo examinado e pelas perguntas que eu lhe faço. Sinais de esquizofrenia. Às vezes ele se mostra lúcido e entende por que foi hospitalizado.

No primeiro dia, o paciente ficou deitado, apático, recusando-se a falar com qualquer um. Ele perguntou por sua esposa e exigiu que ela traga seu equipamento de rádio para ele se comunicar. Recusou-se a comer. De tarde, foi questionado se gostaria de sair da cama, o que provocou um ataque de raiva, que terminou com o paciente se ajoelhando e pedindo perdão a Deus. Todavia, mais tarde ele disse não ser uma pessoa religiosa. Ele ficou relativamente calmo durante a noite.

Medicação:

Não houve tratamento anterior com medicação.

23 de dezembro de 1943

Falou em vozes que o impediam de dormir.

O paciente disse que não conseguia dormir de noite porque uma voz interna o mantinha acordado. O paciente não queria explicar de quem era a voz ou o que ela dizia. Ficou calmo durante o dia. Foi visto ajoelhado no quarto, murmurando versos bíblicos. Indagado sobre qual verso estava recitando, ele se recusou a responder e deu a impressão de que ia assumir uma atitude hostil, mas se acalmou depois de conversar com um psiquiatra. A conversa terminou com o paciente voltando a declarar que não acredita em Deus mas acha "conveniente rezar de vez em quando". À noite ele se queixa de insônia e dor.

Medicação:
Recomendada administração de morfina – escopolamina 0,75 ml.

Observações:
Conversa com Levin solicitada.
Pediu-se ajuda ao dr. G. O. Berthelsen.

24 de dezembro de 1943

O paciente teve uma noite intranquila. Não dormiu, ameaçou um atendente e gritou várias vezes que "promete prestar atenção". Esta manhã o paciente sofreu um acesso de raiva. "Estou ficando furioso", ele gritava. Vale a pena observar que durante esse ataque, assim como durante outros acessos agressivos anteriores, o paciente dirigiu para si mesmo toda a sua raiva. Ele nunca representou perigo para os que estavam à sua volta. Por outro lado ele bate, morde e arranha a si mesmo num grau que deve ser qualificado de extenso. Diz frequentemente: "Eu vou gritar até tirar você do meu corpo". Não se sabe quem é esse "você". As tendências autodestrutivas do paciente são tão pronunciadas que se teme o suicídio.

A família do paciente entregou ao hospital duas cadernetas, que durante os dias imediatamente anteriores à internação o paciente preencheu com sua correspondência de "escrita automática" com Deus. Há uma série de perguntas com a caligrafia do paciente, que Deus responde com uma letra grande, infantil, que é na verdade a letra do paciente, apenas maior. Em alguns lugares o que Deus escreve está tão pálido que quase é ilegível, aparentemente para o próprio paciente, porque na linha seguinte ele pede para a resposta ser escrita mais claramente. Às vezes a resposta de Deus não passa de tagarelice. O conteúdo dessas cadernetas é muito estereotipado, ingênuo e sem imaginação, caracterizado por um complexo de inferioridade e referências à chamada missão do paciente. Além disso, o paciente preparou documentos endereçados às pessoas do mundo. Ele ticou vários artigos de um jornal norueguês.

Tratamento:

Recomenda-se que o paciente seja tratado com a nova terapia de eletrochoques.

Observações:

Apesar do agressivo tratamento com eletrochoques, não foi possível induzir o paciente a desistir do seu comportamento autodestrutivo. Com isso se decidiu amarrá-lo.

24 de dezembro de 1943

Pela primeira vez desde a internação o paciente quis ver sua mulher, Amalie Hjort Worning. A sra. Worning, que parece extremamente preocupada com a situação, tentou acalmar o marido. Eles passaram a manhã juntos no quarto dele. Quando foi embora, mais ou menos na hora do almoço, ela comentou com uma enfermeira que o marido parecia calmo, embora dizendo coisas que não tinham sentido. Ele queria que ela lhe levasse seu equipamento de rádio.

Radiologia:

Foi solicitada uma consulta.

Conversa supervisionada com uma estenógrafa presente. Médico da psiquiatria P. W. Levin.

14

3h34 – 12 horas e 7 minutos até o crepúsculo

Niels folheou as páginas restantes de transcrição das conversas com o paciente. No canto superior esquerdo havia um carimbo: "Aprovado para fins de treinamento". Niels leu:

Levin: Sr. Worning. A estenógrafa que está aqui vai anotar a nossa conversa. Não tendo de fazer meus próprios resumos das minhas conversas com os pacientes eu economizo muito tempo. Mas é só para o meu uso. Você entende?

Worning: O senhor pode fazer o que quiser com ela.

Levin: Para o meu relatório eu preciso primeiro de algumas informações gerais sobre o senhor. Onde o senhor nasceu?

Worning: Eu nasci em Århus.

Levin: Em 1897? Sr. Worning, seria melhor se o senhor respondesse às perguntas com palavras, senão a estenógrafa não pode...

Worning: TUDO BEM!

Levin: O senhor pode falar alguma coisa sobre a sua família? Seu pai e sua mãe?

Worning: O meu pai trabalhava no porto como estivador. Minha mãe era dona de casa.

Levin: O senhor acha que teve uma infância boa?

Worning: Eu nunca apanhei nem sofri abuso.

Levin: O senhor tem irmãos ou irmãs?

Worning: Os dois morreram de tifo. Com dois anos de diferença um do outro. A minha mãe nunca se recuperou da morte deles.

Levin: E o seu pai?

Worning: Ele só bebia um pouco mais. Bem mais.

Levin: O senhor estudou, não estudou? O senhor classificaria os anos que passou na escola como normais?

Worning: Sim.

Levin: E o senhor não notou alguma coisa... incomum na sua pessoa?

Worning: Incomum?

Levin: O senhor era como todas as outras crianças? Tinha amigos?

Worning: Tinha.

Levin: Alguma vez o senhor se sentiu particularmente deprimido ou...

Worning: Acho que eu era como todos os outros.

Levin: O que foi que o senhor fez depois de concluir a sua educação escolar?

Worning: Eu fui trabalhar no porto com o meu pai. Foi uma época boa até...

Levin: Até o quê?

Worning: Até o acidente.

Levin: Que acidente?

Worning: Ele caiu na água. Achou que o gelo aguentaria. Não deu nem para tirar o corpo de lá. Ele foi para baixo do gelo. Duas semanas depois a minha mãe morreu.

Levin: Como foi que ela morreu?

Worning: Ela nunca tinha ido ao médico. Tossiu até os pulmões dela se acabarem. E então, uma manhã – exatamente duas semanas depois da morte do meu pai –, ela começou a tossir sangue. Muito sangue. Eu me lembro muito bem. Foi horrível. Poucas horas depois ela estava morta.

Levin: Sinto muito.

Worning: Foi a melhor coisa que podia ter acontecido com ela. Depois da morte da Thea e da Anna ela ficou...

Levin: Suas irmãs?

Worning: Vão me dar o rádio hoje?

Levin: O quê?

Worning: O meu rádio de ondas curtas. Eu estou pedindo isso há dois dias.

Levin: Eu não sabia disso. Vou me informar depois que terminar essa conversa. Podemos falar um pouco sobre a sua esposa?

Worning: Por quê? O que é que ela tem com isso?

Levin: Então sobre o seu trabalho. O senhor é...

Worning: Sou radiotelegrafista. Nunca tive nenhum tipo de treinamento adequado, mas um amigo meu... Nós precisamos mesmo entrar em detalhes?

Levin: Somente os importantes.

Worning: Bom. Eu trabalho para o exército. O poder do Hitler estava aumentando. Eu acho que eu era... destinado a trabalhar como radiotelegrafista.

Levin: Você era destinado a isso? Você quer dizer que havia algum tipo de significado mais elevado?

Worning: Isso é uma pergunta?

Levin: É.

Worning: Eu fiquei por acaso no trajeto de alguma coisa. É isso, é exatamente isso. Eu estou no trajeto de alguma coisa.

Levin: E o que é que você quer dizer com isso?

Worning: Algumas pessoas morreram. Em partes diferentes do mundo.

Levin: Na guerra?

Worning: Isso não tem nada a ver com a guerra. Pelo menos eu acho que não. Elas só morreram.

Levin: Onde foi que você ouviu falar nisso?

Worning: Você não acreditaria se eu lhe dissesse o que eu pego no meu rádio. Ondas curtas. Ondas longas. É como se fossem tentáculos se estendendo pelo mundo. Mensagens em garrafas. E algumas voltam.

Quando Niels percebeu que a porta havia aberto já era tarde demais. Ele estava absorto numa conversa que tinha ocorrido meio século antes. Mas agora havia outra pessoa na sala.

15

4h04 – 11 horas e 37 minutos até o crepúsculo

Hannah precisou fazer um esforço para abrir os olhos. Seu corpo estava pesado e o quarto girava num lento movimento elíptico, como uma atração de parque de diversões ordinário. Ela não podia garantir, mas tinha a impressão de que os médicos haviam aumentado os sedativos. Isso a estava deixando lerda. Ela lutava para acordar completamente, dizendo para si mesma que era sexta-feira. Tentava ver o sol, mas as cortinas estavam fechadas. Ainda era noite? Ela precisava se levantar. Quando o sol se pusesse hoje... Ela fechou os olhos durante alguns segundos. Só por um momento.

– Hannah?

Uma voz desconhecida.

– Você está acordada?

– O quê?

– Você só precisa tomar isto. – Uma enfermeira (Hannah não tinha certeza se a havia visto antes) lhe pôs uma pílula na boca, ergueu um pouco a sua cabeça e a ajudou a beber um pouco de água.

– Por favor. Não. Pare de me dar sedativos.

– É só um remédio para ajudar você a dormir.

– Você não entende.

Hannah conseguiu cuspir a pílula, que, meio dissolvida em saliva, aterrissou no braço da enfermeira.

– Veja o que você fez.

– Eu preciso ver o Niels.
– Seu marido?
– Não, meu... – Ela desistiu de tentar explicar. – Eu preciso ver o Niels.
A enfermeira se dirigiu para a porta.
– Espere – disse Hannah.
– O quê?
– Que horas são?
– Ainda é noite, Hannah.
A enfermeira saiu do quarto. Não havia muito tempo.
– Você precisa pensar em alguma coisa – disse Hannah para si mesma. – Controlar o seu corpo. – Ela puxou o lençol para um lado, a fim de poder examinar seus ferimentos. As pernas estavam passáveis. O maior problema era a parte superior do corpo. O ombro e o peito.
– Qual é o problema aqui? – O médico entrou no quarto falando alto e com um ar aborrecido. A enfermeira estava atrás dele, preparando uma seringa.
– Não há nenhum problema.
– Você precisa descansar. Você teve uma insuficiência cardíaca.
– Não. Eu lhe imploro. Por favor, não me faça dormir outra vez.
– Eu posso entender que isso não é exatamente agradável.
– Você não entende droga nenhuma! Você não vai espetar isso em mim. Eu preciso estar com a cabeça boa.
O médico e a enfermeira trocaram olhares. A enfermeira saiu do quarto. O médico deu uma palmadinha no braço de Hannah.
– Você precisa ficar calma para o seu corpo poder se recuperar. Do contrário pode ter outra parada cardíaca. Eu soube que você saiu da cama e correu por aí. Isso simplesmente não está certo.
Entraram duas enfermeiras.
– Por favor. Eu estou lhe implorando. Por favor, não faça isso.
– Segurem ela – disse o médico para as enfermeiras.
Cada uma delas segurou um braço de Hannah.
– Não! Vocês estão me ouvindo? Vocês não podem fazer isso! Isso é uma agressão.
O médico procurou uma veia e depois espetou a agulha no braço de Hannah.
– É para o seu bem.

16

4h16 – 11 horas e 25 minutos até o crepúsculo

Niels se reclinou contra as caixas que tinha diante de si. Precisava esticar a perna mas temia se fazer notado. Então fechou os olhos e torceu para a mulher se apressar e encerrar logo sua conversa telefônica.

– ... Eu só quero voltar para casa e ficar com você, Carsten. E discutir tudo.

Ela já havia dito isso cinco vezes. Tinha chorado e acusado o homem de mentir. Agora entrara na fase final: implorar.

– Só dez minutos, Carsten. Você não tem dez minutos para mim?

Niels não tinha ideia de como a coisa havia acabado, mas a mulher parou de falar. Ele ouviu uns resmungos. Talvez ela chorasse assim. Depois a luz apagou, e a porta foi fechada com um estrondo. Ele ouviu o som dos passos dela sumindo no corredor. Então se levantou e voltou à leitura.

Levin: Como foi que eles morreram? Quem morreu?

Worning: Todos eles tinham uma marca nas costas. A Amalie vem amanhã de manhã? Ela está com o meu rádio de ondas curtas.

Levin: Uma marca?

Worning: Quando é que a Amalie vem?

Levin: Que tipo de marca?

Worning: Como a minha.

Levin: Você está falando da marca nas suas costas? Quem foi que fez essa marca?

Worning: Posso lhe perguntar se o senhor acredita em Deus?

Levin: Não.

Worning: Não, eu não posso perguntar? Ou o senhor não acredita em Deus?

Levin: Não, eu não acredito em Deus. Mas não é sobre isso que nós estamos conversando aqui.

Worning: Eu preciso do meu rádio de ondas curtas.

Levin: Com quem o senhor quer conversar?

Worning: Com os outros.

Levin: O que o senhor quer dizer com "os outros"? Por favor, seja um pouco mais específico.

Worning: Os que foram marcados. Os outros homens justos.

Levin: Homens justos? São os que têm uma marca nas costas?

Worning: Eu quero ver a Amalie. Agora eu estou cansado.

Levin: Tudo bem. Vou deixar o senhor em paz. Mas o senhor estaria disposto a responder uma última pergunta?

Worning: Tudo bem.

Levin: O senhor pode me dizer quem o senhor acha que fez a marca nas suas costas?

Worning: Esse em quem o senhor não acredita.

Levin: Deus? O senhor está dizendo que Deus fez a marca nas suas...

Worning: Não só nas minhas. Nas dos outros também.

Levin: Deus fez a marca nas suas costas?

Worning: Fez. Foi Deus que fez. Não pode ter sido mais ninguém. Mas talvez ela possa ser retirada.

Levin: A marca pode ser retirada?

Worning: Talvez. Antes que me matem.

Levin: Quem é que vai matar o senhor?

Worning: Mas antes eu preciso fazer alguma coisa ruim.

Levin: O que é que o senhor está querendo dizer?

Worning: Eu não quero falar mais.

Levin: O que é que o senhor quer dizer quando fala que precisa fazer alguma coisa ruim?

Worning: Eu não quero falar mais.

25 de dezembro de 1943

Conclusões clínicas:

Exemplo clássico de esquizofrenia paranoica. O paciente acha que é o centro do universo e ao mesmo tempo se sente perseguido. Muitas experiências traumáticas na infância podem ter causado o seu transtorno.

Ele passou pela terapia de eletrochoques, mas sem o resultado esperado. Sua mulher veio visitá-lo hoje de manhã, o que pareceu acalmá-lo pelo menos temporariamente. Mais ou menos na hora do almoço ele estava de novo extremamente deprimido e foi visto batendo a cabeça contra o chão e gritando: "Eu não posso ser o escolhido. Não pode ser eu". E depois: "Eu estou ouvindo. Prometo ouvir". O ansiolítico não teve o efeito desejado. À tarde o paciente estava tão perturbado que sua mulher foi chamada. Isso se revelou um erro, porque logo depois das duas da tarde se constatou que tanto o paciente quanto a mulher tinham desaparecido. O paciente havia conseguido quebrar uma janela reforçada e depois fugiu com a mulher. Meia hora depois foi visto vagando na frente do hospital com uma faca na mão. Ninguém sabe onde a conseguiu. Ele tentou matar a mulher antes de ser agarrado pelos servidores. Ela foi internada com ferimentos profundos na garganta, mas deve sobreviver.

O paciente foi sedado e imobilizado.

28 de dezembro de 1943

O paciente está calmo e dormiu durante a maior parte do dia. Pela primeira vez desde a sua admissão ele dormiu bem por muitas horas seguidas. Quando acordou, quis falar com a mulher. A solicitação foi negada. Eles descreveram o que acharam "altamente incomum": o grave eczema psicossomático nas costas do paciente melhorou notavelmente. O inchaço desapareceu e permanece apenas uma marca vermelho-clara.

26 de janeiro de 1944

O paciente recebeu alta por volta do meio-dia.

Niels estava sentado com as costas apoiadas na parede. Na verdade ele não se lembrava de ter se sentado naquela posição. O arquivo médico estava aberto no seu colo. Vozes. Ele teria dormido? Alguém deve ter notado que a luz estava acesa na sala. Ele já não tinha energia para outra tentativa de fuga. Dois homens entraram nos arquivos.
– Lá está ele! – disse um deles dirigindo o feixe de luz da sua lanterna para Niels, embora ele estivesse perfeitamente iluminado.
– Que diabo você está fazendo aqui? – indagou o outro homem.
Pode ser que eles tenham dito outras coisas, mas Niels não os ouviu.

Quando puseram Niels na cama e começaram a empurrá-la para o quarto, ele olhou para o relógio. Eram exatamente dez horas da manhã. Lá fora o dia ainda estava cinzento e a neve tornava o ar pesado. Não se via o sol. Talvez ele não tivesse se dado ao trabalho de subir. Se ele ficasse longe...
– Fique longe! Fique longe! – murmurou Niels antes de o seu sistema reagir à injeção e ele entrar num sono profundo.

17

12h59 – 2 horas e 42 minutos até o crepúsculo

Outra volta à consciência. Ela aconteceu em pequenas ondas que fizeram seus olhos se abrirem por um momento e depois se retiraram novamente.
– Eu... – disse Hannah e então se calou. Dessa vez ela não falaria com ninguém. Não pediria ajuda. Nem imploraria aos membros da equipe que a deixassem ficar acordada. Aquilo era um hospital; eles fariam todo o possível para salvar a vida dela. Mas havia um equívoco. Agora Hannah sabia disso. Ela devia morrer. Naquele dia. Na hora do crepúsculo ela estaria morta.

Era preciso se movimentar calmamente – para ficar no mesmo ritmo dos seus pensamentos, que ainda estavam sob a influência dos sedativos. Primeiro ela tirou o soro e pressionou o esparadrapo sobre a picada. Depois levou as pernas para fora da cama e se pôs de pé, oscilando como um bebê que dá os primeiros passos. Uma perna estava quase inútil. Ela precisava de uma muleta. Ou de uma cadeira de rodas.
Ela se apoiou na parede e avançou com dificuldade até o armário. Dentro havia apenas o seu paletó. Ainda enlameado pelo acidente e fedia a zimbro e álcool. Hannah se lembrou da garrafa de gim quebrada. Os cacos de vidro azul-claros. Ela vestiu o paletó. Logo de início não reconheceu a mulher que estava de pé diante de si, com um ar enfurecido. Depois veio a dolorosa percepção de que ela estava olhando para o próprio reflexo num espelho. Um lado do rosto estava inchado. Mas isso não tinha importância. Logo ela estaria deixando para sempre a sua casca terrena.

14h24 – 1 hora e 17 minutos antes do crepúsculo

– Mais dois. Eles vão diminuir a dor.

A enfermeira estava debruçada sobre Niels enquanto ele engolia com dificuldade os dois comprimidos grandes. Ela olhou para ele.

– Hoje é sexta-feira? – ele se ouviu perguntando.

– Isso, sexta-feira. Dia de Natal. Você dormiu muito tempo, Niels.

– Hoje à tarde...

– O que é que vai acontecer hoje à tarde, Niels?

– Quando o sol se puser...

– Eu soube que você andou correndo pelo hospital no meio da noite. – Ela sorriu. Talvez por causa da palavra "correndo". – Por sorte você foi logo encontrado. Acho que você só está se sentindo um pouco confuso com toda essa situação.

Niels não respondeu.

– Sabe de uma coisa, Niels? – prosseguiu ela. – Na verdade é muito comum os pacientes acordarem e se sentirem totalmente aturdidos. Isso é perfeitamente normal.

Ela tomou a mão dele. Ele olhou pela janela, tentando ver o sol. Por um momento achou que a luz forte que cegava seus olhos a ponto de ele não poder ver as árvores fosse o sol. Mas não. Era apenas o reflexo da lâmpada. Ele tentou murmurar uma coisa, mas a enfermeira não o ouviu.

– Você precisa ficar aqui, Niels. Assim nós podemos tomar conta de você. – A mão dela estava sobre a dele. – Você disse alguma coisa?

– Apague a luz.

– Claro. Vou apagar.

Ela desligou a lâmpada de cabeceira e o reflexo na janela desapareceu. O sol estava pairando sobre o alto das árvores do parque. Carmesim e impaciente. Já não havia muito tempo. Ele desistiu. Pensou: Vá em frente e me leve para o reino da morte. E que o mundo inteiro vá para o inferno.

A enfermeira interrompeu os seus pensamentos.

– Aí fora estão dois homens que querem falar com você. Eles vieram aqui diariamente desde que você foi internado. – Ela se levantou e foi encontrá-los.

Sommersted e Leon entraram no quarto. Leon ficou ao lado da porta. Como o guarda-costas de um chefe da máfia. Sommersted se aproximou.

– Por pouco tempo – disse a enfermeira e em seguida saiu do quarto.

Niels não soube interpretar a expressão de Sommersted. Não era reconhecimento nem compaixão, frieza ou desprezo. Se não fosse por aquele fiapo de humanidade que se manifestava na forma de ciúme quando se tratava da sua mulher, Niels certamente acharia que Sommersted era um robô composto de nada mais que arames e mecanismos complicados.

– Para ser honesto, Niels, eu não entendo nada disso – disse Sommersted numa entonação calculada. Como um homem que tinha todo o tempo do mundo e sabia que não seria interrompido. – Mas você tinha razão. No sábado passado um policial foi encontrado morto em Veneza. E foi exatamente como você disse: ele tinha uma marca nas costas. Ainda estamos esperando o relatório final do médico legista italiano, mas parece que estamos falando do número trinta e cinco possivelmente tatuado na pele da vítima. A Interpol está trabalhando diligentemente no caso.

Sommersted deu um suspiro profundo, que Niels interpretou como um pedido de desculpas, algo como "Sinto muito por não ter ouvido você". Niels cruzou o olhar com o de Leon. Era como olhar nos olhos de um peixe morto.

– E quanto a você, Niels? – indagou Sommersted. De repente havia um laivo de empatia na voz dele.

– Quanto a mim?

– Como é que você está? O médico diz que você escapou por um triz. Foi um trem?

– Um carro num cruzamento de ferrovia.

– Ah, então foi isso. – Sommersted balançou a cabeça. – O que você fez para aquelas meninas foi formidável. Eu soube que elas teriam sido mortas se você não estivesse lá. Primeiro aquela família no bairro da zona Noroeste e agora essas duas meninas. Você já salvou um bocado de vidas. – Ele meneou a cabeça e olhou para o chão antes de prosseguir. – Como eu disse, nós realmente não entendemos toda essa história. Mas vamos aumentar a presença da polícia no hospital nos próximos dias e ver o que acontece.

– Só por esta tarde. Até o pôr do sol – disse Niels. Ele olhou para a janela. O sol tinha começado a acariciar o alto das árvores.

– Tudo bem. Nós podemos providenciar isso, sem dúvida. Está certo, Leon?

Leon entrou de repente na conversa.

– Claro, não estamos falando do mesmo nível de segurança que tivemos na conferência sobre o clima. Mas já informamos os funcionários da segurança do hospital e pedimos a eles uma vigilância extra. Vamos guardar as quatro entradas principais e vigiar o estacionamento. – Ele manteve os olhos fixos em Sommersted. Como um garoto que implora o reconhecimento do pai. E obteve o que queria.

Sommersted assentiu com a cabeça.

– Muito bem, Leon. – O chefe da polícia se virou para ir embora, mas mudou de ideia e voltou-se novamente para Niels, dizendo-lhe:

– Eu nunca cheguei a entender você, Niels. Sabe o que me ocorreu agora?

– Não, não sei. – Niels sentiu que Sommersted estava a ponto de se atropelar nas próprias palavras.

– Talvez eu devesse ter ouvido você. Mas eu nunca sei bem o que pensar de você. Você parece tão... talvez a palavra seja "ingênuo".

Ele se calou abruptamente. Niels achou que seu chefe estava prestes a lhe oferecer um reconhecimento importante.

– Estou feliz com a perspectiva da sua recuperação. Estou mesmo. Não posso evacuar o hospital – sei que você entende isso. Mas Leon e mais alguns meninos vão ficar de olho nas coisas aqui.

Niels meneou a cabeça, surpreso com o uso do "meninos". Nunca ouvira essa palavra na boca de Sommersted. Ele falou como um treinador de time infantil. E a palavra lhe caiu bem. Talvez por isso Leon tenha fechado o punho, exclamando:

– Droga, Bentzon, nós estamos pensando em você. Trate de ficar de pé de novo.

Niels olhou para ele mas foi incapaz de encontrar algo para dizer. Sommersted evidentemente notou o silêncio constrangedor e se apressou a falar.

– Aliás, deu tudo certo aqui em Copenhague. Nós tomamos conta direitinho dos chefes de Estado. – Ele encolheu os ombros. – Parece que dessa vez o mundo foi salvo.

Leon sorriu. Ele sempre sabia jogar de acordo com as normas. Inclusive as tácitas. Uma destas era que sempre se deve sorrir quando o chefe tentou fazer uma piada.

Niels concordou. Não soube por quê.

Alguém bateu na porta com força um pouco excessiva. A enfermeira pôs a cabeça para dentro do quarto.

– Já terminaram de conversar?

– Acho que sim. – Sommersted deu um desajeitado tapinha colegial no ombro de Niels e saiu do quarto.

– Bentzon – disse Leon, acenando para Niels e já se retirando atrás do chefe.

Depois da saída deles a enfermeira fechou a porta.

Niels não percebeu quando a porta abriu novamente. Mas ouviu alguém sussurrar o seu nome.

– Niels.

Ele se virou na cama.

Hannah estava sentada numa cadeira de rodas. Foi doloroso para Niels vê-la assim, mas ao olhar o seu rosto ele ficou esperançoso. Havia algo diferente nela.

– Niels.

– Hannah.

Ela dirigiu a cadeira até a cama e pôs a mão no braço dele.

– Que bom conseguir encontrar você depois de tanta procura. – A voz dela era fraca mas determinada. – Eu tentei vir ver você, mas eles me mandavam de volta para o quarto.

– Nós precisamos sair daqui, Hannah. Temos pouquíssimo tempo.

– Niels. Nós temos tempo. Eu só preciso lhe explicar a coisa toda. E você precisa ouvir.

– O sol já está descendo.

– Escute, Niels: quando eu morri não havia só escuridão. – Ela apertou a mão dele. – Há outra vida além desta. E agora existe uma prova.

– Prova?

– Como eu lhe disse no telefone. Mas talvez você estivesse meio alheio. – Ela sorriu. – Estão fazendo uma experiência importante, Niels. Puseram imagens em prateleiras perto do teto dos prontos-socorros de hospitais de todo o mundo. Imagens que só podem ser vistas se você está pairando perto do teto. Não é nenhuma doidice; é um estudo científico. Realizado por médicos e cientistas, e com patrocínio da ONU – gente como eu, que foi treinada com rigoroso respeito à integridade científica. Me disseram que na internet é possível se informar sobre isso. Espere. Ouça a história até o fim antes de me interromper. Eu vi o que puseram na prateleira perto do teto. Fui capaz de descrever a imagem, que eu só poderia ter visto com a condição de a minha consciência se desprender do meu corpo.

– Consciência. – Niels suspirou. Não se importou com o brilho fanático que havia no olho de Hannah.

– Chame como você quiser. Alma? Não sei. Só sei que por causa dessa prova precisamos repensar tudo.

– O que nós precisamos fazer é sair daqui antes do pôr do sol, Hannah.

– Você se lembra da história que eu lhe contei? Sobre o meu colega do Instituto Niels Bohr que não sabia dizer não? O sujeito que teve problemas por causa da sua bondade?

– Precisamos sair, Hannah. Você vai me ajudar?

– Olhe para você, Niels. Você tentou salvar aquelas meninas. Você queria parar o carro só com as suas mãos.

– Eu fiz o que qualquer outra pessoa teria feito.

– Ficar correndo pelo Hospital Nacional à procura de uma pessoa boa? Isso é uma coisa que qualquer outra pessoa faria, Niels?

– Isso é porque eu sou maníaco. Maníaco-depressivo. Eu não sou bom da cabeça.

– Você é, sim! Você é uma boa pessoa que faz coisas boas.

– Nós precisamos sair daqui.

– Nós não podemos. E você sabe disso. Você sabe perfeitamente o que eu estou insinuando.

Niels não respondeu. Uma frase estava ecoando na sua mente: "Mas antes eu preciso fazer alguma coisa ruim".

– Você se lembra da história do Abraão? Deus lhe ordenou que levasse o Isaac para a montanha. Você me disse isso quando nós estávamos deitados nas dunas de areia do mar do Norte.

– Eu não quero saber disso.

– Você vai ter de querer – disse Hannah.

Niels afastou as cobertas e tentou sair da cama.

– Você precisa parar de ser bom, Niels. É a sua única chance.

– Hannah. – Niels se calou. Lembrou-se mais uma vez das palavras de Worning: "Mas antes eu preciso fazer alguma coisa ruim". – Ele se sentou recurvado e olhou o sol pela janela.

– Você precisa sacrificar alguma coisa. Uma coisa de que você goste. Algo que lhe mostre que você está ouvindo. Você entende o que eu lhe digo, Niels? Eu estava morta e fui trazida de volta para a vida. Eu vi com os meus próprios olhos uma abertura para... *outra coisa*.

Niels a deixou falar.

– Nós... *você, Niels*... precisa aceitar isso. Existe uma coisa maior que nós. E você precisa mostrar que você entende isso.

– O que é que eu preciso mostrar? O que, exatamente, eu preciso mostrar?

– Você precisa mostrar que nós somos capazes de acreditar em algo que não é a gente.

Niels teve vontade de vomitar. Ou de bater nela. De dar nela uma boa bofetada. Como faziam antigamente com as mulheres histéricas. Ele olhou com simpatia para o rosto inchado de Hannah. Aqueles olhos inteligentes. Ela só podia ser tocada por argumentos razoáveis.

– E daí, Hannah? – ele se ouviu dizer. – Então o que é que acontece?

– Eu não sei. Talvez... talvez nós simplesmente vamos continuar. E depois nasce uma nova geração. Os trinta e seis seguintes.

Ele balançou a cabeça.

– Nós precisamos sair daqui – murmurou ele sem convicção. – Quanto tempo ainda temos?

– Não adianta, Niels. Pense no italiano. Ele também fazia parte do sistema. Você precisa parar de ser bom. Você...

Ele a interrompeu gritando:

– Quanto tempo nós ainda temos?

– Uns dez minutos. Depois o sol vai se pôr.

Niels arrancou o soro do braço. Da picada brotou um sangue vermelho-escuro. Lá fora, no corredor, eles ouviram pessoas gritando e correndo. Hannah saiu da cadeira de rodas para dar a Niels um lenço de papel. Ela oscilou por um momento. Depois se reequilibrou. Enquanto Niels saía da cama, Hannah mexia no armário do quarto.

Niels estava pálido como um cadáver quando agarrou a mão dela e disse:

– Me ajude, Hannah. Me ajude para que eu possa pelo menos tentar fugir.

Ela deu meia-volta. Estava com a arma dele na mão.

– Tudo bem.

18

15h31 – 10 minutos até o crepúsculo

Leon tinha ouvido minutos antes no rádio da polícia: "Perua verde-escura atravessou um sinal vermelho na Praça da Prefeitura. Em alta velocidade. Está sendo perseguida a uma distância de poucos metros por um carro da polícia". Aquilo não tinha nada a ver com ele, mas ele se levantou e foi olhar pela janela.

– Você é médico? – perguntaram atrás dele. – Eu preciso de uma ajuda.

Leon já ia corrigir o engano do paciente quando ouviu novamente um comunicado no rádio: "Perua verde-escura sendo perseguida na Østersøgade. Estamos impedindo a passagem na Fredensbro". Um leve alarme soou na cabeça de Leon. Dia de Natal. Não era um dia totalmente normal; na verdade tendia a ser um dia sonolento – a não ser por aqueles patriarcas familiares que insistiam em dirigir depois de terem bebido quatro cervejas natalinas e quatro doses de aguardente. No Dia de Natal era muito incomum ver um carro em velocidade nas ruas escorregadias por causa da neve. Leon pegou o rádio.

– Albrectsen? Você está vendo a Fælledvej?

A pergunta foi respondida de imediato:

– Perfeitamente. Tudo calmo.

Leon olhou pela janela. A princípio não teve certeza. Mas quando viu outros carros desviando, avistou o veículo através da neve que caía. Janelas sombreadas. Uma perua antiga. "Perua Citroën verde-escura prosseguindo pela ponte e rumando para o Hospital Nacional."

– Droga! – Leon ergueu a voz ao falar no walkie-talkie:

– Albrectsen! Você está prestando atenção a essa perseguição?

– Estou! Vou cobrir a entrada principal.

– Equipe dois! Vocês cuidaram da cobertura do acesso ao estacionamento no subsolo? – Ele esperou a resposta. – Equipe dois? Jensen? – Sem resposta. – Albrectsen? Você está vendo a equipe dois?

– Não. Eles estavam aqui um minuto atrás.

Leon ouviu as sirenes de dois carros de polícia em perseguição à perua.

– Droga! – Ele começou a correr enquanto gritava: – Albrectsen! Fique a postos mais adiante na rua, assim você pode cobrir tanto a entrada do hospital quanto a da garagem.

Ele parou subitamente. Não acreditou ao ver Niels se aproximar mancando pelo corredor.

– Bentzon? O que é que você está fazendo aqui? Você não tinha de estar na cama?

Niels estava apoiado em Hannah e ela se apoiava numa muleta. Os dois formavam um casal e tanto.

– O que é que está acontecendo, Leon?

– Nada que seja motivo de preocupação para você. Está tudo sob controle.

Ambos ouviram o grito desesperado de Albrectsen no rádio: "Ela passou por mim! A caminho do estacionamento!"

Leon começou a correr. Parecia um general na guerra.

– Ninguém vai sair daquela perua! Entenderam?

– Nós precisamos ir, Hannah. – A voz de Niels estava fraca. A simples ação de sair da cama havia praticamente esgotado suas forças. E ele sentia as costas doendo.

– Não podemos, Niels. Mas que tal a cobertura? De lá de cima nós teremos uma boa visão.

– Tudo bem. Onde é que fica o elevador? – Niels foi cambaleando para o elevador mais próximo. Ao passar por uma janela olhou para fora. Um vento forte estava dobrando as árvores, que quase se partiam ao meio. Alguns carros tinham hidroplanado nas ruas enlameadas e, como baleias encalhadas na praia, estavam empacados nos grandes montes de neve, sem dúvida por terem tentado evitar uma colisão com a perua em alta velocidade. E por todo aquele cenário os últimos raios de sol estavam travando uma batalha perdida, tentando atravessar a neve e o lusco-fusco que se adensava. Os raios amarelos-avermelhados faziam toda Copenhague, os tetos, as ruas, o ar, parecer incendiada.

– Dia do Juízo Final – sussurrou Niels. – É isso que parece: silencioso, calmo e vermelho.

Ele viu uma perua escura correndo pela rua, virando com um guincho e descendo a rampa em direção ao estacionamento do hospital. A perua atingiu várias bicicletas estacionadas, que foram atiradas no ar.

– Vamos, Niels! – Hannah estava ao lado dos elevadores.

Niels foi ao encontro dela. Não podia tirar da cabeça a imagem da perua escura.

– Não para a cobertura – disse ele enquanto praticamente caía no interior do elevador.

– É a nossa única chance, Niels. As saídas estão todas bloqueadas. É impossível. E o porão... você mesmo ouviu... está cheio de policiais.

– A entrada principal. Temos de arriscar sair por lá. Só precisamos passar por eles. – Niels apertou o botão do térreo e então desmoronou.

– Niels! – Hannah sentou-se ao lado dele. – O que foi que aconteceu?

– Minhas costas. Estão queimando... Quanto tempo eu ainda tenho? – Ele sentiu o gosto de sangue. – Minha boca. – Então desistiu.

– Vamos, Niels. – Ela tentou erguê-lo.

Niels ouvia Hannah falar, mas as palavras dela não tinham sentido. Ele estava sentado no chão do elevador, dobrado sobre si. A dor nas costas era insuportável. Ele sentia como se as tivesse apoiado em carvão em brasa.

– Seu nariz está sangrando.

Como se num transe, Niels ergueu a mão até o nariz. Hannah tinha razão.

– Precisamos ir para a cobertura, Niels.

– Por quê? – balbuciou ele a custo.

– Só temos mais alguns minutos.

– Eu vou morrer, Hannah. E também...

– Não, Niels.

Ela tirou alguma coisa da bolsa.

– Vamos usar isto.

Ele fez um esforço e ergueu a cabeça.

– Não, Hannah.

Ela estava segurando na mão a arma dele.

15h37 – 4 minutos antes do crepúsculo

A perua escura desceu a rampa rugindo, rápida demais. Houve um momento em que pareceu prestes a derrapar. O freio travou e só por muita sorte ela não se chocou contra um dos pilares de cimento.

Leon e os outros policiais cercaram o veículo, todos com as armas erguidas.

Albrectsen ficou a postos atrás da perua enquanto Leon se aproximou da porta lateral.

– Polícia de Copenhague! Abra a porta! Devagar. Muito devagar.

Então eles ouviram. Uma voz. A princípio queixosa. Depois houve um grito. Terrível e alto, fazendo-os sentir calafrios nas costas.

Um homem saiu da perua. Não teria mais de vinte anos. Seu cabelo era todo arrepiado e ele parecia apavorado.

– Deite no chão! – gritou Leon.

– Eu...

– Cale a boca e deite no chão, se não quiser que eu atire em você!

Naquele momento Albrectsen abriu a porta traseira da perua. Lá dentro viu uma mulher deitada num colchão. Ela estava gritando.

– Que diabo está acontecendo, Albrectsen? – gritou Leon enquanto algemava o jovem.

– Chefe? – disse Albrectsen com o que parecia um meio sorriso.

– O quê?

– É a minha namorada. Ela... – o jovem começou a explicar.

Leon se levantou. Foi até a traseira da perua e olhou lá dentro. A mulher estava deitada com as pernas bem abertas. Leon teve certeza de que viu uma cabecinha despontando.

Durante dois segundos os policiais ficaram estáticos. Depois a mulher gritou para eles:

– Vocês vão ficar aí parados me olhando?

19

15h39 – 2 minutos até o crepúsculo

Daquela altura eles podiam ver Copenhague inteira.

O sol, parcialmente obscurecido pelas nuvens e pela neve, pairava no horizonte. Niels olhou para trás enquanto Hannah continuava no centro do heliporto. A neve que caía espetava a pele deles como agulhas minúsculas.

– Essa é uma boa ideia – sussurrou ela, mas suas palavras foram instantaneamente arrebatadas pelo vento. – Pegue! – Hannah precisou gritar para se fazer ouvida. – Pegue a arma.

– Não, Hannah.

– Olhe para mim. – Ela voltou, agarrou Niels e tentou forçá-lo a olhá-la nos olhos.

– Eu não posso fazer isso.

– Você precisa, Niels.

– Me deixe em paz. – Ele tentou empurrá-la, mas estava fraco demais e ela se recusou a largá-lo.

– Tudo acaba aqui, Niels. Você entende? – Hannah apertou a arma na mão dele. Embora pudesse ter atirado longe o revólver, fazendo-o voar num arco suave dentro da penumbra, ele não fez isso. – Acaba aqui – repetiu Hannah.

Niels engatilhou o revólver e olhou na direção da porta. Um pequeno movimento que no entanto exigiu toda a sua força. Ele ergueu a arma e apontou-a para o único acesso ao teto. A porta do elevador.

– Ninguém virá aqui em cima, Niels.

– Se afaste de mim.

Ela não se mexeu.

Ele gritou:

– Eu disse: "Se afaste de mim".

Ela recuou pouco mais de um metro.

– Mais longe. – Ele cambaleou mas tinha a arma bem firme na mão. Como se aquele pequeno objeto, criado com o único objetivo de tirar vidas, fosse agora, paradoxalmente, a sua única salvação.

– Niels!

Hannah estava gritando em vão. Ele não a ouvia.

– Niels! – Ela chegou bem perto dele. Agarrou-o novamente e não deixou que ele a afastasse.

– Me largue.

– Preste atenção, Niels. Ninguém virá aqui agora. Não há assassino. Quem vai resolver isso somos nós.

Ele não respondeu.

– Você precisa parar de ser bom. Precisa me sacrificar.

– Pare com isso, Hannah. – Ele tentou novamente afastá-la.

– É a única opção. Você não percebe isso? Você precisa agir.

Ele não disse nada. Escorria sangue do seu nariz e da boca. Seus joelhos estavam bambos. Hannah achou que ele ia cair. Temeu já ser tarde demais. Um rápido olhar para o oeste lhe mostrou o sol ainda hesitando no horizonte.

– Nenhum assassino vai aparecer aqui, Niels. Você não percebe isso? Nenhum *serial killer* idiota. Quem está envolvido somos nós, só nós.

– Pare com isso agora.

– Atire em mim, Niels.

– Não.

– Você precisa agir. Precisa mostrar que está ouvindo. Trata-se apenas disso. Você precisa sacrificar o que você ama. – Hannah pegou o cano frio do revólver e apontou-o para o seu próprio coração. – Para mim não faz diferença, Niels. É isso que eu estou tentando lhe dizer. Eu estava morta quando você me conheceu. Eu morri quando Johannes morreu.

– Hannah...

Ela se debruçou sobre ele; seus lábios tocaram a orelha dele enquanto ela sussurrou:

– Nós temos de mostrar que você está ouvindo. Que nós sabemos que há algo mais. – Ela pôs o dedo dele no gatilho. – Você precisa disparar a arma, Niels. Faça isso. Eu quero voltar. Vi o que nos espera. É a única coisa que eu quero. Voltar. Para Johannes.

– Não.

– Ninguém irá desconfiar de você. Todo mundo vai achar que foi suicídio. Eu sou uma ruína emocional. O seu chefe tinha razão. – Um sorriso inesperado surgiu nos lábios dela. – Eu não tenho nada a perder, Niels. Nada.

– Não, eu não posso fazer isso.

De repente todos os sons desapareceram. Niels via os lábios dela se mexerem, mas não ouviu nada. O barulho do vento, da tempestade e da cidade lá embaixo tinha cessado. Permanecia apenas um silêncio que ele ignorava ser possível. Um silêncio tão comovente que o fez fechar os olhos para apreciá-lo.

– Está tão silencioso – murmurou ele. – Tão silencioso.

Um calor percorreu o seu corpo. Um calor maravilhoso que fez a dor nas costas desaparecer e levou a ele a paz – um alívio, finalmente. Talvez Hannah tivesse razão. Talvez aquilo fosse um prenúncio do que estava à espera dele. Calor, calma, paz. Parecia que a tempestade havia cessado completamente. Não havia mais neve e as nuvens se separaram para lhe dar um vislumbre das estrelas no céu, ao alcance da mão. Novamente ele olhou para Hannah, que estava gritando, implorando, embora ele não ouvisse nada. Ela apertou contra o coração a boca da arma e disse, articulando bem as palavras:

– Faça isso agora, Niels – mas ele não a ouviu. Niels fechou os olhos. Sabia que ela estava com a razão. Mas ele não queria ouvi-la. Não podia.

Contudo ele apertou o gatilho.

O pino do disparo sacudiu vigorosamente a sua mão.

Hannah deu um arranco para trás. Pareceu cambalear. Niels olhou para ela, viu-a se afastar um passo. Não havia sangue.

Naquele instante o som voltou aos ouvidos dele, ferindo seus tímpanos com um estrondo.

– Mas...

Hannah virou a cabeça. Olhou para o oeste. O sol tinha se posto. O crepúsculo havia descido.

– Você conseguiu, Niels.

Niels sentiu as pernas tremerem. Procurou o ferimento da bala no peito de Hannah. Não entendia por que não saía sangue. Pequenos espasmos percorreram seu corpo e ele desmoronou no chão.

Hannah estendeu a mão para ele e lentamente a abriu. Ali, na palma da sua mão, estava o pente do revólver.

Ela se sentou e o envolveu em seus braços. Niels fechou os olhos.

Ele ouviu passos e vozes. Leon o estava chamando.

– Bentzon? Você está aí em cima?

Niels abriu os olhos.

– Bentzon? – Leon gritou novamente.

Mas Niels via apenas Hannah – e os suaves flocos de neve dançando no ar entre eles.

20

Segunda-feira, 4 de janeiro de 2010

Enquanto fazia a mala no hospital, Niels sentia a mudança no seu corpo. A dor nas costas desaparecera, mas além disso ele estava andando com mais facilidade. Algo dentro dele havia mudado. Normalmente o simples ato de fazer a mala o fazia reviver tão intensamente as suas viagens que a ansiedade se instalava no seu corpo, preparando-se para derrotá-lo, como um adversário invencível.

Dessa vez foi diferente. Ele estava absolutamente calmo ao pôr cuidadosamente dentro da mala as suas roupas. Com a identidade de policial e a arma por cima de tudo. Não sentiu nenhuma apreensão ao fechar a mala.

– Você está indo para casa hoje? – A enfermeira trocava a roupa de cama.

– Estou. Já é hora. Estou engordando, com toda essa comida gostosa. – Ele acariciou o estômago.

– Que bom que você está se sentindo bem melhor.

– Obrigado pela ajuda. – Ele estendeu a mão, mas, para sua surpresa, a enfermeira lhe deu um abraço.

– Boa sorte para você em tudo, Niels. – Ela quase pareceu triste, como se fosse perdê-lo. Mas estava sorrindo.

Hannah não receberia alta nos próximos dias. Quando Niels foi ao quarto dela para se despedir, levou-lhe um buquê de flores. Não encontrou um vaso.

– Ponha aqui – disse Hannah alisando as cobertas. – São encantadoras. Que flores são essas?

Niels encolheu os ombros.

– Não entendo nada de flores.

– Houve uma época em que eu sonhava em fazer um belo jardim na casa de verão. Colocar nele todos os tipos de plantas e, bom... você sabe.

Ele a beijou na boca. Um beijo rápido. Os lábios dela, quentes, macios. Pode ser que ele tenha sido um pouco desajeitado, mas o beijo funcionou – seu efeito se fez sentir bem no íntimo dele.

Niels entregou a Hannah um presente, embrulhado num jornal.

– O que é isso? – disse Hannah ainda vermelha por causa do beijo.

– Abra.

Ela rasgou o papel com uma alegria pueril. Mas sua expressão mudou quando ela viu o que havia dentro: o pente de balas do revólver.

– Não se preocupe. Eu tirei as balas.

Ela pegou o pente, suspirando enquanto o virava de um lado para outro.

– Eu estava convencida de que tinha de morrer – disse ela. – De que o melhor para mim era morrer.

– Quando foi que você mudou de ideia?

Ela ergueu o olhar para ele.

– E sabe o que mais? Eu não mudei de ideia. Nem mesmo tenho certeza de ter tirado o pente. Ou se...

Ela não concluiu o que estava pensando.

– Vou acompanhar você até a porta – disse ela.

Nos últimos dias eles tinham falado sobre aquilo muitas vezes. Sobre o que realmente havia acontecido lá na cobertura. Toda vez que Niels lhe perguntara quem tinha feito aquilo, Hannah o corrigia.

– Não é quem e sim *o que*, Niels. O que foi que fez aquilo?

Niels não sabia responder.

Um longo corredor branco. Um enxame de médicos, enfermeiras, pacientes e familiares. Um som se sobrepujava aos demais: o choro de uma criança. Niels parou e olhou em torno de si. Uma jovem mãe, que parecia cansada mas feliz, estava com seu bebê nos braços. Vinha na direção de Niels e Hannah. Ele virou a cabeça para olhar a nova criaturinha enquanto a mulher passava. Talvez tenha sido por isso que esbarrou numa enfermeira.

– Perdão.

Ela já ia prosseguir, mas foi segurada por Niels.

– Posso lhe perguntar uma coisa?

Ela se virou para olhá-lo.

– Como posso saber se nasceu um bebê na sexta-feira passada na hora do crepúsculo?

A enfermeira pensou na pergunta.

– Você precisa ir até a ala da maternidade.

– Obrigado.

Hannah cutucou o braço dele.

– O quê? – indagou ele.

– Niels, isso não é meio absurdo?

– Por quê? Você não acha que o bastão foi passado?

Niels bateu educadamente, e não tendo obtido resposta entrou no quarto. Hannah ficou do lado de fora.

Flores, caixas de chocolate, ursinhos e roupas de bebê. A mãe estava deitada na cama, cochilando com o recém-nascido nos braços. O jovem pai dormia sentado numa cadeira. Eles correspondiam perfeitamente à descrição feita por Leon do casal que chegara na perua escura. A mãe olhou para cima.

– Parabéns – disse Niels. Foi a primeira palavra que lhe ocorreu.

– Obrigada. – Ela lhe dirigiu um olhar aturdido, tentando situá-lo. – Nós nos conhecemos?

Niels encolheu os ombros e olhou para o bebê, que estava se espreguiçando.

– É menino?

– É. – Ela sorriu. – Um menininho impaciente. Chegou um mês antes da data.

– Você vai me prometer uma coisa?

Ela olhou para ele surpresa.

– Quando ele crescer, se tiver problemas com viagens, você me promete que não vai ficar brava com ele?

– Eu acho que não estou entendendo o que você está querendo dizer.

– Me prometa. Só isso.

E Niels saiu do quarto.

21

Viajando pela primeira vez. A maioria das pessoas se lembra dessa experiência – a infantil impressão de aventura quando o avião decola. De como tudo é novo: os comissários de bordo, a comida, os copinhos, os utensílios de plástico e os acessórios que parecem ser de uma casa de bonecas. O modo como deixamos para trás todas as preocupações e permitimos que alguém determine o destino e o trajeto.

Veneza

O cheiro da laguna não se parecia com nada do que Niels já havia sentido. Acolhedor, embora bolorento. A água salobra era azul-escura e apesar disso tão convidativa que lorde Byron havia pulado no canal. Niels tinha lido essa história no seu guia de viagem.

Durante a maior parte do voo ele tinha apenas olhado pela janela do avião. Quando voavam sobre os Alpes ele chorou sem fazer um som, sem se mexer. Se Hannah estivesse com ele lhe teria dito que os Alpes não eram nada mais que o resultado do choque entre duas placas continentais. E que dentro de algumas centenas de milhões de anos o Mediterrâneo desapareceria quando o continente africano alcançasse a Europa. Kathrine provavelmente não poderia esperar tanto tempo, por isso Niels tinha comprado uma passagem de Veneza para a África do Sul. Ele tinha de mudar de avião três vezes e a viagem levaria um dia inteiro.

Um jovem que estava num dos táxis aquáticos gritou:

– Veneza, senhor?

Niels pegou o guia de viagem e apontou para a ilha onde ficava o cemitério.

– San Michele? O cemitério?

Niels arriscou um débil *si*. O que levou o jovem a dizer um preço: noventa euros. Que inferno. Embora Hannah o tivesse alertado sobre a necessidade de pechinchar em Veneza, especialmente naquela época do ano, quando todos estavam desesperados para ganhar dinheiro.

Niels começou a rir quando o motorista acelerou e a lancha saltou sobre a água como uma pedra saltitante. O jovem olhou para Niels e não pôde deixar de compartilhar com seu passageiro aquela genuína alegria suscitada pela velocidade.

No San Michele eles tiveram de esperar a retirada de um caixão de um pequeno barco com verniz preto para depois poderem atracar. Quando Niels saltou para o cais o motorista segurou seu braço e depois acenou entusiasticamente ao se afastar na lancha. Somente então Niels se deu conta de que não tinha a menor ideia de como voltaria da ilha.

Se o cemitério era uma visão antecipada da beleza do resto da cidade, então o prenúncio era bom. Capelas, colunatas, palmeiras e salgueiros, ornamentação, rostos e asas de anjos – uma cornucópia de arte sacra para ajudar as pessoas a se despedir com estilo desta vida. Niels passou quase uma hora caminhando por lá, sentindo-se ao mesmo tempo admirado e aturdido. Lentamente ele começou a perceber o sistema: onde as urnas mais recentes tinham sido colocadas e onde os protestantes eram enterrados.

Niels caminhou por intermináveis fileiras de urnas superpostas. Rostos e nomes. Flores e velas acesas colocadas em copinhos vermelhos que protegiam da chuva a chama.

Ele encontrou os restos terrenos de Tommaso espremidos entre os de Negrim Emilio e Zanovello Edvigne. TOMMASO DI BARBARA. Havia também uma pequena foto: um rosto e a parte superior dos ombros, mostrando um uniforme. Um homem de aspecto agradável. Um amigo.

Niels se sentou no banco sob o salgueiro chorão, bem ao lado de Tommaso. Não tinha levado nada consigo. Nem flores nem velas. Levara apenas a si mesmo. Não mais o homem bom. Apenas ele.

Agradecimentos

A. J. Kazinski gostaria de agradecer:

Pelas ideias, sistemas, teorias, pela paciência e por nos fazer perceber toda a extensão da nossa gritante ignorância: à astrofísica Anja C. Andersen, do Centro de Cosmologia Escura do Instituto Niels Bohr, em Copenhague.

Em Veneza: pelos valiosos detalhes sobre turnos de trabalho, turistas e excêntricos da ilha: a Luca Cosson, da Polícia de Veneza.

Por dar uma volta conosco e nos guiar durante a inundação: à irmã Mary Grace e ao padre Elisio (da Ordem do Hospital de São João de Deus), da casa de repouso Ospedale Fatebenefratelli.

Em Copenhague: por conversas e *e-mails* sobre o Talmude, a Torá e os trinta e seis: ao rabino principal Bent Lexner.

Por um vislumbre da eternidade: a Anja Lysholm.

Por nos mostrar o mundo do subsolo: a Bjarne Rødtjer, Bent Jensen e Susanne Hansen, do Arquivo Central do Hospital Nacional.

Por um passeio pela vila mais linda de Copenhague e por nos ajudar a darmos o primeiro passo no Caminho do Diamante: a Jørn Jensen e Mikkel Uth, do Centro Budista.

Por compartilhar de bom grado suas experiências no trabalho com a polícia: a Jørn Moos.

Por no mínimo um punhado de lendas religiosas: a Sara Møldrup Thejls, professora de história da religião da Universidade de Copenhague.

Por um passeio estonteante pelo mundo misterioso da matemática: ao professor Christian Berg, do Instituto de Estudos Matemáticos da Universidade de Copenhague.

Pela infatigável leitura do manuscrito e pelas anotações impecáveis: a David Drachman.

Por uma conversa sobre pele: ao professor Jørgen Serup, do Departamento de Dermatologia do Hospital Bispebjerg.

Agradecimentos especiais aos nossos patrocinadores: Lars Ringhof, Lene Juul, Charlotte Weiss, Anne-Marie Christensen e Peter Aalbæk Jensen.

Este livro, composto com tipografia Garamond
e diagramado pela Alaúde Editorial Limitada,
foi impresso em papel Norbrite 66g/m² pela
Bartira Gráfica no trigésimo quinto ano da
publicação de *O nome da rosa*, de Umberto Eco.
São Paulo, março de 2015.